T3-BEE-379

NICOLAI DE CUSA OPERA OMNIA

NICOLAI DE CUSA

OPERA OMNIA

IUSSU ET AUCTORITATE
ACADEMIAE LITTERARUM
HEIDELBERGENSIS

AD CODICUM FIDEM EDITA

VOLUMEN XI 1

HAMBURGI
IN AEDIBUS FELICIS MEINER

MCMLXXXVIII

NICOLAI DE CUSA

DE BERYLLO

EDITIONEM FUNDITUS RENOVATAM ATQUE INSTAURATAM
CURAVERUNT

IOHANNES GERHARDUS SENGER
ET
CAROLUS BORMANN

HAMBURGI
IN AEDIBUS FELICIS MEINER

MCMLXXXVIII

CIP-Titelaufnahme der Deutschen Bibliothek

Nicolaus <de Cusa>:
[Opera omnia]
Nicolai de Cusa opera omnia / iussu et auctoritate
Acad. Litterarum Heidelbergensis ad codicum
fidem ed. – Hamburgi: Meiner
NE: Nicolaus <de Cusa>: [Sammlung]

Vol. 11.
1. Nicolai de Cusa de beryllo / ed. funditus renovatam
atque instauratam cur. Iohannes Gerhardus Senger et
Carolus Bormann. – 1988
ISBN 3-7873-0749-4
NE: Senger, Hans Gerhard [Hrsg.]

TYPIS EXPRESSUM TYCHOPOLI: J. J. AUGUSTIN
Printed in Germany

TABULA

PRAEFATIO EDITORUM

PRAEFATIO EDITORUM

e beryllo* libellum quamquam otio quasi coactus condidit, tamen Nicolaus quin eum conficeret sibi temperare non potuit, cum doctae ignorantiae et coincidentiae contradictoriorum doctrinam, qui mente animoque eam neque caperent neque intellegerent[1], iis explanare vellet; quod ne faceret placitaque sua illustraret, negotiis publicis ecclesiasticisque et cura quam dicunt pastoralem et morbo per aliquot annos impeditus erat.

Postquam in arcem remotam, monti regionis Tirolis impositam, qua se tutaretur a Sigismundo, comite Tirolis et duce Austriae, quocum in simultate erat, se contulit, invitus et otium et occasionem indulgendi fratribus Tegernseensibus nanctus est, qui orabant atque obsecrabant eum, ut eis, id quod promiserat, beryllum adaptaret, qui «errorem rationis discursivae corrigit»[2], ut viginti diebus post quam libellus absolutus est scripsit. Namque illo videndi adiumento opus est rationi, quae saepe errat, cum de primo principio agitur et quaeritur, quo modo in eo «omnia principiabilia» sint. Quae ut videantur opus est visione intellectuali, quae efficitur beryllo, «per» cuius «medium attingitur indivisibile omnium principium» (n. 3,5). «Si visum mentis recte in rerum principium»[3], «quod omnem contrarietatem antecedit»[4], dirigere volumus, egemus via et ratione coincidentiae, quam ut explicaret denuo Nicolaus sibi proposuit, cum

---

* Littera initialis bibliorum sacrorum, circa annum 1380, Parisiis, Bibl. Nat.

1) Epistula Caspari Aindorffer ad Nicolaum data 12. Febr. 1454 (ed. E. VANSTEENBERGHE, *Autour de la docte ignorance*, p. 120).

2) Sermo 'Qui me inveniet', 8. Sept. 1458 Brunopoli (CCLXXXVIII; *p* II, 1, fol. 187r); cf. etiam sermonem 'Promisi hodie', 7. Apr. 1454 Brixiae (CLI; *p* II, 1, fol. 83v), ubi Nicolaus laudat librum *De beryllo*.

3) *De mathematica perfectione* n. 1 (*p* II, 2, fol. 101r); libellus paulo post librum *De beryllo*, quocum arte cohaeret, Romae mutatus atque rescriptus est; de libello Romano v. infra, p. 114 sqq., adnotat. 22.

4) Sermo 'Qui me inveniet' (fol. 187r,31–32).

ei plus temporis, minus otii esset «recollecte proficere»[5]. Nicolaus etsi temporibus iis a rebus publicis remotus vixit, tamen sollicitus erat cura dioeceseos retinendae conservandaeque vitae, quam neque in obscuro neque in otio et pace egit. Inde efficitur ut «iste minus bene digestus libellus» (n. 72,10) recte ac merito dicatur; haec verba plus quam lumina quaedam orationis sunt.

I

DE FINE ORDINEQUE LIBRI

Ut proposita perageret et viam atque rationem coincidentiae illustraret inquireretque, quid coincidentiae ratio, si cum veterum doctrinis conferretur, valeret, Nicolaus usus est «consideratione circa speculum et aenigma»[6], qui est beryllus, quo contradictoriorum coincidentia, «in variis libellis» (n. 1,1–2) exposita, denuo pluribus aenigmatibus mathematicis illustrata, sicut antea et libro *Doctae ignorantiae* primo et libello *De mathematica perfectione*, ad visum intellectualem perduceretur. Praeterea «graviores doctissimorum in difficilibus sententias et opiniones» (n. 1,7–8) perscrutatus examinavit, ut videret, quanto opere praeceptis philosophiae theologiaeque illorum perficeretur, ut cogitationes notionesque cum regula coincidentiae congruerent; ad haec assequenda «longa explicatione» opus est, «ut videatur praxis (v. adnotat. 6) in aliorum dictis».[7] De philosophis atque theologis, qui beryllo applicato (v. adnotat. 5) visione intellectuali iudicantur, «quantum quisque proprinquius ad veritatem accedat» (n. 1,8–10), quoque modo aestimentur, infra (V) dicetur.

Dispositio et ordo scripti est hic: Post prooemium quoddam (n. 1–2)[8] et nomen et inscriptio libri declarata est (n. 3; de beryllo v. adnot. 1, infra, p. 89–93); ut id quod est propositum, attingere in-

---

5) Epistula Nicolai de Cusa ad Bernardum de Waging data 28. Iul. 1455 (VANSTEENBERGHE, *Autour*, p. 160).

6) *De math. perfectione*, loc. cit.

7) Epistula Nicolai de Cusa ad Bernardum de Waging data 16. Aug. 1454 (VANSTEENBERGHE, *Autour*, p. 140).

8) Hoc elucet in codice *Ya*, ubi praefatio «Reverendissimi ... incipit» ante n. 3 scripta est.

divisibile omnium principium (n. 3,5), efficeretur, sumpta sunt haec «praemissa»: 1. unum esse primum principium (n. 4), 2. tres esse modos cognoscitivos (n. 5), 3. hominem esse rerum mensuram (n. 6), 4. hominem esse secundum deum (n. 7); deinde auctor «ad rem» descendens (n. 8) comparationibus et imaginibus mathematicis usus de primo principio ambagibus aenigmatibusque egit (n. 9sqq.); in veterum opiniones et sententias iam inde a n. 11 inquisivit.

Nicolaus rem non magnam non novam tractavit libello qui *De beryllo* inscribitur, neque conatus est ex novo quodam dei nomine notionem novam elicere; suam doctrinam explanare, veterum placita examinare nisus «materiam cogitandi secretioraque inveniendi et altiora attingendi» (n. 72,10–11) dare voluit; quod fieri non posse nisi visione intellectuali, coincidentiae visu mentis, hoc est unum, quod libello *De beryllo* pronuntiavit secutus Platonis praecepta et Dionysii[9] mysticam theologiam suamque, quam quinque annis ante libro *De visione dei* composuerat.[10]

II

DE AETATE LOCOQUE QUO LIBER *De beryllo* LITTERIS MANDATUS EST

In duobus ex quattuor quos novimus codicibus, quibus liber *De beryllo* memoriae traditus est, dies quo liber perfectus est nominatur: «1458, 18ª augusti» (cod. Cus. 219, fol. 211ᵛ; cod. Monacens. Lat. 18 621, fol. 298ᵛ); qua de causa dubium non est quin *De beryllo* pridie quam Aeneas Silvius Piccolomineus, Nicolai amicus, pontifex maximus, cui nomen erat Pio II, creatus est, absolutus sit. Quodsi qui codicem signo *Ya* denotatum confecit, is fol. 22ʳ scripsit: «Finis 1459, 8ᵘᵃ Januarii», dubium non est quin diem, quo exemplar illud finierat, signaverit. Locum, quo liber *De beryllo* a Nicolao verbis conceptus est, non nominavit; at in codicibus Cus. 219 et Monacensi

---

9) *De beryllo* n. 2, n. 72.
10) Epistula Nicolai de Cusa ad abbatem fratresque Tegernseenses data 14. Sept. 1453 (VANSTEENBERGHE, *Autour*, p. 116).

Lat. 18 621 additum est: «in castro sancti Raphaelis»; Petrus de Erkelenz, Nicolai scriba, qui tum apud cardinalem deversatus est (v. F. A. Scharpff[11]), in codice Cus. 219 adiecit: «alio vocabulo dicto boechensteyn».

De loco isto pauca addamus: Buchenstein sunt loca vallium Cordovole quam nominant et Andracci in provincia Belluno regionis Venetiae Enganeae sita, hac aetate Italorum lingua Livinallongo, Ladinorum quos dicunt Fodóm appellata, cuius pagi sedecim partes sunt, inter quas est vicus Buchenstein (his temporibus Pieve di Livinallongo nuncupatus) in valle Cordevole et Andraccum in valle eiusdem nominis; a Pieve di Livinallongo ad septentriones et orientem solem arx Andraz sive Buchenstein est, tunc castellum sancti Raphaelis nominatum, cuius parietinae his temporibus Castello d'Andraz vocantur.[12]

In hanc arcem monti Ladinarum alpium Dolomianarum impositam, in extremam dioeceseos Brixinensis partem, quae faciles aditus ad Venetorum fines praebet, Nicolaus anno 1457 fugerat; ibi amplius annum (ab ante diem VI Idus Julias (10. 7.) anni 1457 usque ad ante diem XVIII Kalendas Octobres (14. 9.) anni 1458) mansit[13], postea libellum *De possest* scripsit. A. Jäger et J. Koch Nicolaum arcem istam Castrum sancti Raphaelis appellasse putaverunt, quod sanctus Raphael, patronus viatorum, eum, cum illuc fugeret, ab insidiis Sigismundi ducis tutatus esset.[14]

---

11) F. A. Scharpff, *Der Cardinal und Bischof Nicolaus von Cusa*, I. Theil. *Das kirchliche Wirken*, Mainz 1843, liber denuo expressus Frankfurt/M. 1966, p. 260; F. A. Sinnacher, *Beyträge zur Geschichte der bischöflichen Kirche Säben und Brixen in Tirol*, vol. VI: *Die Kirche in Brixen im Laufe des 15ten Jahrhunderts*, 3. Häft, Brixen 1829, p. 473.

12) Sinnacher, op. cit., p. 481; J. Alton, *Beiträge zur Ortskunde und Geschichte von Enneberg und Buchenstein*, Zeitschr. d. deutschen u. österr. Alpenvereins 21 (1890) pp. 96, 99, 111; B. Richter-Santifaller, *Die Ortsnamen von Ladinien* (= Schlern-Schriften 36), Innsbruck 1937, p. 159–213. Duae lineares arcis Andraz picturae sunt in *Cusanus- Gedächtnisschrift*, Hrsg. v. N. Grass, Innsbruck – München 1970, p. 195sq.

13) Cf. epistulam Nicolai de Cusa anno 1462 ad Paulum Morizano, legatum Venetum, datam apud Scharpff, op. cit., p. 260, laudatam. De publicis rebus causisque, quae Nicolaum moverunt, vide E. Meuthen, *Die letzten Jahre des Nikolaus von Kues. Biographische Untersuchungen nach neuen Quellen*, Köln – Opladen 1958, p. 15sqq.; *Nikolaus von Kues 1401–1464. Skizze einer Biographie*, Münster [5]1982, p. 98sqq.

14) A. Jäger, *Regesten und urkundliche Daten über das Verhältnis des Cardinals Nicolaus von Cusa, als Bischofs von Brixen, zum Herzoge Sigmund von Oesterreich und zu dem Lande Tirol von 1450–1464*, Archiv f. Kunde österr. Gechichts-Quellen 4 (1850) 1. Bd., 2. H., p. 312, adnot. 2; J. Koch, *Nikolaus von Cues als Mensch nach dem Briefwechsel und persönlichen Aufzeichnungen*, in: Humanismus, Mystik und Kunst in der Welt des Mittelalters, Hg. von J. Koch, Leiden – Köln 1953, p. 75, adnot. 27.

Nicolaus operi ante diem XV Kalendas Septembres (18. 8.) anni 1458 in arce quam diximus finito iam diu intentus fuerat: prima mentio eius facta est in litteris Caspari Aindorffer, abbatis sancti Quirini Tegernseensis, et Bernardi de Waging, qui magister sive prior eius coenobii erat, anno 1454 ineunte ad Nicolaum datis; uterque a Nicolao expetivit et alia scripta et «specialiter mustum berillum, ut videamus in docta ignorantia et alibi que multis obscura videntur, precipue de coincidentia contradictoriarum (sic!), de spera infinita, etc.»[15] et «Beryllum pre omnibus habere desideramus»[16]. C. Fleischmann[17] fortasse recte suspicatus est Nicolaum etiam prius dare voluisse fratribus Tegernseensibus tale videndi adiumentum, quod ab auctore doctae ignorantiae, postquam apud eos anno 1452[18] versatus est, petiverunt, «quoniam visus eorundem obtusus est, lippus et obscurus», qua de causa «necesse haberent uti beryllo, non tamen qualicumque, sed singulariter uno».[19]

Non est cur quaeramus, quibus rebus commotus Nicolaus sive «distractus» et «setractus per pontificiales curas»[20] sive «propter oculorum dolorem»[21] aliquot annos moratus sit librum *De beryllo* ad finem adducere; nam haec ex epistulis inter Nicolaum abbatemque et magistrum vel priorem Sancti Quirini ab anno 1454 usque ad annum 1456 datis[22] atque ex iis, quae F. A. Scharpff[23], C. Fleischmann[24], L. Baur[25] de origine libri *De beryllo* protulerunt, patescunt.

---

15) Caspar Aindorffer scripsit Nicolao ante diem 12. Febr. 1454; v. VANSTEENBERGHE *Autour*, p. 120.

16) Bernardus de Waging ad Nicolaum ante diem 12. Febr. 1454; v. ibid., p. 123.

17) *Schriften des Nikolaus von Cues in deutscher Übersetzung*, Heft 2, *Über den Beryll*, Leipzig 1938, p. 46–47.

18) Ineunte mense Iunio anni 1452; v. VANSTEENBERGHE, op. cit., p. 108, adnot. 1.

19) Bernardus de Waging ad Nicolaum ante diem 18. Mart. 1454; v. VANSTEENBERGHE, op. cit., p. 133.

20) Nicolaus Casparo Aindorffer 16. Aug. 1454, ibid., p. 139.

21) Nicolaus Casparo Aindorffer 12. Febr. 1454, ibid., p. 122.

22) VANSTEENBERGHE, op. cit., p. 119–162. Ad haec vide J. KOCH, *Kritische Beiträge zu dem Briefwechsel des Nikolaus von Cues mit dem Kloster Tegernsee* (CT IV. 1., Heidelberg 1944, p. 107–110) n. 36.

23) F. A. SCHARPFF, *Der Cardinal Nicolaus von Cusa als Reformator in Kirche, Reich und Philosophie des fünfzehnten Jahrhunderts*, Tübingen 1871, liber denuo expressus Frankfurt/M. 1966, p. 194sqq.

24) K. FLEISCHMANN, *H* 2 (vide supra, adnot. 17), p. 46sqq.

25) L. BAUR in praefatione editoris, *h* XI, Lipsiae ¹1940, p. V sqq.

III

DE MEMORIA OPERIS

1. De codicibus manu scriptis

Liber *De beryllo* quattuor quod sciamus codicibus manu scriptis, qui e societate et comitatu Nicolai in lucem prodierunt, ad hanc pervenit aetatem; textus, quem Nicolaus ipse litteris mandavit, neque notus est neque videtur exstare.

Ya = codex bibliothecae universitatis, quae vocatur Yale University: The Beinecke Rare Book and Manuscript Library, New Haven, Connecticut, MS 334, vetustissimus ex quattuor codicibus, a C. Bormann[26] et C. E. Lutz[27] descriptus, continet librum *De beryllo* solum; quod ante diem VI Idus Januarias (8. 1.) anni 1459 confectus est, eo tempore cum Nicolaus Romae fuit[28], neque exemplar ante eam diem scriptum novimus, prope Nicolaum Romae in urbe perfectus videtur esse.

Certum est codicem litteris parvis, quas litterarum elegantiorum studiosi adhibebant, a viro qui librarii munere fungebatur nitide scriptum litterisque grandibus et expictis ornatum non, quo Nicolaus ipse uteretur, confectum esse, id quod C. E. Lutz opinatus est — quo exemplari auctor utebatur, id codice Cusano (*C*) traditum est —, sed qui mitteretur alicui, quod ex ornatu codicis apparet. Librarius, quem non intellexisse quae describeret manifestum est, multa peccavit; itaque codex *Ya* ad textum constituendum non multum valet, etsi librarius nonnulla correxit; nec emendationes neque signa a Nicolao facta codici insunt.

Recte quidem C. E. Lutz codicem Romae confectum esse autumavit; causae quibus commotus id opinatus sit, perspicuae non sunt: Ex eo quod in hoc uno codice «... tituli sancti Petri ad vincula ...»

---

26) K. Bormann, *Eine bisher verschollene Handschrift von De beryllo*, in: MFCG 10 (1973) 104–105.

27) C. E. Lutz, *The Mystical Symbol of the Beryl*, in: The Oldest Library Motto and Other Library Essays, Hamden/Conn. 1979, p. 33–37, p. 159; vide etiam descriptionem sine nomine et anno editam in antiquorum librorum indice n. 111 bibliopolae H. P. Kraus, New York (1966?), p. 4–5.

28) Vide E. Meuthen, *Die letzten Jahre*, p. 315.

legimus, non apparet codicem in urbe Roma conscriptum esse, nam et ipse Nicolaus et librarii in codicibus mentionem illius ecclesiae fecerunt, etiamsi inter codicem et urbem nulla ratio intercessit. In codice *Ya* nomen ecclesiae est, quod iste liber propinquo vel familiari cuidam dicatus est. Ex hoc et ex eo, quod Nicolaus tunc Romae erat, codicem in urbe factum esse apparet. — Neque ex modo scribendi neque e signo aquatili codicem ex Italia prodisse concludere possumus, nam extra Italiam quoque illis litteris utebantur, et signum aquatile, flos formae tulipae[29], non solum in Italia, quod C. M. Briquet putavit, sed etiam in Flandria repertum est.[30]

Codicem ante diem VIII Kalendas Octobres (24. 9.) anni 1528 in Italia fuisse certum est; sequitur ut Nicolaus, cum mortem occumberet, eum non possederit, quia codex cardinali mortuo Cusam portatus esset. Mense Maio anni 1870 in «Biblioteca del Duque de Sessa» erat; postea Ricardus Heredia, librorum amator, cuius insigne generis est in codice, eum possedit; anno 1965 H. P. Kraus bibliopola codicem acquisivit, a quo doctor Edwin J. Beinecke maior (1886–1970), negotiator et librorum amator in urbe Novo Eboraco, eum emit et bibliothecae universitatis cui nomen est Yale dono dedit.

C = codex Cusanus Hospitalis sancti Nicolai 219, membranaceus, olim Nicolai de Cusa, anno fere 1460 et postea Romae scriptus, plurima Nicolai opera annis 1453–1464 absoluta, librum *De beryllo* ultimo loco, fol. 199^v–211^v, continet; breviter expositus est a F. X. Kraus (*Serapeum* 1865, nr. 3, p. 40 nr. E 3) et a J. Marx (*Verzeichnis der Handschriften-Sammlung des Hospitals zu Cues bei Bernkastel a./Mosel*, Trier 1905, p. 214–217); vide etiam L. Baur (h XI, ^{1}1940, p. X, ibi signo *Cu* notatus) et R. Klibansky (*Schriften, H* 15c, p. 122–124).

Textus codicis *C* sicut in codice *Ya* clare scriptus et a librario et ab auctore correctus est. Codex diligenter instructus et exornatus, ex iis qui circa Nicolaum erant oriundus, quamquam aliis mendis alioque vitiorum numero atque *Ya* codex affectus est, ex eodem atque *Ya* exemplari exscriptus videtur esse. Anno fere 1460 vel paulo post

---

29) C. M. Briquet, *Les filigrans*, tom. II, Leipzig 1923, nr. 6651.

30) G. Piccard, *Findbuch XII*, nr. 1506, nr. 2060, nr. 2061 similia de urbibus Brugis (1445) et Ganto (1459) testatus est.

scribi coeptus — etiam liber *De beryllo*, etsi ultimum codicis locum obtinet — ante annum 1464 perfectus non est.

Librarius is, qui post annum 1454 in codicem Vat. lat. 1244 *Sermones* et 1455 (v. fol. 196^{r}) in codicem Cus. 38 Ambrosii opera transcripsit, videtur fuisse (vide ad haec tabulas luce depictas in G. Heinz-Mohr — W. P. Eckert, *Das Werk des Nicolaus Cusanus*, Köln 1963, p. 101 et 136).

Mn = codex Monacensis Bibliothecae Nationis Bavaricae Latinus 18 621, olim monasterii sancti Quirini Tegernseensis, chartaceus, breviter descriptus in *Catalogo codicum manu scriptorum Bibliothecae Regiae Monacensis* (tom. IV, parte III, Monachii 1878, iterum typis expresso Wiesbaden 1969, p. 190; vide etiam L. Baur in *h* XI, ^{1}1940, p. X–XI), opera plurium auctorum continet. Cognovimus ex fine nonnullorum operum maiorem codicis partem inter annos 1469 et 1476 compluribus manibus scriptam esse: anno 1469 fol. 3^{r}–84^{v} manu I (nescimus an fol. 51^{v} manu IV scriptum sit) et fol. 88^{r}–140^{r} manu II; anno 1470 fol. 140^{v}–260^{r} manu II (est manus notissima «fratris Sigismundi» Schröt(t)inger, cf. fol. 220^{v}, 242^{v}, 243^{v}); anno 1476 fol. 260^{r} (a parte media) — 265^{r} manu III; fol. 266^{r}–298^{v} anno non notato manu I. Insunt in codice haec:

fol. 1^{r}– 1^{v} *vacat*

2^{r} *summarium et nomen possessoris:* Iste liber attinet venerabili monasterio Tegernsee. In quo infra signata continentur:

2^{v} *vacat*

3^{r}– 48^{r} Sanctus Bernhardus abbas clarevallensis: Vita sancti malachie episcopi et confessoris *(i. e. Malachias de Armagh)* 1469

48^{v}– 51^{r} *vacant*

51^{v}– 84^{v} ⟨*Ioannes Monachus, i. e. Ioannes de Amalphia, saec. 11.*⟩ Miracula que Johannes monachus transtulit de greco in latinum *(Liber de miraculis, ed. M. Huber, Heidelberg 1913)*

85^{r}– 87^{v} *vacant*

88^{r}–127^{r} Gwilhelmus de baldensol miles *(i. e. Otto de Nienhusen O.P., postea* ex parte matris *Guilelmus de Boldensele*

(-sleve) appellatus): De quibusdam partibus ultra marinis et praecipue de terra Sancta, 1469. *(fol. 127^{r}: ...* compilatus per nobilem virum dominum Gwilhelmum de Waldesol ad instanciam reuerendi patris et domini, domini Thalayrandi petragoricum tituli sancti petri ad vincula presbiteri cardinalis *(i. e. Elias Talleyrand de Périgord, 1301–1364, cardinalis sancti Petri ad vincula 1331)* anno domini M⁰CCCXXXVI. *(fol. 88^{r}:* Preamantissimo patri ac domino suo petro abbati aule regie *(i. e. Königssaal/Zbraslav in Bohemia)* cisterciensis ordinis pragensis diocesis ...; *fol. 88^{v}:* datum auinione Anno domini MCCC37 in die sancti Michaelis archangeli *(29. 9. 1337); fol. 88^{v}:* apud dominum meum, dominum Thalayrandum petrogoricum tituli ... cardinalem in curia Auinionis.

127^{v}–132^{r} Quedam locucio cuiusdam magistri nomine policarpus cum morte. acta sunt hec anno ⟨1301⟩. 1469

132^{v}–140^{r} Epistola Mauri ad imperatorem lotharium *(fol. 140^{r}:* 1469*) una cum* cena Cipriani *(fol. 133^{r}–140^{r}:* 1469*).*

140^{v}–220^{v} Liber trium regum *(fol. 220^{v}:* Explicit liber uel tractatus de tribus regibus. 1470 Scriptum per fratrem Sigismundum *(i. e. Sig. Schröt(t)inger).)*

220^{v}–224^{r} Legenda trium Regum breuissime excerpta de libro qui intitulatur liber de tribus Regibus et est liber praescriptus. 1470

224^{r}–241^{v} Disputacio inter spiritum cuiusdam defuncti et quendam priorem ordinis predicatorum. 1470

242^{r}–242^{v} De sancto thoma apostolo miracula. *(fol. 242^{v}:* 1470 per fratrem Sigismundum.*)*

242^{v}–243^{v} Ortus sancti Benedicti abbatis *(fol. 243^{v}:* Explicit per fratrem Sigismundum 1470*)*

244^{v}–258^{v} De inicio et priuilegiis ordinis Cartusiensium

259^{r}–260^{r} Extrauagantes domini vrbani pape quinti. 1470

260^{r}–265^{r} Passio et translacio sancte Anastasie virginis et martiris. 1476

265^{v} *vacat*

266r–275r Tractatus domini Nycolai de Cusa de Mathematica perfectione.

275v–298v Tractatus Domini nycolaj cardinalis de Cusa. qui ab eo intitulatur Berillus.

299r–301v *vacant.*

De libris *De beryllo* et *De mathematica perfectione* (cf. *De beryllo* n. 41) L. Baur dixit: «ab anno 1460 usque ad 1462 rescripti videntur» (*h* XI, [1]1940, p. XIII). At fieri potuisse ut isti libri post id tempus in codicem *Mn* transcriberentur, putamus moti causis his: 1. Affirmare vix possumus Nicolaum, qui libro *De beryllo* ante diem XV Kalendas Septembres (18. 8) perfecto Romam postridie Idus Septembres (14. 9.) anni 1458 profectus est, occasionem nanctum esse, ut fratribus Tegernseensibus exemplar mitteret; quod si facere non potuit, cum anno 1460 ineunte iterum in dioecesi Brixinensi versatus est, fratres Tegernseenses librum, quem ab auctore diu petiverant, post mortem Nicolai accepisse consentaneum est, quod Nicolaus post id tempus in Germaniam non revertit; nam codices *C* et *Ya* in Italia erant, inter codicem *Mn* et codicem *Ma* similitudo talis non intercedit, ut alter ex altero exscriptus esse possit. Librum *De beryllo* in monasterio Tegernseensi exscriptum esse certum est, quod Sigismundus Schröttinger librarius nominatus est, quamquam manus, qua Cusani opuscula Goticis litteris parvis scripta sunt, diversa est ab his, quibus reliqua Nicolai opera, quae in monasterio Tegernseensi memoriae tradita sunt, litteris mandata sunt (vide codices Monacenses Lat. 18 711 et 18 570, qui continent Nicolai opera annorum 1440–1452 et ea, quae ab anno 1453 elaborata sunt).

2. Quod maior codicis pars, fol. 1r–265v dicimus, inter annos 1469 et 1476 scripta est, verisimile est partem reliquam, quae foliis 266r–298v duo Nicolai opuscula continet, iisdem temporibus esse confectam. Quia verba Nicolai eadem manu atque folia 3r–84v, quae scripta sunt anno 1469, exscripta sunt, adducimur et ea litteris mandata esse anno 1469 vel 1470. Opinioni nostrae consentit, quod initium librorum Nicolai alius fasciculus est (fol. 266–277), cuius primum folium (fol. 266r, sicut nunc numeratum est) veterem sive foliorum sive fasciculi numerationem a librario factam prae se fert: «4.»

Signo aquatili foliorum 266sqq., bovis capite una cum pertica bifurca et flore quattuor foliorum, annis 1467–1471 utebantur et in aliis urbibus et Landshuti, Monachii, Oeniponti.[31] Cum id signum aquatile etiam in folio 265, anno 1476 scripto, sit, haec quoque dies, annum 1476 dicimus, consideranda est; non est cur putemus cum L. Baur (p. XI) hanc Nicolai operum partem post annum 1476 cum ceteris, quae in codice sunt, coniunctam esse. Eo factum est ut nobis persuaderetur Nicolai libros, de quibus agitur, inter annos 1469 et 1476 in codicem *Mn* transcriptos esse.

3. Dignum est quod memoretur librarium, qui duo Nicolai opera exscripsit, in folio 2^r summarium codicis litteris mandasse, quod paucis annis post altera manu expletum est. Manu prima «Tractatus ... de matematica perfectione» ultimo loco nominatus est, abest a summario manu prima scripto et quae ante Tractatum collocata est (fol. 260^r–265^r) *Passio Anastasiae* et liber *De beryllo*. Inscriptiones hae additae sunt alia manu (codicis manu V) post librum *De mathematica perfectione*, primum «Passio + translacio ste. Anastasye virginis», signo notatum est hanc partem esse ante Nicolai Tractatum; tum eadem manu: «Tractatus alius domini Nycolai ... cardinalis ...»; hac quoque manu in folio 266^r inscriptio adiecta et iterata, in folio 275^v inscriptio quam librarius omiserat suppleta est: «Tractatus domini nycolaj cardinalis de Cusa. *(*cuius liber *scripsit et delevit Mn*^{2}*)* qui ab eo intitulatur *(cf. n. 2,12)* Berillus»; in posteriore tegumento interiore nota possessoris (Tegernsee) scripta, Nicolai libri adnotationibus nonnullis eadem manu in margine illustrati sunt.

Ex quibus colliguntur haec: *Passio Anastasiae*, quae manu III anno 1476 (vide supra) exscripta est — manus III nisi in *Passione Anastasiae* in codice non invenitur —, in codice non erat, cum summarium manu I litteris mandatum est. At *De mathematica perfectione* inerat codici eo loco quo est his temporibus. Sequitur ut hic tractatus et summarium in codicem transcriptum sit, priusquam *Passio Anastasiae* anno 1476 in foliis vacuis 260^r–265^r quinternionis 256–265 addita est; folium 265^v vacuum est.

[31]) G. Piccard, *Die Ochsenkopf-Wasserzeichen*, 3. Teil. Stuttgart 1966, nr. 517 partis XIII.

Duo Nicolai opera non solum una manu deinceps — libri *De beryllo* initium est in folio averso — verum etiam uno tenore et eodem tempore ante annum 1476 exscripta sunt. Quod librarius, qui *De beryllo* descripsit, neque nomen auctoris neque inscriptionem novit, tractatum in summario non nominavit. Sed librarius manus alterius (V), quae eadem est atque Mn^2, et inscriptionem et nomen cognitum habuit; cui codices Tegernseenses et Nicolai opera curae erant, id quod ex notis in marginibus codicis Mn^2 scriptis apparet.

Hinc efficitur librum *De beryllo* ante annum 1476 et, id quod simillimum est veri, anno fere 1469 exscriptum esse; quo fit, ut codex *Mn* recentissimus ex quattuor codicibus sit.

Si consideraveris societatem coniunctionemque, quae Nicolao intercedebat cum fratribus Tegernseensibus, paulatim evanuisse, haud est mirum nulla Cusani opera, libros *De beryllo* et *De mathematica perfectione* si excipias, post annum 1453 confecta memoriae tradita esse in monasterio Tegernseensi.

In codice *Mn* plura correcta plerumque manu librarii sunt; formae mathematicae manu librarii delineatae et depictae, alia manu notae marginibus adscriptae sunt.

Ma = codex Berolinensis Bibliothecae Rei publicae Germaniae, Deutsche Staatsbibliothek quae vocatur, codex Magdeburgensis 166, chartaceus 534 foliorum, ex quibus folia 1 et 534, quae tegunt cetera, membranacea. Unum signum aquatile est in codice: bovis caput una cum pertica bifurca et cruce et flore septem foliorum, simile eius quod est apud G. PICCARD[32] nr. 349. Olim fuit codex doctoris Thomae Cornucervini (Hirschhorn), postea gymnasii cathedralis Magdeburgensis; cuius bibliothecae principia provenerunt ex bibliotheca pristini capituli cathedralis, cuius pars quaedam reliqua gymnasio cathedrali anno 1824 data est.[33] Codex bibliothecae Magdeburgensis per complures annos in Russia servabatur, anno 1957 Bibliothecae Rei publicae Germaniae in urbe Berolino (ad orientem

---

[32]) G. PICCARD, op. cit. adnot. 31; quod nr. 349 signatum est, id annis 1477–1480 Magdeburgi usitatum erat, huic simile (nr. 365) annis 1457–1461 in Arce solis Carantaniae.

[33]) H. G. SENGER, *Thomas Hirschhorn, ein Magdeburger Gelehrter des 15. Jahrhunderts*, in: Histor. Jahrbuch 100 (1980) 217–239, imprimis p. 218 et p. 230sq.; *Thomas Hirschhorn. Ein Nachtrag*, ibid., 101 (1981) 474–476.

spectante) traditus, anno 1961 «acc. ms. 1961.77» signatus est; anno 1966 novo involucro tectus est, folia, quorum pars paene corrupta erat, optime restaurata atque conservata sunt.

Descriptus est codex ab H. Dittmar[34], L. Baur (*h* XI, ^{1}1940, p. XI–XIII), P. Wilpert (*h* IV, p. XXIsq.), B. Decker — C. Bormann (*h* XI, 3, p. Xsq.), copiosius ab H. G. Senger[35].

Primum folia completa numerata sunt, tum veteribus numeris erasis — at ex parte his temporibus videri possunt — omnia folia, etiam tredecim prima vacua, numeris signata sunt; hunc numerandi modum secuti sumus.

Insunt in codice nonnulla opera Nicolai annis 1445–1464 confecta et aliorum scripta auctorum:

fol. 1^r– 13^v *vacant*
14^r– 71^v Nicolaus de Cusa, Cribracio Alkoran
72^r– 73^v *vacant*
74^r–184^r ⟨Raymundus Lullus⟩, Liber de gentili et de tribus sapiencibus *(fol. 184^r:* Finitus est tractatulus iste anno domini 1473 In die agnetis virginis post prandium*; v. Opera Mogunt. 1722, tom. II, p. 1sqq.)*
184^v–185^v *vacant*
186^r–209^v Hieronymus, Exposicio Symboli gloriosi Jeronimi contra Jouinianum hereticum
210^r–349^v Meditaciones circa passionem domini nostri ihesu christi
350^r–351^v *vacant*
352^r–387^r Wilhelmus cancellarius Parisiensis *(i. e.* Guilielmus Alvernus*)*, Cur deus homo *(fol. 387^r:* Scriptus est tractatulus ille de necessitate incarnacionis filii dei In Magdeburch 1479; *v. Opera omnia, ed. Paris. 1674, tom. I, p. 555sqq.)*
387^r–407^r Wilhelmus Parisiensis, Tractatu(lu)s de sacramento eukaristie et modo sumptionis eiusdem Magistri Guil-

---

[34]) H. Dittmar, *Verzeichnis der dem Dom-Gymnasium zu Magdeburg gehörenden Handschriften*, Fortsetzung des Programms 1878 (Magdeburg 1880), Programm-Nr. 199, p. 34–36.
[35]) H. G. Senger (v. supra, adnot. 33), HJ 100 (1980) 230sq.

helmi Cancellarii parisiensis. *(fol. 407ʳ:* Finitus tractatus de sacramento eukaristie in Magdeborck 1479*)*

407ᵛ–412ᵛ De causis incarnacionis, passionis et mortis Christi

413ʳ–428ʳ Ars fidei christiane *(fol. 428ʳ:* Finis artis fidei christiane scripte in Magdeborch anno domini Millesimoquadringentesimo septuagesimonono quinta feria post vitj. Deo gratias*)*

428ᵛ–433ᵛ *vacant*

434ʳ–434ᵛ ⟨Nicolaus de Cusa⟩, Memoriale

435ʳ–450ᵛ ⟨Nicolaus de Cusa⟩, De berillo *(fol. 450ᵛ:* Scientia breuissima Est que sine scriptura melius communicaretur*)*

451ʳ–484ᵛ ⟨Nicolaus de Cusa, De visione dei⟩

485ʳ–497ʳ Nicolaus de Cusa, De Querendo deum

497ᵛ–508ʳ Bonaventura, Libellus de regimine conscientie editus a bonaventura *(i. e. De triplici via; v. Opera omnia, tom. VIII, Ad Claras Aquas 1898, p. 3–18)*

508ᵛ–509ᵛ *vacant*

510ʳ–521ᵛ ⟨Nicolaus de Cusa⟩, Breue compendium *(fol. 516ᵛ vacat; ad fol. 516ʳ v. h XI, 3, p. X)*

522ᵛ–533ʳ Johannes Gerson, Tractatus de perfectione cordis dyallogus *(fol. 533ʳ:* Corrigatur hic tractatus amorose quia scriptus ex incorrectissimo exemplari; v. *Oeuvres complètes, vol. VIII, Paris 1971, p. 116–133)*

533ᵛ–534ᵛ *vacant.*

Thomas Cornucervinus, qui codicem possedit primus, et Nicolai opera et alia quaedam transcripsit (vide H. G. Senger, loc. cit., p. 230). Codex, quem L. Baur «ca. annum 1464» scriptum esse opinatus est, procul dubio post ante diem III Idus Novembres (11. 11.) anni 1464 confectus est, nam fol. 471ᵛ notatum est Nicolaum Cusanum, Pium II pontificem maximum, Fredericum de Beichlinga arce archiepiscopum Magdeburgensem occubuisse. Fieri potuit ut codex post annum 1464 absolveretur, quia Thomas Cornucervinus saeculo XV exeunte mortem obiit (ante diem qui erat ante diem VIII Kalendas Iulias (24. 6.) anni 1493; v. H. G. Senger, p. 225); magis consentaneum est eum circa annum 1464, postquam Nicolaus mortuus est, esse factum.

Alia manus, quam ut distingueremus a manu Thomae Cornucervini ceterorumque, qui textus quosdam descripsere, nominavimus *Ma*², librum *De beryllo*, *Cribrationem Alchoran*, *De visione dei*, *Compendium*, *Artem fidei christianae*, postquam *Ma*¹ ea quae scripserat non semel emendavit, correxit et adnotationibus exornavit, capitum inscriptiones libro *De visione dei* addidit, formas mathematicas in marginibus libelli *De beryllo* depinxit. Quis vir fuerit, quem signo *Ma*² notavimus, nescimus; constat eum Nicolai operibus favisse, cum nulla nisi haec, quae nominavimus, emendaverit, librarium se professum non esse, prudenter excerpsisse atque correxisse usum aut editione Argentoratensi (*a*) aut codice manu scripto, ex quo editio Argentoratensis profluit (= *C*; vide R. Klibansky, *Schriften*, *H* 15c, p. 226); igitur fortasse post annum 1488 Nicolai libros, quae codici *Ma* insunt, emendavit. Exemplar editionis *a* diu Magdeburgi asservatum erat, nonnullis annis ante Hallam Salicam portatum est (sign.: Tf 273); notae ab aliquo qui exemplari usus est adscriptae non sunt.[36]

2. De codicum cognatione

Codex *Ya* vetustissimus testium quos novimus, ex eodem Nicolai exemplari manavit atque codex Cusanus (*C*). Haud certo scimus utrum ex hoc an ex alio fonte prodierit codex *Mn* optimus et gravissimus, qui arte cum codice *C* cohaeret, quia in utroque et aetas et locus, quo liber *De beryllo* litteris mandatus est, memoriae traditus est. At alterum ex altero non pendere L. Baur cognovit, eos ex eodem exemplari exscriptos esse se cognoscere putavit.[37]

Codex *Ya*, qui multis et molestis mendis omissionibusque scateat, alterius fundamentum non est; tamen una cum *C Mn* codicibus ad memoriae genus spectat, quo formae mathematicae in marginibus a librario delineatae sunt, cum codici *Ma* nonnullae formae manu *Ma*² additae sint. *Ma* habet sua menda atque tot lectiones varias, ut

---

[36]) Hoc professor doctor Dietze ex bibliotheca, quae vocatur Universitäts- und Landesbibliothek Sachsen-Anhalt, Hallae Salicae, nobiscum communicavit.

[37]) L. Baur, *h* XI, p. XIII–XIV.

ex alio exemplari atque ceteri exscriptus esse, nullus ex eo dependere videatur.

Cum res ita se habeat, cognationem librorum manu scriptorum hoc stemmate licet exponere:

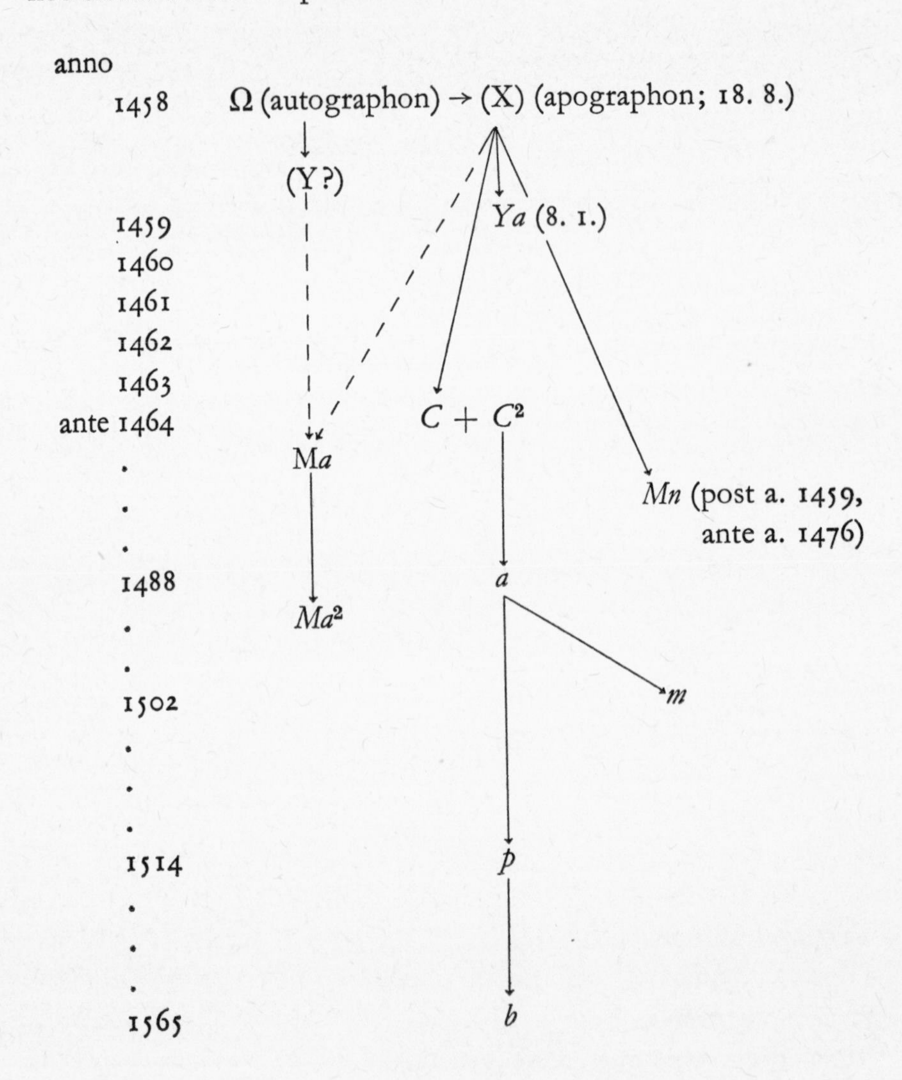

3. De libris qui typis expressi sunt et de libris conversis

Liber *De beryllo* primum typis vulgatus est anno 1488 editione Argentoratensi (*a*, vol. II, fol. A 4ᵛ–C 4ʳ), deinde saeculo XVI ter prelum subiit: anno 1502 Curia Maiore (*m*, vol. II, fol. JJ V^v–LL III^v), 1514 Parisiis (*p*, vol. I, fol. 184^r–192^v), 1565 Basileae (*b*, p. 267–284). Nihil est cur de his fusius agamus, vide *h* XII, p. XVII–XIX et *Schriften, H* 15c, p. 226–235. Primam editionem criticam faciendam curavit Academia Litterarum Heidelbergensis: *De beryllo*, edidit Ludovicus Baur (*h* XI, Lipsiae 1940).

Nominamus et haec:

Nikolaus von Kues, *Werke (Neuausgabe des Strassburger Drucks von 1488)*, Band II, Herausgegeben von Paul Wilpert, Berlin 1967, p. 709–737 (exemplum editionis *a*).

Partes Germanice redditae:

J. M. Düx, *Der deutsche Cardinal Nicolaus von Cusa und die Kirche seiner Zeit*, Regensburg 1847, vol. II, p. 392–395; F. A. Scharpff, *Der Cardinal und Bischof Nicolaus von Cusa als Reformator in Kirche, Reich und Philosophie des fünfzehnten Jahrhunderts*, Tübingen 1871, p. 197–207.

Liber *De beryllo* totus in sermonem Germanicum conversus:

Schriften des Nikolaus von Cues in deutscher Übersetzung, Heft 2: *Über den Beryll*, von K. Fleischmann, Leipzig 1938; excerpta in: *Nikolaus von Cues — Die Kunst der Vermutung. Auswahl aus den Schriften*, Besorgt und eingeleitet von H. Blumenberg, Bremen 1957, p. 322–340. — Nikolaus von Kues, *Philosophisch-theologische Schriften*, Herausgegeben von L. Gabriel, Übersetzt und kommentiert von D. und W. Dupré, Studien- und Jubiläumsausgabe lateinisch-deutsch, vol. III, Wien 1967, p. 1–91. — *Nicolai de Cusa De beryllo* edidit C. Bormann adiuvante N. Kuhnekath — *Nikolaus von Kues über den Beryll*, Neu übersetzt, eingeleitet und mit Anmerkungen herausgegeben von K. Bormann (*Schriften, H* 2, Hamburg 1977, ^{2}1987).

Versiones Italicae:

G. Federici-Vescovini, *Il beryllo*, in: *Opere filosofiche di Nicolò Cusano*, Torino 1972, p. 641–687; G. Santinello, *Il beryllo*, in: *Nicolò Cusano, Scritti filosofici*, vol. II, Bologna 1980, p. 382–459. (Textus Latinus additus est.)

Versio Dacica:

J. Sløk, »Brillerne« Oversaettelse af »De beryllo«, in: J. Sløk, *Nicolaus Cusanus og hans filosofiske system på basis af »De beryllo«*, Platonselskabets skriftserie 1, Skjern 1974, p. 25–61.

Versio Francogallica:
M. de Gandillac, *Le béryl*, in: *Oeuvres choisies de Nicolas de Cues*, Paris 1942, p. 474–490.

Versio Russica:
Berill, in: Nikolay Kuzanskij, *Sočinenija v dvuch tomach*, verterunt: V. Tazurina, V. V. Bibichin, A. F. Losev, vol. II, Moscoviae 1980.

IV

DE RATIONE EDENDI

De ratione edendi compluribus locis editores locuti sunt; secuti sumus imprimis eam, qua in voluminibus *h* III et *h* XII usi sumus.

1. De textu constituendo

Ut textum constitueremus, et quattuor de quibus diximus codices manu scriptos et editiones Argentoratensem (*a*) Parisinamque (*p*) adhibuimus; verba non emendavimus nisi propter fontes et capita doctrinarum, quibus Nicolaus imbutus est, necessarium esse visum est.

2. De apparatibus

Editionem quattuor instruximus apparatibus, quorum primus lectiones varias, alter fontes (de quibus vide infra, V), tertius locos similes, quartus testimonia continet. Omnes notavimus fontes vel auctores, quos Nicolaus ipse aut laudavit aut spectavit; quos neque nominavit neque novit, eos, si ad textum illustrandum enodandumque utiles esse videbantur, paucis locis significavimus. Locos similes ex epistulis, sermonibus, libris Nicolai circiter annum 1458 scriptis attulimus, ut et textus explanaretur evolvereturque et vis atque natura libri *De beryllo* eluceret. Locos quosdam imprimis ex operibus Iacobi Fabri Stapulensis, Ioannis Eckii, Iordani Bruni, Udalrici Pinderi, Caspari Steinbeck sumptos in testimoniorum apparatu posuimus, quibus appareret opera Nicolai saeculis XV et XVI paulatim suam vim exseruisse. De Udalrico Pindero Casparoque Steinbeck vide ea, quae *h* XI, [1]1940, p. XVIIsq. et *h* XII, p. XXVI dicta sunt. Addidimus haec:

U(da)lricus Pinder sive Binder, origine «Suevus», doctor et professor medicinae, priusquam annis 1489–1493 medicus esset Frederici III «Sapientis», Saxoniae ducis electoris, cui quod anno 1510 in lucem prodiit *Speculum intellectuale felicitatis humane* misit[38], annis 1484–1489 physicus fuit Nordlingae in oppido, ubi natus videtur esse; ab anno 1493 usque ad annum 1519, quo mortem videtur occubuisse, medicus ordinarius in urbe Norimberga fuit. In numero medicorum, qui principes arte typographica usi sunt, *Speculum*, *Berillum medicinae* (1508), *Berillum discernendi causas et differentias febrium* (sine loco, 1506)[39] vulgavit et in urbe Norimberga domi suae officinam typographicam instituit.[40] Ille «Udalricus Bynder de Norenberga, de nacione Bavarorum», qui hieme anni 1500 universitati Lipsiensi adscriptus atque hieme anni 1503 doctor creatus est («determinavit sub magistro Nicolao Kleynsmidt»)[41], filius eius videtur fuisse.

Caspar Steinbeck in operibus theologicis, quae sunt in codice Lipsiensi Bibliothecae Universitatis 637, verba Nicolai et ex ceteris libris et ex libello *De beryllo* sumpta saepe laudavit. Si quaesiverimus, bui vir fuit, videbimus duos vixisse saeculo XVI, quibus nomen Casparo Steinbeck fuit: alter «Casparus Steinbeck Magdeburgensis», hieme anni 1541 nationi Saxonum universitatis Lipsiensis adscriptus[42], canonicus sancti Sebastiani, ex anno 1562 sancti Nicolai in urbe Magdeburg[43], anno 1567 mortem obiit; alter «Caspar Steynbeg de Magdeburch»[44] anno 1472 universitati Lipsiensi adscriptus, annis 1497–1498 scriba Ernesti de Saxonia, archiepiscopi Magde-

---

38) J. H. Zedler, *Grosses vollständiges Universal-Lexicon* ..., vol. 28, Leipzig und Halle an der Saale 1741, col. 362; vide ibid., vol. 3, 1733, col. 1874, sub nomine BINDER, U.
39) C. G. Joecker, *Allgemeines Gelehrten-Lexicon*, 1. Theil, Leipzig 1750, col. 1069, sub nomine BINDER, U.
40) Vide *Allgemeine Deutsche Biographie*, vol. 26 (1888), p. 149sq.
41) G. Erler, *Die Matrikel der Universität Leipzig*, vol. 2: *Die Promotionen von 1409–1559*, Leipzig 1897, p. 396.
42) G. Erler, *Die Matrikel der Universität Leipzig*, vol. 1: *Die Immatrikulationen von 1409–1559*, Leipzig 1895, p. 638.
43) G. Wentz, B. Schwineköper, *Die Bistümer der Kirchenprovinz Magdeburg. Das Erzbistum Magdeburg*, vol. I, pars II, Berlin – New York 1972, pp. 650, 663, 744.
44) G. Erler, vol. I, p. 288.

burgensis[45], idem fortasse fuit atque «Caspar Steinbeg», qui annis 1512–1514 quadraginta sermones Hieronymi Savonarolae annis 1495–1496 habitos «ex lingua Tuscana in latinum»[46] convertit; sermones illi codice Bibliothecae Civitatis S 23. fol. Regiomontii Prussiae Orientalis memoriae traditi sunt.[47] Pro certo putandum est Casparo Steinbeck Thomam Cornucervinum notum fuisse; nescimus utrum librum *De beryllo* in codice Magdeburgensi 166 an opera Nicolai in exemplari Magdeburgensi editionis *a* an alibi legerit.

Ioannes Eckius multa ex libro *De beryllo* in codicem Monacensem Bibliothecae Universitatis 4⁰ Cod. ms. 800 annis 1505–1506 (vide fol. 1^r et fol. 31^r) transcripsit. Iordanus Brunus semel librum *De beryllo* nominavit, at Nicolai de coincidentia doctrinam et huius aenigmata saepe memoravit. Librum *De beryllo* saeculo XVII non ignotum fuisse ex epistula Petri Leloyer ad Marinum Mersenne datam (23. 8. 1627) manifestum est: «C'est le Berylle de Nicolas Cusan, duquel les modernes ont pesché, y adjoustans beaucoup de choses dont je leur demanderoys caution.»[48] — Opus Nicolai undevicesimo saeculo nominatum esse librum de perspicillis antiquissimum[49] ridicula res est.

3. De capitibus quae in editionibus quibusdam numerata sunt dicenda sunt haec:

Verba libri *De beryllo* in codicibus manu scriptis, id quod est in compluribus Nicolai operibus, neque inscriptionibus neque numeris per capita dispertita, sed litteris grandibus divisa sunt. Petro de Erkelenz, cum scripta Nicolai typis exprimenda curavit, nihil esse causae visum est, cur librum *De beryllo* in capita redigeret numerisque distingueret, satis erat litteras quae sunt in codicibus grandes

---

45) G. Hertel, *Urkundenbuch der Stadt Magdeburg*, vol. III, Halle an der Saale 1896, pp. 627, 637, nr. 1048 et 1072.

46) B. du Bouveret, *Colophons de manuscrits occidentaux des origines au XVIe siècle*, tom. II, Fribourg 1967, nr. 4855.

47) A. Seraphim, *Handschriften-Katalog der Stadtbibliothek Königsberg i. Pr. Mitteilungen aus der Stadtbibliothek zu Königsberg i. Pr.*, Königsberg 1909, p. 24.

48) P. Marin Mersenne, *Correspondance*. Publiée par Mme. Paul Tannery, éditée par Cornelis de Waard, Paris 1945, vol. I, p. 557sq.

49) R. Greeff, *Nikolaus von Cusas Buch «De Beryllo»*, Zeitschrift für ophthalmologische Optik mit Einschluß der Instrumentalkunde, Berlin 1917, p. 42.

retinuisse; vide editiones *a* et *m*. Faber Stapulensis, qui editionem Parisinam (*p*) administravit, anno 1514 capitum ordinem instituit, quod et in aliis Nicolai libris, ut exempla afferamus, in libris *De pace fidei* et *De dato patris luminum* fecerat. Quem editio Basiliensis (*b*) et L. Baur secutus est.

Si Nicolaus textum per capita dispertiri voluit, is qui codicem Cusanum *C* scripsit, versus singulos reliquit vacuos, in quibus numeri et inscriptiones capitum ponerentur. Quod vacui versus in libro *De Beryllo* non sunt, textum neque capitum serie neque numeris neque inscriptionibus, sed articulis ordinare Nicolao in animo fuisse conclusimus. Itaque capitum ordinem in apparatu variarum lectionum notavimus, numeris crassis, qui in marginibus huius editionis sunt, plerumque textus descriptionem illis litteris grandibus indicatam significavimus.

4. De adnotationibus

Ne fontium locorumque similium apparatus nimis amplos efficeremus, in adnotationum appendice fontes copiose tractavimus, interdum textum illustravimus, originem atque vim verborum notionumque explicavimus.

V

DE FONTIBUS

Inter auctores, quorum doctrinis Nicolaus sive imbutus sive institutus est, eminent hi: 1. Ut de iis, qui ante Socratem sapientiae studiosi fuerant, de Platone, Aristotele dissereret atque imprimis, quae de mente animoque nec vero non de ideis tradita et praecepta sunt, ea acri subtilique ingenio et iudicio percenseret, ad libros Aristotelis *Metaphysicorum* incubuit usus «ultima translatione» Bessarionis[50], cuius duo exemplaria, codicem Cusanum 184 et codicem

---

[50]) Vide *p* II, 1, fol. 118r; *Metaphysicorum* libri a Bessarione conversi typis expressi sunt in: *Aristotelis opera*, ed. Academia Regia Borussica, vol. III, Berolini 1831, p. 481–536, quibuscum verba codicis Cus. 184 multum discrepant.

Londinensem BL Harleianum 4241[51], habuit atque plus trecentis notis exornavit. Quanti fecerit hos libros conversos, apparet ex iis, quae notavit cod. Cus. 184, fol. 202v: «Istam translacionem fecit reuerendissimus dominus Cardinalis nicenus que non posset esse melior / et feci corrigi librum ex originali de manu eiusdem domini cardinalis / 1453. /».

2. Quamquam nonnullos dialogos in Latinum conversos novit, tamen Platonis praecepta, quibus adversatus est saepe, imprimis ex libris Procli hausit; mirifice *Expositionem in Parmenidem Platonis* a Guilelmo de Moerbeka Latine redditam (v. n. 12,11–12) tum demum amplexatus est, quod ex plurimis notis codicis Cus. 186 manifestum est.[52] *Elementationem* quoque *theologicam* Latine a Guilelmo de Moerbeka versam novit adnotationibusque instruxit (cod. Cus. 195), at neque in libro *De beryllo* neque in aliis operibus in rem suam convertit. Locos ex *Theologia Platonis*, quam a Petro Balbo Latine redditam Nicolaus possedit (cod. Cus. 185) notisque ornavit,[53] in apparatu auctorum notavimus, ut monstraremus hoc de quo locuti sumus Procli opus ex anno 1462 maximi momenti ad Nicolai scripta fuisse; in libro *De beryllo* neque *Theologia Platonis* neque ipsius Procli placita ullius auctoritatis sunt aliter atque in *Directione speculantis seu de li non aliud* anno 1462 litteris mandata. Quae de Platone tradidit Proclus, iis Nicolaus intentus fuit; atque in libro *De beryllo* Platoni Aristotelique omnibus viribus opibusque reluctatus[54] in eorum praecepta inquisivit, quid utilitatis ad coincidentiae doctrinam afferrent.

---

[51]) Vide R. Haubst in: MFCG 12 (1977) 36sqq.

[52]) *Die Exzerpte und Randnoten des Nikolaus von Kues zu den lateinischen Übersetzungen der Proclus-Schriften* (Cusanus-Texte III. Marginalien 2. Proclus Latinus) *2. Expositio in Parmenidem Platonis* hrsg. von K. Bormann (Abh. HAW, Philos.-hist. Kl., Jg. 1986, 3. Abh.), Heidelberg 1986; vide etiam C. Steel, Marginalia in codice Cusano 186, in: Proclus, *Commentaire sur le Parménide de Platon. Traduction de Guillaume de Moerbeke*, tom. II, Leuven 1985, p. 530–555.

[53]) *Die Exzerpte und Randnoten des Nikolaus von Kues zu den lateinischen Übersetzungen der Proclus-Schriften* (Cusanus-Texte III. Marginalien 2. Proclus Latinus) *1. Theologia Platonis. Elementatio theologica*, Hrsg. u. erläutert von H. G. Senger (Abh. HAW, Philos.-hist. Kl., Jg. 1986, 2. Abh.), Heidelberg 1986; vide etiam H. Boese quas edidit notas *Elementationi theologicae* adscriptas: *Wilhelm von Moerbeke als Übersetzer der Stoicheiosis theologike des Proclus* (Abh. HAW, Philos.-hist. Kl., Jg. 1985, 5. Abh.), Heidelberg 1985, p. 151–155.

[54]) Vide H. G. Senger, *Aristotelismus vs. Platonismus. Zur Konkurrenz von zwei Archetypen der Philosophie im Spätmittelalter*, in: Miscellanea Mediaevalia, vol. 18, Berlin – New York 1986, p. 53–80, imprimis quae p. 60–66 de libro *De beryllo* dicta sunt.

3. Quam ad rem apta et idonea Dionysii Areopagitae opera, imprimis *De divinis nominibus*, quae plurimi aestimavit, Nicolaus putavit esse; at, quamquam plura Dionysii operum Latine redditorum exemplaria habuit (cod. Cus. 43–45), plerumque non ex iis, sed ex Alberti Magni *Super Dionysium De divinis nominibus* illa divina quae videbantur placita hausit; non solum haec, verum etiam aliorum scriptorum opera, quae habuit, ex libris Alberti laudavit: Isaac Israeli, Avicennae (v. n. 31), «Avicebron», Averrois (nn. 17–18), aliorum, quo factum est, ut in libro *De beryllo* Alberti Magni auctoritas esset maxima; de qua re vide fontium apparatum.

Quos nominavimus, ii auctores gravissimi sunt in libro *De beryllo*, Augustinus et Eusebius secundas partes egerunt; sed «hi omnes», Dionysii Areopagitae librum *De divinis nominibus* si exceperis, «et quotquot vidi scribentes», etiam Albertus Magnus, «caruerunt beryllo» (n. 32), quo instrumento si utamur, ad coincidentiae doctrinam intellegendam perveniamus; quot et quanta in hanc rem assequendam contulisset Proclus, exposuit postea Nicolaus.

* *
*

Gratiam referimus omnibus, qui nos in editione perficienda adiu verunt: praefectis bibliothecarum, quarum copiis fruebamur, doctori Adelaidae Riemann, quae nobis in plagulis corrigendis astitit, Luciae Wolf, quae in faciendis indicibus multum desudavit, Ricardo Manfredoque Meiner, qui eximia patientia exspectaverunt, dum editio ad finem perduceretur.

Coloniae mense aprili MCMLXXXVII

INDEX SIGLORUM

AC	=	Acta Cusana. Quellen zur Lebensgeschichte des Nikolaus von Kues. Im Auftrag der Heidelberger Akademie der Wissenschaften hrg. v. E. Meuthen u. H. Hallauer, Bd. I, 1–2, Hamburg 1976, 1983
AM	=	Albertus Magnus
BGP(T)MA	=	Beiträge zur Geschichte der Philosophie (und Theologie) des Mittelalters, Münster 1891sqq.
CCCM	=	Corpus Christianorum. Continuatio Mediaevalis, Turnholti 1966sqq.
CCSL	=	Corpus Christianorum. Series Latina, Turnholti 1954sqq.
CSEL	=	Corpus scriptorum ecclesiasticorum Latinorum, Vindobonae 1866sqq.
CSt	=	Cusanus-Studien. Sitzungsberichte der Heidelberger Akademie der Wissenschaften, Philosophisch-historische Klasse, Heidelberg 1930sqq.
CT	=	Cusanus-Texte. Sitzungsberichte der Heidelberger Akademie der Wissenschaften, Philosophisch-historische Klasse, Heidelberg 1929sqq.
CT III. 1	=	Nicolaus Cusanus und Ps. Dionysius im Lichte der Zitate und Randbemerkungen des Cusanus von L. Baur, Heidelberg 1941
CT III. 2.1	=	Die Exzerpte und Randnoten des Nikolaus von Kues zu den lateinischen Übersetzungen der Proclus-Schriften. 2.1. Theologia Platonis. Elementatio theologica, Hrg. u. erläutert v. H. G. Senger, Heidelberg 1986
CT III. 2.2	=	Die Exzerpte und Randnoten des Nikolaus

	von Kues zu den lateinischen Übersetzungen der Proclus-Schriften. 2.2 Expositio in Parmenidem Platonis hrg. v. K. Bormann, Heidelberg 1986
Dionysiaca	= Dionysiaca, ed. P. Chevallier, Bruges-Paris 1937
DN	= Super Dionysium De divinis nominibus (Alberti Magni opera omnia, ed. Institutum Alberti Magni Coloniense, vol. XXXVII, 1, ed. P. Simon, Monasterii 1972)
ECKIUS	= Ioannis Eckii excerpta e libro De beryllo in cod. Bibl. Univ. Monacensis 4⁰ Cod. ms. 800
h	= Nicolai de Cusa opera omnia iussu et auctoritate Academiae Litterarum Heidelbergensis ad codicum fidem edita, Lipsiae 1932sqq., Hamburgi 1959sqq.
H	= *Schriften*, Heft 1 sqq.
i. h. l.	= in hunc locum
LW	= Meister Eckhart, Die lateinischen Werke, Stuttgart-Berlin 1936sqq.
MFCG	= Mitteilungen und Forschungsbeiträge der Cusanus-Gesellschaft 1sqq. (1961sqq.)
MOG	= Beati Raymundi Lulli doctoris illuminati et martyris opera, ed. I. Salzinger, Moguntiae 1721–1742, Frankfurt ²1965
n.	= numeri qui crassioribus typis margini interiori inserti sunt.
OL	= Jordani Bruni Nolani opera Latine conscripta, Neapoli – Florentiae 1879–1891, Stuttgart – Bad Cannstatt ²1962
PG	= Patrologiae cursus completus. Series Graeca, accurante J.-P. Migne, Parisiis 1857sqq.
PINDER	= Udalricus Pinder, Speculum intellectuale felicitatis humane, Norimbergae 1510
PL	= Patrologiae cursus completus. Series Latina, accurante J.-P. Migne, Parisiis 1844sqq.

Plato Lat.	= Corpus Platonicum, ed. R. Klibansky. Plato Latinus, Vol. III, IV, Londinii 1953, 1962
SB HAW	= Sitzungsberichte der Heidelberger Akademie der Wissenschaften, Philosophisch-historische Klasse
Schriften	= Schriften des Nikolaus von Kues in deutscher Übersetzung. Im Auftrag der Heidelberger Akademie der Wissenschaften hrsg. von E. Hoffmann †, P. Wilpert † und K. Bormann, Leipzig 1936sqq., Hamburg 1948sqq.
Sh.-W.	= Iohannis Scotti Eriugenae Periphyseon (De divisione naturae), Liber I–III, ed. I. P. Sheldon-Williams with the collaboration of L. Bieler, Dublin 1978–1981
S-W	= Proclus, Théologie Platonicienne, Livre I–IV, Texte établi et traduit par H. D. Saffrey et L. G. Westerink, Paris 1968–1981
VANSTEENBERGHE, *Autour*	= E. Vansteenberghe, Autour de la docte ignorance. Une controverse sur la théologie mystique au XVe siècle, BGPMA 14,2–4, Münster 1915
Vansteenkiste	= Procli Elementatio theologica transl. a Guilelmo de Moerbeke, ed. C. Vansteenkiste, Tijdschrift voor Philosophie 13 (1951) 264–302; 491–531
⟨ ⟩	= uncis acutis indicantur litterae vel verba ab editoribus suppleta
[ ]	= uncis angulatis indicantur litterae vel verba ab editoribus deleta

CONSPECTUS CODICUM

C =	cod. Cusanus Hospitalis S. Nicolai 219	olim Nicolai de Cusa
*C*² =	lectiones ab ipso Nicolao correctae	
Ma =	cod. Berolinensis Bibliothecae Rei publicae Germaniae (cui nomen est Deutsche Staatsbibliothek), cod. Magdeburgensis 166	primum Thomae Cornucervini, deinde bibliothecae capituli cathedralis, post gymnasii cathedralis Magdeburgensis
*Ma*² =	lectiones ab incerto lectore correctae	
Mn =	cod. Monacensis Bibliothecae Nationis Bavaricae Latinus 18621	olim monasterii S. Quirini Tegernseensis
Ya =	cod. bibliothecae universitatis quae vocatur Yale University: The Beinecke Rare Book and Manuscript Library, Novo Portu (New Haven/Conn.), MS 334	
Σ =	codicum omnium consensus	

CONSPECTUS EDITIONUM

a	=	editio argentoratensis	Argentorati, apud Martinum Flach, 1488
b	=	editio basiliensis	Basileae, apud Henricum Petri, 1565
h	=	editio heidelbergensis	Nicolai de Cusa opera omnia iussu et auctoritate Academiae Litterarum Heidelbergensis ad codicum fidem edita, Lipsiae 1932sqq., Hamburgi 1959sqq.
m	=	editio mediolanensis (quae vocatur)	in marchionis Rolandi Pallavicini castello, quod Castrum Laurum (i. e. Cortemaggiore) vocatur, per Benedictum Dolcibellum, 1502
p	=	editio parisina	Parisiis, apud Iodocum Badium Ascensium, 1514
σ	=	*abmp* consensus	

DE BERYLLO

Apostolus quidam perspicillo usus

Pars imaginis quae vocatur 'effusio Spiritus Sancti', in dextra passionis arae valva ecclesiae parochialis vici qui vocatur Nieder-Wildungen; pinxit Conradus de Susato anno 1404 (v. Kurt Steinbart, Konrad von Soest, Wien 1946, tabula 41).

I

DE BERYLLO

Ed. paris. I fol. 184^r

Qui legerit ea, quae in variis scripsi libellis, videbit me in oppositorum coincidentia crebrius versatum quodque nisus sum frequenter iuxta intellectualem visionem, quae excedit rationis vigorem, 5 concludere. Unde ut quam clare legenti conceptum depromam, speculum et aenigma subiciam, quo se infirmus cuiusque intellectus in ultimo scibilium iuvet et dirigat, et graviores doctissimorum in difficilibus ponam paucas sententias et opiniones, ut applicato speculo

---

1 1) De berillo *C a* De Berillo *m* Ihesus *Mn* Tractatus domini nycolai cardinalis de Cusa qui ab eo intitulatur Berillus *Mn*[2] Ihesus. De berillo *Ma* R. P. NICOLAI DE CVSA CARDINALIS, LIBER QVI INSCRIBITVR DE BERYLLO INCIPIT, CAP. I. *p* REVEREND. P. NIcolai de Cusa Cardinalis, liber, qui inscribitur de Beryllo, incipit. Cap. I. *b; sine inscriptione Ya. De capitulorum numeratione in p et b v. praefat., supra p. XXIX.* 2) oppositorium *Ya* 3) Quotque *Ma* quam *p* 4) visionem *in marg. Ma* 4) excedat *Ya* 4) rationes *Ma* 5) clare: dare *Ya* 7) iuvet: vivet *Mn s. l. corr. Mn*[2] 8) difficibilibus *Mn Ma* 8) opiniones et sententias *Ma*

---

1 1) De beryllo *v. infra, p. 89sqq., adnotat. 1.* 2–3) oppositorum coincidentia: *v. infra, p. 93sqq., adnotat. 2.* 4) iuxta — visionem: *v. infra, p. 100sq., adnotat. 3.* 6) speculum et aenigma: *v. infra, p. 101sq., adnotat. 4.* 8) applicato: *v. infra, p. 102, adnotat. 5.*

---

1 1) De beryllo: *v. infra, p. 89sqq., adnotat. 1.* 2–3) in oppositorum — versatum: *De docta ign. I 4 n. 12; 16 n. 43; 19 n. 57; epist. auctoris, n. 264 (h I 11,16–18; 30,19sqq.; 38,22sqq.; 163,14–16); De genesi 1 n. 145,8–13; Apologia nn. 13, 21 et 23 (h II 6,8–9; 10,3–7; 15,10–16; 16,7sqq.); Idiota de sap. II n. 32,10–24; sed. cf. De coni. I 6 n. 24,1–3; De vis. dei 9 n. 36; 17 n. 75 (fol. 103^v,5sqq.; 108^v,2sqq.); Compl. theol. 13 (fol. 100^r,7–20); De princ. nn. 26, 34 et 36 (fol. 9^v,12; 10^v,13–15.28sqq.); De possest nn. 13,13–16, 74,16–17; De li non aliud 4 n. 12 (h XIII 9,9–11); De ven. sap. 22 n. 67,2–3; De ap. theor. n. 4,1sqq.; v. epist. ad abbatem Tegerns. (1453, 14. 9.); ep. ad. Casp. Aindorffer (1454, 12. 2.) et epist. Bernardi de Waging (1454; Vansteenberghe, Autour, p. 122 et 130sq.).* 4–5) iuxta — concludere: *v. infra, p. 101, adnotat. 3.* 6) speculum et aenigma: *v. infra, p. 102, adnotat. 4.* 8) applicato: *v. infra, p. 102, adnotat. 5.*

---

1 1–5) De berillo Cardinalis Cusanus. Crebrius versatur in oppositorum coincidencia. et nititur concludere juxta intellectualem visionem que excedit racionis vigorem IOANNES ECKIUS *in codice bibliothecae universitatis Monacensis 4° Cod. ms. 800, fol. 63^r.* 2–3) IORDANUS BRUNUS *De la causa, principio e uno, dial. 1 et 5 (p. 205, 335sqq.).*

et aenigmate visione intellectuali iudex fias, quantum quisque propinquius ad veritatem accedat. Et quamvis videatur libellus iste 10 brevis, tamen dat sufficientem praxim, quomodo ex aenigmate ad visionem in omni altitudine possit pertingi. Erit etiam in cuiusque potestate modum qui subicitur applicandi et extendendi ad quaeque indaganda.

Causa autem, cur tam Plato in Epistulis quam Dionysius magnus **2** Areopagita prohibuerunt haec mystica his, qui elevationes intellectuales ignorant, propalari, est quia illis nihil magis risu dignum quam haec alta videbuntur. Animalis enim homo haec divina non percipit, sed exercitatum habentibus in his intellectum nihil desiderabilius occurret. Si igitur tibi prima facie haec insipida deliramenta videbuntur, scias te deficere. Et hoc si aliquantulum maximo sciendi

---

10) cedat *Ma* accedat *in marg. Ma*[2] 10) iste libellus *Ma* 11) sufficientiam *Ya* 12) etiam: tamen *Mn Ma*

2 1) tam: tamen *Ya* tam *corr. Ya*[2] 1–2) dionisius magnus ariopagita *C* dyon. m. a. *a m* Dionys. m. a. *p* Dionys. m. Areop. *b* magnus dyonisius arriopagita *Ya (*ari.*) Mn (*ary.*) Ma* 2) his: iis *p* 4) quam haec alta *om. Ma, in marg. add. Ma*[2] 5) habentes *Σ* -ibus *corr. Cusanus, σ* 6) occurrere *Ma* potest *in marg. add. Ma*[2] occurreret *a m* 6) facie: facit *Ma* 7) hoc si: si hic *p*

---

11) praxim: *v. infra, p. 103, adnotat. 6.*

2 1) Plato in Epistulis: *Ep. II 314a1–5; cf. 312d7–e1.* 1–2) Dionysius — Areopagita: *De myst. theol. I 2; De div. nom. I 8, III 3 (Dionysiaca I 569sq., 55sq., 138sq.);* Albertus Magnus *Super Dionysium De divinis nominibus* (AM *DN) I n. 68 (p. 43a); cf. etiam* Proclus *In Parm. IV (Cousin 928; Steel 248,91–92);* [Hermes Trismegistus] *Asclepius 1 (Apulei opera III 37), quem ad locum Nic. in cod. Brux. B. R. 10054–56, fol. 17*[r] *adnotavit:* nota quomodo caute antiqui sacra tractabant; *Nicolaus* Hermetem Trismegistum *laudavit Apologia n. 7 (h II 5,21).* 4–5) Animalis — percipit: *cf. 1 Cor. 2,14.* 7–8) sciendi desiderio: *cf.* Aristoteles *Met. I 1 980a22.*

---

11) praxim: *v. infra, p. 103, adnotat. 6.* 11–12) ex — visionem: *De docta ign. I 11 n. 30 (h I 22,4–6); Idiota de sap. II n. 47,1–5; De possest nn. 25,1–3, 31,1–3, 54,3–5, 72,9–11; De ven. sap. 39 n. 124,5–7; Sermo IV n. 33,9–10.*

2 1–3) Causa — propalari: *v. infra, n. 16,5–6; cf. Apologia nn. 7 et 30 (h II 5,19–6,3; 20,20).* 4–5) Animalis — percipit: *cf. De pace fidei 2 n. 7,5–9.* 5) exercitatum habentibus: *cf. De princ. n. 1; De aequal. (fol. 7*[r]*,4; 15*[v]*,9–10; 20*[r]*,40); De ludo globi I n. 29 (fol. 155*[v]*,26–27); Compendium 6 n. 18,13–14.17.*

---

2 1–4) Causa cur antiqui occultarunt mistica *Ma*[2] *in marg.;* Cur antiqui occultarunt mistica *in marg. inf. Ma*[2]. 1–6) Eckius *fol. 63*[r].

desiderio continuaveris meditationes et praxim ab aliquo, qui tibi aenigma declaret, acceperis, eo pervenies quod nihil huic luci ante-
10 pones et intellectualem thesaurum repperisse gaudebis; et hoc paucissimis diebus experieris. Nunc ad rem descendens primum exponam, cur imposui libello nomen Beryllus et quid intendam.

3 Beryllus lapis est lucidus, albus et transparens. Cui datur forma concava pariter et convexa, et per ipsum videns attingit prius invisibile. Intellectualibus oculis si intellectualis beryllus, qui formam habeat maximam pariter et minimam, adaptatur, per eius medium

---

8) meditationem *Ma* 9) eo: et *Ma* eo *in marg. corr. Ma²* 9) anteponas *C* -nes *s. l. corr. Cusanus* 10) reperisse *Σ σ ut semper* 10) gaudebitis *Ya* 12) cur: cum *Ya* 12) imposui: ipso sui *Ya* 12) berillus *(B. Ya Mn) Σ a m* Beryllus *p b, ut semper* 12) intendam: Reverendissimi in christo patris domini Nicolai de Cusa tituli Sancti Petri ad Vincula, Cardinalis presbyteri Berillus feliciter Incipit. *add. Ya*

3 1) est lapis *Ma* 2) et pariter *Ma* 2–3) inuisibile, si intellectualibus oculis intellectualis BERYLLUS *p* 3) qui: quae *Mn* 4) habet *Mn Ma*

---

8) meditationes: *cf.* Hugo de St. Victore *De modo dicendi et meditandi 8 (PL 176, 879A):* Meditatio est assidua ac sagax retractatio cogitationis, aliquid obscurum explicare nitens, vel scrutans penetrare occultum; Richardus de St. Victore *Beniamin maior I 4 (PL 196, 67D):* meditatio vero est studiosa mentis intentio circa aliquid investigandum diligenter insistens, vel sic: Meditatio est providens animi obtutus in veritatis inquisitione vehementer occupatus. 8) praxim: *v. infra, p. 103, adnotat. 6.* 10) intellectualem thesaurum: *cf. Col. 2,3;* Henricus Bate de Malinis *Spec. div. et quor. nat. I, prooem. II (p. 65,23sqq.), quem ad locum Nic. in cod. Brux. B. R. 271, fol. 6rb adnotavit:* alia ratio quod separata possunt comprehendi in hac vita *(*Van de Vyver *appendice p. 218, marg. 14).*

3 1) Beryllus — transparens: *v. infra, p. 89, 92, adnotat. 1.* 3) Intellectualibus oculis: *v. De ven. sap., notam ad n. 106,4; CT III. 2. 1, marg. 101 ad* Procli *Theol. Plat.*

---

8) meditationes: *cf. De docta ign. III 5 n. 211; epist. auctoris, n. 264 (h I 134,9; 163,22); De fil. dei 3 n. 71,2sqq.; De gen. 4 n. 174; De ven. sap. n. 1,14–16; De ap. theor. nn. 1,5, 2,2.* 10) intellectualem thesaurum: *v. infra, n. 53,17–19 et notam ad n. 53,17.* 11) ad rem descendens: *v. infra, n. 8,1; cf. Idiota de mente 1 n. 56,11.*

3 1) Beryllus — transparens: *v. infra, p. 89, adnotat. 1.* 3) Intellectualibus oculis: *v. infra, n. 53,12 et notam.*

---

12) nota hic Titulum huius libelli *Mn² in marg.*

3 1) Beryllus oculare specillum *p b in marg.*

attingitur indivisibile omnium principium. Quomodo autem hoc 5
fiat, propono quanto clarius possum enodare praemissis quibusdam
ad hoc opportunis.

Oportet te primum attendere unum esse primum principium, et 4
id nominatur secundum Anaxagoram intellectus, a quo omnia in esse
prodeunt, ut se ipsum manifestet. Intellectus enim lucem suae intelligentiae delectatur ostendere et communicare. Conditor igitur intellectus, quia se finem facit suorum operum, ut scilicet gloria sua 5

---

5) indivisibile: inuisibile *p* invisibile *in marg. scr. et. delev. Ma*

4 1) attendere: primum esse *add. et delev. Ma* 1) primum_2 *om. Ma, in marg. add. Ma^2* 3) manifestet *ex* manifestis *corr. Mn* 3) intelligentiae: intelligentis *Ya*

---

5) indivisibile — principium: Proclus *In Parm. III (Cousin 785; Steel 135,44), quem ad locum Nic. in cod. Cus. 186, fol. 37v adnotavit:* ex se subsistens impartibile. et racio huius *(CT III. 2. 2, marg. 116).*

4 1) unum — principium: *cf.* Proclus *Theol. Plat. II 4 (S–W II 31,2; cod. Cus. 185, fol. 59v:* Itaque quod unum quidem principium omnium et causa prima...*); In Parm. II (Cousin 726; Steel 88; CT III. 2. 2, marg. 47.* 2) secundum Anaxagoram intellectum: *Fr. 12–14; cf.* Plato *Phaedo 97b sqq., quem ad locum Nic. in cod. Cus 177, fol. 19r adnotavit:* anaxagoras: mentem omnium causam*;* Aristoteles *Met. I 3 984b15–18; v. cod. Cus. 184, fol. 4r, in marg. adnotat. Nicolai:* anaxagoras *et* laudat anaxagoram qui dixit in natura intellectum esse*; v. infra, notas ad nn. 35,2–6, 67,1–3.* 3) lucem suae intelligentiae: *cf.* Proclus *Theol. Plat. V 12 (Portus 268; cod. Cus. 185, fol. 172v–173r;* Ps.-Dionysius *De div. nom. IV 5 (Dionysiaca I 172–174);* AM *DN 4 n. 61sqq., quem ad locum Nic. in cod. Cus 96, fol. 129va adnotavit:* De lumine. 3) *et* 6) manifestet(ur): *v. infra, notam ad n. 64,17.* 4) Conditor intellectus: *i. e.* νοῦς δημιουργικός *sec.* Proclum, *v. In Parm. III (Cousin 807; Steel 151), VI (1096; 381); CT III. 2. 2, marg. 166, 474; Theol Plat. V 17, 19, VI 3 (Portus 281sq., 288sq., 346); CT III. 2. 1, marg. 358, 366, 372, 386–388.* 5) se finem facit: Proclus *In Parm. VI (Cousin 1115; Steel 396; CT III. 2. 2, marg. 502), qui*

---

5) indivisibile — principium: *v. infra, n. 53,1–9 et notas.*

4 1–2) unum — intellectus: *v. infra, n. 35,2–3; n. 67,1; cf. De princ. n. 6 (fol. 7r,31sqq.); De ven. sap. 8 n. 22,7–8 et notam; 9 n. 24,4–5.10.* 3) manifestet: *v. infra, n. 54,15–16; n. 64,16–17 et notas; n. 66,4–5; cf. De dato patr. lum. 4 n. 108,9; De li non aliud 20 n. 92; 23 n. 106; prop. 12 n. 118 (h XIII 48,12–20; 55,11–14; 63,5–6).* 3–4) Intellectus — communicare: *v. infra, n. 21,5; cf. Sermo 'Hic est verus propheta' (CIL; 1454; fol. 82v,14).* 4) Conditor intellectus: *v. infra, nn. 26,8–15, 35,8–14; cf. De princ. n. 21 (fol. 8v–9r); De ven. sap. 8 n. 21,6–7; 9 n. 24,1–4.* 5–6) quia — manifestetur: *De dato patr. lum. 2 n. 103,1; n. 108,9* (apparitiones*); Sermo I n. 15,1; Sermo XXII n. 32,2–4; Sermo 'Cum omni militia caelestis exercitus' (CCII; 1455; fol. 120vsq.); v. infra, nn. 54,15–16, 64,16–17.*

---

4 1–3) Eckius *fol. 63r.* 1–9) Udalricus Pinder *Speculum intellectuale felicitatis humanae (Norimbergae 1510), fol. IXrb–va.*

manifestetur, creat cognoscitivas substantias, quae veritatem ipsius videre possint, et illis se praebet ipse conditor modo quo capere possunt visibilem. Hoc scire est primum, in quo complicite omnia dicenda continentur.

5 Secundo scias, quomodo id, quod non est verum neque verisimile, non est. Omne autem quod est aliter est in alio quam in se. Est enim in se ut in suo vero esse, in alio autem ut in suo esse verisimili, ut calidum in se est ut in suo vero esse et in calefacto est per similitu-
5 dinem suae caliditatis. Sunt autem tres modi cognoscitivi, scilicet sensibilis, intellectualis et intelligentialis, qui dicuntur caeli secundum Augustinum. Sensibile in sensu est per suam sensibilem speciem sive similitudinem, et sensus in sensibili per suam sensitivam speciem. Sic intelligibile in intellectu per suam intelligibilem similitudinem,

---

7) possunt *Ma* 8) visibilem: invisibilem *Ma* 8–9) in — continentur *om. Mn*
5 1) est: sit *Ma* 3) ut$_2$ *om. Ma* 4) et: sed *Ma* 5) caliditatis: Ego autem nomino sic propter intelligentias *Mn, quae verba ceteri codices habent in fine huius paragraphi, v. lin.* 12–13. 5) scilicet: cognosci *add. Ma* 6) qui: quae *Mn* 7) Sensibili *Mn* -is *corr. Mn*[2] 8) sensibilem *Ya*

Platonis *epistulas laudat, cf. e. g. Ep. II 312e1–3; Ep. VI 323d2–4; cf. etiam Prov. 16,4*
5–6) ut — manifestetur: *cf. Is. 55,2, 40,5, 60,2; 1 Macc. 15,9.* 8) complicite: *v. infra notam ad n. 12,2.*
5 1–2) id — non est: *cf.* Aristoteles *Met. II 1 993b30–31, quem ad locum Nic. in cod. Cus. 184, fol. 11*ʳ *adnotavit:* ut secundum esse quodque se habet, sic etiam secundum veritatem. 5–7) Sunt — Augustinum: *v. infra, p. 103, adnotat. 7.*

8–9) complicite — continentur: *v. infra, nn. 12,2, 71,19.*
5 1–2) id — non est: *De coni. I 4 n. 15,4–7; 12 n. 63; II 9 n. 117,5–6; De ven. sap. 36 n. 106,3–10.* 2–3) Omne — verisimili: *cf. infra, n. 57; De coni. I 11 n. 54,6–7; De fil. dei 1 n. 54,21–22; De dato patr. lum. 2 n. 99,9; De princ. n. 28 (fol. 9*ᵛ*,29–33).* 4–5) calidum — caliditatis: *v. infra, n. 27,10–12; cf. De ven. sap. 8 n. 19,11–13.* 5–7) Sunt — Augustinum: *v. infra, p. 103sq., adnotat. 7.* 7–11) *De diversis speciebus v. infra, nn. 54,5–6, 71,1sqq. et notas; cf. Comp. 6 nn. 16–18; 10 n. 33,5 (*intelligibilis species*); De ven. sap. 36 n. 107,1–2.* 9) intelligibile: *v. infra, nn. 64,8–9, 71,4 et notam; cf. De docta ign. I 10 n. 28; II 9 n. 147 (h I 20,17sqq.; 94,3–4); De coni. I 11 n. 55; De ven. sap. 3 n. 8,4–5; 5 n. 13; 36 n. 106,16sqq.; De ap. theor. n. 24,1.*

---

5 1–8) Eckius *fol. 63*ʳ. 1–13) Pinder *fol. IX*ᵛᵃ. 5) Modi cognoscitivi sunt tres *Ma in marg.* 6) sensibilis — intelligentialis: *cf.* Iacobus Faber Stapulensis *ad Dionysium Briconnetum in epistula dedicatoria editionis Parisiensis (a. 1514), p I, fol. aa II*ᵛ*, de triplici theologia Nicolai de Cusa, intellectuali scilicet, rationali, sensuali.*

et intellectus in intelligibili per suam intellectivam similitudinem. 10
Ita intelligentiale in intelligentia et e converso. Illi termini te non
184v turbent, quia aliquando intelligentiale nominatur | intellectibile. Ego
autem nomino sic propter intelligentias.

Tertio notabis dictum Protagorae hominem esse rerum mensuram. **6**
Nam cum sensu mensurat sensibilia, cum intellectu intelligibilia, et
quae sunt supra intelligibilia in excessu attingit. Et hoc facit ex
praemissis. Nam dum scit animam cognoscitivam esse finem cogno-
scibilium, scit ex potentia sensitiva sensibilia sic esse debere, sicut 5
sentiri possunt; ita de intelligibilibus, ut intelligi possunt, excedentia
autem ita, ut excedant. Unde in se homo reperit quasi in ratione
mensurante omnia creata.

---

11) non te *Ya*

6 1) Protagorae: picthagore *C* pitagore *Ma* pythagore *a* pythagoræ *m* Pythagorae *p b* 1) mensuram rerum *Ma* 6) ita — possunt *om. Ma* ita de intelligibilibus vt intelligi posse *in marg. Ma*[2] 7) repperit *C Ya a p b*

---

6 1) dictum Protagorae: *v. infra, p. 104sq., adnotat. 8.* 3) in excessu: *cf.* Ps.-Dionysius *De div. nom. VII 1 (Dionysiaca I 385sq., versa ab Ambrosio Traversario);* AM *DN 7 nn. 7, 13 (p. 341,53–74, 347,60–61); de excessu mentali v.* Bonaventura *Itiner. c. 7 (V 312sq.).*

---

11) intelligentiale: *i. e.* intellectibile*; cf. De coni. II 13 n. 137,11–13 (*intellectibilis, intelligibilis, rationalis*); Apologia n. 7 (h II 5,25); sed cf. Idiota de mente 14 nn. 151–152:* ratio — intelligentia — intellectibilitas*; De quaer. deum 1 nn. 24–26:* sensus/sensibilia — ratio/rationabilia — intellectus/intelligibilia — virtus intellectualis*; De ludo globi II n. 104:* rationalem — intelligentialem — intellectibilem *(fol. 166v,6–7).*

6 1) dictum Protagorae: *v. infra, nn. 65,1–2, 69,3–9; cf. n. 24,1; Idiota de mente 9 n. 117,5; nn. 123,5–124,9; De ven. sap. 27 n. 82,13–15.* 3) in excessu: *v. supra, n. 1,3; infra, nn. 53,15, 69,6–9; cf. De docta ign. I 4 n. 11; III 10 n. 242 (h I 10,10–12; 151,9–12); Apologia n. 13 (h II 10,19); De ven. sap. 17 n. 50,9–12; 26 n. 77,4–8; 29 n. 87,1–3; epist. ad C. Aindorffer (1452, 22. 9.):* Hec fides ... est sciencia secundum hunc mundum altissima, que eciam excedit omnem huius mundi scienciam *(Vansteenberghe, Autour, p. 112,20–22).* 7–8) in ratione mensurante: *cf. De coni. I 10 n. 52,7–12; Idiota de mente 3 n. 71,7–9; 9 n. 116,2–9, nn. 123–125; De ven. sap. 27 n. 82,14–15; Sermo 'Eadem mensura' (XCV; 1451; fol. 73r,17):* Mensurare: venit ex ratione.

---

6 1) homo mensura omnium rerum *Ma*[2] *in marg.* 1–8) Eckius *fol. 63r;* Pinder *fol. LVIva.*

7 Quarto adverte Hermetem Trismegistum dicere hominem esse secundum deum. Nam sicut deus est creator entium realium et naturalium formarum, ita homo rationalium entium et formarum artificialium, quae non sunt nisi sui intellectus similitudines sicut
5 creaturae dei divini intellectus similitudines. Ideo homo habet intellectum, qui est similitudo divini intellectus in creando. Hinc creat similitudines similitudinum divini intellectus, sicut sunt extrinsecae artificiales figurae similitudines intrinsecae naturalis formae. Unde mensurat suum intellectum per potentiam operum suorum et ex hoc
10 mensurat divinum intellectum, sicut veritas mensuratur per imaginem. Et haec est aenigmatica scientia. Habet autem visum subtilis-

---

7 1) trimegistum *Ma m p* 3) ita — formam *om. Ya* 3) formarum: formalium *a* 4–5) sicut — similitudines *om. Ma* 4) sicut: scilicet *Mn* 5) diuine *a* 6) Hinc: hic *Ya Mn Ma* 7) divini *om. Mn* 8) naturales *C a m*

---

7 1–2) Hermetem — deum: *v. infra, p. 109, adnotat. 9.* 2–4) deus — similitudines: *v. infra, notas ad n. 56,19–26.* 5–6) Ideo — intellectus: *cf.* Proclus *Theol. Plat. II 4 (S–W II 35,18–19; cod. Cus. 185, fol. 61ᵛ,5–6); v. infra, notas ad nn. 14,1–2, 62,18–19; cf. Gen. 1,26–27.* 7–8) sicut — formae: Proclus *In Parm. IV (Cousin 841, 886; Steel 178,99sq., 214,67–71); CT III. 2. 2, marg. 226:* natura intrinsecus informat ars extrinsecus; *cf. marg. 266.* 9) mensurat: *cf.* Aristoteles *Met. X 1 1053a31–33, quem ad locum Nic. cod. Cus. 184, fol. 62ᵛ adnotavit:* scienciam et sensum mensuram rerum dicimus; *v. infra, notam ad n. 71,18–19.* 9–10) et — intellectum: *cf.* AM *DN 7 n. 7 (341,55–59) et notam Nic., cod. Cus. 96, fol. 187ʳᵇ:* quando volumus mensurare ea que supra nos per proporcionem nostre sapiencie erramus *(CT III. 1, marg. 531).* 11) aenigmatica

---

7 1–2) hominem — deum: *v. infra, p. 109, adnotat. 9.* 2–4) deus — similitudines: *v. infra, nn. 55–57; cf. De coni. I 1 n. 5; II 14 n. 144; Idiota de mente 3 n. 70,1–2; 7 n. 98; De li non aliud 24 nn. 112–113 (h XIII 57,25–33); De ludo globi II n. 93 (fol. 165ʳ,6–7); De ven. sap. 29 n. 86,3–6.* 5) creaturae — similitudines: *v. infra, nn. 14,1–2, 64,15–16; cf. De docta ign. II 4:* Quomodo universum ... est similitudo absoluti; *De coni. II 17 n. 179,1; Idiota de mente 1 n. 57,9; De genesi 1 n. 149,18–19; Compendium 10* n. 31,5–6. 5–6) intellectum — creando: *De fil. dei 6 n. 86,4–6; Idiota de mente 3 nn. 72,1–73,4; 7 n. 106,8–10; 13 n. 149,10–12; De princ. n. 21 (fol. 8ᵛ,40–9ʳ,5); epist. ad Nicolaum nn. 6, 18 (CT IV, 3, p. 28,8–13; 32,25–26).* 7) similitudines similitudinum: *v. infra, n. 56, 19–22; cf. Idiota de mente 4 n. 78,7–9; Compendium 9 n. 27,7–13.* 7–8) extrinsecae ... intrinsecae: *De ven. sap. 1 n. 3,11–12.* 9 *et* 10) mensurat: *De coni. I 1 n. 6,8–9; 10 n. 52,7–13; Idiota de mente 1 n. 57,4–6; 3 n. 72; 4 n. 74,16–17; 9 nn. 123,3–9, 125,3–11; De ven. sap. 27 n. 82,13–15; 30 n. 89,11–15.* 11) aenigmatica scientia: *v. infra, n. 27;*

---

7 1–13) Eckius *fol. 63ʳ;* Pinder *fol. LVIᵛᵃ.* 11) Enigmatica scientia *Ma in marg., Ma² in marg. inf.*

simum, per quem videt aenigma esse veritatis aenigma, ut sciat hanc esse veritatem, quae non est figurabilis in aliquo aenigmate.

Ad rem igitur his paucis praemissis descendentes incipiamus a **8** primo principio. Deridebat enim eos Indus ille, quem Socrates interrogabat, qui sine deo aliquid conabantur intelligere, cum sit omnium causa et auctor. Volumus autem ipsum ut principium indivisibile videre. Applicemus beryllum mentalibus oculis et videamus per 5 maximum, quo nihil maius esse potest, pariter et minimum, quo

---

12) aenigma$_1$: aenigmata *Ma* 13) quae: quam *Ya* 13) figuralis *Mn* 13) aenigmate: etc. *add. Mn*

8 1) paucis: ponas *Ma, in marg. corr. Ma*[2] 3) conabatur *C a m* 3) cum: quaestionem, *scr. et delev.*, cum *s. l. corr. Ma* 4) causa: conditor, *s. l. corr. Ma* 4) autor *Ma* 5–6) permaximum *C Mn* per *om. p b*

---

scientia: *cf.* PROCLUS *In Parm. I et V (Cousin 713, 1027; Steel 77,95–96, 330,94–95); Theol. Plat. III 7 (Portus 132; S–W 29,25–26); CT III. 2. 1, marg. 200;* AM *DN 8 n. 3 (p. 366,34–35):* cognitio aenigmatica est de non-apparentibus.

8 2–3) Deridebat — intelligere: EUSEBIUS CAESARIENSIS *Praeparatio evangelica XI 3,8 (Mras II 9); v. infra, p. 106sq., adnotat. 10.* 4) principium indivisibile: *cf.* PS.-DIONYSIUS *De div. nom. I 4, II 11 (Dionysiaca I 23–24, 113–116; cod. Cus. 43, fol. 37*^{v}*,9–12, 41*^{v}*,27sqq.); cf. Extractionem* VERCELLENSIS *(i. e.* THOMAS GALLUS*; Dionysiaca I 679,115; cod. Cus. 45, fol. 34*^{v}*,14–18);* AM *DN 1 n. 37 (p. 21,3–8), quem ad locum Nic. in cod. Cus. 96, fol. 84*^{va} *adnotavit:* deus vnus per eminentem indiuisibilitatem *(. . .); CT III. 1, marg. 151; v. notam ad lin. 7–9.* 5) Applicemus: *v. infra, p. 102, adnotat. 5.* 5) mentalibus oculis: *v. supra, notam ad n. 3,3.*

---

cf. De docta ign. I 12 n. 33 (h I 24,13–16); De coni. I 2 n. 9,5–9; Idiota de sap. II n. 47,1–4; De mente 9 n. 125,8; De possest nn. 31,1–6, 43,7–22, 44,1–3, 60,1, 61; epist. ad Nicolaum n. 48 (CT IV, 3, p. 46,23–26). 11) visum subtilissimum: *cf. De possest n. 57,13:* aenigmatica visio*; Comp. 1 n. 2,1–2; 8 n. 24,1sqq.* 13) veritatem — figurabilis: *De docta ign. I 12 n. 33 (h I 24,21–25); De quaer. deum 1 n. 18,3–5; De genesi 2 n. 159,7–8; Idiota de sap. I n. 9,8–9; Comp. 8 n. 24,1–7.*

8 1) Ad rem descendentes: *v. supra, n. 2,11.* 1) his paucis praemissis: *nn. 4–7.* 1–2) a primo principio: *v. infra, n. 64,9–10 et notam.* 2) Indus ille: *De ven. sap. 12 n. 31,5–10.* 4) principium indivisibile: *v. infra, n. 53,1–9 et notas.* 5) mentalibus oculis: *v. infra, notam ad n. 53,12.*

---

8 1–17) PINDER *fol. XII*^{rb}. 3–4) qui — auctor: Deus primum principium indiuisibile *Ma in marg.* 4–9) IORDANUS BRUNUS *De la causa, dial. 3 (p. 238).* 5–13) Applicemus — veritatem: ECKIUS *fol. 63*^{v}.

nihil minus esse potest, et videmus principium ante omne magnum et parvum, penitus simplex et indivisibile omni modo divisionis, quo quaecumque magna et parva sunt divisibilia. Ac si per beryllum in-
10 tueamur inaequalitatem, erit aequalitas indivisibilis obiectum, et per absolutam similitudinem videbimus principium indivisibile omni modo divisionis, quo similitudo est divisibilis seu variabilis, scilicet veritatem. Nam nullum est aliud obiectum illius visionis nisi veritas, quae videtur per omnem similitudinem maximam pariter et mini-
15 mam absolutum primum principium omnis suae similitudinis. Sic si per beryllum videmus divisionem, erit obiectum conexio indivisibilis; ita de proportione et habitudine et pulchritudine et talibus.

9 Huius vide nostrae artis aenigma et recipe calamum ad manus et plica in medio, et sit calamus *a b* et medium *c*. Dico principium

---

7) videamus *Mn Ma* videbimus *p b* 8) penitus: et *add. Mn Ma* 8) omni: cum *Mn* 10–11) perabsolutam *Mn* per absoluti *p b* 11) videmus *a m* 11) indivisibile principium *Mn Ma* 12) quo: quae *Mn* 16) si *om. a m*
9 1) Huius: Cuius *Ya Ma m* Tutus *Mn* 2) et_1: ut *Ma* 2) sit *om. Ya*

7–9) principium — divisibilia: *v. infra, notam ad n. 33,2–4.* 13) illius visionis: *v. infra, p. 100sq., adnotat. 3.* 17) *de* habitudine *v. infra, notam ad n. 63,2.*
9 2–3) Dico — lineam: *de linea superficiei principio secundum doctrinam Platonis et Pythagoreorum cf.* Aristoteles *Met. V 8 1017b19–20*; Alexander Aphrodisias *In Arist. Met. commentaria (Comment. in Arist. Graeca I 55,20–24).*

7–8) principium — parvum: *cf. De ven. sap. 13 n. 35.* 7–9) principium — divisibilia: *v. infra, nn. 13,4–5, 33,2–4, 45,11–12, 53,2; cf. De possest n. 9,19–21 et notam ad n. 9,18–25; De princ. n. 5 (fol. 7r,22); De li non aliud 24 n. 110 (h XIII 56,30–33).* 10) inaequalitatem — obiectum: *cf. De docta ign. I 7 n. 19; II 3 n. 106 (h I 15,11–19; 70,4–6); Cribr. Alch. II 7 n. 105,3–4.11.* 16) divisionem — conexio: *cf. De docta ign. I 7 n. 20 (h I 16,9); Cribr. Alch. II 7 n. 105,5–7.11–12.* 17) ita — talibus: *De ven. sap. 30 n. 91,11–13.*
9 1) nostrae artis aenigma: *de arte* mathematice aenigmatizandi *(De possest n. 60,1) v. De docta ign. I 12 n. 33 (h I 24,21–25); De possest nn. 25,1–8, 43,19–21, 44,1–3, 61,9–11; cf. De ven. sap. 7 n. 18,7–10, ubi Nicolaus hunc locum laudavit; v. etiam manuductionem mathematicam, ibid., cap. 26, nn. 74–77.* 2–3) Dico – lineam: *De docta ign. I 13–15, praecipue nn. 35–37, 39 (h I 25,17–18; 26,21–22; 27,16–17; 28,11.23; 29,4); De coni. I 8 n. 30,12–13; II 4 n. 91,7–9; Idiota de sap. II nn. 43,13, 44.*

---

9 2–11) Dico — angulorum: Eckius *fol. 63v.*

superficiei et anguli superficialis esse lineam. Esto igitur quod cala-

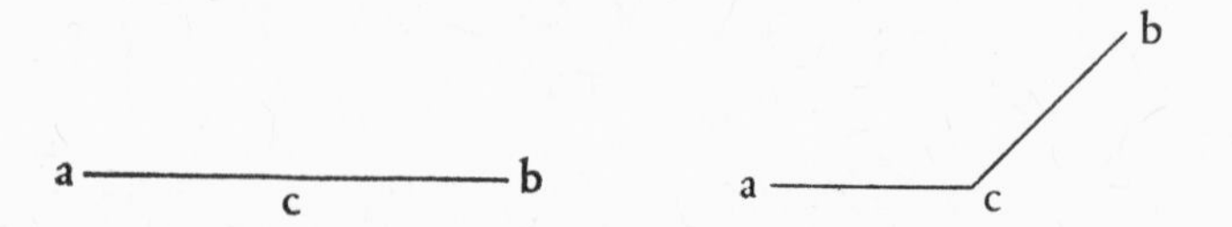

mus sit ut linea et plicetur super *c* puncto, *c b* mobilis et moveatur versus *c a*. In eo motu *c b* cum *c a* causat omnes formabiles angulos. 5
Numquam autem erit aliquis ita acutus, quin possit esse acutior, quousque *c b* iungetur *c a*, neque aliquis ita obtusus, quin possit esse obtusior, quousque *c b* erit cum *c a* una continua linea. Quando igitur tu vides per beryllum maximum pariter et minimum formabilem angulum, visus non terminabitur in angulo aliquo, sed in 10
simplici linea, quae est principium angulorum, quae est indivisibile principium superficialium angulorum omni modo divisionis, quo anguli sunt divisibiles. Sicuti igitur hoc vides, ita per speculum in aenigmate videas absolutum primum principium. |

185ʳ **10** Attente considera per beryllum ad indivisibile pertingi. Quamdiu enim maximum et minimum sunt duo, nequaquam vidisti per maximum pariter et minimum, neque enim maximum est maximum neque minimum minimum. Et hoc clare videbis, si feceris de *c* line-

---

3) quod: aliquis *add. Ma* 3–4 *Figuras geometricas, quas non exhibet Ma, in marg. add. Ma*[2] 4) mobili *p b* 4) movetur *Ma* morieatur *Ya* 5) cum: tunc *a m* 9) vides: velis *Ma, in marg. corr. Ma*[2]
10 1) Attente *ex* Attende *corr. Mn* 1) inuisibile *p b* 2) sunt duo nequaquam *om. Ma* 4) minimum$_1$: est *add. Ma* 4) de c: d c *Ma*

13–14) per — aenigmate: *v. infra, p. 101sq., adnotat. 4.*
10 1) ad indivisibile: *v. notam ad n. 8,4.*

---

3) anguli superficialis: *v. De quadratura circuli (Schriften, H 11, p. 44sq. et p. 205, notam 18).* 6–8) Numquam — obtusior: *cf. De ven. sap. 5 n. 12,1–9.* 9–10) maximum — angulum: *v. infra, nn. 12, 3–4; 58,9–11; cf. De ven. sap. 7 n. 18,4–10, ubi Nicolaus hunc locum laudavit.* 13–14) per — aenigmate: *v. supra, notas ad n. 1,6.11–12.*
10 1) indivisibile: *v. notam ad n. 3,5.*

---

10 1–4) Attente — minimum$_2$: Pinder *fol. XII*[rb].

5 am *c d* egredi mobilem. Quamdiu enim illa unum angulum cum *c a* et alium cum *c b* constituit, nullus est maximus aut minimus. Semper enim maior potest esse, in tantum maior, quantum alius exsistit, et ideo non prius unus maximus

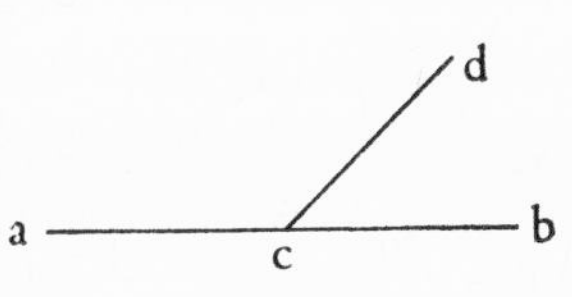

10 quam alius minimus. Et hoc esse non potest, quamdiu sunt duo anguli. Si igitur dualitas cessare debet angulorum, non videbis nisi *c d* super lineam *a b* et nullum videbis angulum. Et ita ante duo et post simplicem lineam esse debet angulus maximus pariter et minimus, sed non est signabilis. Solum igitur 15 principium videtur maximum pariter et minimum, ut omne principiatum non possit esse nisi similitudo principii, cum nec maius nec minus eo esse possit, puta in angulis, ut nullus possit esse angulus adeo acutus, quin suam acutiem habeat a principio, nec possit esse aliquis ita obtusus, quin esse ipsum tale habeat a suo principio. Ideo 20 necesse est quod omni acuto dabili, cum possit esse acutior, in virtute principii sit creare acutiorem; et ita de obtuso. Sic videtur principium aeternum et inevacuabile per omnia principiata.

11 Eleganter magnus Dionysius apostoli Pauli discipulus in capitulo octavo De divinis nominibus ista compendiose dicit. Ait enim: «Nihil itaque alienum a nostro instituto facimus, si per exiles imagines

---

6–10) *Figuram geom. in marg. add. Ma²*. 5) cum *om. Ma* 7–8) potest — maior: in tantum potest esse maior *Ma* 8) in tantum ... quantum: tamdiu ... quamdiu *p b* 11) sint *Ma* 11) debent *Ya* 16) non *om. Ma* 16) cum: quem *Ma* 18) a: suo *add. Ma* 19) aliquis ita: adeo *Mn Ma* 19) habeat tale *C, transpos. Cusanus* 20) cum: non *Mn* quin *Ma* 21) de obtuso *in marg. C*
11 1) Aleganter *Ya* Eleganter *ex* -tes *corr. Mn*

15–16) ut — principii: *v. notam ad n. 7,5–6.*
11 3–9) *V. De div. nom. V 7 (Dionysiaca I 346–349,* «in novissima Ambrosii Camaldulensis translatione, quam a sanctissimo domino nostro papa Nicolao recepimus»

7–11) Semper — anguli: *v. infra, n. 58,12–15.* 21–22) Sic — principiata: *cf. De apice theor. n. 7,10–12; Memoriale, propos. 14 (cod. Berolin., cod. Magdeburg. 166, fol. 434ᵛ,3–4).*
11 1) Dionysius — discipulus: *cf. De ven. sap. 30 n. 90,2–3 et adnotat. 10 (h XII 86 et 154sq.).*

---

17) in angulis: Iordanus Brunus *De la causa, dial. 5 (p. 337sq.).*

ad auctorem omnium ascendentes purgatissimis et mundo superioribus oculis inspiciamus omnia in omnium causa et invicem contraria uniformiter et coniuncte. Est enim principium rerum, ex quo est ipsum esse et omnia, quae quomodolibet sunt, omne initium et omnis finis.» Et post pauca subiungit: «et alia quaeque ipso esse cum sint quae sunt, omnia exculpunt.» Idem de eodem principio affirmat quod sit «finis» et «infinitus, stans et» progrediens et quod «neque» sit «stans neque se movens». Dicit enim omnia «exemplaria rerum in una supersubstantiali coniunctione in sui et omnium causa ante subsistere concedendum.» Ecce quam lucide ibi et in variis aliis locis divinus vir ille quae praemisi sic esse affirmat. 5 10

Iam tibi ex aenigmate constat, quomodo id intelligere queas pri- 12

---

4) ascendentes *ex* absc. *corr.* *Mn*[2] 5) omnium *ex* omni *in marg. corr.* *Ma* 9) quae sunt *om.* *Ma* 10) infinitus: infinitas *secundum Ambrosii Traversarii interpretationem, quam Cusanus legit in cod. Cus. 43; v. notam in apparatu fontium.* 10–11) sit neque *transpos.* *Ma* 11) enim: etiam *Ya Mn* 11) omnia: omnium *secundum Ambrosii Traversarii interpretationem* 12) omni *Ma* omnium *in marg. corr.* *Ma*[2] 13) subsistere: subsistencia *Mn* 13) aliis *om.* *Ma* 14) divinis *Ya Mn* 14) vir: cur *Mn*

12 1) Iam: Nam *Ya* 1) primum: principium *scil.; cf. n. 9,14 et n. 12,12*

(Apologia n. 13, h II 10,16–17) cod. Cus. 43, fol. 52[v]*,10–14.18–19 (= cap. VIII); cf.* AM *DN 5 n. 29 (319sq.; cod. Cus. 96, fol. 180*[ra]*), quem ad locum Nic. adnotavit in marg. sup.:* nota si raciones contrariorum possunt esse simul in anima quia non sunt contrarie forcius in deo. 4–5) purgatissimis — oculis: *v. notam ad n. 3,3.* 9–11) *De div. nom. V 10 (Dionysiaca I 364sq.; cod. Cus. 43, fol. 53*[r]*,35–40 (= cap. VIII));* AM *DN 5 n. 39 (p. 326b; cod. Cus. 96, fol. 182*[rb]*) et adnotat. Nic.:* nota quia deus est infinitus et immensus igitur finis oppositorum. *(CT III. 1, marg. 517).* 11–13) *ibid. V 8 (359; cod. Cus. 43, fol. 53*[r]*,14–16).* 13—14) in variis aliis locis: *v. e. g. De theol. myst. 5 (Dionysiaca I 601; cod. Cus. 43, fol. 64*[r]*).*

12 1–2) primum — mensuram: *cf.* Proclus *El. theol., prop. 92 (Dodds, 82,31–33); cod. Cus. 195, fol. 48*[ra]*:* Neque enim quod primum est infinitas. Mensura enim omnium illud bonum existens et vnum. *(vertit Guillelmus de Moerbeka); cf. prop. 117 (102,28)*

---

5) oculis: *v. infra, notam ad n. 53,12.* 10–11) neque — movens: *cf. De possest n. 21,7.* 11–13) Dicit — concedendum: *v. infra, n. 17,7–8 et notam.* 14) quae praemisi: *n. 8.*

12 1–3) primum — possunt: *De docta ign. I 16–17 nn. 45–47 (h I 32sq., praecipue 33, 10–12); De coni. I 5 n. 17,15; De genesi 2 n. 157,9–10 et notam ad n. 157,9; Apologia n. 47*

---

11 11–13) omnia — concedendum: Pinder *fol. XII*[rb–va].

12 1–4) Eckius *fol. 63*[v].

mum esse omnium mensuram; omnia enim complicite est quae esse possunt. Nam angulus maximus pariter et minimus est actus omnis formabilis anguli, nec maior nec minor, ante omnem quantitatem. 5 Nemo enim adeo parvi sensus est, quin bene videat angulum simplicissimum maximum pariter et minimum in se omnes formabiles sive magnos sive parvos complicare nec maiorem nec minorem quocumque dabili. Cui non plus nomen unius quam omnium angulorum atque nullius convenit. Quare nec acutus nec rectus nec 10 obtusus angulus nominari potest, cum non sit aliquis talis, sed simplicissima omnium causa. Recte igitur, ut Proclus recitat in commentariis Parmenidis, Plato omnia de ipso principio negat. Sic et Dionysius noster negativam praefert theologiam affirmativae.

---

2) $esse_1$: est *Mn* 2) mensuram omnium *Ma* 2) complicate *Ma* 8) quacumque *Ya Mn Ma* 10) cum: quem *Ma* 11) omnium: omni *Ma* 11) Recti *Ma* 12) permenidis *Ma*

---

fol. 51vb*:* Omnis deus mensura est encium. *In Parm. VI (Cousin 1124; Steel 404,34); CT III. 2. 2, marg. 513, 514; v. etiam fragment. in cod. Argentor. 84 (CT III. 2. 2, p. 159); cf.* Plato *Leges IV 716c4;* AM *DN 1 n. 51, 2 n. 81 (32,72, 94,77; cod. Cus. 96, fol. 87*^{va}*, 104*^{rb}*); CT III. 1, marg. 172, 262.* 2) complicite: *cf.* THEODERICUS CARNOTENSIS *Lectiones II 4–5 (p. 155sq.);* Ps.-DIONYSIUS *De div. nom. I 4, V 7 (Dionysiaca I 24, 346).* 11–12) PROCLUS *In Parm. VI (Cousin 1069, 1074, 1087; Steel 362,5, 365,12sqq., 374,79sqq.); cf. CT III. 2. 2, marg. 422, 434, 456; cf. etiam Theol. Plat. II 5, IV 11, V 16 (S–W II 37,12–19, IV 37,8–10; Portus 93, 197, 277); CT III. 2. 1, marg. 163, 275, 343.* 13) DIONYSIUS noster: *v. e. g. De myst. theol. 1–3 (Dionysiaca I 571sq., 579–583, 589–593); De div. nom. XIII 4 (Dionysiaca I 554); De cael. hier. II 2 (Dionysiaca II 758sq.); Ep. 1 (Dionysiaca I 607); cf.* AM *Super Dion. Myst. theol. 1–3 (p. 454,78–84, 465,65–466,19, 471,8sqq.).*

(h II 32,7.16–17); Idiota de sap. I n. 23,8–10; De possest nn. 9,18–21, 13,11–12; De li non aliud 5 n. 16 (h XIII 11,21–26); De ven. sap. 7 n. 18,4–10, ubi Nicolaus laudavit nn. 9sqq.; ibid., 38 n. 111,6–7; Complem. theol. 13–14 fol. 100^{r-v}*); Sermones 'Sic currite' (CCLXVI; 1457; fol. 166*^{v}*,29–167*^{r}*,12) et XXII n. 19,17–20 (h XVI 344b).* 3–4) Nam — quantitatem: *v. supra, n. 9,8–10, infra, n. 58,9–11; cf. De ven. sap. 7 n. 18,4–10.* 7) complicare: *cf. De ven. sap. 26 n. 76,16–17 (dictum de triangulo) et notam.* 11–12) Recte — negat: *ibid. 22 n. 64,8–10 et notam ad n. 64,8sqq.* 12–13) Sic — affirmativae: *v. epist. ad abbatem Tegernsensem (1453, 14. 9.; Vansteenberghe, Autour, p. 114); cf. De docta ign. I 16 n. 43; 26 nn. 86sq. (h I 30,22–31,12; 54,14–15.21–24); Apologia n. 13 (h II 10,7–12 et notam ad lin. 9); Idiota de sap. II n. 32,11–14; De ven. sap. 22 n. 64,13–16.*

5–13) *idem, fol. 63*^{v}*.*

Videtur autem ipsi deo magis convenire ipsum unum quam aliud **13**
nomen. Ita vocat eum Parmenides, similiter et Anaxagoras, qui
aiebat «melius unum quam omnia simul». Non intelligas de uno
numerali, quod monas seu singulare dicitur, sed de uno scilicet
indivisibili omni modo divisionis, quod sine omni dualitate intel- 5
ligitur. Post quod omnia sine dualitate nec esse nec concipi possunt,
ut sit primo unum absolutum iam dictum, deinde unum cum addito,
scilicet unum ens, una substantia, et ita de omnibus, ita quod nihil
dici aut concipi possit ita simplex, quin sit unum cum addito, solum
uno superexaltato excepto. Unde quomodo debeat omnium nomi- 10

---

13 4) sed: videlicet *Ma*[2] sed *corr. Ma* 6) omnia: sunt *add. Ma* 6) possint *Mn* 7) ut: nec *Ya* 9) solummodo *Mn* 10) quomodo: quem *Ya*

---

13 1–2) Videtur — nomen: *v. notas ad nn. 20,10sq., 59,7sq. De ven. sap.; cf. etiam* Proclus *El. theol., prop. 64 (Dodds 62,8–11; cod. Cus. 195, fol. 44*[va]*); marg. 43 (CT III. 2. 1).* 2) Parmenides: *i. e. liber Platonis (cf. De ven. sap. 21 n. 61,5–6, 22 n. 64,8), cf.* Proclus *In Parm. VI (Cousin 1087, 1096sq.; Steel 374,91.95–96, 381,25, 382,34.39–40); CT III. 2. 2, marg. 458, 459, 475, 476.* 2) Anaxagoras: Aristoteles *Met. XII 2 1069b20–21; cod. Cus. 184, fol. 78*[r] *adnotat. Nic.:* anaxagoras vnum melius quam cuncta simul*; cod. Londin., Harl. 4241, fol. 70*[r]*.* 3–5) Non — divisionis: *cf.* Proclus *In Parm. VI (Cousin 1076, 1083–1085; Steel 367,72sqq., 371,94sqq., 372,22sqq., 373,40–41), VII (Cousin 1149; Steel 423,96–97); CT III. 2. 2, marg. 447, 450, 453.* 4–5 de — indivisibili: Aristoteles *Met. X 1 1053b7; cod. Cus. 184, fol. 62*[v] *adnotat. Nic.:* vnum indiuisibile. 6) Post — possunt: Proclus *In Parm. I (Cousin 711sq.; Steel 76,53sqq.); CT III. 2. 2, marg. 38.* 7) unum cum addito: *v. notam sequentem.* 8–10) ita — excepto : *cf.* Proclus *Theol. Plat. II 7 et 10 (S–W II 51,6–8 63,14–16); CT III. 2. 1, marg. 177, 186, 187.* 10) uno superexaltato: Proclus *In Parm. I, VII (Cousin 710; Steel 75, 24–27, 498,96); CT III. 2. 2, marg. 36.*

---

13 1–2) Videtur — nomen: *cf. De docta ign. I 24 nn. 75–77 (h I 48sq.); De coni. I 5 nn. 17–19; De fil. dei 4 n. 72,13–16; De princ. n. 26 (fol. 9*[v]*,8–21); De ven. sap. 9 n. 24,3; cap. 21–22; De ap. theor. n. 14,9.* 2) Parmenides: *De princ. n. 30 (fol. 9*[v]*,46–10*[r]*,4); De ven. sap. 21 n. 61,4–6.* 3–4) de — dicitur: *v. infra, n. 21,2; De docta ign. I 5 n. 14 (h I 12,22–13,11); De fil. dei 4 nn. 72,16–73,6; De princ. n. 39 (fol. 11*[r]*,26sqq.); De ven. sap. 21 n. 59,8–10; 37 n. 108,14–16.* 4–5) de — divisionis: *v. supra, notam ad n. 8,7–9.* 5) quod — intelligitur: *v. infra, nn. 41,2.5–6, 42,3–4; cf. De princ. n. 31 (fol. 10*[r]*,16–25).* 7) iam dictum: *supra, nn. 4,1, 13,1.* 9) unum cum addito: *cf. De princ. n. 39 (fol. 11*[r]*,32–33.37–39); De ven. sap. 22 n. 64,10–12.* 10) uno superexaltato: *De princ. nn. 19, 24, 26, 28, 30, 31, 39 (fol. 8*[v]*,22; 9*[r]*,37–38; 9*[v]*,18–19.34–36; 10*[r]*,1.7–8.21; 11*[r]*,38).*

---

13 1–3) Vnum *Ma in marg.* 2–11) Eckius *fol. 63*[v]*.* 7) Vnum dictum *Ma in marg.*

nibus et nullo omnium nominum nominari, ut Hermes Mercurius de eo dicebat, et quaeque circa hoc, vides clare in aenigmate figurari. |

14 Adhuc unum attendere velis quomodo omnia creabilia non sunt *185v* nisi similitudo. Nam omnis dabilis angulus de se ipso dicit quod non sit veritas angularis. Veritas enim non capit nec maius nec minus. Si enim posset esse maior aut minor veritas, non esset veritas. 5 Quomodo esset veritas, quando non esset quod esse posset? Omnis igitur angulus dicit se non esse veritatem angularem, quia potest esse aliter quam est, sed dicit angulum maximum pariter et minimum, cum non posset esse aliter quam est, esse ipsam simplicissimam et necessariam veritatem angularem. Fatetur igitur omnis angulus se 10 illius veri similitudinem, quia est angulus non ut in se, sed ut est in alio, scilicet in superficie. Et ideo angulus verus in angulo creabili seu designabili est ut in sua similitudine. Recte beatus Augustinus

---

11) et: aut *Mn Ma* 11) nulli *Ma* 11) omnium: enim *Ya* 12) quaecumque *Ya*
14 2) angulus: agnus *Ya* 3) maius: magis *Mn Ma* 4) possit *Ya Ma* 6) igitur: ergo *Ya Ma* 7) pariter *in marg. C* 8) cum: quem *Ma* 8) possit *Ma* 11) in_1 *om. Ma* 11) creabili: credibili *Mn*

---

11) Hermes Mercurius: *Asclepius 20 (p. 55), quem ad locum Nic. in cod. Brux. B. R. 10054/56, fol. 26r adnotavit:* nota racionem cur deus sit ineffabilis; *Corpus Hermeticum, Tract. V 10 (Nock-Festugière I 64,8–10); cf.* LACTANTIUS *Div. inst. I 6,4sq. (CSEL XIX 19–20);* THEODERICUS CARNOTENSIS *Lectiones IV 11; Glosa IV 10sq. (p. 189sq., 286); cf. etiam* Ps.-DIONYSIUS *De div. nom. I 5–6, VII 3 (Dionysiaca I 36, 43–46, 404);* AM *DN I nn. 61–63 (p. 38–40); v. infra, p. 106, adnotat. 9.*
14 1–2) omnia — similitudo: *cf.* PLATO *Resp. X 597a* 12–14) AUGUSTINUS *Conf. X 6,9, quem ad locum Nic. in cod. Cus. 34, fol. 73v adnotavit:* nota hic infra dulcissimam conemplacionem. *Cf. Ps. 99,3.*

10–12) Unde — dicebat: *De docta ign. I 24 n. 75 (h I 48,13–16); De dato patr. lum. 2 n. 102,10–11; Idiota de mente 3 n. 69,6–7; De li non aliud 6 n. 22 (h XIII 15,1–2); Sermo XX n. 6,30–32; Sermo XXIII n. 19; v. infra, notam ad n. 53,13–14.*
14 1–2) omnia — similitudo: *v. supra, n. 7,4–5; infra, n. 64,15–16; cf. De docta ign. II 4 nn. 112–116 (h I 72–75); De genesi 1 n. 149,16–19; Apologia n. 15 (h II 11,19–26); De ven. sap. 22 n. 65,23–24.* 3) Veritas — minus: *cf. De docta ign. I 3 n. 10; 6 n. 16 (h I 9,11–12; 14,7–12); Idiota de sap. II nn. 37,5–7, 38,15–19; De ven. sap. 36 n. 106,4–5.* 12–14) *Recte – nos_2: cf. Sermo LXXVI (sec. Koch LXXI; CT I 6, p. 100,30–102,3).*

---

14 1–12) ECKIUS *fol. 64r;* PINDER *fol. XIIva.* 3) Veritas *Ma in marg.*

omnes dicit creaturas ad interrogationem, an sint deus, respondere: Non, quia non ipsi nos, sed «ipse fecit nos».

15 Nunc potes satis ex his videre, quam nunc, quando «per speculum videmus in aenigmate», ut Apostolus ait, de deo notitiam habere possumus, utique non aliam quam negativam, uti scimus quocumque angulo designato ipsum non esse simpliciter maximum pariter et minimum. In omni igitur angulo negative videmus maximum, 5 quem scimus esse, sed non illum designatum, et scimus ipsum maximum pariter et minimum omnem totalitatem et perfectionem omnium formabilium angulorum, omnium ipsorum intimum centrum pariter et continentem circumferentiam. Sed conceptum non possumus de quiditate ipsius anguli maximi pariter et minimi facere, 10 cum nec sensus nec imaginatio nec intellectus sentire, imaginari, concipere vel intelligere possint aliquid tale simile illi, quod est maximum pariter et minimum.

---

13) an: Aut *Ya* 13) sint *in* sine *mutav. Ya* 13) deus: debet *Ma*

15 3) uti: ut *Ya* et *Mn* 5) igitur: ergo *Ma* 6) non: esse *add. p* 7) minimum: esse *add. p* 7–8) omnem — angulorum *om. Ma, in marg. complev. Ma*[2] 10) possumus: praesummas *Mn* 10) maximi *om. Mn* 11) cum: quem *Ma* 12) aliquod *Ya*

---

15 2) Apostolus: *1 Cor. 13,12.* 3) utique — negativam: *v. notas ad n. 12,11–12.13.*

---

15 2–3) notitiam — negativam: *v. De docta ign. I 26 (h I 54–56).* 6–9) et — circumferentiam: *cf. De docta ign. I 21 n. 64; 23 n. 70 (h I 43,1–13; 46,6–7).* 9–10) Sed — facere: *v. infra, nn. 30,14–18, 54,1–15; cf. De docta ign. I 3 n. 10 (h I 9,24–26); De quaer. deum 5 n. 49,20–21; De genesi 4 n. 174,1–2; De li non aliud 18 n. 83 (h XIII 44,9–10); De ven. sap. 12 n. 31,13–15.23; 29 n. 86,8–10; n. 87,7–10; De ap. theor. n. 3,3–5.* 10) de quiditate: *v. infra, n. 54 et notas.* 11) sensus — imaginatio — intellectus: *De possest nn. 17,3–9, 70,3–4; Compendium 1 n. 1,9; De docta ign. I 10 n. 27:* sensus, imaginatio, ratio *(h I 20,1–16); De coni. II 11 n. 130; 14 n. 141:* sensus, imaginatio, ratio, intellectus; *16 n. 157; Idiota de mente 8 nn. 114–115:* sensus, imaginatio, ratio; *De ven. sap. 39 n. 123,2–4; cf. infra, n. 43,6–9 et notas.*

---

15 2–12) de — illi: Eckius *fol. 64*[r].

16 Sic dicit Plato «in Epistulis» apud «omnium regem cuncta esse et illius gratia omnia» eumque «causam bonorum omnium.» Et post pauca: «Humanus enim animus affectat qualia sint illa intelligere, aspiciens illa cognata genera, quorum nihil sufficienter se habet, sed
5 in rege ipso nihil tale». Utique bene ibi scribit hoc teneri debere secretum. Non enim absque causa nominat primum principium omnium regem. Omnis enim res publica per regem et ad ipsum ordinata et per ipsum regitur et exsistit. Quae igitur in re publica reperiuntur distincta, prioriter et coniuncte in ipso sunt ipse et vita,
10 ut addit Proclus. Duces, comites, milites, iudices, leges, mensurae, pondera et quaeque talia omnia sunt in rege ut in publica persona, in qua omnia, quae possunt esse in re publica, actu exsistunt ipse. Lex eius in pellibus scripta est in ipso lex viva, et ita de omnibus, quorum ipse auctor est, et ab ipso omnia habent, quae habent tam

---

16 1) Sic: Hic *Mn Ma, sed* s *minusculum sub littera initiali* H *pro rubricatore exhibet Ma* 2) eamque *Ya Mn Ma* 2) causam *om. Ya* 3) animius *Mn* 4) habet se *Ma* 5) hoc: sed *Ma* 5) tenere *Ya* 7) publica: principaliter *Ma* publica *in marg. corr. Ma*[2] 9) prioriter: prioritatem *Mn* 10) ut: ne *Ya* 14) habent omnia *Ma* 14–15) tam esse *om. Ma* esse *in marg. Ma*[2]

---

16 1–2) Plato *Ep. II 312e1–3;* Proclus *In Parm. VI (Cousin 1115; Steel 396,3–4); CT III. 2. 2, marg. 502:* nota exposicionem epistule platonis circa omnium regem omnia esse etc.; *ibid. VI (Cousin 1097, 1109; Steel 382,39–40, 392,50–51); VII (Cousin 1150; Steel 424,32); CT III. 2. 2, marg. 476:* primum vere vnum omnium rex. et ipsum bonum; *marg. 497, 548; cf. marg. 167.* 3–5) Plato *Ep. II 312e4–313a2.* 5–6) Utique — secretum: *ibid. 312d7–e1; 314a1–5;* Proclus *In Parm. IV (Cousin 928; Steel 248,91–92); CT III. 2. 1, marg. 328 ad Theol. Plat. V 3 (Portus 254).* 10) ut addit Proclus: *In Parm. III (Cousin 814; Steel 156,51sqq.); CT III. 2. 2, marg. 177.*

---

16 1) *et* 15–16) Plato regem ... Aristoteles principem nominavit: *cf. Sermo 'Cum omni militia caelestis exercitus' (CCII; 1455; fol. 121*r*,3); De li non aliud 21 n. 97 (h XIII 51,9–10); De princ. nn. 24, 40 (fol. 9*r*,32; 11*v*,6–7).* 5–6) hoc — secretum: *cf. supra, n. 2,1–3; infra, n. 39,4; De li non aliud 21 n. 98 (h XIII 51,29–30).* 7–8) Omnis — ordinata: *cf. De conc. cath. III 12 n. 376,1sqq.* 8–12) Quae — ipse: *cf. De coni. II 16 nn. 156,22–23, 158,4–5; v. infra, nn. 25,6–7, 57,8–9.* 11) in — persona: *cf. De conc. cath. III 4 n. 331,7–11.*

---

16 1–6) Plato — secretum: Eckius *fol. 64*r. 8–11) Quae — in rege: *idem, fol. 64*r.

esse quam nomen in re publica. Bene Aristoteles in simili ipsum 15
principem nominavit, ad quem omnis exercitus est ordinatus tamquam ad finem et a quo habet exercitus quidquid est. Ecce sicut lex scripta in pellibus mortuis est lex viva in principe, sic in primo omnia sunt vita, tempus in primo est aeternitas, creatura creator.

Dicebat Averroes «in XI Metaphysicae omnes formas» esse «actu 17
in primo motore» et in XII Metaphysicae quomodo Aristoteles negando ideas Platonis ponit ideas et formas in primo motore. Idem Albertus in commentariis super Dionysio asserit. Ait enim Aristotelem dicere primam causam tricausalem, scilicet efficientem, for- 5
malem et finalem, formalis est exemplaris, quodque ad illum intellec-

---

18) est *om. Ma*

17 1)Auerois *C Mn m* Aueroys *Ya* Auerroys *Ma* auerrois *a* Auerrois *p b* 1–2) omnes — Metaphysicae *om. Ma, in marg. Ma*² 4) Albertus: magnus *add. Ma*

---

15) ARISTOTELES *Met. XII 10 1075a14–15; cf.* AVERROES *Met. XII, comm. 52 (ed. Venet. 1562, fol. 337*^{vb}*L);* AM *Super Dion. De cael. hier. 1 § 2 (Borgnet XIV, p. 17b); CT III. 1, marg. 15; DN 4 n. 56, 13 n. 15 (p. 164a, 441a); CT III. 1, marg. 401, 574.* 18–19) in₃ — vita: *cf. Io. 1,3–4.* 19) tempus — aeternitas: *cf. Prov. 8,23.*

17 1–2) AVERROES *Met. XI (XII), comm. 18 (fol. 305*^{va}*I):* Et ideo dicitur, quod omnes proportiones et formae sunt in potentia in prima materia, et in actu in primo motore*; quem Nic. laudat sec.* AM *DN 2 n. 45 (p. 73,60–61); CT III. 1, marg. 224; cf.* AVERROES *Met. XII, comm. 24 (fol. 309*^{rb}*E).* 2–3) *ibid., comm. 18 (fol. 303*^{rb}*E):* dicit *(scil. Aristoteles)*, quod manifestum est quod nihil cogit nos dicere formas Platonis*; cf. ibid., fol. 303*^{va}*H–I, 303*^{vb}*K, L, 305*^{rb}*E.* 3–4 AM *DN 5 n. 37 (p. 325.11–23), quem ad locum Nic., fol. 181*^{v}*, adnotavit:* deus operatur per exemplaria. contra aristotelem, qui tamen raciones causatorum apud primam causam admittit. 4–6) Ait — exemplaris: AM *DN 2 n. 45 (p. 73,41–45; fol. 98*^{ra}*); ibid. 1 n. 33, 4 n. 86 (p. 18,47–67, 192,7sqq.; fol. 84*^{ra}*, 139*^{rb}*); CT III. 1, marg. 446; cf.* ARISTOTELES *Met. XII 4 1070b30–35; Phys. II 7 198a24–25;* AVERROES *Met. XII, comm. 24 (fol. 309*^{rb}*E).*

16–17) ad — finem: *cf. De ven. sap. 32 n. 95,5–6.* 19) tempus — aeternitas: *cf. De coni. I 8 n. 34,2–6; De ludo globi I n. 18 (fol. 154*^{r}*,31–33); De princ. nn. 22–23 (fol. 9*^{r}*,11sqq.); De vis. dei 10 nn. 41–42 (fol. 104*^{r}*,21sqq.).*

17 4–6) Ait — exemplaris: *v. infra, nn. 25,4–5, 36,8–9; cf. De docta ign. II 9 n. 150 (h I 95,24); De possest n. 12,19; De ludo globi I n. 48 (fol. 158*^{r}*,7–8); De ven. sap. 7 n. 18,18–19; 8 n. 22,12–18 et notas; De princ. n. 14 (fol. 8*^{r}*,22–23); Sermo 'Pax hominibus' (CLXVI; 1455); Sermo 'Trinitatem in unitate veneremur' (CCXXXI; 1456; fol. 88*^{rv}*; 134*^{r}*,44–134*^{v}*,9).*

---

17 4–7) Albertus — Platonem: ECKIUS *fol. 64*^{v}*.*

tum non reprehendat Platonem. Verum est autem quod deus omnium in se habet exemplaria. Exemplaria autem rationes sunt. Nominant autem theologi exemplaria seu ideas dei voluntatem, 10 quoniam sicut «voluit fecit», ait propheta. Voluntas autem, quae est ipsa ratio in primo intellectu, bene dicitur exemplar, sicut voluntas in principe ratione fulcita exemplar legis est, «quod enim principi placuit, legis habet vigorem».

18 Neque haec om|nia, quae aut Plato aut Aristoteles aut alius quisquam dicit, aliud sunt quam tibi beryllus et aenigma ostendit, scilicet veritatem per suam similitudinem omnibus tribuere esse. Sic Albertus ubi supra affirmat dicens: «Oportet aliquo modo» fateri *186r*

---

7) non *om. Ma, s. l. Ma²* 7) reprehendit *Ma* 10) sicut: sunt *Ya* 11) ratio in *ex* rationi *corr. C* 12–13) est — legis *om. Ya*
18 1) aut₁: et *Ma* 2) quam quod *p* 4) ubi: ibi *Ma*

7–8) Verum — sunt: *v. De ven. sap., notas ad n. 81,5–7, n. 84,9–14; De beryllo, notam ad n. 17,9 (Schriften, H 2, p. 103).* 8) Exemplaria — sunt: AUGUSTINUS *De div. quaest. LXXXIII, q. 46,2 (CCSL XLIV A, p. 71,22–30);* Ps.-DIONYSIUS *De div. nom. V 8 (Dionysiaca I 360);* AM *DN 5 n. 36, cf. 7 n. 17 (p. 324,30sqq., 350,38–39; fol. 181va, 190rb); cf.* PROCLUS *In Parm. III (Cousin 799; Steel 145,90–91); CT III. 2. 2, marg. 147.* 9) Nominant — voluntatem: *cf. e. g.* Ps.-DIONYSIUS *De div. nom. V 8 (Dionysiaca I 360);* AM *DN 5 nn. 36–37 (p. 324sq., imprimis p. 325,57–61); cod. Cus. 96, fol. 181vb, adnotat. Nic.:* nota exemplaria vocantur voluntates diuine; *cf. etiam* PROCLUS *In Parm. III (Cousin 802; Steel 147,49); CT III. 2. 2, marg. 153.* 10) propheta: *Ionas 1,14; Ps. 113,11 (3), Ps. 134,6; Iob 23,13; cf. Sap. 12,18; v. CT III. 2. 2, marg. 557, ad* PROCLI *In Parm. VII.* 11) in primo intellectu: *v. notam ad n. 36,14–15.* 12–13) quod — vigorem: *v. notam ad n. 51, 7–8.*
18 4–6) AM *DN 5 n. 32 (p. 322,14–17; fol. 180vab); CT III. 1, marg. 514.*

7–8) Verum — sunt: *v. supra, n. 11,11–13; cf. De possest nn. 4,9–11, 22,1–3; De li non aliud 10 n. 38 (h XIII 22,21–30); De ludo globi II n. 99 (fol. 165v,23–25); De ven. sap. 27 n. 81,4–9; 28 n. 84; Sermo 'Misereor super turbam' (CXCIII; 1455; fol. 114v,1); sed cf. De docta ign. II 9 n. 149 (h I 95,4–6); Idiota de sap. II n. 38,19–21; De mente 2 n. 67.* 9) exemplaria seu ideas: *cf. De ap. theor. n. 15,5; De docta ign. II 7 n. 129 (h I 83,4–5).* 9–13) dei — vigorem: *v. infra, nn. 37,18–22, 51,4–18 et notas; cf. Cribr. Alch. II 2 n. 90,8–10; De ludo globi I n. 19 (fol. 154r,46); De ven. sap. 27 n. 82,10–12.* 10–11) Voluntas — intellectu: *v. infra, n. 51–16 et notam.* 12–13) quod — vigorem: *v. infra, n. 51,7–8; cf. De conc. cath. II 13 n. 113,5.*
18 2) beryllus et aenigma: *v. infra, n. 71,20.*

---

18 1–3) ECKIUS *fol. 64v.* 1–9) omnia — communicabilis: PINDER *fol. XIIva.*

«quod a primo fluat in omnia una forma, quae sit similitudo suae essentiae, per quam omnia esse ab ipso participant.» Et attende quod veritas, quae est id quod esse potest, est imparticipabilis, sed in similitudine sua quae potest secundum magis et minus recipi secundum dispositionem recipientis est communicabilis. Avicebron in libro Fontis vitae dicit variam reflexionem entis causare entium differentiam, quoniam 'vitam' addit 'una reflexio' super 'ens, intellectum duae reflexiones'. Quomodo hoc capi possit in aenigmate, ita velis imaginari.

19 Esto igitur quod *a b* sit linea similitudinis veritatis inter primam

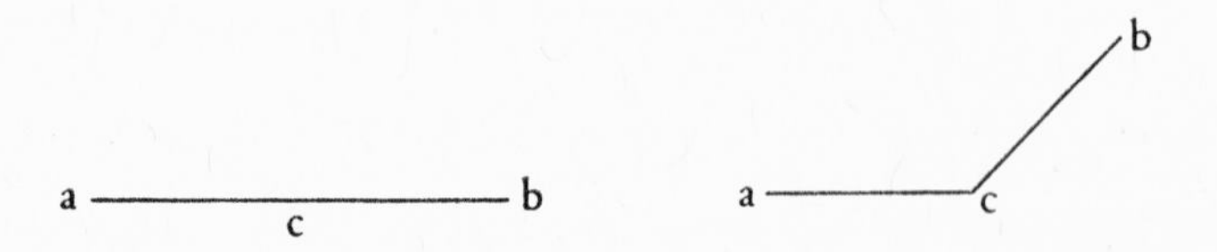

veritatem et ipsum nihil cadens, *b* vero finis similitudinis circa nihil. Et super *c* ipsum *b* plicetur motu complicatorio versus *a* figurans motum, quo deus vocat de non esse ad esse. Tunc linea *a b* est fixa,

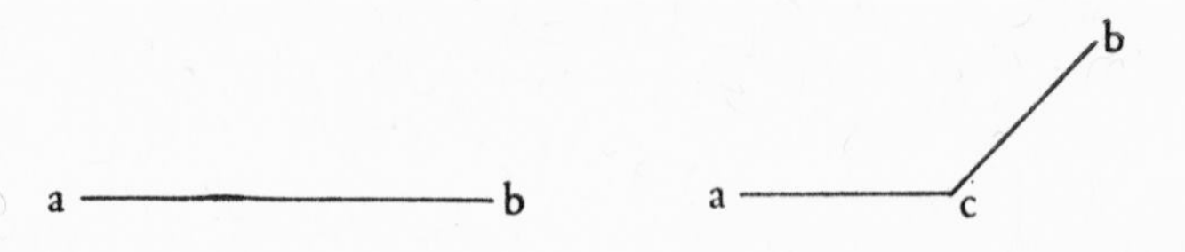

5–6) suae essentiae: essentiae eius *p* 6) ab ipso: *scil.* esse *sec. cod. Cus. 96, fol.* 180^v 6) Et *om. Ma* 6) attendit *Mn* 7) id *s. l. C om. Ma* 7) est_2 *om. Mn* 11) addidit *Mn* 13) imaginari: inter primam veritatem et ipsum nihil addens *add. Ya, sed per* ua...cat *suprascriptum haec verba esse delenda indicat* Ya^2

19 1–2) *lineam* a b *in marg. add., litteram* c *om.* Ma^2*; lineam alteram om. Ma p b* 2) cadens: addens *Ya* 3) ipsum: item *Mn* 3) plicetur *ex* complicetur *corr. C om. a* moveatur *p* 3) a *s. l. Ma* 4–5) *Figuras geom. om. Ma; litteram* c *om. a m* 4) quo *ex* quae *corr. Ma* 4) a b *ex* ab *corr. C*

9–12) Avicebron: *v. infra, p. 107, adnotat. 11.*

19 1–2) *De aenigmate (n. 18,12) v.* AM *DN 5 n. 31 (p. 322,1sqq.; fol.* 180va*).*

5) in — forma: *cf. Idiota de mente 2 n. 67,4–8.*

19 1–2) inter — cadens: *cf. De coni. I 9 n. 42,1–3; De conc. cath. I 2 n. 9,4–21.*

19 1–13) Esto — $esse_1$ *et* 15–17) a b — explicatio: Eckius *fol.* 64^v–65^r.

5 ut egreditur a principio ut est *a c*, et mobilis, ut movetur super *c* complicatorie versus principium.

In hoc motu *c b* cum *c a* causat varios angulos et *c b* est per motum differentias similitudinis explicans. Primo in similitudine minus

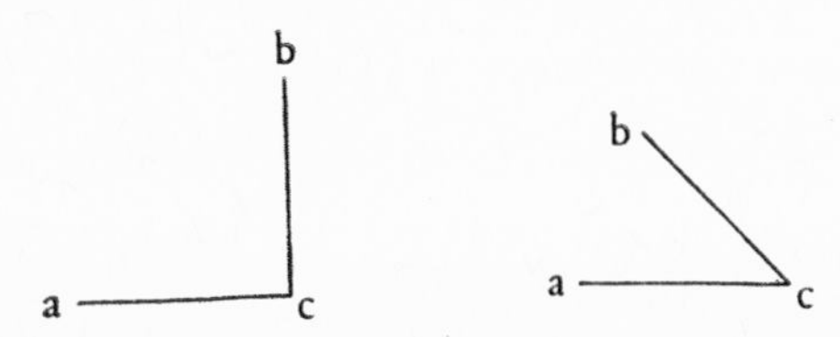

formali obtusum angulum causat ipsius esse, deinde magis formali
10 ipsius vivere, deinde maxime formali et acuto ipsius intelligere. Acutus angulus plus de activitate anguli et simplicitate participat et similior primo principio. Et est in aliis angulis, scilicet vitali et ipsius esse; sic vitalis in angulo ipsius esse. Et quae sunt mediae differentiae ipsius esse et vitae ac ipsius intelligere et quae explicari
15 possunt, sic in aenigmate videbis: *a b* enim similitudo veritatis omnia in se continet, quae possunt explicari, et per motum fit ex-

---

7) est *om. Ma* 8–9) *Figuras geom. om. Ma; figura altera in p et b hoc modo inest:*

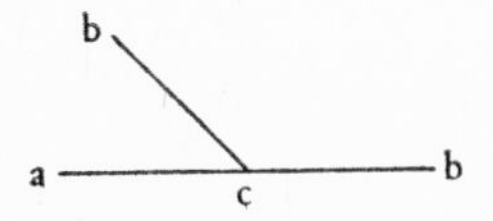

9) formali$_1$: formale *Ma* 9) *et* 10) deinde: in *add. p* 11) Acutius *Ya* 13) esse$_1$: et *add. Ma* 13) sic — esse *in marg. C* 13–14) quae — et$_1$ *om. Ya* 14) vitae: viuere *p* 14) intelligere: intelligenciae *Mn* 14) explicare *Ya*

9–10) esse ... vivere ... intelligere: *v. De ven. sap., notam ad n. 10,7 (h XII, p. 12); v. etiam marg. 261 ad* PROCLI *Theol. Plat. IV 3, marg. 62–64 ad El. theol., prop. 101 (CT III. 2. 1).* 11–13) Acutus — esse$_2$: *v. marg. 196, CT III. 2. 1; marg. 346, CT III. 1 ad* AM *DN 5 n. 14 (p. 123a; fol. 117*[rb]*).*

9–10) esse — vivere — intelligere: *cf. De ven. sap. 4 n. 10,7 et notam; v. supra, n. 18,11.* 16–17) per — explicatio: *v. infra, notam ad n. 20,3.*

plicatio. Motus autem quomodo fiat, ubi simplex elementum de se explicat elementatum, sicut praemisi, in aenigmate figuratur. Simplicitas enim elementalis est ex mobili et immobili, sicut principium naturale est principium motus et quietis.

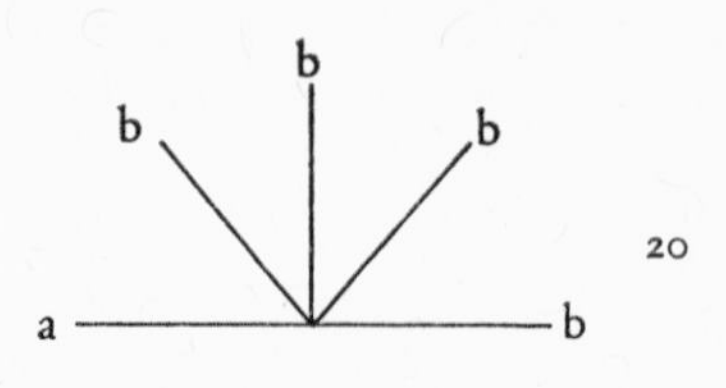

Unde dum intellectus conditor sic movet *c b*, exemplaria, quae in se habet, explicat in sua similitudine, sicut mathematicus, dum lineam plicat in triangulum, ipsum triangulum explicat motu complicationis, quem intra se habet in mente. Unde habes lineam *a b* imaginari debere communicabilem veritatem, quae est incommunicabilis veritatis similitudo, per quam omnia vera sunt vera, et non absoluta ut veritas, sed est in veris. Experimur autem ipsum esse verorum in trino gradu, in eo quod quaedam sunt tantum, alia vero veritatis gestant simpliciorem similitudinem, quorum esse est virtuosius, quia eo quod sunt vivunt. Alia adhuc simpliciorem, quae

---

17–21) *Figura in marg. sinistro codicis C abscisa est; om. Ma; in p et b hoc modo inest:* 17) fiet *Ma* 20) elementalis *ex* mentalis *s. l. corr. Ya* 21) mobili *ex* mobile *s. l. corr. Mn*
20 1) sic: se *add. Ma* 2) in_2: ut, *tum* in *s. l. corr. Ma* 4) intra *ex* in *corr. Ma* 4) habeas *Ma* 4) a b: ab *Ya* 7) absolutam vt veritatem *p* 7) sed: vt *add. p* 8) in_1: ipsis *add. Ya* 8) quod *om. Ya* 9) virtuosius: vigorosius *p* 10–12) quia — virtuosius *om. Ya* 10) quae *om. Ma, in marg. Ma*[2]

20–21) Simplicitas — immobili: *cf.* Proclus *In Parm. II (Cousin 770–773; Steel 123–125); CT III. 2. 2, marg. 104–109.*
20 1) intellectus conditor: *v. notam ad n. 4,4.* 8–11) sunt ... vivunt ... intelligunt: *v. notam ad n. 19,9–10.*

---

19) praemisi: *supra, n. 10.* 21–22) principium — quietis: *De docta ign. II 10 n. 155 (h I 98,28–99,1); De coni. I 6 n. 23,10–11; Apologia n. 22 (h II 15,20).*
20 1) intellectus conditor: *v. supra, notam ad n. 4,4.* 3) complicationis: *de notionibus* complicationis *et* explicationis *v. De coni., adnotatio 12 (h III 194–195); praecipue De possest n. 8,19–22 et notam; n. 9,6–7; De ven. sap. 22 n. 67,14.* 6–7) omnia — in veris: *De coni. I 4 n. 15,5; De ven. sap. 36 n. 106.* 7–8) esse verorum: *v. supra, notam ad n. 19,9–10; De princ. n. 8 (fol. 7v,5–7).*

eo ipso quod sunt vivunt et intelligunt. Esse autem quanto simplicius, tanto virtuosius et potentius. Ideo absoluta simplicitas seu veritas est omnipotens.

21 Adhuc alio aenigmate per doctrinam ut ad minima respiciamus, quando maxima inquirimus. Unum seu monas est simplicius puncto. Puncti igitur indivisibilitas est similitudo indivisibilitatis ipsius unius. Esto igitur quod unum sit ut | indivisibilis et incommunicabilis *186v*
5 veritas, quae se vult ostendere et communicare per suam similitudinem, et unum se signat seu figurat et oritur punctus. Punctus autem communicabilis indivisibilitas in continuo non sit unum.

22 Sit igitur punctus communicatus modo quo communicabilis est, et habetur corpus. Nam punctus est indivisibilis omni modo essendi continui et dimensionis. Modi autem essendi continui sunt linea,

---

11) autem *om. Ma* 12) virtuosius: vigorosius *p*
21 2) puncto *ex* puncti *corr. Ma* 3) igitur: ergo *Ma* 3) ipsius *om. Ya* 4) ut *s. l.* C^2 5) veritas: unitas *Ya* 6) seu: sero *Mn* 6) Punctus: punctum *p, ut semper* 7) sit: fit *p*
22 1) igitur: ergo *Ma* 2) omni: causa *Ya* 3) et — continui *om. Ya* 3) dimensionis: diuisionis *Ma, delev. et* dimensionis *in marg. corr.* Ma^2

---

21 2) Unum – puncto: AM *DN 2 n. 48 (p. 75,88–89; fol. 98vb):* unitas simplicior est puncto, quia non habet positionem in continuo*; v. marg. 534 ad* Procli *In Parm. VII (Cousin 1141sq.; Steel 418,1–2), CT III. 2. 2.* 3–7) Puncti – unum: *cf.* Proclus *In Parm. VII (Cousin 1141sq.; Steel 417,85–418,5); CT III. 2. 2, marg. 532–534; cf. etiam* AM *DN 1 n. 21, 2 n. 48 (p. 11,42–45, 75,60–76,48), quos ad locos Nic. fol. 81vb–82ra adnotavit:* nota exemplum de puncto seu centro. et infinitis lineis ab eo exeuntibus. punctus deus linea raciones attributorum *(82ra); fol. 98vb–99ra:* vide hic de exemplo centri. et natura puncti *(98vb); v. etiam marg. 230–232 CT III. 1.*
22 2–3) Nam – dimensionis: Proclus *In Parm. VI (Cousin 1105; Steel 388,45–47); CT III. 2. 2, marg. 490.* 3–5) Modi — profundum: Aristoteles *Top. VI 4 141b5–7; De caelo I 1 268a23–25; Met. V 13 1020a11–14.*

---

21 2–4) Unum — unius: *cf. De princ. n. 39 (fol. 11r,44–45); De ludo globi II n. 88 (fol. 164r,1–3); De ven. sap. 13 n. 37; 21 n. 59,9–10.* 5) se — communicare: *v. supra, n. 4,3–4 et notam.*
22 1–5) *Cf. De docta ign. II 3 n. 105 (h I 69,14–21); De coni. I 8 n. 30,7–12; II 4 nn. 91,6–10, 92,16–19; v. infra, n. 44,5–7.*

---

20 11–13) Esse — omnipotens: Eckius *fol. 65r.*
21 2) Vnum est simplicius puncto Ma^2 *in marg. inf.* 3–4) Puncti — unius: Eckius *fol. 65r.* Vnum punctum *p b in marg.*
22 3–23,2) Modi – nequit: Eckius *fol. 65r.*

superficies et corpus, modi autem dimensionis sunt longum, latum et profundum. 5

23 Igitur linea participat indivisibilitatem puncti, quia est linealiter indivisibilis; linea enim in non lineam partiri nequit nec est divisibilis secundum latum et profundum. Superficies participat indivisibilitatem puncti, quia in non superficiem impartibilis. Nec sit corpus, quia in non corpus secari nequit, secundum profundum divisibilis. 5 In indivisibilitate puncti complicantur omnes illae indivisibilitates. Nihil igitur reperitur in his nisi explicatio indivisibilitatis puncti. Omne igitur, quod reperitur in corpore, non est nisi punctus seu similitudo ipsius unius. Et non reperitur punctus absolutus a corpore vel superficie aut linea, quia est principium intrinsecum dans 10 indivisibilitatem. Linea autem plus participat simplicitatem puncti quam superficies, et superficies quam corpus, ut patuit. De hac consideratione puncti et corporis te eleva ad similitudinem veritatis et universi et in clariore aenigmate facies dictorum coniecturam.

---

23 1) Igitur: Ideo *Ma* 1) linealiter: illinealiter *p* 2) non *om. Mn* 2) nec: Neque *Ma* 4) Nec — corpus: nec est diuisibilis secundum profundum, quia nec sit corpus, et corpus participat puncti indiuisibilitatem *p* 4) sit: sic *Ma* 5) quia — corpus *om. Ya* 5) secari: partiri *p* 5) diuisibile *p* 6) In indivisibilitate: Indivisibilitatem *Ma* 6) puncta *Mn* 6) indivisibilitates: puncti *add. Ya* 7) igitur: autem *Ma* 8) igitur: ergo *Ma* 8) seu: aut *Ma* 9) a: ab ipso *scr. et delev.*, a *in marg. C* in *Ma* 10) vel: a *add. Mn* 11) indivisibilitatem: invisibilitatem *Ma* indiv. *infra lin. corr.* Ma^2 12) et superficies *om. Mn* 14) clariori *Ya Mn Ma*

---

23 1) Igitur – puncti: AM *DN 5 n. 28 (p. 319,23–25; fol. 179*[vb]*); CT III. 1, marg. 508; cf. marg. 532 ad* Procli *In Parm. VII (Cousin 1141; Steel 417,87–88), CT III. 2. 2.* 1–6) *Cf.* Aristoteles *Met. XIII 2 1076b7–8.* 10) principium: *v. CT III 2. 2, marg. 534 In Parm. VII (Cousin 1141; Steel 418,1).*

---

23 4–5) Nec — divisibilis: *v. infra, n. 44,1–4 et notas.* 7) Nihil — puncti: *cf. De docta ign. II 6 n. 125 (h I 80,15–16); De fil. dei 6 n. 88,6–10; De dato patr. lum. 4 n. 109, 7–9.12; Idiota de mente 9 nn. 116,10–11, 118,14–16, 121,1–3; De ludo globi II nn. 85, 92 (fol. 163*[v]*,44–45; 164*[v]*,35–38).* 12–13) De — corporis: *cf. De ap. theor. n. 25.* 14) coniecturam: *De coni. I 11 n. 57,10–11; v. adnotat. 3 (h III 187–190).*

---

23 3–7) Superficies — puncti: Eckius *fol. 65*[r]*.*

24 Recipias veraciorem conceptum ex homine, qui omnia mensurat. In homine est intellectus supremitas rationis, cuius esse est a corpore separatum et per se verum, deinde est anima, deinde natura ac ultimo corpus. Animam dico quae animat et dat esse animale. Intel-
5 lectus, qui non est communicabilis aut participabilis propter suam simplicem universalitatem et indivisibilitatem, se in sua similitudine communicabilem reddit, scilicet in anima. Cognitio enim sensitiva animae ostendit se similitudinem intellectus esse. Per animam intellectus se communicat naturae et per naturam corpori. Anima in eo

---

24 1) Recipias: Decipias *Ya* 4) animam *ex* minimam *corr. Mn* 6) universalitatem: universitatem *Ma* 6) et indivisibilitatem *om. Ya* 8) intellectus$_1$ *om. Mn Ma* 8) Per animam *scr. et delev. Ma* per animam intellectus *in marg. Ma*^{2} 9) naturae: notare *Ma* se communicat naturae *scr. et delev. in marg. Ma*^{2}

---

24 1) ex — mensurat: *v. infra, p. 104sq., adnotat. 8.* 2–4) intellectus ... anima ... natura ... corpus: *v. infra, p. 108, adnotat. 12.* 2) intellectus — rationis: AM *DN 1 n. 54 (p. 34,9–12; fol. 88*^{ra}*), quem ad locum Nic. adnotavit:* mens est intellectus. cuius infimum est supremum racionis. et infimum racionis est supremum sensus *(CT III. 1, marg. 177; etiam marg. 115).* 4) Animam — animat: *cf.* MAG. ECHARDUS *Expos. s. Ev. sec. Ioh., n. 528:* Anima enim, ut dicit Avicenna circa principium libri VI suorum *Naturalium (i. e. De an. I, Van Riet 15,78–16,80, 17,97–99)* ... in quantum scilicet animat corpus. *(LW III 459,7–9; cod. Cus. 21);* AM *DN 4 nn. 28–29, qui laudat* AVICENNAM *(p. 135sq.; fol. 117*^{rab}*); CT III. 1, marg. 343–346, 349.* 4–7) Intellectus — anima: AM *DN 4 n. 29 (p. 137,15–16; fol. 117*^{vb}*); CT III. 1, marg. 352; cf.* PROCLUS *Theol. Plat. I 14 (S–W I 64,25sqq.); CT III. 2. 1, marg. 44.* 7–8) Cognitio — esse: AM *DN 4 n. 26 (p. 133,6–19; fol. 116*^{va}*), quem ad locum Nic. adnotavit:* totum pulchrum; *v. infra, notam ad n. 30,1–8.* 8–9) Per — corpori: PROCLUS *Theol. Plat. I 14 (S–W I 66,26–67,7); CT III. 2. 1, marg. 53.*

---

24 1) conceptum de homine: *v. De coni. II 14:* De homine. 1) qui — mensurat: *v. supra, n. 6,1 et notam.* 2–3) In — verum: *cf. De coni. I 4 n. 15,4–5; De ven. sap. 36 n. 106,5–6.* 2) intellectus — rationis: *cf. De coni. II 17 n. 176,3–4; De vis. dei 22 n. 100; 24 n. 111 (fol. 111*^{v}*,30; 113*^{r}*,3–9).* 2–3) intellectus ... deinde anima, deinde natura: *v. infra, p. 107sq., adnotat. 12; cf. De docta ign. II 4 n. 116 (h I 74,28–75,4); De coni. II 16:* De humana anima. 4) Animam — animale: *cf. Idiota de mente 1 n. 57,9–13; 5 n. 80, 11–12; 7 n. 102,7–8; De vis. dei 23 n. 105 (fol. 112*^{r}*,46–112*^{v}*,1).* 4–6) Intellectus — indivisibilitatem: *Idiota de mente 7 n. 105,7–10.* 7–8) Cognitio — esse: *De coni. II 16 n. 166,4–6; Compendium 11 nn. 35,1–2, 36,1; De ven. sap. 36 n. 106,10–11; 37 n. 109,17–18.* 8–9) Per — corpori: *cf. De coni. II 11 n. 130,9–16; 16 nn. 157,1–14, 166,1–6.* 9–10: Anima — intellectus: *v. notam ad n. 26,1.*

---

24 1) Homo *p b in marg.* 2–3) intellectus *et* Anima *Ma*^{2} *in marg.*

quod similitudo intellectus sentit libere, in eo quod est unita naturae 10
animat. Ideo per naturam animat, per se sentit. Quae igitur anima
operatur in corpore medio naturae, illa contracte operatur, sicut
cognoscitiva in organo contracte secundum organum.

Respiciamus ergo ad corpus et omnia eius membra formalia et ad **25**
cuiuslibet legem sive naturam, virtutem, operationem et ordinem,
ut sit unus homo; et quidquid reperimus explicite, illa reperimus in
intellectu ut in causa, auctore et rege, in quo omnia sunt ut in causa
efficiente, formali et finali. Omnia enim anterioriter in potentia 5
effectiva sunt, sicut in potentia imperatoris sunt dignitates et officia
rei publicae. Omnia sunt formaliter in ipso, qui omnia format, ut
formata in tantum sint, in quantum sunt suo conceptui conformia.
Finaliter sunt omnia in eo, cum eius gratia sint, cum ipse sit finis et
desiderium omnium. Nihil enim omnia membra appetunt nisi 10
unionem inseparabilem cum ipso tamquam cum suo principio et
bono ultimo et vita perenni.

---

10) liberum *Mn* 11) igitur: autem *Ma* 13) cognoscitiva: cognativa *Ya*
25 1) eius: ad *add. Ma* 2) virtutem: et *add. Ma* 2) ordinem: ordinationem *Ya* 3) quidquid: quaecumque *p* 3) reperimus$_1$: recepimus *Ya* 5) anterioriter: interioriter *a* 7) qui: quae *Mn* 8) sint: sunt *Ma* 8) suo: suae *Ma* eius *p* 9) eo, cum: ea quem *Ma* 9) sint: sunt *Ma* 12) perhenni *C a* prohenni *Ya*

---

25 1–4) Respiciamus — rege: *cf. notam ad n. 16,10 (ibid. dictum de primo principio).* 4–5) ut$_2$ — finali: *v. notam ad n. 17,4–6.* 7) rei publicae: *cf. CT III. 2. 1, marg. 366, 371.* 9) Finaliter: *v. supra, notam ad n. 16,15 (dictum de primo principio).*

---

11) Ideo — sentit: *cf. Idiota de mente 7 n. 103,1–2.*
25 1–3) corpus — homo: *De conc. cath. I 4 n. 19,13–22; De docta ign. II 5 n. 121; III 12 n. 256 (h I 78,8–18; 158,20–24); De coni. II 10 n. 125,4–6; 17 n. 179,9–14; De ven. sap. 30 n. 91; Sermo XXIV n. 28sq.; Sermo 'Loquimini ad petram' nn. 26–27 (CCLXXII; 1457; CT I, 2./5., p. 146–148).* 4–5) ut — finali: *v. supra, n. 17,4–6 et notam.* 6–7) sicut — publicae: *v. supra, n. 16,8–12 et notam.* 10–11) Nihil — inseparabilem: *cf. De docta ign. II 5 n. 121; 12 n. 166 (h I 78,7–18; 106,6–9); De coni. II 17 n. 180,6–13; De ven. sap. 30 n. 91.*

26 Quomodo autem anima, quae est similitudo intellectus, in se omnia vivificabilia complicet et vitam omnibus medio naturae communicet et quomodo natura sit omnia ut instrumentum complicans et in se omnem omnium membrorum motum et naturam praehabens,
5 quis sufficienter enarrabit? Intellectus mediante sua similitudine, quae in homine est anima sensitiva, dirigit naturam et omnem naturalem motum, ut omnia suo verbo seu conceptui sive voluntati conformentur. Sic in universo, cui praesidet conditor intellectus, nihil penitus reperitur nisi similitudo sive conceptus ipsius conditoris.
10 Sicut si conditor intellectus foret visus volens suam virtutem videndi ostendere, omne visibile, in quo se ostendat, conciperet, eo ipso intra se omne visibile haberet et ad conformitatem singulorum visibilium in suo conceptu exsistentium cuncta visibilia formaret. In omnibus enim visibilibus nihil reperiretur nisi conformi|tas et *187r*
15 ideo similitudo ipsius conditoris eorum intellectus.

---

26 1) autem *om. Ma* 2) compliciet *Ya* 4) omnem *infra lin. C* 7) sua *ex* suo *mutav. Ma* 11) ostendit *Ma* 11) eo: et *C* eo *corr. Cusanus* 15) intellectus: etc. *add. Mn*

---

26 1–7) Quomodo — motum: *v. notas ad n. 24; infra, p. 108, adnotat. 12.* 1–4) Quomodo — praehabens: *cf.* AM *DN II nn. 24, 26, 28 (p. 423,11–28, 424,28–33, 425, 56–59); Nic. in cod. Cus. 96, fol. 214vb, adnotavit ad primum locum:* vide hic de per se vita. 7) conceptui sive voluntati: *v. notam ad n. 17,9.* 8) Sic — intellectus: *cf.* Proclus *Theol. Plat. I 14 (S–W 65,25–27); CT III. 2. 1, marg. 48; de* conditore intellectu *v. notam ad n. 4,4.* 9) similituo ... conditoris: *CT III. 2. 1, marg. 355, 386 ad* Procli *Theol. Plat. V 17, VI 3 (Portus 281, 346).*

---

26 1) anima — intellectus: *cf. De coni. I 7 n. 27,6–7; II 16 n. 156,9–10.18–20; Idiota de mente 1 n. 57,8–13; Compendium 11 nn. 35,2–3, 36,1–3; De ven. sap. 31 n. 93,8–16.* 2) vitam — communicet: *cf. De coni. II 10 n. 128,13–16; 16 n. 158,5–8 et notam; Idiota de mente 5* n. *80,11–14; 7 n. 103,1; De vis. dei 23 nn. 102–105 (fol. 112r,15–35.46); De ludo globi I nn. 22–29 (fol. 154v,31–155v,31); Sermo 'Hic est verus propheta' (CIL; 1454; fol. 82v,1–5).* 3) quomodo — complicans: *v. infra, n. 36,5 et notam; cf. Idiota de mente 8 nn. 112–115,10.* 8) conformentur: *cf. Idiota de mente 7 nn. 100,1–15, 102,1–10; 8 n. 114,12–13; De ludo globi I nn. 28–29 (fol. 155v,16–23); De ven. sap. 29 n. 86,11–17.* 8) cui — intellectus: *v. notam ad n. 4,4.* 8–9) Sic — conditoris: *v. infra, n. 64,17–18 et notam.* 10) Sicut — visus: *De princ. n. 21 (fol. 8v,45–46); cf. De vis. dei 10 n. 40 (fol. 103v,45–104r,2).*

27 Varia valde ponunt sancti et philosophi aenigmata. Plato in libro De re publica recipit solem et eius attendit in sensibilibus virtutem et ex conformitate illius se elevat ad lucem intelligentiae intellectus conditoris. Quem magnus Dionysius imitatur. Nam utique aenigma est gratum ob conformitatem lucis sensibilis et intelligibilis. Albertus aenigma rectitudinis recipit, ac si linealis rectitudo daret esse omni ligno, quae in nullo uti est potest participari et manet imparticipabilis et absoluta. Varie autem in contracto esse, scilicet in sua similitudine, in quolibet ligno participatur, quoniam unum nodose, aliud incurve; et ita de infinitis differentiis. Etiam caliditatem fingit absolutam, et quomodo omnia calida illius similitudinem participant et habent

---

27 1) Varia: Maria *Ya* 2) De *om. Ma* 4) Quem — imitatur: quo paradigmate et magnus Dionysius est vsus *p* 5) Albertus: magnus *add. Ma* 7) et *om. Ma* 7) imparticipabilis: impartibilis *σ* 8) Varia *Ma* 9) unum ... aliud: in vno...in alio *p* 9) nodose: et *add. Ma*

---

27 1) aenigmata: *cf. notam Nic. ad* Procli *Theol. Plat. III 7 (CT III. 2. 1, marg. 200).* 1–4) Plato *Resp. VI 507d8–509b10; VII 517a8–c5; cf. cod. Brixin. Bibl. Semin. Maioris A 14, fol. 110*^{r}*–111*^{r}*, 115*^{v}*; cod. Cus. 178, fol. 132*^{r}*–133*^{r}*, 138*^{r}*; v. marg. 31, 32, 35 (*Santinello *Glosse, p. 142sq.); cf. etiam* Procli *Theol. Plat. II 4, 5, 7 (S–W II 32,1–7.12–22, 37,12–19, 2,5–11); CT III. 2. 1, marg. 153* (exemplum de sole et bono), *154, 163, 172.* 4) Ps.-Dionysius *De div. nom. IV 1, 4, 5, V 8 (Dionysiaca I 146, 161–162, 170–172, 357–358); cf.* AM *DN 4 nn. 7, 24, 50–51, 61sqq. (p. 117,15sqq., 131,30sqq., 156,25sqq., 168,25sqq.; fol. 111*^{rb}*, 115*^{vb}*, 124*^{vb}*, 129*^{va}*); v. notas Nic. (CT III. 1, marg. 308, 385, 412); praeterea fol. 115*^{vb}*:* exemplum *(solis scil.) et:* nota de similitudine solis et dei/ et virtute solis. 5–10) Albertus — differentiis: AM *DN 1* n. *57 (p. 35,56–61; fol. 88*^{va}*), quem ad locum Nic. adnotavit:* et exemplum de rectitudine et ligno nota*; Albertus secutus est* Anselmum Cantuariensem *De veritate, cap. 10–11 (Schmitt I 190,6–7, 191,6–9); cf. etiam DN 1 n. 55 (p. 34,72sqq.; fol. 88*^{rb}*); v. CT III. 1, marg. 178.* 10–12) Etiam — illa: AM *DN 4 n. 3 (p. 114,43–49; fol. 110*^{va}*); v. CT III. 1, marg. 302.*

---

27 1–4) Plato — imitatur: *De ven. sap. 39 n. 124,1–4*; *Apologia n. 13 (h II 10,9–12); cf. Compendium 1 n. 2,9–12; De ap. theor. nn. 8–9; Sermo 'Michael et angeli eius' (CCXLIV; 1456; fol. 146*^{v}*,19sqq.).* 5–10) Albertus — differentiis: *cf. De docta ign. I 12 n. 34, ubi Nicolaus Anselmum allegavit; 18 nn. 52–53 (h I 25,1–5; 35,18–36,20); Idiota de sap. II nn. 38,9–21, 43,2–11, 46,4–22.* 9) in ligno: *cf. De docta ign. II 2 n. 99 (h I 65,23–24); Compl. theol. 7 (fol. 95*^{v}*–96*^{r}*).* 10–13) Etiam — creaturis: *cf. De ven. sap. 39 n. 118, 11–17.*

---

27 1–10) Plato — differentiis: Eckius *fol. 65*^{r}. 2.6.10) Sol. Rectitudo. Caliditas *p b in marg.*

esse suum ab illa, sic conceptum facit de conditore intellectu et creaturis. Innumerabiles modi possunt concipi, multos alias in Docta ignorantia et libellis aliis posui. Sed nullus praecisionem attin-
15 gere potest, cum divinus modus sit supra omnem modum. Et si applicas oculare et vides per maximum pariter et minimum modum omnis modi principium, in quo omnes modi complicantur et quem omnes modi explicare nequeunt, tunc facere poteris de divino modo veriorem speculationem.

28 Diceres forte usum berylli praesupponere essentiam recipere magis et minus, alioquin per maximum pariter et minimum non videretur eius principium. Respondeo quod, quamvis essentia secundum se non videatur magis et minus recipere, tamen secundum comparatio-
5 nem ad esse et actus proprios speciei magis et minus participat secundum dispositionem materiae recipientis, adeo ut dicit Avicenna

---

13) multas *a* 13) alios *p* 14) praecisiorem *C (*praecisionem *corr. Cusanus) a* praecisissimum *p* 15) supra: super *Ma* 16) permaximum *C (*per/maximum *corr. Cusanus) a* per m. *m* per *om. p* 19) veriorem: veraciorem *Ma* 19) speculationem: etc. *add. Mn*

28 1) usum: visum *p* 1) magis: maius *σ* 2) alioqui *p* 4) tam *Mn* 5) adesse *Mn* 6) a deo *C Mn*

---

12) de conditore intellectu: *v. notam ad n. 4,4.* 16) applicas oculare: *v. infra, p. 90sqq., 102, adnotat. 1 et 5; de nominis usu* ocularis *temporibus Nicolai cf.* Ioannis Tortellii Aretini *De orthographia (1449; ed. Romae 1471):* Illud autem in artem nullam cadit, fecisse duos orbes e tenui vitro, crystallove aut beryllo, per quos infirmior visus, si credibile est, viderit, quos ocularia nominant *(Glossarium mediae et infimae Latinitatis, ed. du Cange, vol. VI, p. 29); v. etiam* G. Mantese, *Inventar, n. 122 (MFCG 2 (1962) 102).*

28 3–4) essentia — recipere: *cf.* Aristoteles *Cat. 5 3b33–34.* 4–5) tamen — speciei: AM *DN 2 n. 44 (p. 72,40–43; fol. 97vb).* 6–8) Avicenna: *locum laudatum non invenimus.*

---

14) Docta ignorantia: *I, cap. 11–23.* 14) libellis aliis: *v. e. g. De ven. sap. cap. 26 et libros supra, in notis ad n. 27,1–13, adlatos.* 14–15) Sed — potest: *cf. De docta ign. I 3 nn. 9–10; 26 n. 89 (h I 8,19; 9,9–11; 56,13–15); De possest nn. 42,19–43,29 et saepius.* 16–17) per — complicantur: *cf. De apice theor. nn. 9,7, 24; Memoriale, propos. 20 (cod. Berolin., cod. Magdeb. 166, fol. 434^{v},18–20).*

28 2–3) alioquin — principium: *v. supra, n. 8,5–7.* 3–4) essentia — recipere: *cf. De ven. sap. 23 n. 69,3–4 et notam i. h. l.*

---

28 1) ex alienis. *p b in marg.*

quod in quibusdam videtur deus, in hominibus, qui divinum habent intellectum et operationes. Nec hic modus berylli penitus fuit absconditus Aristoteli, qui saepe discurrit reperiendo primum per hoc argumentum: Ubi reperitur participatio unius secundum magis et 10 minus in diversis, necesse est deveniri ad primum, in quo ipsum est primum, ut de calore, qui in diversis participatur, devenitur ad ignem, in quo primum est ut in fonte, a quo alia omnia calorem recipiunt.

Sic Albertus illa regula utens quaerit primum, in quo est ratio **29** fontalis entis omnium entitatem participantium, sic et principium cognoscendi, ubi ita dicit: «Cum intelligentia, anima rationalis et sensitiva communicent in virtute cognoscendi, oportet quod recipiant hanc naturam ab aliquo, in quo est primo sicut in fonte, et hic 5 est deus. Impossibile est autem quod aequaliter recipiant ab eo, quia sic essent aeque propinquae principio et aequalis virtutis in cognoscendo. Unde primo recipitur in intelligentia», quae habet «tantum de esse intelligentiae, quantum participat de radio divino. Similiter anima rationalis tantum participat de virtute cognoscitiva, 10

---

7) in_2 *om. Ma* 7) qui: quae *Mn* 9) discurrit: in *add. Ma* 11) primum: principium *Mn* 12) qui: quae *Mn* 13) ignem: ymaginem *Mn* 13) alio *Ya*

29 2) entis: entium *Ma* 2) entitatem: entitatum *Ma* 2) sic: sit *Mn Ma* 2) et *om. Mn Ma* 4) virtute: veritate *Σ a m* virtute *p b cod. Cus. 96 (fol. 116rb)* 6) deus: benedictus *add. Ma* 7) propinque *Σ a cod. Cus. 96*, -quae *m* -quę *p* -qui *b* 8) in *om. Ma et cod. Cus. 96*

9–14) *V. e. g.* Aristoteles *Met. V 15 1020b26–1021a19; II 1 993b24–26, quem locum laudat* AM *DN 5 n. 9 (p. 308,84–85; fol. 176va); CT III. 1, marg. 484, 486; DN 7 n. 8 (p. 342,34–39; fol. 187^{vab}), quem locum Nic. linea instruxit; cf. CT III. 1, marg. 514; DN 4 n. 24, 5 n. 10 (p. 131,23, 309,60–62; fol. 115vb, 176rb).* 13) ut in fonte: *v. notam ad n. 34,2.*

29 3–22) AM *DN 4 n. 26 (p. 132,84–133,15.18–26; fol. 116rb–116va), quem ad locum Nic. adnotavit (lin. 3–6):* nota bene. deus. intelligencia. racio. sensus.; *(lin. 12sqq.):* totum pulchrum.; *v. notam ad n. 30,1–8.* 5) sicut in fonte: *v. notam ad n. 34,2.*

---

29 3–14) Cum — cognoscitivam: *cf. De coni. I 4–8 et adnotat. 11 (h III 18–42 et 193sq.); Idiota de mente 11 n. 141,2sqq.; De ludo globi II n. 91 (fol. 164^{v},14sqq.).*

---

29 3–22) Cum — cognoscitivum: *cf.* Pinder *fol. XII^{va-b}.* 8sqq.) ordo virtutum cognoscitivarum *Ma^{2} in marg.*

quantum capit de radio intelligentiae, licet obumbretur in illa». Sic et «anima sensibilis participat de cognitione, quantum imprimitur in ipsa radius rationalis animae, licet obumbretur in ipsa». Sed sensitiva est ultima, quae «non influit ulterius virtutem cognosciti-
15 vam». Sed, ut ait, «anima rationalis non» influit in sensum, «nisi sibi» sit coniunctus. Sic nec «primum influit in secundum nisi ei coniunctum». Non intelligas intelligentiam creare animas aut animam sensum, «sed quod radius in primo horum» a sapientia aeterna receptus «est exemplar et quasi seminale secundi.» «Et quia radius iste semper reci-
20 pitur» in virtute minoratus, ideo anima non recipit radium secundum esse intelligibile, nec vegetabilis ab anima sensitiva recipit radium cognoscitivum.

30 Idem magnus Albertus in allegatis commentariis assimilat illum divinum radium illuminantem naturam cognoscitivam radio solis, qui in se consideratus, antequam subintret aërem, est universalis et simplex et «in aëre» recipitur «in profundo» ipsum penetrando et pe-
5 nitus illuminando. Deinde «recipitur in superficie in corporibus terminatis», ubi secundum variam dispositionem varios causat colores, album et clarum, si est superficies clara, nigrum, si obscura, et medios colores secundum dispositionem mediam.

---

14) influit *ex* fluit *corr. C* 15) sed ut anima ut (ut$_2$ *postea delev.*) ait rationalis *Ma* sed ut anima rationalis *σ* 16) in *om. a* 17) intelligas *ex* -gis *corr. Ma*[2] 17) aut: ut *Ya Ma, tum* aut *corr. Ma* 17) anima *Ma* 19) iste: est *Ma* iste *s. l. corr. Ma*[2] 19) semper *om. Ma* 22) cognoscitivum: cognitivum *C Ya σ;* etc. *add. Mn*
30 1) Idem: Deinde *p* 3) subintrat *Ma* submittet *C a* 6) secundum: scandum *Ma* secundum *infra lin. corr. Ma*[2] 7) clarum: claruit, *tum* clarum *corr. Ma*

---

30 1–8) AM *DN 1 n. 30; cf. 2 n. 44, 3 n. 4 (p. 15,23–37; 72,46–48, 103,30–32; fol. 83ra; 97vb, 106vb); ad hos locos v. CT III. 1, marg. 140, 222, 280; cf.* C. Baeumker *Witelo (BGPMA III, 2, p. 407–413); v. etiam supra, notas ad nn. 24,7–8, 29,3–22.* 3–18) qui — intelligibile: AM *DN 4 n. 69 (p. 179,28–61; fol. 134rb–134va), quem ad locum Nic. adnotavit:* nota quomodo omnes cogniciones manant ab vna. 6) secundum — colores: *ibid., 10 n.2 (p. 401,31–32; fol. 207rb).*

---

30 5–8) Deinde — mediam: *v. infra, n. 64,6–7 et notam.*

---

30 1) Albertus cap. XI *p b in marg.* 1–18) Pinder *fol. XII^{vb}.*

187v Sic | principium primum, scilicet sapientia dei seu divina cognitio, quae est essentia dei manens et incommunicabilis, radio suo, qui 10 est una forma cognoscitiva, se habet, quoniam quasdam naturas illuminat, ut cognoscant «simplices quiditates rerum, et haec cognitio est secundum maximum fulgorem, qui possibilis est» recipi «in creatura», et hoc in intelligentiis. In aliis recipitur, ubi non operatur talem cognitionem simplicium quiditatum, sed mixtarum «cum 15 continuo et tempore sicut in hominibus». Ibi enim incipit cognitio «a sensibus, ideo oportet, quod conferendo unum ad alterum perveniat ad simplex intelligibile.»

Quare Isaac dicebat «quod ratio oritur in umbra intelligentiae et **31** sensus in umbra rationis», ubi «occumbit» cognitio. Unde «anima vegetabilis oritur in umbra sensus» et non participat de radio cognoscitivo, ita quod possit recipere «speciem et ab appendiciis materiae

---

9–10) seu — dei *in marg. add. C* 10) qui: quae *Mn Ma* 13) qui: quae *Mn* 14) recipitur: reperitur *Ma σ* 16) incipit: recipit *Mn Ma* 17) perveniet *Ma*
31 3) in: sub *Ma* 4) posset *Mn*

9–11) Sic — cognoscitiva: *ibid., 7 n. 8 (p. 342,39–62; fol. 187vb).* 12) illuminat: *ibid., 4 nn. 66, 68 (p. 175,46–54, 177,24sqq.; fol. 132vb, 133rb–133va, quem locum Nic. signo instruxit).* 12–18) ut — intelligibile: *ibid., 4 n. 27 (p. 134,16–28; fol. 116vb); CT III. 1, marg. 339; ibid., 1 n. 10 (p. 5,41–47; fol. 80rb); CT III. 1, marg. 114; cf. ibid., 4 n. 67 (p. 176,46–53; fol. 133ra).* 15–16) cum — tempore: *cf. Liber de causis II 22.*

31 1–5) Isaac ben Salomon Israeli *Liber de definicionibus (Muckle, p. 313,25–27, 314,4–7, 315,3–7), quem Nic. laudat ex* AM *DN 4 n. 69 (p. 179,61–68; fol. 134va, quem locum Nic. linea instruxit); cf. etiam 4 nn. 25, 35 (p. 132,27–31, 141,53–55; fol. 116ra (signum Nic.), 119rb). Nic. librum de definicionibus, a Gerardo Cremonensi versum, in exemplari suo, cod. Cus. 205, legit adnotationibusque instruxit.*

---

9) principium primum: *v. infra, n. 64,9–10 et notam.* 14) in intelligentiis: *cf. De coni. II 10 n. 123,14–16; Idiota de mente 14 n. 154,3–13; De ven. sap. 17 n. 50,12–13.* 16–17) cognitio a sensibus: *v. De coni. I 6; II 16 n. 157 et notas.*

31 1–3) ratio — cognoscitivo: *ibid., II 16 n. 157.* 4–5) ab — cognoscibile: *cf. De docta ign. I 10 n. 27 (h I 20,5–8).*

---

31 1–2) Isaac — cognitio: Eckius *fol. 65r.* 1–5) Quare — cognoscibile: Pinder *fol. XIIvb–XIIIra* ratio — cognoscibile: Caspar Steinbeck *De anime sensitiue, rationalis et intellectiue potenciis, fol. 47r.*

5 separare», ut fiat «simplex cognoscibile». Avicenna vero suscipit aenigma in igne et vario eius essendi modo ab aethere deorsum, usquequo in lapide penitus obumbretur.

32 Hi omnes et quotquot vidi scribentes caruerunt beryllo. Et ideo arbitror, si constanti perseverantia secuti fuissent magnum Dionysium, clarius vidissent omnium principium atque commentaria fecissent in ipsum secundum ipsius scribentis intentionem. Sed 5 quando ad oppositorum coniunctionem perveniunt, textum magistri divini disiunctive interpretantur. Magnum est posse se stabiliter in coniunctione figere oppositorum. Nam etsi sciamus ita fieri debere, tamen, quando ad discursum rationis revertimur, labimur frequenter et visionis certissimae nitimur rationes reddere, quae est supra 10 omnem rationem, et ideo tunc cadimus de divinis ad humana et

---

5) separate *Mn Ma* 6) modo essendi *Ma* 7) -quo *om. Ma* 7) obumbretur: etc. *add. Mn*

32 1) Hi: Si *sed* h *minusculum sub littera initiali* S *pro rubricatore exhibet Ma* 4) ipsius *om. Ma* 5) perveniunt *om. C, in marg. add. Cusanus* 7) figere *ex* figure *corr. Ma* 7) etsi: est si *Ma* 9) et: in *Ma* et *s. l. corr. Ma*[2] 9) supra: super *Mn Ma*

5–7) *Avicennae aenigma ex* AM *DN 7 n. 8 (p. 342,62–70; fol. 187*^{vb}*); CT III. 1, marg. 532.*

32 1) Hi omnes: *Plato, Aristoteles, Isaac Israeli, Avicenna, Albertus Magnus; v. notas ad nn. 27–31; Nicolaus etiam Dionysium reprehendit excepto eius De mystica theologia libro; v. epist. ad abbatem Tegernseensem (14. 9. 1453; Vansteenberghe, Autour, p. 114).* 9) *et* 12) de visione *v. infra, p. 100sq., adnotat. 3.*

---

32 4–6) Sed — interpretantur: *cf. De docta ign. I 19 n. 58 (h I 39,19–20); De coni. I 5 n. 21,9–10; 6 n. 24,1–6; De deo abscond. n. 10,14–15; Apologia n. 21 (h II 15,10–16); De vis. dei 10 nn. 40–42; 13 nn. 53–54 (fol. 103*^{v}*,40–104*^{r}*,36; 105*^{v}*,14–27); epist. ad abbatem Tegernsensem (1453, 14. 9; Vansteenberghe, Autour, p. 114–116); De li non aliud 19 n. 89 (h XIII 47,6–10); De ven. sap. 30 n. 89.* 9) visionis certissimae: *v. epist. supra (n. 32,4–6) laudatam.*

---

6) Ignis *p b in marg.* 5–7) Eckius *fol. 65*^{r}*.*

32 1–3) Hi — principium *et* 4–19) Sed — habentibus: Pinder *fol. XIII*^{ra}. 1–6) Hi — interpretantur: Eckius *fol. 65*^{v}*.* 2sqq.) Dionysius. ex sententia *p b in marg.* 6–7) Magnum — oppositorum: nota *Mn*[2] *in marg.;* Iordanus Brunus *De la causa, dial. 5 (p. 340):* Profonda magia è saper trar il contrario dopo aver trovato il punto de l'unione.

instabiles atque exiles rationes adducimus. Hoc Plato in Epistulis, ubi de visione primae causae praemisit, omnibus accidere astruit. Tu igitur si volueris aeternam sapientiam sive principium cognoscitivum videre, posito beryllo ipsum videas per maximum pariter et minimum cognoscibile. Et in aenigmate quemadmodum de angulis 15 inquire acutas, formales, simplices et penetrativas naturas cognoscitivas uti angulos acutos, alias obtusiores et demum obtusissimas uti obtusos angulos. Et omnes gradus venari poteris possibiles, et quemadmodum de hoc sic dixi, ita de quibuscumque sic se habentibus. 20

33 Dubitas fortassis quomodo videtur principium unitrinum. Respondeo: Omne principium est indivisibile omni divisione suorum effectuum seu principiatorum. Primum igitur principium est ipsa simplicissima atque perfectissima indivisibilitas. In essentia autem

---

13) aeternam: externam *Ya* 17) acutos *om. Ya* 17) alios *Ma* 17) obtusissimos *Mn Ma* 19) quibusdam *Mn* 19) habentibus: etc. *add. Mn*

33 1) unitrinum *ex* uniternum *corr. Mn* 2) est *om. Ma, in marg. Ma²* 3) omne *Mn* omni *corr. Mn²* 4) atque: et *Ma* 4–5) In — indivisibilitatis *om. Ya* 4–5) autem perfectissimae *om. Ma, in marg. Ma²*

11–13) Plato *Ep. II 312d5–313c5; cf.* Procli *Theol. Plat. II 8 (S–W II 54–56).* 18) venari: *de imagine venationis v. De ven. sap., adnotat. 1 (h XII 147–149).*

33 2) principium indivisibile: *v. notas ad nn. 3,5, 8,4.* 2–4) Omne — indivisibilitas: *cf.* Aristoteles *Phys. VI 10 240b12;* Proclus *Theol. Plat. I 3 (S–W I 13,10–11); CT III. 2. 1, marg. 3; v. notam ad n. 8,4.*

15–18) Et — angulos: *v. supra, nn. 9–10, 12, 14–15 et 19.* 18) venari: *v. De ven. sap., adnotat. 1 (h XII 147–149).*

33 1) principium unitrinum: *cf. De coni. I 1 n. 6,2–3; De fil. dei 4 n. 76,1–2; Idiota de sap. I n. 22,15–16; De mente 11 n. 132,1–7; De vis. dei 17 nn. 74–76 (fol. 108ʳ,34–108ᵛ,15); De pace fidei 7 n. 21 (h VII 21,10–14); De princ. n. 34 (fol. 10ʳ,45–10ᵛ,2); De possest nn. 45,6–48,7, 51,4–22; Cribr. Alch. II 5 n. 100.* 2–4) Omne — indivisibilitas: *v. infra, n. 53,1–9 et notas.* 4–5) In — unitatem: *cf. De docta ign. I 10 n. 28 (h I 20,17–21,1); De coni. I 10 n. 44,7sqq.*

13–15) Enigmatis applicacio *Ma² in marg.*

33 1–15) Pinder *fol. XIIIʳᵃ⁻ᵇ.* 3–4) Primum — indivisibilitas: Iordanus Brunus *De la causa, dial. 3 (p. 283).* 3–7) a—b / c a∨b / c causa vnitrina *et* Primum — aequalitatis: Eckius *fol. 65ᵛ.*

5 perfectissimae indivisibilitatis video unitatem, quae est fons indivisibilitatis, video aequalitatem, quae est indivisibilitas unitatis, et video nexum, qui est indivisibilitas unitatis et aequalitatis.

Et capio aenigma et intueor *a c b* angulum et considero *c* punctum primum principium anguli et lineas *c a* et *c b* secundum principium;

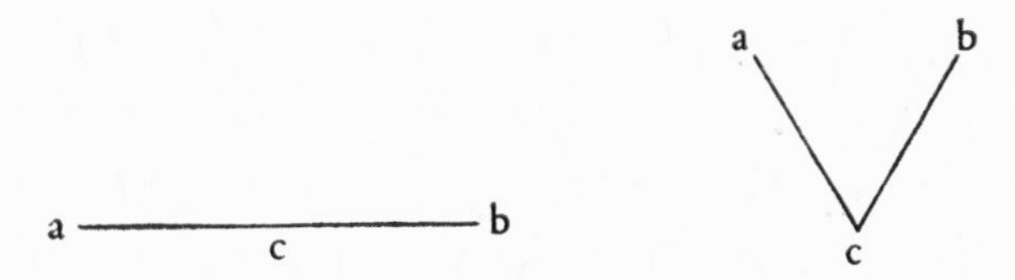

10 *c* punctus principium est unitrinum, nam est principium *c a* lineae, quae est linea immobilis, et lineae *c b*, quae est linea differentiativa formans; et video *c* punctum utriusque nexum, et quod *c* punctus est intimius et proximius principium anguli, scilicet principium simul et terminus anguli, incipit enim in *c* puncto et in eodem 15 terminatur.

34 Dum igitur intueor in *c* unitrinum principium, video ipsum esse fontem, unde primo emanat unitas seu necessitas omnia uniens et

---

5) video — indivisibilitatis *om. Ma, in marg. Ma*[2] 6) $video_1$: in deo *Ma, delev. et* video *in marg. Ma*[2] 7) qui: que *Ya Mn* qui *Mn*[2] 9–10) *Figuras in marg. add. Ma*[2]*; littera* C *primae figurae non est in Ma*[2] σ 9) secundum *Ma, delev. et* 2^m *s. l. Ma*[2] 10) est_1 *om. Ma* 10) uniternum *Ya Mn* unitrinum *corr. Mn*[2] 11) immobilis linea *Ma* 11–12) differentiarum formatiua *p* 13) intimum et proximum *p* 14) enim: cum *Ya*

34 1) igitur: ergo *Ma* 1) uniternum *Ya Mn* unitrinum *Mn*[2]

---

5) fons: *v. notam ad n. 34,2.* 5–7) unitatem ... aequalitatem ... nexum: *v. notas ad libros De docta ign. I 7–9 et De ven. sap. 24 n. 72 (h I 14–19; XII 69).*

34 2) fontem: *cf.* Proclus *In Parm. VI (Cousin 1046; Steel 345,66–69); CT III. 2. 2, marg. 393; cf. ibid., marg. 557; v. notam ad n. 51,15–16.*

5–7) unitatem — aequalitatem — nexum: *cf. De docta ign. I 7–8 nn. 18–23 (h I 15–17); Idiota de sap. I n. 22,5–17; De mente 6 n. 95,11–16; De ven. sap., cap. 21–26, praecipue 24 n. 72,1–10; De ap. theor. n. 26; Sermo XXII n. 17,13–35.*

34 1–2) unitrinum — fontem: *cf. De li non aliud, locos infra, ad lin. 2 laudatos; De ap. theor. n 15,5.* 2) emanat: *cf. De docta ign. II 4 n. 116; III 3 n. 199 (h I 74,26–28; 127,20); De possest nn. 64,15–18, 65,13, 73,7–9; De li non aliud 10 n. 38; 21 n. 97 (h XIII 22,23–26; 51,8).* 2–6) unde — formatorum: *cf. De docta ign. II 7 nn. 127–131 (h I*

8–15) Formas geometricas *Ma*[2] *in marg.*

constringens. Deinde video ipsum principium, unde emanat aequalitas omnia quantumcumque varia formans seu adaequans, quocumque motu hoc fieri oporteat. Sic video ipsum *c* principium, unde 5 emanat nexus et conservatio omnium constrictorum et formatorum. Video igitur ipsum principium simplicissimum unitrinum, ut sua indivisibilitas sit perfectissima et sit omnium causa, quae in sua *188r* indivisibili | essentia sive terna indivisibilitate subsistere nequeunt.

Tetigerunt philosophi hanc trinitatem, quam viderunt in principio **35** esse, a causato ad causam ascendendo. Anaxagoras et ante eum

---

4–5) varia — quocumque *om. Mn* 5) motu: modo *Ma* vel motu *in marg. Ma²* 6) et_1: seu *Ma* 6) constrictorum *ex* constructorum *corr. Ma²* 7) igitur: ergo *Mn Ma* 7) ipsum igitur *Ya* 7) uniternum *Ya* 7) ut: et *Ma* 8) sit_2: si *Ma* sic *Ma²* 9) sive: sine *Mn σ* 9) terna: trina *p* 9) nequeunt: etc. *add. Mn*
35 2) ante: uite *Ya*

---

8) omnium causa: *cf.* Proclus *In Parm. VI (Cousin 1109; Steel 392,46–49); CT III. 2. 2, marg. 497:* ...tunc fons deitatis pocius nominatur secundum proculum, dicimus tamen ipsum principium et causam omnium ...; *cf. ibid., marg. 613.*

35 1) philosophi: *v. notam ad n. 17,4–6.* 2–3) Anaxagoras — Aristoteles: Aristoteles *Met. I 3 984b18–20, quem ad locum Nic. in exemplari suo, cod. Cus. 184, fol. 4r, adnotavit:* laudat anaxagoram qui dixit in natura intellectum esse; *v. notas ad nn. 4,2, 67,1–3. Nomen Hermotimi hoc loco perperam scriptum Nicolaus in codice Harleiano 4241, fol. 3v, legit:* Ermotinus clazomenius, *in codice Cusano 184:* ermotimus clazomenius; *nonnullis annis post in codice Harleiano 1347, fol. 148r (ad Diogenem Laertium VIII 5),* hermotimum *adnotavit.*

81,18–84,20). 6) nexus et conservatio: *De ven. sap. 25 n. 73,8.* 7) principium — unitrinum: *v. De coni. II 14 n. 145,1 et notam.* 8) omnium causa: *De docta ign. I 16 n. 43 (h I 31,9); De genesi 2 n. 156,2; De princ. n. 6 (fol. 7r,31–33); De ven. sap. 8 n. 20,9; 22 n. 64,4.*

35 1) Tetigerunt — trinitatem: *De docta ign. I 7 nn. 18, 21 (h I 15,2–3; 16,21–23 de Pythagora); Sermo 'Pax hominibus' (CLXVI; 1455; fol. 88v,6–9 de Aristotele et Platone); De princ. n. 14 (fol. 8r,20–23).* 2–4) Anaxagoras — principium: *v. supra, n. 4,1–2 et notam.*

---

35 1sqq.) ex alienis *p b in marg.* 1–2) Tetigerunt — ascendendo Pinder *fol. XIIIrb.* 2–7) Anaxagoras aperuit platoni et aristoteli *Ma² in marg.* 2–19) Anaxagoras Emortinus clasomenus vt vult Aristotiles [...] aperuit. Plato dixit omnia esse in conditore intellectu [...] a patre. Insuper dixit per vniuersum diffundi [...] conseruantem Eckius *fol. 65v.*

Emortinus Clasomenus, ut vult Aristoteles, fuit primus, qui intellectuale vidit principium. Quem Plato extulit eius libros saepissime
5 legens, quia visum sibi fuit quod «magistrum invenisset». Et quae Plato de eo dicit, illa et Aristoteles. Ipse enim Anaxagoras tam Platoni quam Aristoteli oculos aperuit. Nisus est autem uterque hoc principium per rationem reperire. Et Plato principium, a quo omnia condita, nominavit conditorem intellectum et eius patrem
10 deum ac cunctorum causam. Et ita primo apud primum omnia esse dixit, ut sunt in triplici causa efficienti, formali et finali. Secundo dixit omnia esse in conditore intellectu, quem primam dicit dei creaturam, et asserit generationem eius a primo esse quasi filius a

---

3) Emortinus clasomenus *Σ a m* Democritus abderites *p b* hermotimum *legit et in marg adnotav. Cusanus in exemplari suo Diogenis Laertii (VIII 5), cod. Harl. 1347 fol. 148*r 3–4) intellectuale principium vidit *C* int. vidit principium *transpos. C*[2] *(Cusanus?)* vidit int. principium *Mn* 4–5) saepissime legens: saepe legens et saepissime *Ma* 6) tam: quam *Ma* 7) Nisus: visus *Ma σ* 7–8) hoc principium uterque *Ma* 8) Et *om. Mn* 9) nominant *a* nominat *p* 10) cunctorum: Auctorem *Ya* 10) apud: ad *Ma* apud *in marg. Ma*[2] 11) ut: at *Mn* 11) efficiente *Ma* 12) quem: quam *Ma* 12) primum *Mn* 13) filii *p*

4–5) Plato *Phaedo 97b–d; in cod. Cus. 177, fol. 19*v *(vertit Leonardus Aretinus), adnotat. Nic.:* anaxagoras. mentem omnium causam.; *ibid., fol. 80*v*, vertit Henricus Aristippus.* 6) illa et Aristoteles: *Met. I 3 984b15–18, quem locum Nic. linea instruxit; v. supra, notam ad lin. 2–3; cf. etiam Met. XII 10 1075b8–9; in cod. Cus. 184, fol. 83*v*, adnotat. Nic.:* intellectus mouet; *XIV 4 1091b11–12; sed cf. ea quae dicta sunt de Anaxagorae doctrina intellectus Met. I 4 985a18–21.* 8–9) Plato — intellectum: *v. notam ad n. 4,4.* 9) conditorem: Plato *Tim. 29a3:* δημιουργός; *41a7:* δημιὸυργὸς πατήρ. 9–10) et — causam: Proclus *In Parm. IV et VI (Cousin 902, 1096sq.; Steel 228,12–13, 381,20–28); CT III. 2. 2, marg. 301, 474; cf. In Parm. III (Cousin 822; Steel 163,44–45); CT III. 2. 2, marg. 193; Theol. Plat. V 16, 19 (Portus 279, 290); CT III. 2. 1, marg. 349, 374.* 9–18) patrem ... filius ... spiritum: *v. CT III. 2. 2, marg. 557.* 10) apud — esse: Proclus *Theol. Plat. II 8 (S-W II 55,1–3); v. CT III. 2. 1, marg. 180; v. etiam notam ad n. 16,1–2.* 11) ut — finali: *v. notam ad n. 17,4–6.* 12–13) quem — creaturam: Proclus *Theol. Plat. V 19 (Portus V 20, p. 288sq.); CT III. 2. 1, marg. 366; cf. Liber de causis IV 37 (Pattin 142,37–38).*

8–9) Et — intellectum: *v. supra, n. 4,4 et notam.* 10–11) Et — dixit: *cf. De li non aliud 21 n. 97 (h XIII 51,9–11).* 11) in triplici causa: *v. supra, n. 17,4–6 et notam.* 12–14) quem — patre: *v. infra, n. 37,6; cf. De ven. sap. 9 n. 24,1–2.*

8–10) plato de principio *Ma*[2] *in marg.*

patre. Hunc intellectum, quem etiam sacrae litterae sapientiam «ab initio et ante» omnia «saecula» creatam et primogenitam omnis creaturae nominant, dicit conditorem quasi inter causam et causata sensibilia mediatorem, qui exsequitur imperium seu intentionem patris. Tertio vidit per universum diffundi spiritum seu motum cuncta, quae in mundo sunt, conectentem et conservantem. 15

Apud igitur deum omnia vidit primo modo essendi primo et simplicissimo, sicut omnia sunt in potestate effectiva et omnipotenti. Secundo vidit omnia esse sicut in exsecutore imperii sapientissimo. Et hunc essendi modum vocat secundum. Tertio vidit omnia esse ut in instrumento exsecutoris, scilicet in motu, nam per motum quae fiunt ad effectum producuntur. Et hunc essendi modum tertium animam mundi nominavit Aristoteles, licet non utatur terminis illis. **36** 5

---

14) etiam: et *Ya Mn* 14) sacrae: fuere *Ya*
36 1) igitur: ergo *Ma* 4) esse omnia *Mn* 6) ad: per *i. l.* ad *s. l. corr. Ma* 6) producuntur *Ma* perd. *corr. Ma*[2]

14–16) quem — nominant: *Eccli 24,14; cf. 1,4 et 24,5; Col.1,15.* 17) imperium: *v. notas ad n. 68,15.15–19.* 18) Tertio — spiritum: *cf.* Proclus *In Parm. VII (Cousin 1168; Steel 438,60sqq.); CT III. 2. 2, marg. 557.*
36 3) in — imperii: *v. notam ad n. 68,15.* 5) ut in instrumento: *cf. Liber de causis III 33 (Pattin 140,16–18).* 5) in motu: *cf.* Proclus *Theol. Plat. I 15 (S–W I 69,15sqq.); CT III. 2. 1, marg. 59.* 6–7) Et — Aristoteles: *cf. e. g. Met. XII 7 1072a23sqq. de primo motore immoto; cf. ea, quae dicta sunt de anima universi (sec. Platonis Tim.; v. notam ad n. 37,6–7) De an. I 3 407a3–5; De caelo II 1 248a27sqq. (cod. Cus. 183); Phys. VIII 9 265b32sqq., quos libros Nic. legit in exemplari suo, cod. Londin., B. B., Harleian. 3487; de Nicolai adnotationibus in cod. Harleian. 3487 v.* R. Haubst, *MFCG 12 (1977) 31–32, 34; cf.* etiam Ps.-Aristotelem *De mundo 2 391b11sqq., 6 397b13sqq.*

---

18) spiritum seu motum: *cf. De docta ign. II 10 n. 151 (h I 96,14–16).*
36 1–2) Apud — simplicissimo: *cf. De li non aliud 21 n. 98 (h XIII 51,12–13).* 2) in potestate omnipotenti: *cf. De ven. sap. 13 n. 34,10.* 3) in executore: *cf. De genesi 5 nn. 185–186; Idiota de mente 13 n. 146,1–2.* 5) in — executoris: *v. supra, n. 26,3; infra, nn. 38,6–7, 68,6 et notas; cf. De docta ign. II 9 nn. 142–143 (h I 90,12–13; 91,12); v. notam Nicolai in cod. Vat. lat. 1245, fol. 113[vb],5–9 (p II, 1, fol. 118[r],37–38); De ven. sap. 9 n. 23,17–20.* 6–7) Et — illis: *cf. De docta ign. II, cap. 9; Idiota de mente, cap. 13; De ludo globi I n. 43; II n. 98 (fol. 157[r],41; 165[v],21–22).*

---

36 1–2) pater *Ma in marg.* 1–7) Eckius *fol. 65*[v]. 3–4) filius *Ma*[2] *in marg.* 6–7) Anima mundi *Ma in marg.*

Idem videtur dicere quoad deum, scilicet quod omnia apud ipsum sint ut in causa unitrina quodque omnes formae sint in intelligentia
10 motrice caeli et in motu animato anima nobili. Ipse autem 'intelligentias plenas formis' multiplicat secundum multitudinem orbium caeli, quia eas dicit motrices orbium. Tamen secundum regulam suam omnium intelligentiarum moventium ad primum motorem necessario deveniri oportere ostendit. Et hunc nominat principem
15 seu primum intellectum.

37 Plato autem considerans multitudinem intelligentiarum vidit in-

---

9) $sint_1$: sunt *Ya* sint *ex* sunt *corr. Ma*[2] 9) $sint_2$: sunt *Ya* 10) animato: animali *Ma* 12) caeli — orbium *om. Mn* 12) caeli *om. Ma, s. l. add. Ma*[2] 12) eos *Ma* 12) dicit: esse *add. Ma* 13) ad omnium intelligentiarum mouentium primam scilicet ad primum motorem *p* 14) deveniri *ex* -re *corr. Ma*

---

8) omnia — ipsum: *v. notam ad n. 35,10.* 9) in causa unitrina: *v. notam ad n. 17,4–6.* 9–10) omnes — caeli: *cf.* AM *DN 1 n. 65, 4 nn. 13, 18, 7 n. 23 (p. 41,37–39, 123,1–3, 126,9–11, 354,86–88); Met. V tr. 4 c. 2 (XVI, 1, p. 274,50); XI tr. 2 c. 10 (XVI, 2, p. 495,53.89–91).* 10) in — nobili: *ibid., I tr. 4 c. 2 (XVI, 1, p. 49,95sqq.;* anima nobilis: *anima scilicet mundi, v. notam ad lin. 6–7; cf.* AVERROES *Phys. VIII, comment. 36 (fol. 318*[va]*);* ALBERTUS MAGNUS *Met. XI tr. 2 c. 10 (XVI, 2, p. 495sq.).* 10–11) intelligentias plenas formis: *Liber de causis IX (X) 92, IV (V) 49 (Pattin 158,8, 145,86–88);* AM *DN 4 nn. 23, 62, 7 nn. 9, 23 (p. 130,19–22, 170,34–35, 343,73–76, 354,48–50); Met. XI tr. 2 c. 10 (XVI, 2, p. 495,10–11).* 11–12) multiplicat — caeli: ARISTOTELES *Met. XII 8 1073a26–b1, 1073b38–1074a16; cf.* AVICENNA *Met. tr. IX c. 3 (fol. 104*[rb] *E–A), c. 4 (fol. 104*[vb]*);* ALBERTUS MAGNUS *Met. XI tr. 2 c. 20 (p. 407sqq.).* 13) primum motorem: ARISTOTELES *Met. XII 7 1072a23–25 (cod. Cus. 184, fol. 80*[r]*); Phys. VIII 5 256a3sqq.; v. notas ad n. 17,1–3; cf.* AM *DN 1 n. 45 (p. 73,60–62); CT III. 1, marg. 224.* 14–15) principem — intellectum: ARISTOTELES *Met. XII 10 1076a4; in cod. Cus. 184, fol. 84*[r]*, adnotat. Nic.:* princeps vnus*; XII 9 1074b33–35.*

37 1) Plato — intellectum: *v.* PROCLUS *El. theol., prop. 21 (p. 24); CT III. 2. 1, marg. 14:* intellectuum multitudo ex vno intellectu.

8–9) Idem — unitrina: *v. supra, n. 17,4–6 et notam.* 9–10) quodque — nobili: *cf. supra, n. 17,2–3.* 10–12) Ipse — orbium: *v. infra, n. 71,4–5 et notas; cf. Sermo 'Michael et angeli eius' (CCXLIV; 1456; fol. 146*[r]*,12–18).* 12–14) Tamen — ostendit: *cf. De vis. dei 24 n. 111 (fol. 113*[r]*,6–7); De ap. theor. n. 15,18–19.*

37 1–6) Plato — creaturam: *cf. Idiota de mente 14 nn. 151,11–152,12, 153,5–6.*

8–15) Aristotelis opinio de tribus primis essendi modis platonis *Ma*[2] *in marg.*

37 1) Plato *Ma*[2] *in marg.*

tellectum, cuius participatione omnes intelligentiae sunt intelligentiae. Et quia vidit primum deum absolutum, simplicissimum, imparticipabile et incommunicabile principium, ideo communicabilem intellectum in deis multis seu intelligentiis varie participatum et 5 communicatum arbitrabatur primam creaturam. Ita etiam animam mundi, quae in omnibus animabus communicabiliter participatur, ante omnes animas, quasi in qua prioriter omnes complicantur ut in suo principio, esse credidit. De his igitur tribus essendi modis prioriter et quomodo sortiantur nomina fatorum, in Docta igno- 10 rantia memor sum quaedam dixisse.

Solum autem notes non esse necessarium universalem esse creatum intellectum aut universalem mundi animam propter participationem, quae Platonem movit. Se ad omnem essendi modum sufficit habunde primum principium unitrinum, licet sit absolutum et superexaltatum, 15

---

37 2) sunt intelligentiae *om. Ma, in marg. Ma²* 2) sint *Mn* 3) primo *Ma* 5) participatum: principatum *Ma* 7) quae: qui *Ma* 7) participant *Ya* 11) quaedam *ex* quidem *corr. C* 14) omnem *om. Ma, s. l. Ma²* 15) uniternum *Ya (*unitrinum *corr.) Mn* 15) sit *om. C, s. l. add. Cusanus*

---

6) primam creaturam: Proclus *Theol. Plat. I 21 (S–W 98,21–23), VI 22 (Portus 403,19); El. theol., prop. 192.* 6–7) animam — participatur: Plato *Tim. 30c sqq.; Leges X 896d10sqq. (cod. Harleian. 3261, vertit Georgius Trapezuntinus); Philebus 30a sqq; cf.* Proclus *Theol. Plat. I 14, V 4 (S–W I 68,18sqq.; Portus 255); CT III. 2. 1, marg. 57, 330.* 10) et — fatorum: *Lachesis, Clotho, Atropos; cf.* Plato *Leges XII 960c7–8; Resp. X 617c, 620d–e;* Proclus *Theol. Plat. VI 23 (Portus 406–410; cod. Cus. 185, fol. 253ᵛsqq.); v. adnotat. 133, Schriften, H 15b.*

---

2) intelligentiae$_1$: *cf. De coni. II 13 nn. 136–139; Sermo LVIII ('Sedete quoadusque'; 1446; fol. 56ʳ,13–14); Sermo 'Michael et angeli eius' (CCXLIV; 1456; fol. 146ʳ,12sqq.).* 6) primam creaturam: *v. supra, n. 35,12–14 et notam.* 6–7) animam mundi: *cf. De docta ign. II 9:* De anima sive forma universi, *praecipue h I 90,5; Idiota de mente 13 nn. 145–147.* 6–9) Ita — credidit: *ibid., 12 n. 142,6–11.* 10) nomina fatorum: *De docta ign. II 10 n. 151 (h I 96,17–21); cf. De ludo globi I n. 40 (fol. 157ʳ,5).* 10) Docta ignorantia: *v. II, cap. 6–8.* 12–13) Solum — intellectum: *Idiota de mente 12 (*Quomodo non sit unus intellectus in omnibus hominibus*...), praecipue nn. 142–143.* 13) aut — participationem: *De docta ign. II 9 nn. 142–150 (h I 90–96); Idiota de mente 13 n. 145–147; De possest n. 12,16–18; De ludo globi I nn. 40–43 (fol. 157ʳ).* 15–17) licet — supernaturale: *cf. De docta ign. II 1 n. 97; 4 nn. 112, 116; 8 nn. 135–140 (h I 64,14–65,10; 72,28–73,7; 74,25–26; 87,13–89,21); De ven. sap. 38 n. 114.*

9–11) Secundi Cap. IX *p b in marg.* 12–14) Solum — movit: ⟨... participaci⟩onem universalem ⟨...⟩ fecit *(?) Ma² in marg.* 12–22) Pinder *fol. 63ʳᵇ⁻ᵛᵃ.*

cum non sit principium contractum ut natura, quae ex necessitate operatur, sed sit principium ipsius naturae et ita supernaturale, liberum, quod voluntate creat omnia. Illa vero, quae voluntate fiunt, in tantum sunt, in quantum voluntati conformantur, et ita 20 eorum forma est intentio imperantis. Intentio autem est similitudo intendentis, quae est communicabilis et receptibilis in alio. Omnis igitur creatura est intentio voluntatis omnipotentis.

38 Istud ignorabant tam Plato quam Aristoteles. Aperte enim uterque credidit conditorem intellectum ex necessitate naturae omnia facere, et ex hoc omnis eorum error secutus est. Nam licet non operetur

---

16) cum: enim *add. Mn* 16) non *s. l. Mn* 16) uti *Ma* 19) confirmantur *Mn* 22) igitur: ergo *Mn*
38 1) aparte *Mn*

16–18) cum — omnia: AM *DN 1 n. 41 (p. 23,51–57); CT III. 1, marg. 154.* 18) voluntate: Proclus *In Parm. III (Cousin 802; Steel 147,47–49); CT III. 2. 2, marg. 153; v. notam ad n. 21,8–10, Schriften, H 19.* 20) similitudo: Proclus *Theol. Plat. VI 3 (Portus 346); CT III. 2. 1, marg. 386:* conditor cuncta ad se similat. 20–22) Intentio — omnipotentis: AM *DN 2 n. 45, 4 n. 115, 5 n. 4 (p. 73,51–55, 212,40–44, 305,8–11).*
38 1) tam Plato quam Aristoteles: *de Platone Nicolaus erravit, cf. quae Tim. 29e–30a de voluntate dei a Platone dicta sunt; de Aristotele cf.* Albertum Magnum *Comm. in libr. B. Dion. De cael. hier., cap. 1 § 2 (p. 16, sol.), quem ad locum Nic. in cod. Cus. 96, fol. 4ra, adnotavit:* vide contra aristotelem. et quod deus non necessitate nature creat *(CT III. 1, marg. 10).* 3–8) Nam — eius: AM *DN 4 n. 9 (p. 117,71–118,29); cod. Cus. 96, fol. 111va, adnotat. Nic.:* nota cur deus agit per essenciam.

---

16) principium — natura: *cf. De docta ign. II 6 n. 123 (h I 79,12–13).* 18) liberum — omnia: *cf. De dato patr. lum. 4 n. 110,1–2; Cribr. Alch. II 2 n. 90,8–11; De ludo globi I n. 19 (fol. 154r,46–154v,2); De ven. sap. 27 n. 82,10–12; Sermo 'Ubi est qui natus est rex Iudaeorum' n. 25 (CCXIV; 1456; CT I, 2./5., p. 110,21–112,10); Sermo XXIV n. 19.* 20) Intentio: *v. infra, nn. 54, 64,17–18 et notas; cf. De docta ign. II 4 n. 116 (h I 75,5); De ludo globi II n. 99 (fol. 165v,23–26):* Et quid est intentio *(scil.* creatoris*)*: nisi conceptus seu verbum rationale in quo omnium rerum exemplaria ... causa est omnium. 22) intentio — omnipotentis: *cf. De docta ign. II 9 n. 141 (h I 90,2–3).*
38 1–2) Istud — facere: *v. infra, n. 68,1–2 et notam.* 3–8) Nam — eius: *cf. Sermo 'Qui me inveniet' (CCLXXXVIII; 1458; fol. 188r,11–14):* Deus vt vult Auicenna non agit aut creat per aliquod accidens: quum in eum non cadat qui est simplicissimus. non enim agit vt ignis per calorem: sed agit vt calor calefaciens ex sua essentia.

21–22) Omnis — omnipotentis: Eckius *fol. 66r.*
38 1–3) Istud — est: vnde error platonis Aristotelis *Ma² in marg.* 1–10) Eckius *fol. 66r;* Pinder *fol. 13va.*

«per accidens sicut ignis per calorem», ut bene dicit Avicenna, nullum enim accidens cadere potest in eius «simplicitatem», et per hoc videatur agere «per essentiam», non tamen propterea agit quasi natura seu instrumentum necessitatum per superioris imperium, sed per liberam voluntatem, quae est et essentia eius. Bene vidit Aristoteles in *188v* Metaphysica, quomodo omnia in principio primo sunt ipsum, | sed non attendit voluntatem eius non esse aliud a ratione eius et essentia. 10

Quomodo autem Plato habuerit de unitrino principio conceptum **39** et quam propinque admodum nostrae christianae theologiae, Eusebius Pamphili in libro Praeparatoriorum evangelii ex libris Numenii, qui secreta Platonis conscripsit, et Plotini atque aliorum collegit. Aristoteles etiam in sua Metaphysica, quam ipse theologiam 5

---

4) calorem: colorem *Mn Ma, corr. Ma²* 7) superiorum *σ* 9) quomodo: quoniam *Ma* 9) ipsius *Mn Ma* ipsum *in marg. Ma²* 10) a ratione: creatione *Mn*

39 2) propinquum *Ya* 2) ad modum *Σ σ* 2) nostrum *σ* 3) Praeparatoriorum: praeparatorium *C (sed postea corr.), Ma* de praeparatione euangelica *p* 3) libro *Mn* 4) Neomii *Ma* Numenii *p* 4) conscripsit: con- *s. l. add. C* 4) et *om. Mn* 4) Plotini: platoni *Mn a* 5) etiam: et *Ma*

---

4) Avicenna: *secundum Albertum Magnum, v. notam ad lin. 3–8; cf.* Avicenna *Met. tr. IX c. 4 (fol. 104va).* 4–6) per accidens — per essentiam: AM *DN 4 n. 24 (p. 131,19–25.49), quem locum Nic. fol. 115vb linea instruxit.* 6–8) per essentiam — per voluntatem: *cf.* Proclus *In Parm. III (Cousin 786sq.; Steel 136,77–97); CT III. 2. 2, marg. 123, marg. 127:* quod ipso esse agit a sui substancia est agens et hoc est prime ... ignis enim calefaciens est calidus*; cf. etiam marg. 153.* 8–9) Aristoteles *Met. XII 7 1072b20–23, 9 1074b18–22; v. adnotat. Nic. in cod. Cus. 184, fol. 80v:* de necessario quod est primum principium a quo celum et natura dependent *(ad Met. 1072b11–14); fol. 80v:* nota quid deus et id quod ei inest ipse est *(ad Met. 1072b28–30).* 9–10) sed — essentia: *sed cf.* AM *DN 4 n. 9 (p. 118,20–25):* Et ideo agere secundum essentiam in ipso est agere secundum suam voluntatem et secundum suam sapientiam ..., quia suum esse est suum intelligere et sua actio est sua substantia, ut dicit Philosophus in XI Metaphysicae*; cf. ibid., 4 n. 8 (p. 117,46–48); v. etiam notam ad n. 17, 9.*

39 1–5) Eusebius Pamphili: *v. infra, p. 108, adnotat. 13.* 5) Aristoteles: *cf. e. g. Met. VI 1 1026a19; XI 7 1064b3.*

---

7) imperium: *cf. De ven. sap. 9 n. 23,18.*

39 1) Plato — conceptum: *cf. Sermo 'Pax hominibus bonae voluntatis' (CLXVI; 1454; fol. 88v,8).*

---

39 1–21) Pinder *fol. XIIIva–b.* 4) Noemius secreta Platonis collegit Eckius *fol. 66r.* 5–8) Aristoteles — dicunt: Aristoteles conformes ⟨sententie nostrorum ?⟩ theologorum *Ma² in marg.*

appellat, multa conformia veritati ratione ostendit, scilicet principium esse intellectum penitus in actu, qui se ipsum intelligit, ex quo delectatio summa. Hoc quidem et theologi nostri dicunt intellectum illum divinum se intelligendo de se et sua essentia et natura generare
10 intelligibilem sui ipsius similitudinem adaequatissimam. Intellectus enim generat verbum, in quo est substantialiter, et ex hoc procedit delectatio, in qua est generantis et geniti consubstantialitas. Verum si de hoc principio tu vis habere omnem possibilem scientiam, considera in omni principiato quo est, quid est et nexum, et per beryllum
15 maximi pariter et minimi principiati respice in omnium principiatorum principium. In ipso principio perfectissime modo divino reperies trinitatem principium simplicissimum omnis creaturae unitrinae. Et attende me in simplici conceptu principiati trinitatem unitatis essentiae exprimere per 'quo est' et 'quid est' et 'nexum',

---

6–7) principium esse intellectum: primum intellectum esse *p* 8–9) illum intellectum *Ma* 9) se_1: sed *Mn* 10) adaequatissimam *ex* -um *corr. C* 12) Verumtamen σ tamen *in marg. add. Ma*[2] 14) omni *om. Ma* 14) principiato: a *add. p* 14) est_1: et *add. Ma* 14) per: ipsum *add.* σ 18) unitrine *p* 19) unitas *Ya* 19) quo: quod *mutav. Mn* 19) et_1 *om. Ya Mn Ma, s. l. Ma*[2]

6–8) principium — summa: *ibid., XII 7 1072b14–30; cod. Cus. 184, fol. 80*[v], *adnotat. Nic.:* intellectus actus vita est*; cf. adnotationes Nic. supra, n. 38,8–9, laudatas.* 8–10) theologi nostri: *v. e. g.* AM *DN 2 n. 37 (p. 68); cod. Cus. 96, fol. 96*[va], *adnotat. Nic.:* An deo conveniat generacio*; ibid., 9 n. 13 (p. 385,35–55; fol. 202*[ra]*), quem locum Nic. linea instruxit; cf.* AUGUSTINUS *De trin. XV 11,20, 14,23.* 12) delectatio: *v. notam ad lin. 6–8.* 12) consubstantialitas: *Symbolum (Ps.-) Athanasianum, Symbolum Nicaenum (Denzinger n. 46, 125).* 14) quo est, quid est et nexum: AM *DN 2 n. 37, 5 n. 22 (p. 68,35–36, 315,54–56); CT III. 1, marg. 495; de nexu v. notam ad n. 42, 10.* 19) quo est: *cf.* ARISTOTELES *Met. VII 7 1032a24.*

7–10) intellectum — adaequatissimam: *v. notam Nicolai in cod. Vat. lat. 1245, fol. 113*[vb]*, 37–48 (p II, 1, fol. 118*[r]*,39–44).* 9–11) generare — substantialiter: *cf. Sermo XXII n. 23,10–12.* 12) consubstantialitas: *v. Sermo 'Ut filii lucis ambulate' (CCLXXI; 1457; fol. 174*[v]*, 38–40):* Summa aequalitas quae aequalior esse nequit: est consubstantialitas. et ideo non attingitur ex acquisita perfectione: sed generatione. solus igitur filius consubstantialis patri: est ei per omnia aequalis. 14) *et* 19) quo — nexum: *v. infra, nn. 43,4–5, 44,4–5.* 17–18) omnis — unitrinae: *Idiota de mente 11 n. 132,9–15; De possest n. 48,1–3; De ven. sap. 24 n. 72,1–3.*

8sqq.) EX ALIENIS. EX SENTENTIA. *p b in marg.* 12–14) Verum — nexum: nota bene *Mn*[2] *in marg.*

quae in sensibili substantia communiter nominantur forma, materia 20
et compositum ut in homine anima, corpus et utriusque nexus.

Aristoteles concordando omnes philosophos dicebat principia, 40
quae substantiae insunt, contraria. Et tria nominavit principia, materiam, formam et privationem. Arbitror ipsum, quamvis super omnes diligentissimus atque acutissimus habeatur discursor, atque omnes in uno maxime defecisse. Nam cum principia sint contraria, 5
tertium principium utique necessarium non attigerunt et hoc ideo, quia contraria simul in ipso coincidere non putabant possibile, cum se expellant. Unde ex primo principio, quod negat contradictoria posse simul esse vera, ipse philosophus ostendit similiter contraria simul esse non posse. 10

---

21) ut *om. Ma* 21) nexus: etc. *add. Mn*

40 2) insunt: esse *add. p* 4) discussor *Ma* 5) in uno omnes *Ma* 5) cum: quom *Ma ut saepe* 5) sunt *Ma* 7) ipso: eodem *p* 7) coincidere: coincidentia *Mn* 7) non *in marg. Ya* 8) appellant *Ma* Expellant *in marg. Ma²* 9) posse *om. C Ma σ* 9) simul — contraria *om. Ma, verba tradita in Ma mutavit in linea Ma²:* simul non esse vera *et in marg.:* ipse philosophus ostendit similiter contraria simul esse non posse

---

20–21) forma — compositum: *ibid., VII 3 1029a2–3, 7 1032a13sqq., 8 1033a24sqq.; cod. Cus. 184, fol. 41ᵛ, Nic. lineam duxit ad Met. 1029a3–9.*

40 1–3) *ibid., IV 2 1004b27–1005a4, XII 2 1069b32–34.* 7) contraria simul in ipso coincidere: PROCLUS *Theol. Plat. IV 30 (S–W IV 105,17–19), quem ad locum Nic. in cod. Cus. 185, fol. 155ʳ, adnotavit:* de coincidentia contrariorum in vno; *v. notam sequentem.* 8) ex primo principio: ARISTOTELES *Met. IV 3–4 1005b19–1006a5.*

20–21) quae — compositum: *v. infra, nn. 40–42.*

40 3) privationem: *v. infra, n. 42.* 3–8) Arbitror — expellant: *v. supra, n. 32,1–6; cf. De coni. I 10 n. 53,10–12; De ven. sap. 25 n. 73,24–27.* 5) omnes: *sed cf. quae de Platone dicta sunt De princ. n. 26 (fol. 9ᵛ,15).* 8–10) Unde — non posse: *v. infra, n. 51,11–12; cf. De docta ign. I 4 n. 12; 24 n. 76 (h I 11,12–16; 49,7); De coni. I 8 n. 34,10–15; 10 n. 53,10–12; II 2 n. 81; Apologia nn. 7 et 20 (h II 6,7–8; 14,12–13); De ven. sap. 13 n. 38.*

---

40 1sqq.) de principiis *Ma in marg.* 1–10) PINDER *fol. XIIIᵛᵇ; cf.* IORDANUS BRUNUS *De la causa, dial. 5 (p. 340).* 4–42,11) *idem, ibid., p. 340:* A questo tendeva con il pensiero il povero Aristotele, ponendo la privazione (a cui è congionta certa disposizione) come progenitrice, parente e madre della forma; ma non vi poté aggiungere.

41 Beryllus noster acutius videre facit, ut videamus opposita in principio conexivo ante dualitatem, scilicet antequam sint duo contradictoria, sicut si minima contrariorum videremus coincidere, puta minimum calorem et minimum frigus, minimam tarditatem et minimam velocitatem et ita de omnibus, ut haec sint unum principium
5 ante dualitatem utriusque contrarii, quemadmodum in libello De mathematica perfectione de minimo arcu et minima corda quomodo coincidant dixi. Unde sicut angulus minime acutus et minime obtusus est simplex angulus rectus, in quo minima contrariorum
10 angulorum coincidunt, antequam acutus et obtusus sint duo anguli, ita est de principio conexionis, in quo simpliciter coincidunt minima contrariorum.

---

41 2) contradictoria: contraria *p* 3) contrariorum: contradictoriorum *a* 3) videamus *Ma* 3) coincidere: coincidentia *Mn* 3) puta: pura *Ya* 5) ut haec sint: Et hoc fuit *Ma* 5) sit *Ya* 7) mathematica: methaphysica *Ya* 7) perfectione: et *add. et delev. Ma* 7) et: de *add. Ma* 8) coincidunt *Ma* 10) obtusus et acutus *Mn*

---

41 1–3 ut — contradictoria: *cf.* AM *DN 5 n. 29 (p. 320,1–3); adnotat. Nic. in cod. Cus. 96, fol. 180ra:* nota si raciones contrariorum possunt esse simul in anima quia non sunt contrarie forcius in deo; *cf.* PROCLUS *In Parm. II (Cousin 725sq.; Steel 87,66sqq.); cod. Cus. 186, fol. 25r, adnotat. Nic.:* ... et contradictoria secundum idem coincidere *(CT III. 2. 2, marg. 46; cf. etiam marg. 47, 510, 517, 559); v. infra, p. 93sqq., adnotat. 2.* 3–6) puta — contrarii: *ibid., VII (Cousin 1211; Steel 472,76sqq.); CT III. 2. 2, marg. 588.*

---

41 1–3) ut — coincidere: *cf. De coni. I 6 n. 24,1–3; II 1 n. 78,7–15; De princ. n. 36 (fol. 10v,28–31); De li non aliud 4 n. 12 (h XIII 9,10).* 2) ante dualitatem: *De princ. n. 31 (fol. 10r,12sqq.); v. supra, n. 13,5–6.* 6–7) De mathematica perfectione: *v. infra, p. 114sqq., adnotat. 22.* 8–10) Unde — anguli: *De ven. sap. 5 n. 12,1–9; 26 n. 75,7sqq.*

---

41 1–12) PINDER *fol. XIIIvb–XIIIIra.* 1–4) Beryllus — frigus: IORDANUS BRUNUS *De la causa, dial. 5 (p. 338sq.).* 1–7) Beryllus — chorda: ECKIUS *fol. 66r.* 5–6) ut — contrarii: priuacio *Ma in marg.* 6–7) Liber de mathematica perfectione *p b in marg.* 6–8) quemadmodum — coincidant: *cf.* IORDANUS BRUNUS *De la causa, dial. 5 (p. 335):* Pure nel principio e minimo concordano, atteso che (come divinamente notò il Cusano, inventor di più bei secreti di geometria) qual differenza trovarai tu tra il minimo arco e la minima corda... 8–12) *idem, ibid. (p. 337sq.):* Giongi a questo ... che lo angulo acuto e ottuso sono dui contrarii, i quali non vedi qualmente nascono da uno individuo e medesimo principio, cioè da una inclinazione che fa la linea perpendicolare M, che si congionge alla linea iacente BD, nel punto C?

Quod si Aristoteles principium, quod nominat privationem, sic **42**
intellexisset, ut scilicet privatio sit principium ponens coincidentiam
contrariorum et ideo privatum contrarietate utriusque tamquam
dualitatem, quae in contrariis est necessaria, praecedens, tunc bene
vidisset. Timor autem, ne contraria simul eidem inesse fateretur, 5
abstulit sibi veritatem illius principii. Et quia vidit tertium principium necessarium et esse debere privationem, fecit privationem sine
positione principium. Post hoc non valens bene evadere quandam
videtur incohationem formarum in materia ponere, quae si acute
inspicitur, est in re nexus, de quo loquor. Sed sic non intelligit nec 10
nominat. Et ob hoc omnes philosophi ad spiritum, qui est principium
conexionis et est tertia persona in divinis secundum nostram perfectam theologiam, non attigerunt, licet de patre et filio plerique
eleganter dixerint, maxime Platonici, in quorum libris sanctus

---

42 3) privative contrarietati *Ma* privatum *in marg. Ma*² 5) fateretur: viderentur *Ma* 6) illius *om. Mn* 10) loquimur *Ya Mn Ma* loq^r *C* loquor *σ* 11) hoc *om. Ma* 13) attingerunt *Mn* 14) dixerint *(ex* dixerunt *corr.) C, Mn p* dixerunt *Ya Ma a* 14) plantonici *Mn*

---

42 1–11) *V. infra, p. 109, adnotat. 14.* 5) Timor — fateretur: *v. notas ad n. 40,7–8.* 6–7) Et — privationem: *v. notam ad n. 40,1–3.* 7–8) sine positione: *cf.* AM *DN 4 nn. 153, 167, 169 (p. 240,7–8, 251,76–80, 255,17–18).* 9) incohationem — materia: *v. infra, p. 109sqq., adnotat. 15.* 10) nexus — loquor: *v. infra, p. 111, adnotat. 16.* 11–13) spiritum — theologiam: *v. fontes infra, p. 111, in adnotat. 16 laudatos.* 13–17) licet — fatetur: *v. infra, p. 108, adnotat. 13.*

---

42 10) nexus — loquor: *v. supra, n. 39,14.19.* 11–12) spiritum — conexionis: *cf. De docta ign. I 9 n. 26; II 7 n. 130 (h I 18,27; 19,10; 83,18); Cribr. Alch. II 7 n. 105, 4–7.* 11–13) omnes philosophi ... non attigerunt: *cf. e. g. Cribr. Alch. II 8 n. 107,2sqq.; De ven. sap. 25 n. 73,24–27.* 14–17) Platonici — fatetur: *cf. supra, nn. 35, 39; De princ. n. 14 (fol. 8^r,20–25); Sermo I n. 12,1–4; Sermo II n. 3,9–17; Sermo XIX n. 6,1–12.*

---

42 1–18) PINDER *fol. XIIII^ra–b.* 1–8) Quod — principium: IORDANUS BRUNUS *De la causa, dial. 5 (p. 340); Spaccio de la bestia trionfante, dial. 1 (p. 573); De gli eroici furori, I, dial. 2; II, dial. 3 (p. 974, 1130).* 1–14) ECKIUS *fol. 66^r:* Nexus materie et forme in materiis est aliquomodo similitudo spiritussancti, sed illum philosophi non sic nominauerunt, nec intelligunt. Quod Aristoteles non posuit priuationem positiuam. Et sic philosophi non venerunt ad principium connexionis, et est tertia persona in diuinis, licet de patre et filio plerique eleganter dixerint, maxime platonici. 5–6) Timor — principii: quid fecit errare philosophum *Ma*² *in marg.*

15 Augustinus evangelium Iohannis theologi nostri «in principio erat verbum» usque ad nomen Iohannis Baptistae et incarnationem se repperisse fatetur. In quo quidem evangelio de spiritu sancto nulla fit mentio.

43 |Oportet te valde haec quae dixi de hoc tertio notare principio. *189ʳ* Dicit Aristoteles et bene principia esse minima et indivisibilia quoad magnitudinem quantitatis, maxima quoad magnitudinem virtutis. Unde neque forma est divisibilis neque materia divisibilis, 5 quia non est nec qualis nec quanta, neque nexus divisibilis. Essentia igitur, quae in istis subsistit, est indivisibilis. Et quia intellectus

---

15) nostri theologi *Ma* 17) reperisse *Σ σ* 18) mentio: etc. *add. Mn*
43 1) te *om. σ* 2) et_1 *om. Mn* 4) est *om. Ma* 4) neque materia divisibilis *bis scripsit Mn* 5) nec_1 *om. Ma* 5) nec_2: neque *Ma* 6) igitur: ergo *Mn* 6) est *om. Ma*

15–16) in — incarnationem: *Io. 1,1–14.* 17–18) *Nicolaus, nisi forte de huius evangelii prologo locutus est, erravit; cf. enim Io. 1,32–33, 14,26, 20,22 et saepius.*
43 2–4) ARISTOTELES *De gen. an. V 7 788a13–14; De caelo I 5 271b12–13; De soph. elench. 33 182b23–25; quem locum* ALBERTUS MAGNUS *laudat DN 9 n. 5 (p. 380,20–22), ex quo Nicolaus hausit; cf. signum eius in cod. Cus. 96, fol. 200ᵛᵃ; v. etiam DN 9 n. 3 (p. 378, 73–76).* 2) principia indivisibilia: ARISTOTELES *Met. XII 7 1073a5–7; cf.* PROCLUS *In Parm. III (Cousin 785; Steel 135,44–45); CT III. 2. 2, marg. 116.* 4) neque — divisibilis: ARISTOTELES *Met. VII 8 1043a8; cod. Cus. 184, fol. 45ᵛ, adnotat. Nic.:* indiuisibilis est species. 4–5) forma ... materia ... nexus: *v. notas ad nn. 39,14, 42,10.* 5–6) Essentia — indivisibilis: AM *DN 9 n. 3 (p. 378,70–72); v. notam ad lin. 2.* 6–9) Et — figurae: *v. notam ad n. 52,2–3.*

---

43 2) indivisibilia: *v. infra, n. 53,1–9 et notas.* 2–4) Dicit — virtutis: *cf. De ludo globi II n. 104 (fol. 166ʳ,39–40).* 4–5) forma — materia — nexus: *v. supra, n. 39,14.19; infra, n. 44,4–5; cf. Idiota de mente 11 n. 137,4.* 6–7) intellectus — simplex: *cf. Sermo 'Non in solo pane vivit homo' (CLXXII; 1455; fol. 94ʳ,4–21; 94ᵛ,39–40).*

---

43 1–11) PINDER *fol. XIIIIʳᵇ⁻ᵛᵃ.* 2–4) Dicit — $divisibilis_2$: ECKIUS *fol. 66ʳ.* 6–10) Et — nequit: intellectus noster non potest essencias rerum concipere *Ma² in marg.* Quod autem intellectus noster essenciam rerum concipere nequit, causa est quia intellectus coniunctus non potest concipere simplex, cum conceptum faciat in imaginatione, que ex sensibus sumit subiectum imaginis sue seu figure. CASPAR STEINBECK, *De eucharistie sacramenti misteriis (loc. cit., fol. 20ᵛ), quem ad locum manus altera scripsit:* Quare intellectus noster essenciam rerum non concipit *et* Cusa de Berillo; *cf. etiam* C. STEINBECK, *De anime sensitiue, rationalis et intellectiue potenciis (loc. cit., fol. 47ʳ) et notam margin.:* Cusa de Berillo.

noster, qui non potest concipere simplex, cum conceptum faciat in imaginatione, quae ex sensibilibus sumit principium seu subiectum imaginis suae seu figurae, hinc est quod intellectus essentiam rerum concipere nequit. Videt tamen eam supra imaginationem et con- 10 ceptum suum indivisibilem triniter subsistere.

Unde dum sic attente advertit, videt substantiam corporalem ut **44** substantiam indivisibilem, sed per accidens divisibilem. Ideo dum dividitur corpus, non dividitur substantia, quia non dividitur in non corpus aut in partes substantiales, scilicet formam, materiam et nexum, quae proprius dicuntur principia quam partes, quia esset 5 dividere indivisibile ab indivisibili sicut punctum a puncto, quod non est possibile. Sed continuum dividitur in continua, potest enim eius subiectum, scilicet quantitas, recipere maius et minus. Posse

---

7) facit *Mn* 9) hinc: Nunc *Ya*
44 1) vidit *Ma* 1–2) corporalem ut substantiam *om. Ma, in marg. Ma*[2] 4) materiam, formam *Ma* 5) proprius: propius *Ma a* magis proprie *p* 5) partes: tres *σ* 5) esset: esse *Ya* 6) indivisibili *ex* invisibili *s. l. corr. C* 8) maius: magis *Ya Mn Ma*

9–10) intellectus — nequit: *cf.* Aristoteles *Met. VII 1 1028b2–4, quem ad locum Nic. in cod. Cus. 184, fol. 41*[r]*, adnotavit:* quidditas entis semper quesita. semper enim dubitatur quenam substancia sit.
44 2–5) dum — nexum: *ibid., VII 10 1035b20–22; de partibus substantialibus ibid., 1034b34.* 4–5) in — partes: AM *DN 4 n. 203 (p. 283,9–12).* 6–7) sicut — possibile: Aristoteles *Met. III 5 1002b3–4.* 7–8) continuum — quantitas: *ibid., V 13 1020a7–8.11–12; Phys. I 2 185b10.* 8) maius et minus: *Met. V 13 1020a23–25.*

7–9) cum — figurae: *v. supra, n. 15,11 et notam; infra, n. 52,2–5; cf. De doct. ign. I 11 n. 31 (h I 22,17); De coni. II 16 n. 159,1–10; Idiota de mente 4 n. 77,9–16; 7 n. 104,5–7; De possest n. 43, 24–28; De ludo globi II n. 88 (fol. 164*[r]*,25–31); Sermo 'Non in solo pane vivit homo' (CLXXII; 1455; fol. 93*[v]*,38–42; 94*[v]*,20–37).* 9–10) intellectus — nequit: *De docta ign. I 3 n. 10 (h I 9,24–26); Comp. 1 n. 1,12–14; v. De ven. sap. 12 n. 31,13 et notam.* 10–11) supra — suum: *cf. Comp. 1 nn. 1,8–2,2; De ap. theor. n. 9,3–4; v. supra, n. 15,9–13.* 11) indivisibilem — subsistere: *v. supra, n. 34,7–9 et notas.*
44 1–3) videt — substantia: *cf. De ven. sap. 22 n. 66,9–10; De ap. theor. n. 25,5–6.* 3–4) quia — corpus: *v. supra, n. 23,5.* 4–5) partes — principia: *v. supra, n. 39,14.19.* 6–7) sicut — possibile: *cf. supra, n. 22.* 7–8) continuum — minus: *cf. De docta ign. I 18 n. 53; II 1 nn. 95–96 (h I 36,18–20; 63,10–64,2).*

---

44 1–17) Pinder *fol. XIIII*[va].

autem dividi venit ab indivisibili materia, quae non est indivisibilis
10 propter unitatem ut forma seu parvitatem ut nexus, sed propter informitatem sicut nondum ens. Ideo dum est ens per formam, quae se ei valde immergit et fit multum materialis, tunc propter materiam dividitur quantitas. Unde per aenigma poteris differentias talium formarum investigare, quae sunt multum materiales et immersae et
15 quae minus et quae valde simplices. Et quoniam omnis corruptio, mutabilitas et divisio est a materia, statim videbis causas generationum et corruptionum et quaeque talia.

45 Aristoteles quando Politicam conscribere proposuit, ad minimum tam oeconomicae quam politicae se contulit et in illo minimo, quomodo maximum se habere deberet, vidit dicens sic in aliis similiter faciendum. In Metaphysica autem dicit curvum et rectum in natura
5 contrariari, quare unum non posse converti in aliud. In primo bene dixit, et puto quod, si quis maxima quaeque scire quaesierit et ad

---

10) ut_1: in *Ya* 10) parvitatem: pravitatem *Mn* 11) informitatem: infirmitatem *σ* infirmitatem *ex* informitatem *mutav. Ma²* 11) nondum: nundum *C* mundum *Ya* 12) fit: sit *Ya*

45 1) politicem *p* 2) oeconomicae: yconomice *C Mn Ma a* veronomice *Ya* aeconomices *p* oeconomices *b* 2) politice *C Mn Ma a* policite *Ya* politices *p* 2) se *om. Mn* 3) similem *Mn* 5) posset *Ya Mn* 5–6) benedixit *Mn* 6) quod *om. Mn*

---

10) unitatem ut forma: AM *DN 13 n. 16 (p. 441,33sqq.); CT III. 1, marg. 577; cf. DN 1 n. 36 (p. 20,17–19).* 13–14) differentias — formarum: *ibid., 2 n. 46 (p. 74,50–63).* 16) mutabilitas a materia: *ibid., 4 n. 208 (p. 287,33–36); cf.* ARISTOTELES *De gen. et corr. I 4 320a2–4.* 16–17) videbis – talia: AM *DN 4 n. 185 (p. 270,32–40); CT III. 1, marg. 462; cf. DN 6 n. 6 (p. 331,1–3).*

45 1–4) ARISTOTELES *Politica I 1–2 1252a18–26, 3 1253b1–8; quos ad locos Nic. in exemplari suo, cod. Cus 179 (vertit Leonardus Brunus Aretinus), adnotavit:* nota, *et.:* nota. doctrinam originem respiciendam *(fol. 2ʳ);* de re domestica, *et:* de minutissimis *(fol. 3ʳ).* 4–5) ARISTOTELES *Met. I 5 986a25; adnotat. Nic. in cod. Cus. 184, fol. 5ʳ (ad 986b3):* contraria principia encium sunt.

---

45 4–5) curvum — aliud: *cf. De geom. transmut. (fol. 33ᵛ,1–4); Sermo XXX n. 3,11–12.*

10–13) $propter_1$ — quantitas: forma non propter vnitatem/ materia non propter infirmitatem/ quia nondum ens. et nexus non propter paruitatem. Vnde quando materia fit ens per formam tunc diuiditur materia. ECKIUS *fol. 66ʳ.*
45 4–14) dicit — generis: ECKIUS *fol. 66ᵛ.*

minimum oppositorum se converterit, utique secreta scibilia investigabit. In secundo de curvo et recto non bene consideravit, nam opponuntur et unum est utriusque minimum. Ipse forte haec sic dixit, ut ignorantiam suam de quadratura circuli, cuius mentionem 10 saepe facit, excusaret. Habes autem superius principium esse indivisibile omni modo, quo divisio est in principiatis. Principiata igitur, quae contrarie dividuntur, habent principium eo modo indivisibile. Ideo contraria eiusdem sunt generis. Facies tibi scientiam mediante beryllo et aenigmate de principio oppositorum et 15 differentia et omnibus circa illa attingibilibus, sic generaliter de scientia per principium scibilium et differentiis eorum, uti in simili audisti superius. Unus est enim in omnibus agendi modus.

46 Sic si forte velis magnum Dionysium, qui deo multa nomina tribuit, ampliando ad beneplacitum extendere, cum beryllo et aenigmate ad cuiuslibet nominis principium pergas et quidquid humanitus

---

9) haec: hoc *Ma* 11) facit *ex* fecit *corr. Cusanus in C* 13) contrarie *ex* contraria *corr. Ma* 13–14) eo modo indivisibile: esse modo divisibili *Ma* alias: eo modo indivisibili *in marg. notav. Ma*[2] 14) sunt eiusdem *Ma*

46 1) Si sic si *Ya* 1–2) tribuit nomina *Ya* 2) amplicando *Ya* 3) ad: et *Ma* ad *s. l. corr. Ma*[2] 3) quitquid *Mn* quicquit *Ma* quid *σ* 3) humanitas *Ma*

10–11) de — facit: *cf.* Aristoteles *Phys. I 2 185a16–17; Cat. 7 7b31–33.* 11–12) Habes – principiatis: *v. notam ad. n 33,2–4.* 14) Ideo — generis: Aristoteles *Met. X 3 1054b30sqq.; Cat. 6 6a17–18, 11 14a15–16; v. notam ad n. 46,14–15.*

46 1–2) Dionysium — tribuit: *in libris De div. nom.*

8–9) In — minimum: *cf. Compl. theol. cap. 7 (fol. 95v–96r); De docta ign. I 13 n. 35; 16 n. 45; 18 n. 52; 23 n. 71 (h I 26,3–20; 32,1–2; 35,18–36,12; 47,1–2).* 9) unum — minimum: *v. supra, n. 41.* 11) superius: *n. 8,7–9; v. notam i. h. l.* 14) contraria — generis: *De coni. II 1 n. 78,14–15.* 15) mediante — aenigmate: *v. infra, n. 71,19–20 et notam₂.* 18) superius: *n. 9sqq.*

46 1–2) Dionysium — tribuit: *cf. De docta ign. I 24 n. 78; 26 nn. 87, 89 (h I 50,2sqq.; 54,22–24; 56,5–12); De ven. sap. 18 n. 52,6–12; Sermo XX nn. 4–12.* 3) cuiuslibet — principium: *cf. Sermo 'In caritate radicati' (CCXLII; 1456; fol. 142v.29–42).* 3–4) quidquid — potest: *cf. De docta ign., epist. auct., n. 263 (h I 163,9–11); De coni. I, prologus, n. 2; Apologia n. 14 (h II 11,5–7).*

11–16) Habes — attingibilibus: Pinder *fol. XIIIIva.*

46 2–15) cum — subiectum: Pinder *fol. XIIIIva–vb.*

dici potest deo te semper dirigente videbis. Etiam causas in natura
5 subtilius attinges, scilicet quare «generatio unius est corruptio alterius». Videndo enim per beryllum unum contrarium vides in eo esse principium alterius contrarii, puta dum vides per maximam pariter et minimam caliditatem principium caliditatis non esse nisi indivisibilitatem omni modo divisionis caloris et ab omni calore separatum.
10 Principium enim nihil est omnium principiatorum, principiata autem principii caloris sunt calida, non est igitur calidum caloris principium. Id autem, quod est eiusdem generis et non calidum, video in frigido; et ita de contrariis aliis. Cum ergo in uno contrario sit principium alterius, ideo sunt circulares transmutationes et com-
15 mune utriusque contrarii subiectum.

47 Sic vides quomodo passio transmutatur in actionem, sicut discipulus patitur informationem, ut fiat magister | seu informator, et *189v* subiectum post passionem calefactionis mutatur in ignem calefacien-

---

4) deo: de *Ya* 5) subtilias *Ma* 5) attingens *Mn Ma* 8) indivisibilitatem: indiuisibile *p* 11) igitur: ergo *Mn* 12) quod: quid *Ma* 13) de *om. a* in *coni. p* 13) Cum: Quomodo *Ma*

47 1) Si *a* 1) quomodo: quando *a* quomodo *m* 1) sicut: Sic *Ya*

---

4) deo dirigente: *Ps. 5,9, Ps. 24,5.* 5) generatio — alterius: ARISTOTELES *Met. II 2 994b5–6 et saepius.* 10) Principium — principiatorum: *cf.* PROCLUS *In Parm. VI (Cousin 1074; Steel 366,19–20); CT III. 2. 2, marg. 435.* 14) circulares transmutationes: *cf.* PLATO *Phaedo 70d sqq.;* ARISTOTELES *De gen. et corr. II 4 331b2–3, II 10 337a1–6;* PROCLUS *El. theol., prop. 33; CT III. 2. 1, marg. 33.* 14–15) commune – subiectum: *cf.* PLATO *Phaedo 103a–b;* ARISTOTELES *De caelo I 3 270a14–15;* AM *DN 4 n. 21 (p. 128,26–28); CT III. 1, marg. 325.*

47 3) ignem calefacientem: PROCLUS *In Parm. III (Cousin 787; Steel 136,96–97); CT III. 2. 2, marg. 127.*

---

5) generatio — alterius: *De coni. II 7 n. 110,12–14; De genesi 1 n. 152,13–15.* 10) Principium — principiatorum: *cf. De dato patr. lum. 5 nn. 116,5–6, 118,7–8; De princ. nn. 17, 34 (fol. 8v,8; 10v,4–5); De possest n. 48,5–6.* 14) circulares transmutationes: *cf. De docta ign. I 21 n. 65 (h I 43,24–26); De coni. II 7 n. 107,4–5.*

47 1) passio — actionem: *v. infra, n. 71,3–4 et notas.* 1–2) sicut — magister: *De fil. dei 2 n. 56,8–10.*

5–15) quare — subiectum: ECKIUS *fol. 66v.*

47 1–8) PINDER *fol. XIIIIvb.*

tem, et sensus patitur impressionem speciei obiecti, ut fiat actu sentiens, et materia impressionem formae, ut sit actu. Oportet 5 autem, ut advertas, quando de contrariis dico, quomodo illa, quae sunt eiusdem generis et aeque divisibilia, denoto; tunc enim in uno est alterius principium.

Videtur mihi utique te post haec quaerere, quid ego aestimem **48** ens esse, scilicet quaenam sit substantia. Volo tibi quantum possum satisfacere, quamvis superiora quae dicturus sum contineant.

Aristoteles scribit hanc quaestionem antiquam. Omnes indagatores veritatis semper quaesierunt huius dubii solutionem et ad- 5 huc quaerunt, ut ait. Ipse autem resolvit a solutione illius dubii omnem scientiam dependere. Scire enim 'quid erat esse', hoc est rem ideo hoc esse, puta domum, quia 'quod erat esse domui' hoc

---

4) obiecte *Ya Ma* obiecti *Ma²* 6) autem *om. Ma* uitem *Mn* 8) principium: etc. *add. Mn*

48 1) utique mihi *Mn Ma* 1) haec: hoc *Ma* 2) quae nam *C* 4) indagatores: malignatores *Ya* 5) veritatis: eam *add. Ma* 5) quaesiverunt *Ya* 8) hoc₁ *s. l. C om. Ma, in marg. add. Ma²* 8) quod: quid *Ma*

---

5) materia — formae: AM *DN 9 n. 8 (p. 382,68–69); cf. 4 n. 167 (p. 251,69sqq.).* 7) eiusdem generis: *v. notam ad n. 45,14.*

48 2) ens — substantia: ARISTOTELES *Met. VII 1 1028a13–15; v. notam sequentem.* 4–6) *ibid., 1028b2–4; adnotat. Nic. in cod. Cus. 184, fol. 41r, v. supra, notam ad n. 43,9–10.* 6–7) Ipse — dependere: *ibid., 1028a36–b2.* 7) Scire 'quid erat esse': *ibid., 1028b34; adnotat. Nic. in cod. Cus. 184, fol. 41r:* quod quid erat esse; *cf. etiam V 8 1017b21–22; v. infra, notam ad lin. 19—20.* 8) quod erat esse domui: *ibid., VII 17 1041b6; adnotat. Nic. fol. 51v:* nota exposicionem illius quod erat esse / puta hec sunt domus propter

---

48 1–2) quid — substantia: *cf. De li non aliud 18 nn. 83–85 (h XIII 44,1–45,27).* 4–6) Aristoteles — quaerunt: *ibid., 18 n. 83; De ap. theor. n. 2,15–3,4 et notas.* 7) quid erat esse: *v. infra, nn. 51,1–4, 54,16–20, 61,10–11.*

---

48 1–19) PINDER *fol. XIIIIvb.* 1–2) Quid sit ens et substancia *in marg. sup.*, Quid sit ens substancia *in marg. inf. Ma².* 1–6) quaerere — ait: Si autem adhuc queret aliquis quid tamen aut que nam sit vel esse possit substancia aut quidditas rerum sensibus et intellectui adeo res obschura hanc questionem antiquam ab omnibus veritatis indagatoribus semper quesitam et dubii huius solutionem plane nondum inuentam Dominus Nicolaus de Cusa Cardinalis satis copiose et subtiliter in tractatu de berillo prosequitur CASPAR STEINBECK *De eucharistie sacramenti misteriis (loc. cit., fol. 21r); quem ad locum in marg. adnotavit:* teste aristotele III° metaphysice vbi inquit substancia et essencia rei non possunt cognosci. 3sqq.) EX ALIENIS *p b in marg.*

est, est attigisse altissimum scibile. Dum autem circa hoc sollicite
10 quaereret, sursum deorsumque pergeret, et repperisset nec materiam fieri substantialem, cum sit possibilitas essendi. Quae si ab alio esset, id a quo possibilitas essendi fuisset, cum nihil nisi possibile fieri fiat. Ideo non est possibilitas a possibilitate. Non ergo fit materia ab aliquo alio neque a nihilo, quia de nihilo nihil fit. Deinde ostendit
15 formam non fieri; oporteret enim quod ab ente in potentia fieret et sic de materia. Et exemplificat quomodo rotundans aes non facit sphaeram aeneam, sed quae erat semper sphaera inducitur in materiam aeris. Compositum igitur fit tantum. Formam igitur, quae format actu in composito, nominat 'quod erat esse' et, dum ipsam
20 separatam conspicit, nominat speciem.

---

9) est_2 *s. l. C om. Mn* 9) solicite *Ya* 10) reperisset *Σ* 10) nec *om. Mn* 11) cum: quomodo *Ma* cum *in marg. corr. Ma²* 11) Quae: fit *add. Ma* 11) esset *ex* essent *corr. C* essent *a* 12) cum: quomodo *Ma* cum *s. l. corr. Ma²* 14) de: a *Mn* 15) oportet *Mn* 16) Et: sic *add. Ma* 16) exemplificans *Ma* 16) rotundas *Mn* 17) aeneam *om. Ma* eneam *in marg. Ma²* 17) quae: qui *Ya* 18) fit: sit *Ya* 19) compositio *Mn*

---

quid / quia hec existunt quod erat domui esse / hoc autem est species quia aliquid est. hoc autem est substancia. 9) attigisse — scibile: *ibid., I 2 982a32–b2; adnotat. Nic. fol. 2ʳ:* maxime scibile*; III 2 996b13–20; adnotat. fol. 13ʳ:* magis scit qui rem ipso esse cognoscat quam *(*illum *delev.)* qui ipso non esse. 10–11) nec — substantialem: *sed cf. ibid., XII 3 1069b35–36; adnotat. Nic. fol. 78ʳ:* neque materia fit neque species ultima*; Nicolaus fortasse respicit ad Met. VIII 1042a25sqq.* 11) possibilitas essendi: *v. notas ad locos secundi Doctae ign. libri in app. locorum similium laudatos.* 11) Quae — esset: *cf.* ARISTOTELES *Phys. I 9 192a27sqq.* 14) de nihilo nihil fit: ARISTOTELES *Met. XI 6 1062b24–26; cf. III 4 999b8.* 14–15) Deinde — fieri: *v. notas ad lin. 10–11, 16–18.* 16–18) exemplificat — tantum: ARISTOTELES *Met. VII 8 1033a24–b19; adnotationes Nic. in cod. Cus. 184, fol. 45ʳᵛ:* nota quid facit qui facit es rotundum*;* neque species fit aut que nominatur forma in sensibili nec est hoc quod *(*quid *interpretatus est Bessario)* erat esse*;* quid erat esse. est quod in alio fit ut est spera enea / species ut spera*;* conclusio species aut substancia non fit / sed copulacio*; cf. VIII 3 1043b16–18.* 19–20) 'quod erat esse' *et* speciem: *v. notam ad lin. 16–18; cf. Met. VII 10 1035b31–33; cod. Cus. 184, fol. 47ʳ, vertit Bessario:* pars itaque eciam speciei est. speciem autem dico quod quid erat esse et simul tocius quid ex specie et ipsa materia est*; v. notam ad lin. 7.*

---

11) possibilitas essendi: *De docta ign. II 1 n. 97; 7 n. 130; 8 nn. 132–140 (h I 64,19–65,10; 83,12–84,9; 84,22–89,25); Idiota de mente 7 nn. 97–107; De ludo globi II n. 118 (fol. 168ʳ, 15–30).* 13–14) Ideo — alio: *cf. De ven. sap. 9 n. 26,1.* 14) de — fit: *De docta ign. II 8 n. 132 (h I 85,2); De ludo globi I n. 47 (fol. 157ᵛ,43).*

Quid autem sit illa substantia, quam nominat 'quod erat esse', **49** dubitat. Nescit enim, unde veniat aut ubi subsistat et an sit ipsum unum aut ens aut genus vel, si sit ab idea, quae sit substantia in se subsistens, aut si educitur de potentia materiae et si sic, quomodo hoc fiat. Oportet enim quod omne ens in potentia per ens 5 in actu perducatur in actum. Actus enim nisi prior foret potentia, quomodo potentia veniret in actum? Si enim se ipsum poneret in actu, esset in actu, antequam esset in actu. Et si est prius in actu, erit igitur species aut idea separata; nec hoc videtur. Oporteret enim idem esse separatum et non separatum, cum non possit dici quod 10 sit alia species separata et alia substantia 'quod erat esse'. Si enim alia, non est 'quod erat esse', et si sunt species separatae a sensibilibus, oportet illas esse vel ut numeros vel ut magnitudines separatas sive mathematicales formas. Sed cum illae dependeant a materia et

---

49 2) aut: et *Ya* 3) idea: ideo *Ma* ydea *in marg. corr. Ma* 7) quomodo potentia *om. Ma* quomodo potentia a *ante* potentia *(lin. 6) Ma*[2] 7) seipsam *Mn p* 9) nec: ne *Mn* 9) Oportet *Ya Mn Ma* 10) possit: potest *Ma* 11) *et* 12 quod: quid *Ma* 12) separate *ex* separata *corr. Mn*[2] 13) ut *om. Ya* 13) separatos *Ya* 14) cum: tamen *Ya Mn Ma*

---

49 1) illa — esse: *v. notas ad n. 48,7.19–20.* 2) dubitat: *v. notam ad n. 48,4–6.* 3) unum aut ens: Aristoteles *Met. III 2 996a4sqq.*; *adnotat. Nic. fol. 12*[v]*; III 4 1001a4sqq.; Nic. fol. 17*[r]*:* questio vtrum ens et vnum sunt substancie encium *et:* plato et pitagorici idem vnum et ens. substancia*; cf. VII 6 1031b8–1032a4.* 3) aut genus: *ibid., VII 3 1028b35, VIII 1 1042a14, X 2 1053b21–24.* 3) idea: *ibid., VII 6 1031b15–18.* 5–6) Oportet — actum: *ibid., IX 1049b24–25; adnotat. Nic. fol. 59*[r]*:* ex potencia ente fit actu ens ab actu existente. 6) Actus — potentia: *ibid., IX 8 1049b10–11; adnotat. Nic. fol. 59*[r]*:* actus prior potencia. 9) aut idea separata: *ibid., VII 14 1039a24sqq.; adnotat. Nic. fol. 50*[r]*:* contra dicentes ideas substancias separatas. 13–14) ut_1 — formas: *ibid., VII 13 1039a10–12*; *adnotat. Nic. fol. 49*[v]*:* magnitudines indiuisibiles substancias facit sicud et in numeris*; cf. XIII 1 1076a16sqq., 2 1076a38sqq.* 14–15) Sed — subiecto: *ibid., VI 1 1026a14–15; adnotat. Nic. fol. 38*[v] *et 39*[r]*.*

---

49 5–7) Oportet — actum: *cf. De li non aliud, propos. 20, n. 125 (h XIII 65,25–27); De ven. sap. 7 n. 17,3–6.* 12–14) et — formas: *cf. De docta ign. I 11 n. 32 (h I 23,12–18).* 14–15) Sed — esse: *v. infra, nn. 52,1–6, 63,6–7; Idiota de mente 7 n. 104,1–3; cf. De docta ign. I 11 n. 31 (h I 22,21–23,1); De possest n. 63,6–11.*

---

49 1–17) Pinder *fol. XIIII*[vb]*–XV*[ra]. 1–2) Illud quod erat esse aristoteles assignauit, sed satis dubie. Eckius *fol. 66*[v].

15 subiecto, sine quo mathematicalia non habent esse, non sunt igitur separatae. Et si non sunt species separatae, non sunt universales, neque scientia de ipsis fieri potest.

50 Per talia multa subtilissime discurrit nec se plene, ut videtur, figere potuit propter dubium specierum et idearum. Etiam Socrates iuvenis et senex, ut Proclus dicit, de hoc dubitavit. Tamen magis elegit opinionem, scilicet quod, quamvis sint aliquae substantiae separatae 5 a materia, tamen species non sunt separatae substantiae, sicut nec species artis, scilicet domus, non habet esse substantiale a materia separatum. Sed quaestionem illam saepius movens semper esse difficillimam conclusit.

51 Ego autem attendo quomodo, etsi Aristoteles repperisset species aut veritatem circa illa, adhuc propterea non potuisset attigisse 'quod erat esse' nisi eo modo, quo quis attingit hanc mensuram esse sextarium, quia est 'quod erat esse sextario', puta quia sic est, 5 ut a principe rei publicae, ut sit sextarium, est constitutum. Cur autem sic sit et non aliter constitutum, propterea non sciret, nisi quod

---

16) species *om. Ma, s. l. add. Ma*[2]

50 1) subtilissima *Mn* 2) Etiam: Et *Ya Mn* 5–6) sicut — substantiale *bis scripsit Mn* 8) conclusit: etc. *add. Mn*

51 1) reperisset *Ya* 2) veritatem *om. Ma, in marg. add. Ma*[2] 3) quod: quid σ 5) sit: sic *Ya Ma* 6) sic sit: si sic *Mn* sit sic *mutav. Mn*[2] 6) quod *om. Ma*

---

50 2) propter — idearum: *ibid., VIII 3 1043b18–22; adnotat. Nic. fol. 43*[r]*:* dubium an corruptibilium substancie sint separate. 3) Proclus *In Parm. I–II (Cousin 722; Steel 84–85; cod. Cus. 186, fol. 24*[r]*sq.).* 4–5) quamvis — materia: *v. notas ad n. 49,13–15.* 5–7) tamen — separatum: *v. infra, p. 111sq., adnotat. 17.*

51 3) quod erat esse: *v. notas ad n. 48,7.8.19–20.*

---

16) universales: *cf. De docta ign. II 6 nn. 124–126 (h I 80,2–81,13); De coni. II 13 n. 134,29–31.*

50 2) specierum: *v. notam ad n. 58,1.* 5–7) sicut — separatum: *v. infra, n. 56,7–10.*

51 1–4) *V. supra, n. 48,7 et notam.*

---

15) Mathematicalia esse *Ma in marg.*

50 1–8) Pinder *fol. XV*[ra]. 2–3) Unde et socrates senex et juuenis vt proculus dicit de hoc dubitauit. Eckius *fol. 66*[v].

51 1–19) Pinder *fol. XV*[ra–b].

demum resolutus diceret: «Quod principi placuit, legis vigorem habet.» Et ita dico cum sapiente «quod omnium operum dei» nulla est ratio, scilicet cur caelum caelum et terra terra et homo homo, nulla est ratio nisi quia sic voluit qui fecit. Ulterius investigare est fatuum, 10
190r ut in simili dicit Aristote|les velle inquirere primi principii 'quodlibet est vel non est' demonstrationem. Sed dum attente consideratur omnem creaturam nullam habere essendi rationem aliunde nisi quia sic creata est, quodque voluntas creatoris sit ultima essendi ratio sitque ipse deus creator simplex intellectus, qui per se creat, ita 15 quod voluntas non sit nisi intellectus seu ratio, immo fons rationum, tunc clare videt quomodo id, quod voluntate factum est, ex fonte prodiit rationis, sicut lex imperialis non est nisi ratio imperantis, quae nobis voluntas apparet.

Est igitur, ut accedamus propius, adhuc considerandum quo- **52**

---

9) scilicet: sed σ 9–10) scilicet — nisi *om. Ya* 9) et_1 *om. Mn* 9) et_2: ut *Ma* 13) haberi *Ma* 14) sit: fit *Mn* 16) intellectus: qui per se creat *add. Ya* 16) immo: in uno *Ma* ymo *in marg. corr.* Ma^2 19) nobis: vobis *Ya Mn* nobis *corr.* Mn^2 19) apparet: etc. *add. Mn*
52 1) proprius *Ya*

7–8) Quod — habet: *C.i.c., Di I 4.1 sec.* ULPIANI *Institutiones I (T. Mommsen — P. Krueger, vol. 1, Berolini* [11]*1908, p. 35); cf.* IUSTINIANI *Institutiones I 2.6 (P. Krueger, loc. cit., p. 1).* 8–9) cum — ratio: *Eccle. 8,17, cf. 11,5.* 10) quia — fecit: *v. notam ad n. 17,10.* 10–12) ARISTOTELES *Met. IV 4 1006a5sqq.* 11–12) primi — est: *v. notam ad n. 40,8.* 15) sitque — intellectus: *v. notam ad n. 36,14–15.* 15–16) ita — rationum: PROCLUS *In Parm. III (Cousin 802; Steel 147,39.46–49); CT III. 2. 2, marg. 152, 153; v. notas ad nn. 17,9, 34,2.*

7–8) Quod — habet: *v. supra, n. 17,12–13 et notam.* 8–10) Et — fecit: *v. supra, n. 17,10; cf. Sermo XXII n. 24,7–11; Sermo XXIV n. 19,2–9; Sermo XXXVIII n. 3,3–4. Nicolaus lin. 8–10 in cod. Cus. 219, fol. 207*[v]*, signo* ⁘ *instruxit.* 11–12) ut — demonstrationem: *v. supra, n. 40,8–10 et notam; cf. De ven. sap. 13 n. 38,7 et notam.* 12–14) Sed — est: *v. infra, n. 64,10; cf. De pace fidei 10 n. 27 (h VII 28,10–14).* 15) deus — creat: *v. infra, n. 64,16–17 et notam.* 16) voluntas — ratio: *v. supra, n. 17,10–11; cf. De genesi 5 n. 178,4; De li non aliud 9 n. 34 (h XIII 20,7–8).* 16) fons rationum: *v. supra, n. 17,7–8; cf. De ap. theor. n. 15,5 et notam.*
52 1–3) quomodo — continuatur: *v. notam ad n. 43,7–9; cf. Idiota de mente 8 n. 109,2–3.15–16.*

13–14) omnem — est: ECKIUS *fol. 66*[v]*.*
52 1–12) PINDER *fol. XV*[rb]*;* EX SENTENTIA *p b in marg.*

modo noster intellectus suum conceptum ab imaginatione, ad quam continuatur, nescit absolvere et ideo in suis intellectualibus conceptibus, qui sunt mathematicales, ponit figuras, quas imagi-
5 natur ut substantiales esse formas, et in illis et numeris intellectualibus ponit considerationes, quia illa sunt simpliciora quam sensibilia, quia intelligibilis materiae. Et cum omnia hauriat per sensum, ideo in istis subtilioribus et incorruptibilibus figuris a qualitatibus sensibilibus absolutis fingit se omne attingibile posse similitudinarie
10 saltem apprehendere. Quare quidam ponit substantiale elementum esse ut unum et substantias ut numeros, alius ut punctum, et ita quae ex his sequuntur.

53 Unde eo modo videtur secundum has intellectuales conceptiones

---

4) qui: quae *Mn* 5) in: cum *Ma* 7) intelligibiles *C Ma Ya σ* intelligibil *Mn* 8) incorruptibilibus *ex* corruptibilibus *s. l. corr. Ma* 8) a: et *Ma* 10) quidam: quidem *Ya Mn Ma* 11) ut_2: et *Ma* ut *s. l. corr. Ma*[2] 11) ita *ex* itaque *corr. Ma*

---

52 2–3) noster — absolvere: Aristoteles *De an. III 7 431a16–17.b2.* 4–5) qui — intellectualibus: *v. notam ad n. 49,13–14.* 7) intelligibilis materiae: Aristoteles *Met. VII 10 1036a3–4.9–12; adnotationes Nic. fol. 47r:* intelligibiles ut mathematicos; de materia; *VII 11 1037a4–5; Nic. fol. 48r:* quedam materia sensibilis, quedam intellectualis; *cf. VIII 6 1045a33–34, XI 1 1059b14–16; cf.* AM *DN 4 n. 16 (p. 125,11–20; cod. Cus. 96, fol. 114r).* 9) similitudinarie: *cf. CT III. 1, marg. 18;* Aristoteles *Met. I 5 985b27; adnotat. Nic. fol. 4v:* pitagorici. 10–11) quidam — numeros: *Pythagoras et eius discipuli cf. ibid., VII 11 1036b17–20; adnotat. Nic. fol. 47v:* pitagoricis contigit omnium facere vnam speciem; *Met. I 5 987a19, quem locum Nic. signo instruxit (fol. 6r); cf. etiam III 3 998b9–10;* AM *DN 13 n. 16 (p. 441,27sqq.); 13 n. 23 (p. 446,1–3); CT III. 1, marg. 575.* 11) alius ut punctum: *Pythagorici scilicet, cf.* Aristoteles *Met. XIII 8 1084b25–26; adnotat. Nic. fol. 92r:* causa erroris; *cf. III 5 1001b26sqq.*

3–7) et — materiae: *De coni. I 9 n. 39,6–9.* 7) intelligibilis materiae: *v. infra, n. 63,6 et notam.* 7) hauriat: *cf. Comp. 6 nn. 17–18.* 8–9) incorruptibilibus — absolutis: *v. infra, nn. 56,16–26, 63,17; cf. Idiota de mente 7 nn. 103–104; 15 n. 157,2–5.* 9–10) se — apprehendere: *cf. De coni. I 4 n. 12,3–5 et notam ad n. 12,3–4; De ludo globi I n. 28 (fol. 155v,16–18).* 11–12) punctum — sequuntur: *v. supra, n. 21,2–6 et notas ad nn. 21–23.*

53 1–2) Unde — omnibus: *Nicolaus hunc locum in cod. Cus. 219, fol. 208r, signo* ⁘ *instruxit. V. supra, nn. 3,5, 8,4.7–9 et notam, 21,1–4, 32,2–4, 34,7–9, 43,1–6; cf. De docta ign. I 10 n. 28 (h I 20,26–28); De li non aliud 24 n. 110 (h XIII 56,29–32); De princ. n. 5 (fol. 7r,22); De ven. sap. 24 n. 71.*

---

53 1–18) Pinder *fol. XVrb–va.*

quod indivisibilitas sit principium prius omnibus. Nam est ratio, cur unum et punctus et omne principium est principium, scilicet quia indivisibile. Et secundum intellectualem conceptum indivisibile est formalius et praecisius principium, quod tamen non potest nisi 5 negative attingi, sed in omnibus divisibilibus attingitur, uti supra patuit. Sublata enim indivisibilitate constat nihil substantiae manere atque ideo omnem subsistentiam tantum habere esse et substantiae quantum indivisibilitatis. Sed, ut bene dicit Aristoteles, haec negativa de principio scientia obscura est. Cognoscere enim substantiam non 10 esse quantitatem, qualitatem aut aliud accidens non est clara scientia sicut illa, quae positive ipsam ostendit. Nos autem oculo mentis hic in aenigmate per speculum innominabilem indivisibilitatem nullo nomine per nos nominabili aut nullo conceptu formabili apprehensibilem cognoscentes, verissime eam videntes in excessu non turba- 15 mur nostrum principium omnem claritatem et accessibilem lucem

---

53 3) cur: cum *Ya* 6) attingi *ex* attingere *s. l. corr. Ma* 6) uti: ut *Ma* 8) subsistentiam: substantiam *Mn σ* 9) bene: scite *p* 9) haec *om. Mn* 13) nullo: in illo *Mn* 15) turbamur: asserere *add. p*

---

53 2) indivisibilitas — omnibus: *v. notas ad nn. 8,4.7–9, 33,2–4.* 9–10) ARISTOTELES *An. post. I 25 86b30–39; cf. Met. VII 3 1029a20–21.* 12) oculo mentis: *v. notam ad n. 3,3.* 13) in — speculum: *1 Cor. 13,12; v. infra, p. 101sq., adnotat. 4.* 13–14) nullo — nominabili: *cf.* PROCLUS *In Parm VI (Cousin 1083; Steel 371,2; CT III. 2. 2, marg. 447:* ... neque nominabile neque dicibile ... *(dictum de uno); VII (Steel 505); cf. CT III. 2. 1, marg. 170, 343.* 15) verissime — in excessu: *v. notam ad n. 6,3.* 15–17) non — excedere: *cf. 1 Tim. 6,16.*

2–4) ratio — indivisibile: *cf. De coni. I 10 n. 44,7.* 4) intellectualem conceptum: *v. supra, n. 52,3–4, infra, n. 56,1–2.* 6) supra: *nn. 21–23.* 12) oculo mentis: *cf. De docta ign. III 11 n. 246 (h I 153,10); De li non aliud 19 n. 87 (h XIII 46,9); De ven. sap. 36 n. 106,4; De ap. theor. n. 16,1; v. supra, nn. 3,3, 8,5, 11,4–5.* 13–14) nullo — nominabili: *v. supra, n. 13,10–12 et notam; cf. De docta ign. I 24 nn. 74–76 (h I 48,2–49,13); De genesi 4 n. 168,1; De possest n. 26; De princ. n. 19 (fol. 8v,27–30); De ven. sap. 33 n. 100,7; 34 n. 103,9–12; Sermo XX n. 6 et notas; Sermo XXIV n. 48.* 15) videntes in excessu: *v. supra, notam ad n. 6,3.*

15–18) ECKIUS *fol. 66v.*

excedere, sicut plus gaudet, qui reperit thesaurum vitae suae innumerabilem et inexhauribilem quam numerabilem et consumptibilem.

54 Post haec ad memoriam revocemus ea quae supra dixi de intentione, scilicet quomodo creatura est intentio conditoris, et consideremus intentionem esse verissimam quiditatem eius. Nam a simili, cum quis nobis loquitur, si nos quiditatem attingimus ser-
5 monis, non nisi intentionem loquentis attingimus. Sic cum per sensus species sensibiles haurimus, illas quantum fieri potest simplificamus, ut quiditatem rei videamus cum intellectu. Simplificare autem species est abicere accidentia corruptibilia, quae non possunt esse quiditas, ut in subtilioribus phantasmatibus discurrendo quasi
10 in sermone seu scriptura ad intentionem conditoris intellectus perveniamus scientes quod quiditas rei illius, quae in illis signis et figuris rei sensibilis sicut in scriptura aut sermone vocali continetur,

---

17) excedere: accedere *a* 17) qui *ex* quae *s. l. corr. Mn* 18) quam: qui *in marg. add. Mn (Mn²?)*

54 4) nos *ex* non *corr. Ma²* 4) attingimus quidditatem *Ma* 9) quidditates *Mn* 12) aut: et *Ya*

17–18) qui — inexhauribilem: *v. notam ad n. 2,10.*

54 2) quomodo — conditoris: *v. notam ad n. 37,20–22.* 5–7) Sic — intellectu: *v. notam ad n. 71,1.* 7) Simplificare: *cf. ea, quae Nicolaus in sermone 'Non in solo pane vivit homo' dixit (Sermo CLXXII, 1455; p II, 1, fol. 94ᵛ,39–40):* Albertus Magnus in libro suo de anima dicit: quod abstrahere est simplificare*; v. infra, notam ad n. 71,9.* 9) *et* 11) discurrendo *et* signis: *cf.* ALBERTUS MAGNUS *Super Dion. ep. IX (p. 536,25.45).*

---

17) thesaurum: *v. supra, n. 2,10; cf. De dato patr. lum. 1 n. 92,9–10; 5 n. 121,7; Apologia n. 5 (h II 4,5.11.13); Idiota de sap. I n. 11,11–13; De vis. dei 16 n. 67 (fol. 107ᵛ, 11–13); De ven. sap. 12 n. 33,8–11; Sermo 'Nos revelata facie' (CCXLIX; 1456; fol. 150ᵛ–151ʳ).*

54 1) supra: *v. nn. 35,11–17, 37,18–22 et notas, 51,12–19.* 3) intentionem — eius: *v. supra, n. 38; de notione* quiditatis *v. De ap. theor., adnotat. 21 (h XII 165sq.).* 6) haurimus: *v. notam ad n. 52,7; cf. infra, n. 71,1–4.* 7) Simplificare: *cf. De docta ign. I 11 n. 31; II 6 n. 125 (h I 22,21–24; 80,21–23); De coni. II 14 n. 142,4; Idiota de mente 7 n. 105,7–12.* 8–9) accidentia — quiditas: *cf. De li non aliud 11 n. 42 (h XIII 24, 16–18).*

---

54 1–20) PINDER *fol. XVᵛᵃ.* 2–3) Omnis creatura intencio est creatoris que est quiditas rerum *Ma² in marg.* 5–10) ECKIUS *fol. 67ʳ.*

est intentio intellectus, ut sensibile sit quasi verbum conditoris, in quo continetur ipsius intentio, qua apprehensa scimus quiditatem et quiescimus. Est autem intentionis causa manifestatio; intendit 15 enim se sic manifestare ipse loquens seu conditor intellectus. Apprehensa igitur intentione, quae est quiditas verbi, habemus 'quod erat esse'. Nam 'quod erat esse' apud intellectum est in intentione apprehensum, sicut in perfecta domo est intentio aedificatoris apprehensa, quae erat apud eius intellectum. | 20

190v Scias etiam me alium quendam in inquisitoribus veritatis, ut puto, 55 defectum repperisse. Nam Plato dicebat circulum, uti nominatur aut diffinitur, pingitur aut mente concipitur, considerari posse quodque ex his natura circuli non habeatur, sed quod solo intellectu eius quiditas, quae sine omni contrario simplex et incorruptibilis exsistit, 5 videatur. Ita quidem Plato de omnibus asseruit. Sed nec ipse nec alius quem legerim advertit ad ea, quae in quarto notabili praemisi.

---

13) verbum: umbra *Ma, in marg. corr. Ma²* 14) qua *ex* quia *corr. Ma* 14) quiditatem: rei *add. Ma* 15) autem: enim *Mn* 15) causa: gratia *p* 15) manifestatio *om. Ma* manifestare *in marg. add. Ma²* 18) Nam — esse *om. Mn* 18) in *s. l. C om. Ma m*

55 1) me etiam *Mn* 1) quendam *om. Ya* 1) inquisatoribus *Mn* 2) reperisse *Σ σ* 3) considerari: non *s. l. add. et delev. Ma* 5) quae *Ma* quaedam *in marg. corr. Ma²* 6) Ita: itaque *Ma*

15–16) manifestatio, manifestare: *v. notam ad n. 64,17.* 17–18) quod erat esse: *v. notas ad n. 48,7–8.19–20.*

55 2–6) PLATO *Ep. VII 342a7sqq.; cf.* PROCLUS *In Parm. VII (Steel 513,23–514,39); CT III. 2. 2, marg. 612; cf. In Parm. V (Cousin 985; Steel 295,3–5); CT III. 2. 2, marg. 349.*

---

13) ut — conditoris: *v. infra, n. 68,7–8; cf. De princ. n. 38 (fol.11r,6–11); Comp. 7 nn. 20,9–21,11; Sermo 'Verbum caro factum est' (CXXXIX; 1454; fol. 80r,29–32).* 14) ipsius — quiditatem: *v. infra, n. 64,17–19; cf. De ludo globi II n. 99 (fol. 165v,24).* 15) quiescimus: *cf. De possest n. 38,8–11.* 15) manifestatio: *v. supra, n. 4,3.5–6; infra, n. 64,16–17 et notas.* 18) quod erat esse: *v. supra, n. 48,7.* 19–20) sicut — apprehensa: *cf. De docta ign. II 4 n. 116 (h I 75,4–6); De genesi 3 n. 162,9–10.*

55 7) quae — praemisi: *v. supra, n. 7.*

16–19) Apprehendere namque per intellectum est quidditatem rerum quadam degustatione gratissima modo quo potest attingere. CASPAR STEINBECK *De anime ... potenciis (loc. cit., fol. 50v), quem ad locum manus altera adnotavit:* Cusa.

55 1–10) PINDER *fol. XV va–b.*

Nam si considerasset hoc, repperisset utique mentem nostram, quae mathematicalia fabricat, ea quae sui sunt officii verius apud se
10 habere quam sint extra ipsam.

56 Puta homo habet artem mechanicam et figuras artis verius habet in suo mentali conceptu quam ad extra sint figurabiles, ut domus, quae ab arte fit, habet veriorem figuram in mente quam in lignis. Figura enim, quae in lignis fit, est mentalis figura, idea seu exemplar;
5 ita de omnibus talibus. Sic de circulo, linea, triangulo atque de nostro numero et omnibus talibus, quae ex mentis conceptu initium habent et natura carent. Sed propterea domus, quae est in lignis aut sensibilis, non est verius in mente, licet figura eius verior sit ibi. Nam ad verum esse ipsius domus requiritur quod sit sensibilis ob finem propter
10 quem est. Ideo non potest habere speciem separatam, ut bene vidit

---

8) reperisset Σ σ   10) quam *ex* quoniam *corr. Mn*²
56 2) ad *om. Ma*   2) adextra *C (distinxit Cusanus) Mn*   4) Figurae *Ya Mn*
6) et: de *add. Ma*   8) sit verior *Ma*   8) ibi: tibi *Mn*

---

56 1) figuras artis: *cf.* AM *DN 4 n. 206 (p. 286,9–10):* in formis artificialibus, quae sunt figurae; *quem ad locum Nic. in cod. Cus. 96, fol. 168ʳᵃ, adnotavit:* totum bonum. 2–4) ut — figura: *cf.* Aristoteles *Met. VII 7 1032a32–33; adnotat. Nic. fol. 44ʳ:* ab arte fiunt quorum species in anima ...; *1032b11–14.23; adnotationes Nic. fol. 44ᵛ:* quomodo sanitas ex sanitate et domus ex domo ars est species; substancia absque materia est quod quid erat esse; motus conualescendi si ab arte incipit species est que est in anima; *cf. Phys. II 2 194a24sqq.;* AM *DN 2 n. 45, 4 n. 62, 5 n. 37 (p. 73,47–48, 170,84–86, 325,38–48), adnotat. Nic. ad 5 n. 37:* nota *(fol. 181ᵛᵇ).* 4) Figura — fit: Aristoteles *Met. VII 8 1033b8–10.* 7–8) Sed — mente: AM *DN 5 n. 18 (p. 313,1–2; fol. 177ᵛᵃ).* 9–10) ob finem — est: *ibid., 5 n. 37 (p. 325,54–55), quem locum Nic. linea instruxit; cf.* Aristoteles *De an. I 1 403b3–5.* 10–11) Ideo — Aristoteles: *cf. Met. I 9 991b6–7.* 10–19) Aristoteles ... Plato: *cf.* AM *DN 5 n. 37 (p. 325,11–20; fol. 181ᵛᵃ⁻ᵇ).*

8–9) mentem — officii: *cf. Idiota de mente 3 n. 70,2–3; 6 n. 88,15–16.22; 7 n. 104,2–3; De possest nn. 43,1–11, 46,3–4; Compl. theol. 9 (fol. 97ʳ,7).* 9–10) eam — ipsam: *cf. De docta ign. I 11 n. 31 (h I 22,21–23,1); De possest n. 44,1–2; cf. ibid., n. 63,6–10.*
56 1) artem mechanicam: *cf. De coni. II 15 n. 150,16; Idiota de mente 7 n. 102,12; Comp. 2 n. 4,8; 6 n. 18,1.* 1–3) figuras — lignis: *v. supra, n. 7,2–4.7–8 et notas.* 5–6) Sic — habent: *v. supra, nn. 52,3–7, 55,8–9 et notas; cf. De ven. sap. 31 n. 94,5–7.* 8) non — mente: *v. supra, nn. 50,5–7, 54,19–20 et notam.*

8–10) Eckius *fol. 67ʳ.*
56 1–26) Pinder *fol. XVᵛᵇ.* 1–2) Puta — figurabiles, 7–8) Sed — ibi, 16–22) Ideo — extra Eckius *fol. 67ʳ.*

Aristoteles. Unde licet figurae et numeri et omnia talia intellectualia, quae sunt nostrae rationis entia et carent natura, sint verius in suo principio, scilicet humano intellectu, non tamen sequitur quod propterea sensibilia omnia, de quorum essentia est quod sint sensibilia, sint verius in intellectu quam in sensu. 15

Ideo Plato non videtur bene considerasse, quando mathematicalia, quae a sensibilibus abstrahuntur, vidit veriora in mente, quod propterea illa adhuc haberent aliud esse verius supra intellectum. Sed bene potuisset dixisse Plato quod, sicut formae artis humanae sunt veriores in suo principio, scilicet in mente humana, quam sint 20 in materia, sic formae principii naturae, quae sunt naturales, sunt veriores in suo principio quam extra. Et si sic considerassent Pythagorici et quicumque alii, clare vidissent mathematicalia et numeros, qui ex nostra mente procedunt et sunt modo quo nos concipimus, non esse substantias aut principia rerum sensibilium, sed tantum 25 entium rationis, quarum nos sumus conditores.

Sic vides quomodo ea, quae per artem nostram fieri non possunt, **57** verius sunt in sensibilibus quam in nostro intellectu, ut ignis verius

---

12) sint: sive *Ya* 15) in *om. Ma* 17) abstrahantur *Ma* 19) Plato dixisse *Ma* 19) quod sicut *scr. et delev. Ma* 19–21) quod — sic *om. Ma, in marg. add. Ma*[2] 21) naturae *ex* materiae *corr. Ma*[2] 24) qui: que *Mn* 24) ex: pro *Mn* 24) concepimus *C* concipimus *corr. Cusanus* 25) non: nos *Ma* non *in marg. corr. Ma*[2] 25) aut: ut *Ya* 25) sensibilium: seu scibilium *Ma* seu sensibilium *corr. Ma*[2] 26) quorum *p*

57 2–3) verius$_2$ — intellectu *om. Ma, in marg. Ma*[2]

16–18) Ideo — intellectum: *cf.* ARISTOTELES *Met. III 2 997b12–15; VII 8 1033b19–29; XIII 3 1077b17sqq.* 19–22) sicut — extra: AM *DN 5 n. 5 (p. 306,22–27); CT III. 1, marg. 479.* 22–23) Pythagorici — alii: *v. notam ad n. 52,10–11.*

13–15) non — sensu: *cf. De docta ign. II 6 n. 125 (h I 80,19–23).* 16–17) mathematicalia — abstrahuntur: *ibid., I 11 n. 31 (22,21–23,1); Idiota de mente 7 n. 104,1–3; 15 n. 156,16–17; De possest n. 60,16–17.* 19–22) sicut — extra: *v. supra, n. 7,2–8.* 25–26) non — conditores: *v. supra, n. 52,3–5 et notam ad lin. 3–7.*

57 1–2) ea — intellectu: *v. supra, n. 56,21–22.*

11–15) Unde — in sensu: 1. nota de entibus rationis, scilicet forme, figure, numeri, que habent verius esse in intellectu quam extra sed non sensibilia vt domus *Ma*[2] *in marg.*

57 1–4) Sic — omnibus: PINDER *fol. XV*[vb]. 2–9) *et* 15–17) ECKIUS *fol. 67*[v].

esse habet in sensibili substantia sua quam in nostro intellectu, ubi est in confuso conceptu sine naturali veritate; ita de omnibus. Sed
5 verius esse habet ignis in suo conditore, ubi est in sua adaequata causa et ratione. Et licet non sit in divino intellectu cum sensibilibus qualitatibus, quas nos in ipso sentimus, tamen propterea non minus vere est, sicut ducalis dignitas in regia dignitate verius est, licet cum exercitio ducali ibi non exsistat. Ignis enim in hoc mundo suas
10 habet proprietates aliorum sensibilium respectu, mediantibus quibus suas in alias res exercet operationes. Quas cum habeat aliorum respectu in hoc mundo, tunc non sunt simpliciter de essentia. Non habet igitur his opus, dum est ab hoc exercitio et de hoc mundo absolutus, neque eas appetit in mundo intelligibili, ubi nulla con-
15 trarietas, sicut Plato et bene de circulo dicebat quomodo in pavimento descriptus esset plenus contrarietatibus et corruptibilis secundum condiciones loci, sed in intellectu de his absolutus.

58 Videtur adhuc bonum adicere de speciebus, cum non fiant neque

---

7) quas *emend. p* quae *Σ a* 7) nos in ipso: in nos *Ma* 7) minus: ibi *add. p* 8) dign. vera *C a* 9) existit *Ma* 11) alius *Ya* 12) de: eius *add. p* 13) igitur habet *Ya* 13) igitur: ergo *Mn Ma* 13) de: ab *p* 14) eas: eos *C Ma a* eius *Ya* 14) in: hoc *add. Ma* 16) descriptis *Ya* 17) de: ab *p* 17) absolutus: etc. *add. Mn*

---

57 8–9) sicut — exsistat: *v. notam ad n. 16,10.* 15) PLATO *Ep. VII 342c1–4, 343a5–9; v. notam ad n. 55,2–6.*

4–6) Sed — causa: *De princ. n. 34:* cum omne causatum verius sit in sua causa*; cf. praecipue n. 37 (fol. 10ᵛ,5.40–46).* 8–9) sicut — exsistat: *v. supra, n. 16,7–12 et notas.* 14) in — contrarietas: *v. infra, n. 66.* 15–17) sicut — absolutus: *cf. De ven. sap. 33 n. 97,14–17.*

58 1) de speciebus: *scil. de* ideis *(n. 50,2) vel* perfectis et determinatis substantiis primis *(n. 59,8) vel* verbis seu intentionibus divini intellectus *(n. 64,17–18) vel* quiditatibus omnium individuorum *(n. 64,18–19); v. notas ad locos allegatos.*

9sqq.) 2. Caliditas igni accidens est *Ma² in marg.*

58 1–17) PINDER *fol. XVᵛᵇ–XVIʳᵃ.* 1–3) Videtur — similitudines: 3. Species rerum sunt incorruptibiles diuini intellectus similitudines *Ma² in marg.;* IORDANUS BRUNUS *De la causa, dial. 5 (p. 336).*

corrumpantur nisi per accidens et sint incorruptibiles divini, infiniti intellectus similitudines, quomodo hoc accipi possit, scilicet ipsum intellectum in omni specie resplendere, non enim modo quo una facies in multis speculis, sed ut una infinita magnitudo in variis 5 finitis magnitudinibus et in qualibet totaliter. Dico autem hoc me *191r* sic concipe|re omnem speciem finitam esse uti triangulus quoad superficiales magnitudines. Nam est prima finita et terminata magnitudo, in qua infinitus angulus ex integro resplendet. Est enim maximus pariter et minimus angulus, ideo infinitus et immensurabilis, quia non recipit magis neque minus, et est omnium triangulorum principium. Non enim potest dici duos rectos angulos esse maiores vel minores maximo pariter et minimo angulo. Nam quamdiu maximus videtur minor duobus rectis, non est maximus simpliciter. Omnis autem triangulus habet tres angulos aequales duobus rectis. 15

---

58 2) incorruptibilis *C Mn* 3) hoc: haec *Ya Mn* 3) posset *Mn* 3) scilicet: sicut *Ma* 5) speculis: speciebus *Ma*, *delev. et in marg. corr. Ma*[2] 5) una infinita magnitudo: una multitudo infinita *Ma*, multitudo *delev. et* magnitudo *in marg. corr. Ma* 7) triangulus: est *add. p* 12) esse *om. Mn* 14) maximus_1: angulus *p* 15) autem: enim *Mn*

---

58 2) corrumpantur — accidens: AM *DN 4 n. 185 (p. 270,39–40); CT III. 1, marg. 462.* 3) similitudines*: v. notam ad n. 14,1–2; cf. etiam* Proclus *In Parm. IV (Cousin 840; Steel 177,76); CT III. 2. 2, marg. 224;* AM *DN 9 n. 16 (p. 387,19sqq.); CT III. 1, marg. 553, 554.* 5) speculis: Proclus *In Parm. IV (Cousin 839; Steel 176,54sqq.); CT III. 2. 2, marg. 223, 225;* Theodericus Carnotensis *Commentum s. Boethii l. De trin. II 48 (p. 83,70–74)*; AM *DN 4 n. 181 (p. 265,69–71, 266,57–59).* 5–6) una — magnitudinibus: AM *DN 9 n. 5 (p. 379,71–80).* 8) prima — magnitudo: *cf.* Bradwardinus *Geometria specul. I 2 (ed. Paris. 1495, fol. A 2vM).*

---

2) incorruptibiles: *v. infra, nn. 62,15–16, 68,17; cf. De ven. sap. 1 n. 3,8; 36 n. 107,1.* 2–3) divini intellectus similitudines: *v. infra, n. 64,11–16; cf. De ven. sap. 7 n. 16,7–9.* 4) resplendere: *v. infra, n. 62,18–19 et notam; cf. De docta ign. II 2 n. 103 (h I 67,20–23); De fil. dei 3 nn. 66–67.* 4–5) non — speculis: *De docta ign. II 2 n. 102 (h I 67,17); cf. De dato patr. lum. 2 n. 99,9–17; Comp. 8 n. 24,7–10.* 5–6) sed — totaliter: *v. supra, n. 15,5–8.* 8) Nam — magnitudo: *cf. De ven. sap. 26 n. 74,11–17 et notam ad lin. 11sq.* 10–12) maximus — principium: *v. supra, nn. 9,1.11, 12,3–4; cf. De ven. sap. 7 n. 18,7–10, ubi Nicolaus mentionem fecit* aenigmatis anguli in libello De beryllo. 12–14) Non — simpliciter: *v. supra, n. 10,5–10.*

Resplendet igitur in omni triangulo ex integro omnium angulorum principium infinitum.

59 Et quia triangulus non habet angularem, rectilineam, terminatam superficiem unius aut duorum angulorum ante se, sed ipsa est prima terminata, ideo est ut species et prima substantia incorruptibilis. Triangulus enim in non triangulum non est resolubilis, ideo nec in 5 figuram quamcumque, cuius tres anguli sint minores vel maiores. Sed varii possunt esse trianguli, aliqui oxygonii, aliqui amblygonii, alii recti, et illi iterum varii; sic erunt et species. Omnes autem species sunt perfectae et determinatae substantiae primae, quoniam in ipsis totum primum principium resplendet cum sua in- 10 corruptibilitate et magnitudine in modo finito et determinato.

60 Et ut tibi facias clarum ad hoc conceptum, respice per beryllum maximum pariter et minimum triangulum, et erit obiectum principium triangulorum, puta uti ante de angulis in aenigmate vidisti. Sit *a b* linea, de cuius medio egrediatur *c d* linea mobilis, ita quod 5 de *d* semper continuetur linea ad *b* et ad *a*, quae claudant superficies. Quantumcumque varietur per motum *c d*, dum super *c* revol-

---

59 2) ipso *Ya* 5) sint: sunt *Ya Ma* 5) maiores vel minores *Ma* 5–6) vel — trianguli *om. Ya* 7) alii recti: alii orthogonii id est rectanguli *p* 8) autem *om. σ* 9) sua: eorum *p* 9) incorruptibilitate: corruptibilitate *C σ* in *s. l. add. Cusanus (?)* incorruptibilitate, *sed* in *delev. Mn*

60 1) ut: ibi *add. et delev. Mn* ubi *scr. et delev.*, ut *in in marg. corr. Ma* 1) ad: et *C (delev.*, ad *s. l. corr. Cusanus) Ya Ma* ex *Mn* et ad *a* ad *p* 2) maximum *om. C, in marg. add. Cusanus* 4) Sit: Sic *Ma* 4) linea₁ *om. Ma* 5) continetur *Ya*

---

59 3) species — substantia: ARISTOTELES *Met. VII 7 1032b1–2; adnotat. Nic. fol. 44r: ...* speciem autem dico ipsum quod erat esse vniuscuiusque et primam substanciam.

---

59 1–3) Et — terminata: *cf. supra, notam ad n. 58,8; cf. De possest n. 44,17–20.* 3) species: *v. supra, notas ad n. 49,12–14 et 58,1.* 8) determinatae substantiae: *v. infra, n. 62,5–7, supra, notam ad n. 58,1.* 10) in — determinato: *cf. De ven. sap. 29 n. 88, 14–17.*

60 1) clarum conceptum: *v. supra, n. 1,5.* 3) ante: *nn. 9,8sqq., 10,14sqq., 33, 8sqq.*

---

59 1–10) PINDER *fol. XVIra*.

60 1–3) Et [...] vidisti in Nicolao de Cusa de berillo PINDER *fol. XVIra*.

vitur, manifestum est unum triangulum numquam fieri maximum, quamdiu alius est aliquis alius triangulus. Et sic dum unus debet fieri maximus, oportet quod alius fiat minimus. Et hoc non videtur,

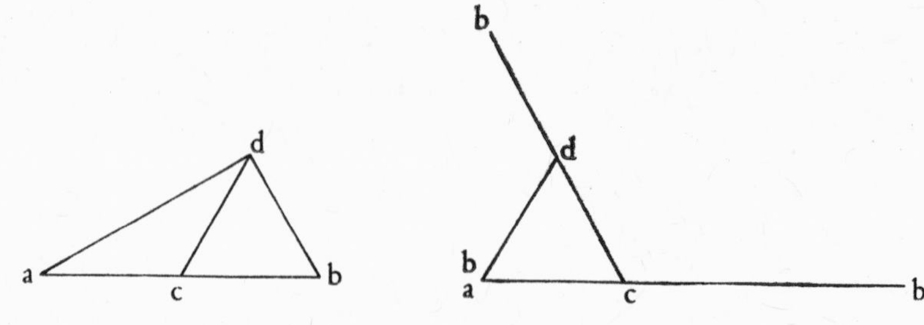

antequam *c d* iaceat super *c b* et *d a* sit *b a* et ita sit una recta linea, 10 quae est principium angulorum et triangulorum. In hoc igitur principio, quod video per maximum pariter et minimum angulum et cum hoc maximum pariter et minimum triangulum, et est principium unitrinum, video omnes angulos pariter et triangulos complicari, ita quod quisque angulus, qui est unus et trinus, in ipso 15 est ipsum principium. Et ita unitrinum principium, quod est unum pariter et trinum, in quolibet triangulo finito, qui est unus pariter et trinus, resplendet meliori modo, quo infinitus unus pariter et

---

8) quamdiu: aliqui *add. et delev. Mn* 8) alius$_1$ *bis scripsit C, delev. Cusanus (?), om.* σ 9–10) *Prima figura deest in Ma, addita est in marg. ab Ma*[2]*; littera* a *abscisa est in codice C, pro littera* d *in codice Mn posita est* b, *littera* d *non est in m; altera figura deest in Ma, dimidia pars sinistra iuxta litteram* d *abscisa est in codice C, littera* b *lineae* cdb *deest in a m.* 9) fieri: esse *Ma* 9) fiat: sit *Ma* 9) Et: ex *add. Ma* 10) iaceat super c b *om. Mn* 10) sit b a *om. Mn* 10) sit$_1$: fit *Ma* 10) sit$_2$ *om. (in marg. C add. Cusanus)* Σ 11) igitur: ergo *Ma* 12–13) angulum — minimum *om. C Ya Ma* angulum et cum hoc *(*per *add. Mn)* maximum pariter et minimum *in marg. add. Cusanus, in lin. Mn* σ 14) uniternum *Ya* 15) qui: que *Mn* 16) ita: est *add. Ma* 16) uniternum *Ya* 18–19) resplendet — trinus *om. Ya* 18) et$_2$ *om. Ma*

10–11) linea — triangulorum: *cf. De docta ign. I 14; v. supra, n. 9.* 18) meliori modo, quo: *de usu v. Compendium (Schriften, H 16, p. 62, cap. 2, nota 1).*

11–18) In hoc — trinus: in finitis rebus maximus et minimus triangulus principium vnitrinum *Ma*[2] *in marg.*

trinus in finito potest resplendere. Et sic vides quomodo species
20 constituitur ex completa complicatione. Quando scilicet reflectitur supra se ipsam complete finem principio conectendo, sicut *a b* linea super *c* primo plicatur in angulum, deinde *c b* super *d* plicatur, ut *b* redeat in *a*, per talem duplicem reflexionem oritur triangulus seu determinata species incorruptibilis, cuius principium et finis
25 coincidunt.

61 Considera hoc aenigma utique subtiliter manuducens ad conceptum specierum. Triangulus sive parvus sive magnus quoad sensibilem quantitatem seu superficiem est omni triangulo quoad angulorum trinitatem et simul ipsorum trium angulorum magnitu-

---

19) in finito: infinito *Ma* 20) reflectitur: super ipsam *add. et delev. Ma* 21–23) *Figura quae in editione Ludovici Baur picta est p. 45, lin. 3–6, neque in codicibus neque in libris a m p b tradita est. Quae n. 60,21–23 dicta sunt, ad alteram figuram n. 60,9–10 pertinent; quomodo intellegenda sint, ex figura quam addidimus patet:*

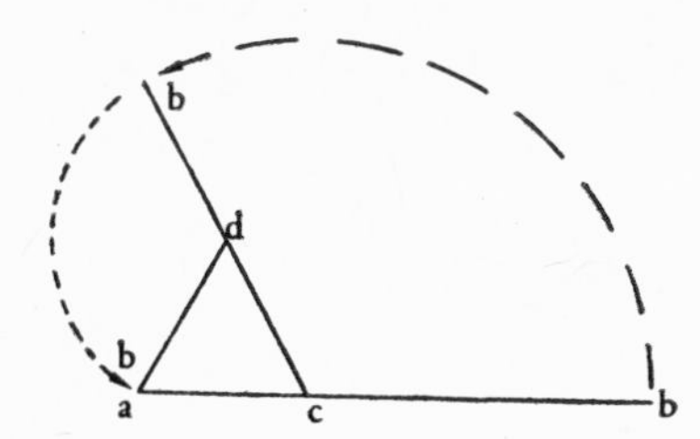

21) conectendo: comedendo *Ya* 22) primo: puncto *Ma* 22) deinde: de *add. Ya* 22) plicatur$_2$: plicetur *Mn* 25) coincidunt: etc. *add. Mn*

61 2) sive magnus sive parvus *Ma* 3) est: Et *Ma* Est *corr. Ma*[2] 3) quoad: ad *Ma* quo *s. l. Ma*[2] 4) trinitatem: quaternitatem *Ma*, *delev. et* trinitatem *in marg. Ma*[2] 4) trium *om.* σ

---

61 5–6) Sic — magnitudine: *cf.* Aristoteles *Cat. 5 3b33–34.*

19–20) species — complicatione: *v. infra, n. 64,11–13.* 21–23) sicut — triangulus: *cf. De docta ign. I 13 n. 36; 14 n. 40 (h I 26,28–27,1; 29,7–9).* 23–25) oritur — coincidunt: *v. supra, n. 41,8–12; cf. De ven. sap. 26 n. 76,16–17; Sermo 'Ubi est qui natus est rex Iudaeorum' (CCXIV; 1456; fol. 127ᵛ,30–33); v. notam I. Koch, CT I, 7, p. 159; de coincidentia principii et finis in numeris v. infra, n. 63; cf. De ven. sap. 37 n. 108,14–15.*

61 2–3) Triangulus — superficiem: *v. infra, n. 63,2–3.*

---

61 2–13) Pinder *fol. XVI*[ra–b].

dinem aequalis. Sic vides omnem speciem omni speciei aequalem 5
in magnitudine. Quae utique non potest esse quantitas, cum illa
recipiat magis et minus, sed est simplex substantialis magnitudo
ante omnem quantitatem sensibilem. Quando igitur videtur triangulus in superficie, est videre speciem in subiecto, cuius est species,
191v et ibi video substantiam, quae | facta est, quae est hoc 'quod erat 10
esse' huius, scilicet est triangulus orthogonius, quia est 'quod erat
esse' trianguli orthogonii. Totum hoc assequitur per speciem, quae
dat hoc esse.

Et attende quomodo non dat solum esse triangulare generale, **62**
sed esse triangulare orthogonicum aut oxygonicum sive ambly-
gonicum sive aliter differentiatum ex illis. Et ita species est specificatio generis per differentiam. Specificatio est nexus, qui nectit
differentiam generi, et ita totum esse rei dat species. Unde species, 5
quae est alia et alia, non est alia a subiecto, sed in se habet sua prin-

---

8) ante *om. C, in marg. add. Cusanus* 11) scilicet: quod *add. p* 12) assequi *σ*
62 1) triangulare: angulare *Ma* 1) generale *om. Mn Ma, in marg. Ma²*
2) ortogonicum *Ma* 2) oxigonicum *C Mn a* exigonicum *Ya* oxagonicum *Ma*
oxygonicum *p* 2) ampligonicum *C Mn Ma a* A- *Ya* amplygonicum *p* 4–5) Specificatio — differentiam *om. Ma, in marg. supplev. Ma²* 5) Unde species *om. Ma*

6–7) quantitas — minus: *contra Arist. Cat. 6 6a19–20.* 10–11) 'quod erat esse': *v. notas ad n. 48,7.8.19–20.* 12–13) Totum — esse: Aristoteles *Met. VII 11 1037a29–30; adnotat. Nic. fol. 48r:* substancia enim est species que inest / ex qua et materia simul tota dicitur substancia.; AM *DN 4 n. 82 (p. 189,78–80); CT III. 1, marg. 441.*
62 3–4) species — differentiam: Aristoteles *Met. X 7 1057b7.* 4–5) Specificatio — species₁: *cf.* AM *DN 4 n. 188 (p. 272,53–58); Met. VIII tr. 2 c. 6 (p.409,60–61):* sicut etiam Boethius dicit, quod species est totum esse individuorum. 6–8) principia — terminis: AM *DN 5 n. 29 (p. 320,8–9); CT III. 1, marg. 511.*

5–8) Sic — sensibilem: *cf. De li non aliud 8 nn. 28–29 (h XIII 17,13–30).* 7) simplex – magnitudo: *ibid., nn. 29–30 (17,20–18,16); v. infra, n. 63.* 9) videre — subiecto: *cf. De possest n. 64,4–6.10–15.* 10) quod erat esse: *v. supra, n. 48,7 et notam.* 12–13) per — esse: *v. infra, n. 64,13; cf. Idiota de sap. I n. 23,4–10; De possest n. 43,21–23.*
62 3–7) Et — substantialiter: *cf. De dato patr. lum. 5 n. 117,6–11; De ven. sap. 28 n. 85,1–6.* 6–7) principia essentialia: *De ven. sap. 1 n. 3,12.*

---

62 1–21) Pinder *fol. XVIrb.*

cipia essentialia, per quae determinatur substantialiter, «sicut figura suis continetur terminis», quemadmodum in harmonia aut numeris. Species enim harmonicae sunt variae. Nam generalis harmonia per
10 varias differentias varie specificatur, et nexus ille, quo differentia, puta acutum cum gravi, nectitur, quae est species, in se habet proportionatam harmoniam ab omni alia specie distincte determinatam per sua essentialia principia. Species igitur est quasi quaedam harmonica habitudo, quae, etsi sit una, est tamen multis subiectis com-
15 municabilis. Habitudo enim sive proportionabilitas est incorruptibilis et dici potest species, quae non recipit magis neque minus, et dat speciem sive pulchritudinem subiecto, sicut proportio ornat pulchra. Similitudo etenim rationis aeternae seu divini conditoris intellectus

---

8) numerus *Ya* 9) armonie *Ma* 9) Nam: Non *Ya* 11) puta *om. Mn* 13) igitur — quaedam: est quasi quaedam *Ma* est igitur *Mn* 15) sive *om. Ma* siue *in marg. Ma²* suis *Mn* 15) proportionalitas *Mn* 16) magis: maius *Ya* 16) neque: atque *Mn* neque *corr. Mn²* 18) etenim: enim *Ya*

---

8) in harmonia: *v. De coni., adnotat. 34 (h III 215sq.).* 8) aut numeris: AM *DN 5 n. 27 (p. 318,65–72); CT III. 1, marg. 505; v. notas ad n. 63.* 9) generalis harmonia: *cf. ea, quae* Albertus Magnus *de universali pulchritudine et manifestatione eius dixit in DN 4 nn. 75–78 (p. 185–187).* 11–12) in — determinatam: *ibid., 4 n. 72 (p. 182,40–44.65–67); v. notam ad n. 68,10.* 14) *et* 15) habitudo: *v. notam ad n. 63,2; cf.* AM *DN 4 n. 187 (p. 270,14–24).* 17) ornat: *ibid. (ad* Ps.-Dionysii *De div. nom. IV 28, Dionysiaca I 291sq.), 4 n. 206 (p. 286,38–47); CT III. 1, marg. 472; cf.* Proclus *Theol. Plat. V 19 (Portus V 20, p. 290); CT III. 2. 1, marg. 372.* 18–19) Similitudo — harmonica: *cf.* AM *DN 4 n. 73 (p. 184,2–10); v. notas ad nn. 7,5–6, 14,1–2, 4,4.*

---

8) in harmonia: *De coni. II 2 n. 83, v. adnotat. 34 (h III 215sq.); cf. De ven. sap. 23 n. 68,10–12; Comp. 6 n. 17,6–9.* 8) aut numeris: *v. infra, n. 63; Sermo 'Ubi est', v. supra, notam ad n.60,23–25; cf. De docta ign. I 20 n. 60 (h I 40,20–25); Comp. n. 46,5–10 et notam ad lin. 4–10.* 10–11) differentia — gravi: *cf. Comp. 6 n. 17,6–8.* 12–13) ab — principia: *cf. De ap. theor., propos. 11, n. 27,1–5.* 15) incorruptibilis: *v. supra, notam ad n. 58,2.* 18) Similitudo: *v. supra, notas ad nn. 7,5, 14,1–2.* 18) seu — intellectus: *v. supra, n. 4,4 et notam.* 18–19) Similitudo — concordanti: *v. infra, n. 68,12; cf. De docta ign. II 11 n. 155 (h I 99,5–9).*

9–19) Species — concordanti: Mirabilia quedam species rerum est armonia que est Resplendencia diuini intellectus *Ma² in marg.* 13–15) Species — incorruptibilis: Eckius *fol. 67ᵛ.* 18–21) Eckius *fol. 67ᵛ.*

resplendet in proportione harmonica seu concordanti. Et hoc experimur, quoniam proportio illa delectabilis et grata est omni 20 sensui, dum sentitur.

Ecce quam propinquum est aenigma, quod versatur circa numeros **63** capiendo numeros pro proportione seu habitudine, quae habitudo in numeris fit sensibilis sicut triangulus in superficie seu quantitate. Et quanto quantitas discreta est simplicior quantitate continua, tanto species melius in aenigmate quantitatis discretae videtur quam con- 5 tinuae. Mathematica enim versatur circa intellectualem materiam, ut bene dixit Aristoteles. Sed materia eius magnitudo est, sine qua nihil concipit mathematicus. Simplicior autem est magnitudo discreta quam continua et spiritualior atque speciei, quae penitus simplex est, similior, licet utique speciei simplicitas, quae est quiditas, sit 10 ante simplicitatem illius discretae magnitudinis. Ideo concipi nequit,

---

19) armoniaca *Ma* 19) seu: siue *p* 21) sentitur: etc. *add. Mn*
63 2) pro *om. Ma, s. l. add. Ma²* 3) numerum *Mn* 10) similior: similis *Mn* 10) quae: quam *Ya* 10) sit: se *Ma* 11) magnitudinis: discrete *add. Ma, delev. Ma²*

---

63 2) habitudine: *cf.* THOMAS DE AQUINO *Expos. s. l. Boethii De trin., q. 1 a. 2 ad 3:* proportio nihil aliud est quam quaedam habitudo duorum ad invicem convenientium in aliquo, secundum hoc quod conveniunt aut differunt *(p. 67,10–12).* 3) fit sensibilis: AM *DN 1 n. 37, 5 n. 26 (p. 20,64–66, 318,31–34).* 4) quantitas discreta/continua: *v. infra, p. 112, adnotat. 18.* 6–7) ARISTOTELES: *v. notam ad n. 52,7; cf. notam 63,9 De beryllo, Schriften, H 2, p. 128sq.* 7–8) Sed — mathematicus: *cf.* THOMAS DE AQUINO *op. cit., q. 5 a. 3 n. 3 (p. 184,20–22).* 8–9) magnitudo discreta/continua: *v. infra, p. 112, adnotat. 18.*

---

19) resplendet: *v. supra, notam ad n. 58,4.*
63 2) numeros pro proportione: *De docta ign. I 1 n. 3; 5 n. 13 (h I 6,2–3; 12,5–6); Idiota de mente 6 n. 92,5–6:* numerus est subiectum proportionis; non enim potest esse proportio sine numero; *Sermo 'Tota pulchra es, amica mea' (CCXLI; 1456; fol. 140ᵛ,40).* 2) seu habitudine: *Idiota de mente 6 n. 91,9:* habitudo sine numero non intelligitur. 3) sicut — quantitate: *v. supra, n. 61,2–3.* 6) Mathematica — materiam: *v. supra, n. 52,3–7 et notam; cf. De aequal. (fol. 15ᵛ,32–34); De possest n. 63,7–9.* 7–8) Sed — mathematicus: *cf. De ven. sap. 34 n. 103,1–3.* 9) quae — simplex: *v. supra, n. 61,7 et notam.* 10) simplicitas — quiditas: *v. supra, nn. 54–55 et notas.*

---

63 1–20) PINDER *fol. XVI^rb–va.* 6) Mathematica *Ma in marg.* 6–13) Mathematica — nequit: ECKIUS *fol. 67ᵛ.* 8–20) Simplicior — conceptum: *cf.* CASPAR STEINBECK *De eucharistie sacramenti misteriis (loc. cit.), fol. 20ᵛ–21ʳ.*

cum omnem magnitudinem, quae concipi potest, praecedat. Omnis enim intellectualis conceptio sine magnitudine fieri nequit et subtilior accedit usque ad dictam magnitudinem discretam ab omni
15 quantitate discreta sensibili abstractam. Ideo substantia prima, cuius simplicitas omnem modum accidentis sive ut est in esse sensibili sive mathematico de sensibili abstracto antecedit, non potest concipi per nostrum intellectum corpori seu quantitati quasi instrumento, cum quo concipit, alligatum. Videt tamen ipsam supra omnem
20 conceptum.

64 Adhuc considera quomodo in certo colore plus delectamur, sic et in voce seu cantu et ceteris sensibilibus, ideo quia sentire est vivere animae sensitivae et consistit non in sentire hoc vel illud, sed in omni sensibili simul, et ideo plus in eo sensibili, in quo plus

---

13) enim *om. Ma* 14) accedat *Ya* 16) sive: fine *Ya* 19) ipsam *om. Mn*
64 2) cantu et *om., sed lacunam exhibet Ya* 3) vel illud: velud *Ya* 4) simul — sensibili *om. Mn*

---

15) substantia prima: *v. notam ad n. 59,3.* 17–18) non — intellectum: *v. notas ad n. 43,6–9.9–10.*
64 2–3) sentire — sensitivae: ARISTOTELES *De an. II 2 413b2.*

12–13) Omnis — nequit: *De possest n. 43,26–27.* 14–15) magnitudinem — abstractam: *v. notam ad n. 61,7; cf. quae Nicolaus adnotavit in cod. Vat. lat. 1245, fol. 72ᵛ, ad sermonem 'Non in solo pane vivit homo' (CLXXII; 1455; p II, 1, fol. 95ʳ,33–46).* 15–18) Ideo — intellectum: *v. De ap. theor., adnotat. 21 (h XII 166); de notione* substantiae primae *cf. De li non aliud 12 n. 47 (h XIII 26,12–13); v. supra, n. 59,3.7–8 et notam ad lin. 3.*
64 1–2) quomodo — sensibilibus: *v. notam ad lin. 3–8; cf. De ven. sap. 6 n. 14,15–18 et notas.* 2–3 sentire — sensitivae: *cf. De quaer. deum n. 35,16–22; De ven. sap. 1 n. 4,21–24.* 3–8) et — intelligibilibus: *De coni. II 6 n. 105,5–8, ad quem locum Nicolaus in exemplari suo, cod. Cus. 218, fol. 68ᵛ, in margine adnotavit:* Nota! Cum color sit obiectum visus, ideo gaudet videre varios colores in unitate. Propinquius enim suum obiectum attingit. Color enim est obiectum, et in uno particulari colore non omne id, quod potest attingere, attingit. Plus igitur attingit in unitate plurium, et haec unitas est pulchra et grata sibi. Sic de auditu etc. *V. infra, n. 71,5–8 et notam.* 4) in —simul: *cf. Idiota de mente 4 n. 79,2sqq.; Sermo 'Ecce ascendimus Hierosolymam' (CCLXVIII; 1457; fol. 170ʳ,2–4).*

12–13) Ceterum quia omnis humana intellectualis conceptio sine magnitudine fieri nequit. CASPAR STEINBECK, *De eucharistie sacramenti misteriis, fol. 20ᵛ, quem ad locum in marg. adnotavit:* De Berillo.
64 1–21) PINDER *fol. XVIᵛᵃ⁻ᵇ.* 2) Sentire *Ma in marg.* 2–16) quia — similitudine: ECKIUS *fol. 67ᵛ.*

de obiecto apprehendit, in quo scilicet sensibilia sunt in quadam 5
harmonica unione, ut cum color in se harmonice multos continet
colores et harmonicus cantus multas vocum differentias, ita de aliis
sensibilibus. Sic de intelligibilibus, ubi in uno principio multas
intelligibilium differentias. Et hinc est quod intelligere primum
principium, in quo omnis rerum ratio est, summa est vita intellectus 10
et delectatio immortalis. Sic species est quoddam totum unius perfecti
modi essendi divinae similitudinis in se complicans omnes
particulares contractiones, quae in subiecto ad hoc esse contrahitur.
Videre igitur poteris per beryllum principium modo saepe dicto et
quam divinae sint omnes species ex substantiali seu perfecta aeternae 15

---

6) armoniaca *Ma* 6) ut cum: Et quoniam *Ma* 6) armonice *ex* armoniace *corr. Ma* 6–7) multos — harmonicus *om. Ya* 7) armoniacus *Ma* 7) multa *Ma* 8) sensibilibus: sensibus *C Ya Ma σ* 8) Sic: Sic quomodo *in marg. Ma²* 8–9) multas — differentias: multae vniuntur intelligibilium differentiae *p* 10) omnium *Ma* 12) diuinis *Mn* 13) oms̄ *Mn* omnis *in marg. Mn²* 13) hoc *om. σ* 15) substantiali: substantia *add. Ya*

---

7) harmonicus: *v. notas ad n. 62,9.11–12.* 9–10) primum principium: *v. notam ad n. 4,1.* 10) in — est₁: *v. notas ad n. 17,7–8.* 13) quae — contrahitur: *v. notam ad n. 61,12–13.* 15–16) aeternae — similitudine: *v. notam ad n. 7,5–6.*

5–8) in quo — sensibilibus: *De coni. II 2 n. 83,17–18; De quaer. deum 1 n. 28,6sqq.* 6–7) ut — colores: *v. supra, n. 30,5–8; cf. De quaer. deum 1 n. 23,5–13; De dato patr. lum. 2 n. 100,1–12; Comp. 5 n. 14,14–16.* 7) harmonicus — differentias: *Comp., loc. cit., lin. 16–17; De ven. sap. 20 n. 56,10–11; 23 n. 69,12.* 7–8) ita — intelligibilibus: *cf. De quaer. deum 1 nn. 24,1–25,1 et notam; v. infra, n. 71,3–5.* 9–10) primum principium: *i. e.* sapientia dei *seu* divina cognitio*; cf. n. 30,9; v. supra, nn. 8,1–2, 29,1–2; Sermo 'Qui me inveniet' (CCLXXXVIII; 1458; fol. 187ʳ,36), ubi Nicolaus laudavit librum De beryllo.* 10) rerum ratio: *v. supra, notam ad n. 17,7–8; cf. De ven. sap. 36 n. 106,17–18:* vera intelligibilis species seu ratio rerum*; ibid., n. 107.* 10–11) vita — immortalis: *v. infra, n. 70,8–10; cf. De coni. II 6 n. 105,9–15; 16 n. 163; De quaer. deum 1 n. 31,6–9; De aequal. (fol. 18ᵛ,3–4).* 12) modi essendi: *v. De ven. sap., adnotat. 8 (h XII 152sq.); cf. De princ. nn. 39–40 (fol. 11ʳ,38–11ᵛ,5); De ap. theor. n. 14,21–23.* 13) ad hoc esse: *v. supra, n. 61,12–13 et notam.* 14) modo — dicto: *v. e. g. supra, nn. 8, 28, 39,12sqq., 45,14sqq., 60.* 15–16) ex — similitudine: *v. supra, nn. 7,5 et notam, 14,1–2, 26,8–9.*

---

7) harmonicus — differentias: *cf.* IORDANUS BRUNUS *De triplici minimo et mensura, lib. IV (OL I 3, p. 272).*

rationis similitudine ac quomodo in ipsis creator intellectus se manifestat quodque ipsa species sit verbum seu intentio ipsius intellectus | sic se specifice ostendentis, quae est quiditas omnis *192r* individui. Et ideo hanc speciem summe colit omne individuum et
20 ne perdat omnem curam adhibet, et ipsam tenere est sibi dulcissimum et desideratissimum.

65 Restat adhuc unum ut videamus quomodo homo est mensura rerum. Aristoteles dicit Protagoram in hoc nihil profundi dixisse, mihi tamen magna valde dixisse videtur. Et primum considero recte Aristotelem in principio Metaphysicae dixisse quomodo «omnes
5 homines natura scire desiderant», et declarat hoc in sensu visus, quem homo non habet propter operari tantum, sed diligimus ipsum propter cognoscere, quia «multas» nobis «differentias manifestat». Si

---

16) intellectus *in marg. C* 17) quodque: Quotque *Ma* 18) se sic *Mn* sic *ex* si *corr. Ma* 18) ostendem *Ya* 20) tenere: tuere *Ma* 21) desideratissimum: etc. *add. Mn*

65 2) Protagoram: pitagoram *Ma* 3) primo *Ya Ma σ* 5) natura: naturaliter *Ya* 7) differentias nobis *Ma*

---

16) creator intellectus: *v. notam ad n. 4,4.* 17) manifestat: *v. notam 10,4 De ap. theor., Schriften, H 19, p. 96sq.* 17) species — intentio: *v. notam ad n. 54,2.*

65 1–2) homo mensura rerum: *v. infra, p. 104sq., adnotat. 8.* 4–7) ARISTOTELES *Met. I 1 980a22–28.*

16–17) creator — manifestat: *v. supra, n. 4,3.5–6 et notas; cf. etiam De ap. theor. nn. 10,3 (dictum de* posse ipso*) et notam, 21,5; de notione* creatoris intellectus *vel* conditoris intellectus *v. supra, nn. 4,4 et notam, 51,15.* 17–18) species — ostendentis: *v. supra, nn. 26,8–9, 37,20–22, 54, notas ad lin. 1.3.13; cf. quae dicta sunt n. 51 de* voluntate creatoris*; cf. etiam De docta ign. II 7 n. 129 (h I 83,4):* verbum quod est ratio et idea*; Comp. 7 n. 21,3; De ven. sap. 27 n. 82,7 et notam.* 18–19) quiditas — individui: *v. supra, notam ad n. 54,14.* 19–21) et — desideratissimum: *cf. De docta ign. II 2 n. 104 (h I 68,24–30); De vis. dei 4 n. 9 (fol. 100r,17–19); De ven. sap. 12 n. 32,18–23 et notas.*

65 1–2) homo — rerum: *v. supra, notam ad n. 6,1.* 3–5) Et — desiderant: *cf. De dato patr. lum. 1 n. 92,3–5; Idiota de sap. I n. 9,2–3; De possest n. 38,7; Comp. 2 n. 4,10–11; De ven. sap. 12 n. 32,10.* 7) quia — manifestat: *cf. De ven. sap. 6 n. 15,1–2.*

17–19) Species namque ipsa quidditas est omnis indiuidui CASPAR STEINBECK *De christi et mortuorum resurrectione (loc. cit.), fol. 35v; quem ad locum manus altera in marg. adnotavit:* de berillo Cusa.

65 1–3) ECKIUS *fol. 68r.* 3–10) considero — cognoscat: PINDER *fol. LVIvb.* 5) Visus *Ma in marg.*

igitur sensum et rationem habet homo, non solum ut illis utatur pro hac vita conservanda, sed ut cognoscat, tunc sensibilia ipsum hominem pascere habent dupliciter, scilicet ut vivat et cognoscat. 10 Est autem principalius cognoscere et nobilius, quia habet altiorem et incorruptibiliorem finem. Et quia superius praesuppositum est divinum intellectum omnia creasse, ut se ipsum manifestet — sic Paulus apostolus Romanis scribens dicit in visibilibus mundi invisibilem deum cognosci —, sunt igitur visibilia, ut in ipsis cogno- 15 scatur divinus intellectus omnium artifex.

Quanta igitur est virtus naturae cognoscitivae in humanis sensibus, **66** qui de lumine rationis eis coniuncto participant, tanta est sensibilium diversitas. Sensibilia enim sunt sensuum libri, in quibus est intentio divini intellectus in sensibilibus figuris descripta, et est intentio ipsius dei creatoris manifestatio. Si igitur dubitas de quacumque re, cur 5

---

12) incorruptibilem *Ya σ* 13) sic: sicut *σ* 14) Paulus apostolus: beatus Paulus *Ma* 15) igitur: ergo *Ma*

66 2) qui: quae *Mn* 2) tanta: tantum *Ma* 3) enim: igitur *Ya Mn Ma* 3) liberi *Ya* 5) creatoris: semper benedicti *add. Ma*

---

13) manifestet: *v. notam ad n. 64,17.* 14–15) Paulus *ad Rom. 1,20.* 16) divinus — artifex: Ps.-Dionysius *De div. nom. VII 3:* ἡ πάντων ποιητική *(Dionysiaca I 407)*; *cf.* Ioannes Scottus *Periphyseon II (p. 120,22–25), III (p. 64,13–14, 68,25–26).*

66 3–4) Sensibilia — descripta: *v. notas 21,1–6, 21,10–12 De ap. theor., Schriften, H 19, p. 129–132.* 5) *et* 7) manifestatio, manifestare: *v. notam ad n. 64,17.*

8–10) non — cognoscat: *cf. De coni. II 17 n. 178,1–3; Idiota de sap. I n. 13,1–2; De ven. sap. 1 n. 4,7–14 et notas.* 10) pascere: *De ven. sap. 1 n. 2,3–5; 20 n. 57,6–7 et notas; Comp. 6 n. 16,14–18.* 12) superius: *nn. 4,3, 64,16–17 et notas.* 16) divinus — artifex: *v. infra, n. 70,3–4 et notam; cf. De fil. dei 2 n. 58,3–4; De genesi 4 n. 173,14–15; De possest n. 34,4–6.*

66 2) qui — participant: *cf. De docta ign. III 1 n. 187 (h I 121,14–17); De coni. II 10 n. 128; 11 n. 130,13–15; 16 n. 157,13–19 et notas.* 3–4) Sensibilia — descripta: *v. notam in app. fontium.* 4–5) intentio — manifestatio: *v. supra, nn. 54,15–16, 64,16–17 et notas.*

8–11) sensum — nobilius: Eckius *fol. 68ʳ.* 9–10) duplex finis sensibilium *Ma² in marg.* 13) Eckius *fol. 68ʳ.*

66 1) Cognitio, 3) Sensibilia, 5) Dubium *Ma in marg. adnotavit.* 1–2) virtus — participant: *cf.* Carolus Bovillus *Liber de sensibus, cap. 1,7, cap. 4,2, cap. 6,5 (fol. 22ᵛ, 25ᵛ, 27ʳ).* 3–4) Sensibilia — descripta Eckius *fol. 68ʳ.* 5–6) nota *Mn² in marg.*

hoc sic vel sic sit vel sic se habeat, est una responsio, quia sensitivae cognitioni se divinus intellectus manifestare voluit, ut sensitive cognosceretur, puta cur in sensibili mundo est tanta contrarietas, dices, ideo quia 'opposita iuxta se posita magis elucescunt', et una est
10 utriusque scientia. Adeo parva est cognitio sensitiva, quod sine contrarietate differentias non apprehenderet. Quare omnis sensus vult obiecta contraria, ut melius discernat, ideo quae ad hoc requiruntur sunt in obiectis. Sic enim si pergis per tactum, gustum, olfactum, visum et auditum et attente consideras, quam quisque
15 sensus habeat cognoscendi virtutem, tu reperies omnia obiecta in mundo sensibili et ad servitium cognoscitivae ordinata. Sic contrarietas primarum qualitatum servit tactivae, colorum oculis; et ita de omnibus. In omnibus his adeo variis admirabilis est ostensio divini intellectus.

67 Postquam Anaxagoras vidit intellectum esse principium et causam rerum et in motis dubiis alias causas quam intellectum assignaret,

---

6) sic$_1$: sit *Mn Ma* 6) sit: fit *Mn* 8) cognoscetur *C a* 10) Adeo: a deo *Ya* 10) quod: quae *Mn* 12) Ideoque *Mn* 15) reperis *Ya* 18) adeo: a deo *Ya*
67 1) vidit *om. Ya* 2) intellectum *ex* intellectiva *corr. Ma* 2) assignare *Ya*

9–10) quia — scientia: *v. infra, p. 112sq., adnotat. 19.* 11–18) Quare — omnibus: *cf.* ARISTOTELES *De an. II 11 422b23–27, 424a4–6.* 16–17) contrarietas — qualitatum: *sensus scilicet tactilis: calidum, frigidum, humidum, siccum, durum, molle sec. Aristotelem, De an. II 11 422b26–27, 423b27–28; cf. De gen. et corr. II 2 329b18–20.* 18–19) ostensio — intellectus: *v. notas ad nn. 64,17, 66,3–4.*
67 1) Anaxagoras: *v. notas ad nn. 4,2, 35,2–3.* 2) alias causas: *cf.* PLATO *Phaedo 98c1–2;* ARISTOTELES *Met. I 4 985a20–21, quem ad locum Nic. fol. 4r adnotavit:* anaxagoras.

---

10) cognitio sensitiva: *cf. De docta ign. III 4 n. 205 (h I 131,14–16); De coni. I 8 n. 32; II 16 n. 169,7–8 et adnotat. 48 (h III 225).* 13–15) Sic — virtutem: *cf. De quaer. deum 1 n. 24; Idiota de mente 7 n. 100,1–3.* 18–19) ostensio — intellectus: *cf. De fil. dei 4 n. 76; De dato patr. lum. 4 n. 111,31–33; De li non aliud, propos. 12, n. 118 (h XIII 63,4–6); Compendium 7 n. 21,1–4.*
67 1–2) Anaxagoras — rerum: *v. supra, notam ad n. 4,1–2.*

---

8) Cur in mundo tanta contrarietas *Ma² in marg.* 9) *et* 15–16) Omnia obiecta sensuum reperiuntur ad seruitium cognoscitiue ordinata quia obiecta sensuum sunt contraria vt magis elucescant ECKIUS *fol. 68r.*

tam per Platonem in Phaedone quam Aristotelem in Metaphysica reprehenditur, quasi voluerit quod intellectus sit principium universi et non singulorum. Miratus sum de ipsis principibus philo- 5 sophorum, cum ipsi in hoc viderent Anaxagoram reprehensibilem et de principio secum concordarent, cur ipsi alias rationes indagarunt et in eo, in quo Anaxagoram arguebant, similiter errasse reperiuntur.

Sed hoc evenit eis ex malo praesupposito, quoniam necessitatem **68** primae causae imposuerunt. Unde si ipsi in omni inquisitione ad veram causam conditionis universi, quam praemisimus, respexissent, unam omnium dubiorum veram repperissent solutionem. Puta quid sibi vult conditor, quando de spina tam pulchram et odoriferam 5 motu caeli et instrumento naturae educit sensibilem rosam? Quid aliud responderi potest nisi quod admirandus ille intellectus in hoc

---

4) noluerit *Ma* 5) non: in *add. Mn* 6) in hoc *om. Ma* 6) Anaxagorem *Ya*
68 1) hoc: autem *add. a* profecto *add. p* 3) condicionis *Σ* conditionis *σ* 3) respexisset *Ya* 4) reperissent *Σ σ* 6) educi *Ma* 7) responderi: replenderi *Ma*

---

3) per Platonem: *Phaedo 98b7–99a5; cf.* Proclus *In Parm. I (Cousin 629; Steel 12,3–13,5).* 3) quam Aristotelem: *Met. I 4 985a18–21, quem locum Nic. fol. 4ᵛ linea instruxit.* 7–8) cur — reperiuntur: *v. notas ad nn. 35–38.*
68 1–2) Sed — imposuerunt: *v. notas ad nn. 37,16–18, 38,1.6-8.* 6) motu — naturae: *v. notas ad nn. 26,1–4, 36,5(bis).9–10, 38,6–8; cf.* AM *DN 4 n. 48 (p. 153,71sqq.); CT III. 1, marg. 381; ibid., 9* n. *24 (p. 393,50–76); cf. CT III. 1, marg. 557 (ad locum p. 392,20sqq.).*

---

5) Miratus sum: *cf. De ven. sap. 8 n. 22,7–10.* 7–8) cur — reperiuntur: *v. supra, notas ad nn. 35–38.*
68 1–2) Sed — imposuerunt: *v. supra, nn. 37,14–38,8 et notas; cf. Idiota de mente 13 n. 146,7–17; De ludo globi I nn. 40, 57 (fol. 157ʳ,5; 159ʳ,22–24).* 3) quam praemisimus: *supra, nn. 4, 26.* 4–6) Puta — rosam: *Nicolaus hunc locum in exemplari suo, cod. Cus. 219, fol. 211ʳ, signo* ⁘ *instruxit.* 5–6) quando — rosam: *cf. De docta ign. II 7 n. 131 (h I 84,15–17); De possest n. 47,11–13.* 6) instrumento naturae: *v. supra, n. 36,5 et notam; cf. De docta ign. II 9 nn. 142–143 (h I 90,12–13; 91,17).* 6–8) Quid — manifestare: *v. supra, nn. 4,2–6, 64,16–17 et notas.* 7–8) in — suo: *v. supra, n. 54,13 et notam.*

---

67 6) Anaxagoras *Ma in marg.*
68 4–16) quid — imperat: Eckius *fol. 68ʳ.*

verbo suo intendit se manifestare, quantae est sapientiae et rationis et quae sunt «divitiae gloriae suae», quando tam faciliter tantam
10 pulchritudinem ita ornate proportionatam ponit medio sensibilis parvae rei in sensu cognoscitivo cum motu laetitiae et dulcissima harmonia omnem naturam hominis exhilarescente? Et adhuc clariori modo se ostendit in vita vegetabili ipsa, a qua rosa progreditur. Adhuc clariori resplendentia in vita intellectiva, quae
15 omnia sensibilia lustrat, et quam gloriosus sit ille imperator, qui per naturam tamquam legem omnibus imperat, omnia conservat in specie incorruptibili supra tempus et in individuis temporaliter, et

---

8) se *om. Ma* 9) divitiae: divinae *Ya* 12) hominis naturam *Ma* 12) adhuc: ad adh^e *C* ad hec *Ya a* 13) a qua: aqua *Mn* 14) intellectiva: intellectuali sive intellectiva *Ma* 15) qui: quae *Mn* 17) corruptibili *Ma* inc. *corr. Ma²* 17) in *om. Ma*

---

8) se manifestare: *v. notam ad* n. *64,17.* 8–9) sapientiae — divitiae: *Rom. 11,33, Col. 2,3; cf. Is. 33,6;* Ps.-Dionysius *De div. nom. VII 7 (Dionysiaca I 386sq.);*AM *DN 7 n. 8 (p. 342,13sqq.):* Et in ipsa *(*sapientia *scilicet),* sicut in causa efficiente formali, 'sunt omnes thesauri': COL. 1. 9) divitiae gloriae suae: *Rom. 9,23; cf. Phil. 4,19; Col. 1,27; v. notas ad nn. 2,10, 4,5–6.* 10) pulchritudinem — proportionatam: *v. notas ad nn. 62,11–12.17; cf.* AM *DN 4 nn. 73, 76 (p. 183,51–52, 185,51–52.80–87), 9 n. 24 (p. 393,12–15).* 13–14) in vita vegetabili ... intellectiva: *v. notam ad n. 31,1–5.* 15) gloriosus: *cf. Dan. 3,56.* 15) imperator: *v. notas ad n. 25,1–5.* 15–19) qui — imperat: *cf.* Proclus *In Parm. III (Cousin 821; Steel 162,24–39); CT III. 2. 2, marg. 190, 192, 193; spectat ad Tim. 41e.* 16) conservat: AM *DN 4 n. 49 (p. 155,69sqq.).* 17) specie incorruptibili: *v. notam ad n. 62,15.* 17) supra — temporaliter: *cf.* Proclus *Theol. Plat. I 14 (S–W I 60,23sqq.); CT III. 2. 1, marg. 35.*

---

8) sapientiae et rationis: *v. supra, n, 35,14–16; cf. Sermo 'Verbum caro factum est' n. 7 (CXXXIX; 1454; CT I, 2./5., p. 80,8sqq.* 9) divitiae — suae: *cf. Sermo 'Qui credit in filium dei' (CLXXXIV; 1455; fol. 112ʳ,8sqq.); De li non aliud 23 n. 106 (h XIII 55,13–14); v. infra, notam ad n. 69,6, supra, notas ad nn. 2,10, 4,5–6.* 10) pulchritudinem — proportionatam: *cf. De docta ign. II 13, praecipue n. 176 (h I 110–113, praecipue 111, 11–25); De ven. sap. 32 nn. 95–96.* 10) ornate: *cf. Sermo 'Ibunt hi in supplicium aeternum' (CLXXXII; 1455; fol. 95ᵛ,33–34).* 12) harmonia: *v. supra, notas ad n. 62,8.18–19, 64,6–7.* 12–13) adhuc — modo: *cf. De li non aliud 9 n. 32 (h XIII 18,32–19,7).* 15–16) imperator — imperat: *v. supra, nn. 25,1sqq., 35,17–36,6 et notas.* 16) naturam — legem: *v. supra, n. 25,2.* 16–17) in — incorruptibili: *v. supra, notam ad n. 58,2.* 17) supra tempus ... temporaliter: *De ven. sap. 37 n. 109,17–23; cf. De princ. n. 24 (fol. 9ʳ,32–35).*

192v quomodo omnia hac lege na|turae oriuntur, moventur et operantur ea, quae lex naturae imperat, in qua lege non nisi intellectus ille viget ut omnium auctor. 20

Vidit Aristoteles id ipsum, scilicet semota sensitiva cognitione esse **69** et sensibilia semota, quando dicit in Metaphysica: «Si animata non essent, sensus non esset neque sensibilia», et plura ibi de hoc. Recte igitur dicebat Protagoras hominem rerum mensuram, qui ex natura suae sensitivae sciens sensibilia esse propter ipsam mensurat sensibilia, 5 ut sensibiliter divini intellectus gloriam possit apprehendere. Sic de intelligibilibus ea ad cognitionem referendo intellectivam, et demum ex eodem contemplatur naturam illam intellectivam immortalem, ut se divinus intellectus in sua immortalitate eidem ostendere possit. Et ita evangelica doctrina manifestior fit, quae finem creationis ponit, 10

---

69 3) esset: essent *Ya Ma* 3–4) Recte igitur: Recte autem ergo *Ma* 4) Protagoras: pytagoras *Ma* 9) eidem *om. Ma* 10) fit: sit *Ma*

---

20) omnium auctor *v. notas ad nn. 11,3–9, 25,1–4.*

69 1–3) Aristoteles — de hoc: *v. infra, p. 113, adnotat. 20.* 4–7) dicebat — intellectivam: *v. infra, p. 104sq., adnotat. 8.* 5) mensurat: *v. notas ad n. 7,9–10.* 6) ut — apprehendere: *v. notam ad n. 68,8–9.* 7–9) et — possit: *v. notas ad nn. 6,3, 58,3.* 10–12) evangelica doctrina: *Ps. 83,8:* videbitur deus deorum in Sion*; Is. 2,10.19:* gloria maiestatis eius*; 2 Mac. 2,8:* tunc dominus ostendet haec et apparebit maiestas domini*; 3,24:* spiritus omnipotentis magnam fecit suae ostensionis evidentiam*; Io. 14,8:* Domine ostende nobis patrem et sufficit nobis*; 2 Cor. 3,5:* sufficientia nostra ex deo est.

---

19) lex naturae: *De ven. sap. 9 n. 23,17–18; 28 n. 83,5–6; cf. Sermones 'Domine, adiuva me' et 'Ut filii lucis ambulate' (CCLXX et CCLXXI; 1457; fol. 173v,14.26.46; 175v,12).* 20) omnium auctor: *v. supra, n. 8,3–4.*

69 1–2) semota — semota: *De coni. I 8 n. 32,1–2.* 1) sensitiva cognitione: *v. supra, nn. 29,12, 66,10sqq. et notas; cf. De docta ign. III 4 n. 205 (h I 131,14–16); De coni. II 16 n. 169,7–8; Comp. 10 n. 32,3.* 3–4) Recte — mensuram: *v. supra, n. 6,1 et notam.* 5) mensurat sensibilia: *v. supra, notam ad n. 7,9 et 10.* 6) sensibiliter — apprehendere: *v. supra, notam ad n. 68,9; cf. De dato patr. lum. 2 n. 103; De possest n. 71,8–12.* 6–9) Sic — possit: *v. supra, n. 6,2–3; Cribr. Alch. II 16 n. 133,1sqq.; Sermones 'Verbum caro factum est' n. 6 (CXXXIX; 1454; CT I, 2./5., p. 78,26–80,7); 'Dum sanctificatus fuero' (CCXC; 1459; fol. 188r,41–43); epist. ad Nicolaum Bononiensem n. 3 (1463; CT IV, 3, p. 26,16–21).*

---

69 3–14) Recte — aeterna: PINDER *fol. LVIvb.* 3–7) Recte — intellectivam: ECKIUS *fol. 68r.*

ut videatur «deus deorum in Sion» in maiestate gloriae suae, quae est ostensio patris, in quo est sufficientia omnis. Et promittit ille noster salvator, «per quem» deus «fecit et saecula», ipsum scilicet verbum dei, quomodo in illa die se ostendet et quod tunc illi vivent vita aeterna.
70 Haec enim ostensio est concipienda, ac si quis unico contuitu videret intellectum Euclidis et quod haec visio esset apprehensio eiusdem artis, quam explicat Euclides in suis Elementis. Sic intellectus divinus ars est omnipotentis, per quam fecit saecula et omnem vitam
5 et intelligentiam. Apprehendisse igitur hanc artem, quando se nude

---

12–13) salvator noster *Mn Ma* 14) ostendet se *Ma*
70 2) videret: videtur *Ya* 4) omnipotentis: optimis *Ma*, *in marg. corr. Ma*²

---

13) *Hebr. 1,2:* per quem fecit et saecula; verbum dei: *cf. Luc. 2,15.* 14) in illa die: *cf. officium defunctorum, in III nocturno, responsorium 'Libera me'* ... in die illa tremenda. 14) se ostendet: *Eph. 2,7; cf. Matth. 16,27, 24,30, 25,31; Marc. 8,38, 13,26; Luc. 21,27.* 14) vivent vita aeterna: *cf. Io. 5,25.24; Rom. 2,7.*
70 1) ostensio: *v. notam ad n. 66,18–19.* 1) unico contuitu: *v. infra, p. 113sq., adnotat. 21.* 2) visio: *v. infra, p. 100sq., adnotat. 3.* 3) Euclides: *Nicolaus Elementa Euclidi ab Ioanne Campano Novariensi versa una cum commento Campani legit in exemplari suo, cod. Cus. 205, fol. 134ʳ–188ᵛ; cf. De ven. sap., adnotat. 14 B (h XII, p. 158).* 3–4) intellectus — omnipotentis: *v. notam ad n. 65,16.* 4) fecit saecula: *Hebr. 1,2.* 5–6) quando — die: *v. notas ad n. 69,14.*

---

11) ut — Sion: *cf. De possest n. 32,8–9; De ven. sap. 35 n. 105,26–27.* 11–12) gloriae — omnis: *cf. Comp. n. 45,3.* 12–14) Et — aeterna: *cf. De docta ign. III 11 n. 251 (h I 155,26–28); De pace fidei n. 43 (h VII 40,19–22).*
70 1) unico contuitu: *v. infra, p. 113sq., adnotat. 21.* 2) visio: *v. supra, notas ad nn. 1,4–5, 32,9; cf. Sermo 'Qui me inveniet' (CCLXXXVIII; 1458; fol. 187ʳ,30–187ᵛ,23).* 2–3) apprehensio — Elementis: *cf. De li non aliud 23 n. 104 (h XIII 54,3–5); De ap. theor., propos. 5–6, nn. 21–22 et notas.* 2) apprehensio: *De deo absc. n. 3; De fil. dei 1 n. 53,4–8; 6 n. 85,4–10; De dato patr. lum. 1 nn. 94,6.18–19, 95,3–4; Idiota de sap. I n. 26,8–9:* Apprehendere enim per intellectum est quiditatem quadam degustatione gratissima modo quo potest attingere. *De ludo globi II n. 70 (fol. 161ᵛ,39); De ven. sap. 29 n. 86,7–8.* 3–4) Sic — omnipotentis: *v. supra, notas ad n. 65,12.16; De docta ign. II 13:* De admirabili arte divina in mundi et elementorum creatione; *De genesi 4 n. 173,9sqq.; Sermo 'Tertia die resurrexit' (LXXIV; 1448; fol. 77ᵛ, 1–8); Sermo 'Verbum caro factum est', n. 8 (CXXXIX; 1454; CT I, 2./5., p. 80,23–24).* 3–5) Sic — intelligentiam: *Nicolaus hunc locum in exemplari suo, cod. Cus. 219, fol. 211ʳ, signo ·¦· instruxit.*

12–14) In ostensione qua pater ostendet se in verbo videntes in ea viuent vita eterna. ECKIUS *fol. 68ʳ.*
70 1–10) PINDER *fol. LVIᵛᵇ.* 1–7) Haec — hereditatem: ECKIUS *fol. 68ʳ.*

ostendet in illa die, quando nudus et purus apparuerit coram eo intellectus, est acquisivisse dei filiationem et hereditatem immortalis regni. Intellectus enim si in se habuerit artem, quae est creativa vitae et laetitiae sempiternae, ultimam est assecutus scientiam et felicitatem. 10

71 Quomodo autem fiat cognitio per species particularium sensuum, quae generalem sentiendi virtutem specificant et determinant, et quomodo haec passio, scilicet impressionis specierum, fit actio in sensu atque quomodo «intelligentia est plena formis» intelligibilibus,

---

6) ostendit *Ya Mn Ma* 6) eo *s. l. Ma* 8) quae: qui *Ya* 9) creativa: creatura *Ya* 9) asevutus est *Mn* 10) felicitatem: etc. *add. Mn*
71 4) quomodo: modo *Ya*

---

7) dei filiationem: *cf. Io. 1,12; Gal. 3,26; cf.* Ps.-Dionysius *De div. nom. II 8 (Dionysiaca I 97–98);* AM *DN 2 n. 62 (p. 84–85); CT III. 1, marg. 245, 246.*
71 1) Quomodo — sensuum: *cf.* AM *DN 2 n. 56 (p. 81,34–37); CT III. 1, marg. 240.* 2) quae — specificant: *cf.* Aristoteles *De an. III 1 425a27.* 4) quomodo — intelligibilibus: *v. notas ad nn. 36,10–11, 5,5–7.*

---

7) est — filiationem: *De fil. dei 1 n. 54,1–16; 3 n. 70; 6 n. 86,8–9; Sermo 'Verbum caro factum est', n. 11 (CT I, 2./5., p. 82,14sqq.).* 7) filiationem et hereditatem: *Sermo 'Sic currite, ut comprehendatis' (CCLXVI; 1457; fol. 167ʳ,19–20):* filiatio enim est potestas et haereditatio. 8–9) artem — creativa: *Sermo 'Qui me inveniet' (CCLXXXVIII; 1458; fol. 186ᵛ, in fine.* 8–10) Intellectus — felicitatem: *Nicolaus hunc locum in cod. Cus. 219, fol. 211ʳ, signo* ⁘ *instruxit.* 8–10) quae — felicitatem: *v. supra, n. 64,9–11 et notas.*
71 1) cognitio — sensuum: *v. supra, nn. 6,2.5, 54,5–7; De fil. dei 2 n. 57,4–9; Compendium 6 nn. 16,5–6.14–15, 17,9–10, 13 nn. 39,6–10, 40,7–8.* 1) per species: *v. supra, n. 5,7–8 et notam ad lin. 7–11.* 2) generalem — virtutem: *de* generali sentiendi virtute *vel de sensu communi v. supra, n. 64,4; cf. De quaer. deum 1 n. 24,3–5 et notam; Sermo XXXIII n. 4,9–17; Sermo 'Dies sanctificatus' (XLVIII; 1445; fol. 52ᵛ,4).* 2) specificant: *cf. De coni. II 12 n. 133,1–5.* 2) determinant: *cf. Idiota de mente 8 n. 114,6–9:* terminare ... imaginationis est, quae adiuncta est sensui, non sensus; *cf. De coni. I 8 n. 32; II 14 n. 141.* 3) passio: *v. supra, n. 47,1–5; Compendium 13 n. 39,16–17:* Sentire quoddam pati est. 3–4) actio in sensu: *ibid., 11 n. 35,5–7; De ven. sap. 26 n. 79,16.* 4) intelligentia — intelligibilibus: *v. notas ad nn. 36,10–12, 64,7–9, 69,7–8; cf. De coni. I 6 n. 26,1–2; De quaer. deum 1 n. 25,1–4.* 4–6) intelligentia — cognoscit: *cf. De ven. sap. 29 n. 86,14–17.*

---

71 1–20) Quomodo — continentur: Pinder *fol. XVIᵛᵇ.*

5 licet sit una simplex forma, cognoscis, si attendis quomodo visus in se complicat omnium visibilium formas et quod ideo eas cognoscit, quando sibi praesentantur, ex sua natura per formam suam in se omnium visibilium formas complicantem. Sic de intellectu, cuius forma est simplicitas intelligibilium formarum, quas ex propria 10 natura cognoscit, quando nudae sibi praesentantur, et ita sursum ad intelligentias ascendendo, quae habent simplicitatem formae subtiliorem et omnia vident etiam sine eo, quod eis in phantasmate praesententur; et demum quomodo omnia in primo intellectu ita cognoscitive, quod cognitio dat esse cognitis sicut omnium forma-

---

5) forma — visus: forma. Et quod uisus *Ya sed textum in marg. restituit* 6) cognoscat *σ* 6–7) eas — natura: eas quando sibi praesentantur cognoscat ex sua natura *p* 7) in: ut *Ma, delev. et s. l.* in *Ma* 8) complicantem *ex* -tes *corr. Ma* 10) quando nudae: vnde *Mn* 11) ascendendo: descendendo *Mn* 12) fantasmate *Σ a* 13) praesentantur *Ya* 13) et demum *om. Ya* 14) cognoscitive: ita *add. Ya* 14) esse *s. l. Ma*

8–9) Sic — formarum: *v. notam ad n. 24,4–7.* 9) simplicitas: *v. notam ad n. 54,7; cf.* AM *DN 5 n. 6 (p. 306,49–52); adnotatio Nic. fol. 175ra:* simplex secundum esse angelus. et secundum resolucionem intellectus sicud forma vniuersalis / et nota quomodo intelligitur aristoteles *(Met. V 4 1014b3–6)* quod simplicius in pluribus inuenitur; *cf. 7 n. 10 (p. 344,53–56).* 11–13) ad — praesententur: *Liber de causis IX (X), X (XI, Pattin, p. 158–161); cf.* AM *DN 7 nn. 22–23 (p. 353sq.; fol. 191rb–vb).* 13) in primo intellectu: *v. notam ad n. 36,14–15.* 14) cognitio — cognitis: AM *DN 7 n. 9 (p. 343,62–66; fol. 188ra).* 14–15) sicut — exemplar: *ibid., 2 n. 83 (p. 97, 20sqq.); CT III. 1, marg. 263; 5 n. 23 (p. 315,76–79); adnotat. Nic. fol. 178va:* nota intellectum dicencium vnam esse formam.

---

5) una simplex forma: *cf. De coni. I 6 nn. 22,10–18, 23,4–14; Idiota de mente 2 n. 67,4–6.* 5–8) quomodo — complicantem: *cf. De quaer. deum 1 n. 20,4sqq.; Compendium 6 n. 17,1–3.* 7) quando — praesentantur: *cf. Idiota de mente 8 n. 114,14–15; Compendium 4 n. 8,18–19.* 8–10) Sic — cognoscit: *v. supra, nn. 24,2.4–6, 54,7 et notas; cf. Idiota de mente 7 n. 105, 7–12.* 10–13) ita — praesententur: *cf. De coni. II 16 nn. 160,1–8, 167,4–6; De possest n. 63,3–6.* 13–14) et — cognitis: *Nicolaus hunc locum in cod. Cus. 219, fol. 211v, signo* ⁘ *instruxit; v. supra, 36,8–9; cf. De li non aliud 23 n. 105 (h XIII 54,28); De ludo globi II n. 80 (fol. 163r,19–21); De vis. dei 5 n. 16:* qui omnia vides, et videre tuum est operari; omnia igitur operaris; *cf. 8 n. 29:* videre tuum est causare *(fol. 101r,1; 102v,19); De possest n. 58,10–17 (*loqui = creare*).* 14–15) sicut — exemplificando: *v. supra, n. 4,1–3; De princ. n. 21 (fol. 8v,43–9r,3).*

5–9) visus — formarum: Eckius *fol. 68v.*

rum causativum exemplar se ipsum exemplificando; et cur sensus 15
non attingit intelligibilia neque intellectus intelligentias et eo superiora, scilicet cum nulla cognitio possit in simplicius eo. Cognoscere enim mensurare est. Mensura autem est simplicior quam mensurabilia sicut unitas mensura numeri. Quia haec omnia complicite in beryllo et aenigmate continentur et multi de hoc eleganter scripse- 20
runt, brevitatis causa non extendo.

72 Ego autem finem libello faciens dico cum Platone: Scientia brevissima est, quae sine omni scriptura melius communicaretur, si

---

15) cur: cum *Ya* 17) cum: quoniam *Ma* 17) nulla: in illa *Mn* 18) simplicior est *Ma* 18) mensurabile *Ya*

72 1–2) scientiam breuissimam esse *p* 2) sine omni: siue in omni *Ya* suis in omni *Ma* sine omni *corr. Ma*[2]

15–16) et — superiora: *ibid., 4 n. 26 (p. 133,12–34); adnotat. Nic. fol. 116*[va]*:* quomodo sensus nichil influit in racionem. 17–18) Cognoscere — est[1]: *v. infra, p. 104sq., adnotat. 8; v. notam ad n. 7,9–10.* 18–19) Mensura — numeri: ARISTOTELES *Met. X 1 1052b 18–24; adnotationes Nic. fol. 62*[r]*:* de mensura; cur vnum principium numeri; *locum sequentem linea instruxit:* hinc autem et in aliis dicitur mensura qua prima vnumquodque cognoscitur et cuiusque mensura vna est *(1052b24–26).* 19) complicite: *v. notam ad n. 12,2.*

72 1–3) cum Platone: *Ep. VII 341c4–d1.*

15–16) et — intelligibilia: *Compendium 11 n. 36; cf. De docta ign. III 6 n. 216 (h I 136, 11–14).* 17) cum — eo: *cf. De quaer. deum 5 n. 49,12–21; De li non aliud 13 nn. 51–52 (h XIII 28,17–19.26–35).* 17–18) Cognoscere — est[1]: *v. supra, nn. 6,2, 7,8–11 et notam ad lin. 9 et 10; cf. De coni. I 8 n. 31,1–2; Idiota de mente 1 n. 57,5–6; 9 nn. 116,8, 123,3–125,11; De ven. sap. 27 n. 82,13–20; Sermo 'Trinitatem in unitate veneremur' (CCXXXI; 1456; fol. 134*[v]*,43–44).* 18) Mensura — mensurabilia: *cf. De docta ign. I 3 n. 9; II 1 n. 91 (h I 9,8–9; 61,11–13); Compl. theol. 13 (fol. 100*[r]*,6–7).* 19) unitas — numeri: *cf. De docta ign. I 5 n. 14 (h I 12,22–28); De fil. dei 4 n. 72,29–31; De princ. n. 32 (fol. 10*[r]*,27); De ven. sap. 37 n. 108,14–16.* 19–20) complicite — continentur: *v. supra, nn. 4,8–9, 12,2.* 19–20) in beryllo et aenigmate: *cf. supra, nn. 18,2, 45,15, 46,2.*

72 1) Scientia brevissima: *cf. De coni. I 5 n. 20,1–2; 11 n. 60,2–5; De ven. sap. 38 n. 113,1–2; De ap. theor., propos. 12 n. 28,8.* 1–3) Ego — dispositi: *Nicolaus hunc locum in cod. Cus. 219, fol. 211*[v]*, signo* ·¦· *instruxit.*

17–19) cum — numeri: *idem, fol. 68*[v]*.*

72 1–9) Ego — petentibus: *idem, fol. 68*[v]*.* 1–2) Scientia brevissima Est que sine scriptura melius communicaretur *Ma*[2] *in marg.*

essent petentes atque dispositi. Illos autem Plato putat dispositos, qui tanta cupiunt aviditate imbui, quod sibi potius moriendum esse
5 putent quam carendum scientia, deinde qui a vitiis et deliciis abstinent corporalibus atque ingenii habent aptitudinem. Dico ego illa omnia sic esse addens quod cum hoc sit fidelis atque deo devotus, a quo illuminari crebris et importunis obtineat precibus. Dat enim sapientiam firma fide, quantum saluti sufficit, petentibus. His iste
10 quamquam minus bene digestus libellus dabit materiam cogitandi secretioraque inveniendi et altiora attingendi et in laudibus dei, ad quem aspirat omnis anima, semper perseverandi, «qui facit mirabilia solus» et est in aevum benedictus. Deo laus.

1458, 18ª AUGUSTI IN CASTRO SANCTI RAPHAELIS.

---

4) qui: quae *Ma* 4–5) moriendum putant *Ma* 7) illa *om. Ya* omnia illa *Ma* 8) importunis: opportunis *Ma* 9) petentibus hiis. Iste *Ma* 11) -que *om. Ma* 13) aevum: eum *Ya* et super omne aeuum *add. p* 13) benedictus: Amen *add. Ma* 13) Deo laus. 1458, 18ª augusti in castro sancti Raphaelis *C* alio vocabulo dicto boechensteyn *add. al. man.* Finis 1459, 8ᵘᵃ Ianuarii. Deo laus *Ya* Finis 1458, 18 augusti In castro sancti Raphaelis *Mn* Explicit Berillus per quem videtur deus et omnia eius etc. *Ma* Explicit tractatus de berillo. *a m* Libelli de Beryllo, finis. *b; secundum p:*

LIBELLI DE BERYLLO SAPIENTISSIMI ET OPTIMI REVERENDISSIMIQVE PATRIS NICOLAI DE CVSA CARDINALIS. FINIS.

3–6) Plato *ibid., 340c–d; Phaedo 61d5, 64a–68b; adnotat. Nic. in exemplari suo, cod. Cus. 177, fol. 3ʳ (ad 61d5):* nota; *fol. 6ʳ (ad 67e4–5):* nota cur sapiencie amator cupit mori; *fol. 5ᵛ signum ad 66a5–6.* 8–9) Dat sapientiam: *Prov. 2,6; Iac. 1,5; cf. Iob 32,8.* 11–12) ad — anima: *cf. Ps. 41,2.* 12–13) *Ps. 71,18–19:* benedictus ... qui facit mirabilia solus et benedictum nomen gloriae eius in sempiternum; *cf. Ps. 135,4.*

---

4) potius — esse: *cf. De ven. sap. 1 n. 5,5–6.* 11) altiora attingendi: *cf. supra, n. 48,9.*

---

3) Dispositi *Ma*, nota *Mn in marg.*

ADNOTATIONES

ADNOTATIONES

I

ad n. 1,1

DE BERYLLO: 1. Qui media quam vocant tempestate de beryllo lapide egerunt, ii certos auctores habebant cum ISIDORUM HISPALENSEM (*Etymologiarum sive originum libr.* XVI 7,5), qui PLINI SECUNDI *Historiam naturalem* (XXXVII 76sq.), in qua octo berylli genera nominantur Indique crystallo tingenda lapidem beryllum aliasque gemmas imitari traduntur (XXXVII 79), secutus est, tum MARBODUM REDONENSEM (*Marbode of Rennes' De lapidibus*, by J. M. RIDDLE, Sudhoffs Archiv, Beiheft 20, Wiesbaden 1977); VINCENTIUS BELLOVACENSIS quos eo tempore noverunt auctores circumscriptione quadam verborum comprehendit (*Vincentii Burgundi Speculum quadruplex*, edit. Duacensis, 1624, iterum typis expressum Graz 1964, vol. I: *Speculum naturale*; de beryllo cf. *Spec. nat.* VIII 47sq., col. 517sq.).

Quem auctorem secutus Nicolaus beryllum sic definierit: «beryllus lapis est lucidus, albus et transparens» (n. 3,1), haud certo scimus; proxime illa verba sunt, quae legimus apud Marbodum Redonensem (loc. cit., p. 123): «*Beryllus lapis* magnus et *lucidus est*» et apud ALBERTUM MAGNUM (*Mineralium libri V*, lib. II, tract. II, cap. 2; ed. A. Borgnet, vol. V, p. 32): «*Beryllus* autem *est lapis* coloris pallidi, *lucidi*, *transparentis*.» Est apud Vincentium Bellovacensem (loc. cit., col. 518) hanc definitionem ad DIOSCORIDAM quendam redire: «Dioscorides: *Beryllus lapis lucidus est* et clarus». Iste Dioscorides idem est atque «DAMIGERON» (v. J. M. RIDDLE, op. cit., p. 12), de quo vide V. ROSE, *Damigeron*, in: Hermes 9 (1875) 471–491; M. WELLMANN, *Die Stein- und Gemmenbücher der Antike*, in: Quellen und Studien zur Geschichte der Naturwissenschaft 5 (1935) 139sqq.

Quod ad genus berylli Nicolaus considerationem intenderit, difficile est cognitu; certum est eum neque de beryllis coloratis neque de beryllo, quem Damigeron sive Dioscorides lymphaticum (id est lymphaceum) oleoque similem (J. M. RIDDLE, loc. cit., p. 103), Albertus Magnus (v. supra) coloris pallidi dixit esse, sed fortasse de beryllo non colorato (qui eo tempore beryllus incolor nominabatur) locutum esse. Nemo quem novimus auctor mentionem berylli albi fecit, Plinius autem (*Hist. nat.* XXXVII 76) beryllos crystallo similes nominavit, crystallo colorem sive limpidae aquae sive tralucidum (op. cit., XXXVII 28, 56; cf. 129) esse narravit, et apud BARTHOLOMAEUM ANGLICUM (*De genuinis rerum coelestium, terrestrium et inferarum proprietatibus* XVI 31, edit. Francofurti 1601, iterum typis expressum Francofurti 1964, p. 731) scriptum legimus: «Lapis est luci peruius, vnde literas et alia, quae in eo ponuntur, manifestat.» Beryllum colore carentem interdum pro crystallo sumebant medio aevo (v. J. M. RIDDLE, p. 49) propter similitudinem quandam speciei. Utrum Nicolaus lapidem beryllum an crystallum in animo habuerit, ne verbis quidem «Cui datur forma concava pariter et convexa» (n. 3,1–2) diiudicari potest; nam ab utroque, et a beryllo et a crystallo secta, petebant visui auxilium.

Non est quod hoc loco aut de lapidibus ad legendum adhibitis aut de lentibus limatis fusius agamus; talia qui vult investigare, legat haec: *Lexikon des Mittelalters*, s. v. Brille, vol. II, col. 689–692; *Sieben Jahrhunderte Brille*, von G. KÜHN und W. ROOS, in: Deutsches Museum. Abhandlungen und Berichte, 36. Jg., Heft 3 (1968) 7sqq.; G. SARTON, *Introduction to the History of Science*, vol. II, II, Baltimore 1931, ²1950, p. 1026; conferat quoque Alhazen et Rogerum Baconem (ALHAZEN, *Opticae Thesaurus. Alhazeni Arabis libri septem* ... instaurati ... a Federico Risnero, Basileae 1572, p. 237; ROGERUS BACO, *Opus maius*, pars V, *De scientia perspectiva*, pars III, dist. 2, cap. 4; ed. J. H. Bridges, vol. II, p. 157sq.; *Epistula de secretis operibus artis et naturae*, cap. 5, Opera inedita, ed. J. S. Brewer, 1895, p. 534). Primam vetustissimamque perspicilli imaginem a Thoma de Mutina (i. e. Tommaso da Modena) factam depinxerunt luce in: Gesch.blätter für Technik 3 (1916) 127; vide etiam supra, p. 2, vetustissimam in Germania factam perspicilli imaginem depictam.

Nicolaum ex oculis aegrotasse scimus, cf. epistulam pridie Idus Februarias (12. Febr.) 1454 Brixino ad Casparem Aindorffer, abbatem Benedictinorum monasterii S. Quirini Tegernseensis datam: «Propter oculorum dolorem De beryllo quem petitis scribere non potui» (E. VANSTEENBERGHE, *Autour*, p. 122); inter ea, quae reliquit, erat «capseta (capsella?) cum ocularìis» (v. G. MANTESE, in: MFCG 2 (1962) 102, n. 122); cf. etiam *Compendium* 6 n. 18,1–5: «Quae omnia consideranti ea, quae in mechanicis ... artibus ... reperta sunt, patescunt. Nam solus homo repperit, qualiter ... deficientem visum beryllis iuvet et arte perspectiva errorem circa visum corrigat, ...».

Dignum est quod memoremus Nicolaum de beryllo, «cui datur forma concava pariter et convexa», locutum esse. Ex quo tempore talia vitra seu crystalli seu berylli limari potuerint, non certo scimus.

2. Lapidibus quibusdam facultates seu virtutes antiquitus adscribebantur, propter quas talibus lapidibus et medici et magi utebantur; berylli virtutes quas putabant esse, eas nominabimus, quae hoc loco sunt alicuius momenti.

(1) Scriptum est apud plures auctores beryllum oculorum morbo mederi et obviam occurrere posse; ut exempla afferamus, confer MARBODI REDONENSIS *De lapidibus* (PL 171, 1747B):

«Infirmis oculis, in qua iacet, unda medetur
Potaque ructatus simul et suspiria tollit»;

beryllus «ad oculorum vitia omnem valetudinem tribuit» (*De lapidum naturis*, ibid., 1775B). Marbodum e Damigerone scientiam hausisse constat (v. RIDDLE, op. cit., p. 103): «Praeterea ad oculorum vitia valet et ad omnem valetudinem si aquam in qua missus fuerit potui dederis. ructatus et suspirium et epatis dolorem curat». BARTHOLOMAEUS ANGLICUS, qui Dioscoridam seu Damigeronem laudavit, beryllo «humidos oculos» sanari dixit (op. cit., XVI 21, p. 727); idem est apud ARNOLDUM SAXONEM (*De finibus rerum naturalium*, III, cf. IV 8; ed. E. Stange, *Die Encyklopädie des Arnoldus Saxo*, Erfurt 1905, p. 70, 85sq.), VINCENTIUM BELLOVACENSEM (loc. cit., col. 518C), ALBERTUM MAGNUM (loc. cit., p. 32).

(2) Magicas quoque facultates inesse beryllo putabant. *Titurel minor* qui vocatur scripsit haec: «Din hertze sich dem genezzet. dar inne alle togende mit wesende. Wehset hoch breit wit und ovch die lenge.» (v. R. GREEFF, *Der Beril des mittelhochdeutschen Dichters Albrecht (1270)*, in: Beiträge zur Geschichte der Brille, hrsg. von den Firmen Carl Zeiss und Marwitz & Hauser, Stuttgart 1958, p. 9). MARBODUS REDONENSIS Damigeronem seu Dioscoridam secutus perscripsit summatim beryllum «se portantem magnificare» ut perhiberetur (*De lapidibus*, PL 171, col. 1747B; cf. eadem apud ARNOLDUM SAXONEM, loc. cit., p. 70, et apud BARTHOLOMAEUM ANGLICUM, loc. cit., p. 727), et «ingenium bonum adhibere seu dare» (eadem sunt apud ALBERTUM MAGNUM, loc. cit.); alii facultatem cognoscendi beryllo iuvari existimaverunt.

(3) Quae commentariis in IOANNIS *Apocalypsim* per inversiones sive allegorias et per mysticas doctrinas compositis tradita sunt, ea magnum ad hanc rem habent momentum. Scripta sunt *Apocalypsis* capite vicesimo uno versu undevicesimo vicesimoque haec: «Et fundamenta muri civitatis omni lapide pretioso ornata. Fundamentum ... octavum beryllus»; ex isto loco plures berylli significationes originem duxerunt:

(a) beryllus mentes hominum ingenio sagaces significat; cf. ea, quae in hymno *Cives caelestis patriae* (*Analecta hymnica medii aevi*, vol. II, p. 94sqq.) de beryllo lymphatico qui vocabatur scripta sunt:

«figurat vota mentium
ingenio sagacium
quod (quis?) magis libet mysticum
summae quietis o[s]tium».

Hymnus ille, qui inscribitur *De XII lapidibus pretiosis in fundamento caelestis civitatis positis*, MARBODO REDONENSI adsignatus est PL 171, col. 1771, n.

1680; etiam in commentario ab ANSELMO LAUDUNENSI in Apocalypsim composito typis expressus est, v. PL 162, col. 1580–1582; AMATUM DE CASINO MONTE auctorem hymni esse A. LENTINI (Benedictina 12 (1958) 15–26) suspicatus est. Illam de qua locuti sumus berylli significationem BEDA VENERABILIS adtulit *Explanatione Apocalypsis*, libro III, cap. 21 (PL 93, col. 200BC) et totidem verbis HRABANUS MAURUS, *De universo sive de rerum naturis*, libro XVII, cap. 7, De gemmis (PL 111, col. 468BC); alteram istius operis partem, libros XII–XXII, Nicolaus in exemplari suo (codice Londin. Harl. 3092; ad locum nominatum v. fol. 15[rb], lin. 40sqq.) legere potuit;

(b) beryllo sinceram intellegentiam debemus eoque sanam scripturarum doctrinam intellegimus; cf. BRUNONIS DE SEGNIA (s. 11./12.) *Expositionis in Apocalypsim* librum VII (PL 165, col. 727AB);

(c) beryllo divinam sapientiam significari ANSELMUS LAUDUNENSIS (*Enarrationes in Apocalypsim*, cap. 21, PL 162, col. 1579D–1580A) dixit; illam sapientiam eandem esse atque beatam Mariam virginem auctor quidam, cuius nomen ignotum nobis est (Ps.-HILDEFONSUS TOLETANUS), capite 24 *Libelli de corona virginis* (PL 96, col. 316CD), scripsit: «offero tibi Beryllum lapidem pretiosum ... Tu enim, Domina, hunc lapidem quodammodo repraesentas; nam per donum sapientiae fuisti clara et splendida ... clara *ad discernendum* ambigua, clarior *ad cognoscendum* mysteria, clarissima *ad intelligendum et speculandum* divina.»

(4) Beryllo ad mystica speculanda idonei fimus otiumque mysticum nobis donatur; de hac re v. supra, [2, (3), (a)]; cf. etiam ea, quae EPIPHANIUS SALAMINIUS *De XII gemmis Rationalis summi sacerdotis Hebraeorum* (PG 43, col. 350A) ad *Exod.* 28,15–20 scripsit; cf. *Exod.* 39,8–13; Ps.-AUGUSTINUM, *Tractatus de XII lapidibus* (PL 40, col. 1230); AMBROSIUM AUTPERTUM, *Expos. in Apocalypsim*, X (CCCM XXVII A, p. 822,128sqq.).

(5) Causam, cur beryllus aliique lapides quidam cognoscendi facultatem iuvarent, in perspicuitate gemmarum ponebant; cf. ALBERTUM MAGNUM, qui *Mineral.*, lib. I, tract. 1, cap. 3, loc. cit., p. 4[b], «perspicuitatem» et «diaphaneitatem» (ibid., cap. 9, p. 12[b]) imprimis «crystalli et berylli» memoravit. IOACHIM DE FLORIS (*Expos. in Apocalypsim*, Venetiis 1527, iterum prelum subiit Frankfurt 1964, p. 220[vb]) locum *Apoc.* 21,21 interpretatus est hoc modo: «simili vitro perlucido: similes esse perhibentur: quia corda contemplantium deum: munda sunt et perspicua».

3. Licet inter talia et ea, quae a Nicolao de 'intellectuali beryllo' (n. 3,3) prolata sunt, affinitas quaedam intercedere videatur, dubium non est, quin, quae Nicolaus de beryllo *translative* sumpto dixit, ea ex aliis fontibus hausta sint. At non multum ab eius doctrina absunt ea, quae ROGERUS BACO de «comparatione perspectivae ad sacram sapientiam et mundi utilitates» locutus est: plurimum valere scientiam perspectivam «respectu sapientiae divinae» eaque, scientiam perspectivam dicimus, *exemplo similitudineque*

visus seu visionis spiritualis nos uti posse (*Opus maius*, pars V, *De scientia perspectiva*, pars III, ultima dist., cap. 1–2; loc. cit., p. 159–163). Nicolaum opera quaedam Rogeri Baconis novisse et locos nonnullos ex iis deprompsisse constat, confer, ut exempla adferamus, *Sermonem «Medius vestrum stetit»* (CCX; 1455; p II, 1, fol. 126r): «vt Rogerius Bacon dicit»; vide etiam *Serm. II*, nn. 18,23–24, 26,14.

4. Nostrum non est, quae Nicolaus de intellectuali beryllo, quo instrumento «intellectualibus oculis» (n. 3,3; vide *De ven. sap.* 36, n. 106, notas ad lin. 4) adaptato usi via et ratione ad altiora cognoscenda perveniremus, docuerit, ea interpretari atque enodare; sibi quisque Nicolai librum qui diligenter attento animo legerit, cognoscet, quid sibi voluerit auctor quaeque sit vis verborum eius.

2

ad n. 1,2–3

VIDEBIT ME IN OPPOSITORUM COINCIDENTIA CREBRIUS VERSATUM: Quamquam multi docti homines de coincidentia oppositorum satis superque egerunt, ut ista Nicolai doctrina insignis paene trita sermone sit, de fontibus, e quibus hausta est, plura nobis dicenda sunt, cum, quae ab E. HOFFMANN (*Die Vorgeschichte der Cusanischen Coincidentia oppositorum*, Schriften des Nikolaus von Cues in deutscher Übersetzung, H 2, Über den Beryll, Leipzig 1938, p. 1–35) prolata sunt, iis historia quidem notionis illius, sed neque fontes neque auctoritates Nicolai indagatae sint; nam E. Hoffmann Nicolaum doctrinam coincidentiae a nullo recepisse, sed ipsum putavit invenisse (p. 31).

Nicolaus, etsi se inventorem doctrinarum doctae ignorantiae coincidentiaeque oppositorum tulit (*De doct. ign.* n. 263, h I 163,6–11; *De coni.* I 6 n. 24; *De apice theor.* n. 4,1–2), tamen, quibus sententiis imbutus quosque auctores secutus illuc pervenisset, ipse indicavit, cum interdum in libellis maximum illum divinorum scrutatorem DIONYSIUM AREOPAGITAM (*De doct. ign.* I 16 n. 43, h I 30,24–31,12) eiusque *De mystica theologia* (v. e. g. cap. 1 et 5, Dionysiaca I 572 et 601sq.) et *De divinis nominibus* (V 8, VII 3, ibid. 355sq. et 404–406) scripta testes citasset. Certum est neque in Dionysii operibus a pluribus doctis viris Latine redditis, quae Nicolaus possedit (cod. Cus. 43, 44, 45), neque in ALBERTI MAGNI commentariis nomina notionesque coincidentiae vel coincidendi inesse; at Nicolaus Dionysii mysticam theologiam coincidentiae doctrinam putavit esse; quod ita esse ex notis, quas in margine scripsit, apparet. Vide haec, quae adnotavit ad Alberti Magni *Super Dionysii De div. nom.*, 1 n. 25 (Opera omnia XXXVII, 1, p. 12,50sqq.) in cod. Cus. 96, fol. 82r: «deus est finis. cuius non est finis ... realis infinitas dicit finem sine fine / priuat enim finem fine. ponit finem et priuat fine / affirmat finem. et negat finem / infinitas est supra posicionem et ablacionem. affirmacionem et negacionem inquantum *contradicunt*. et ubi videntur simplicissime *coincidere* ibi videtur realis infinitas.» Ad Alberti Magni *Super Dionysii Myst. theol.*, c. 1 (Opera omnia XXXVII, 2, p. 459,76–460,5) in exemplari suo (cod. Cus. 96, fol. 226[rb]) scripsit ad Dionysii verba (a Ioanne Sarraceno in sermonem Latinum versa, Dionysiaca I 572): «exponit *(scil. Dionysium)* modo suo ut vitet contradiccionem sed in hoc videtur insufficienter exponere nam dyonisius ponit pariter et / et simul etc. quia est solum deus ultra *coincidenciam contradictoriorum*. vnde latum et breue / multum et paucum *coincidunt* in deo. et hec est mistica theologia». Vide infra, p. 109. (Confer etiam *De div. nom.* IV 7, Dionysiaca I 187: αἱ κοινωνίαι τῶν ἐναντίων). Nicolaus deum *ultra* coincidentiam contradictoriorum esse affirmavit *Apol. doctae ign.* (n. 21, h II 15,14–16): «... uti in libellis De coniecturis videre potuisti, ubi etiam *super* coincidentiam contradictoriorum Deum esse declaravi, cum sit oppositorum oppositio secundum Dionysium» (cf. e. g. *De div. nom.* V 7 et 10, Dionysiaca I 347, 364sqq.; v. W. BEIERWALTES, *Deus oppositio oppositorum*, Salzburger Jahrb. f. Philos. 8 (1964) 175–185). Interesse quidem manifestum est, deus «oppositorum compositio» (*De coni.* I 6 n. 24,9–10; cf. II 1 n. 78,10–15) dicatur an ultra eam esse perhibeatur (cf. etiam J. KOCH, *Die Ars coniecturalis*, p. 43sqq.); sed cum Platonici de deo modo affirmandi, negandi, affirmandi et negandi etc. — de quibus, quia manifesta sunt, dicere supersedemus, ne simus longi — locuti sint, factum est, ut modo hoc, modo illud apud Platonicos legi posset, cf. supra et e. g. *De ven. sap.* 22 n. 67,2–3: «Dionysius recte dicebat de deo *simul opposita* debere affirmari et negari.»; cf. etiam 30 n. 89,3–4: «Postquam Dionysius ... deum quaerens repperit in ipso *contraria coniuncte* verificari ...» et ea, quae scripta sunt in epistula Nicolai data XVIII Kal. Oct. (14. 9.) anni 1453 ad Casparem Aindorffer, abbatem Tegernseensem (VANSTEENBERGHE, *Autour*, p. 114–116), neminem philosophum ad secretissimam theologiam coincidentiae accessisse, «neque accedere potest stante principio communi tocius phylosophie, scilicet quod duo contradictoria non coincidant ... Et michi visum fuit quod tota ista mistica theologia sit intrare ipsam infinitatem absolutam, dicit enim infinitas contradictoriorum coincidentiam», non solum «unitatis et pluralitatis» (*Apologia* n. 22, h II 15,18–19), sed etiam omnium contradictoriorum; nam «qui videt, quomodo intelligere est motus et quies pariter ipsius intellectus, uti de Deo AUGUSTINUS fatetur in *Confessionibus* (XIII 37, CCSL XXVII 272; cf. cod. Cus. 34, fol. 131[v]), de aliis contradictoriis se facilius expedit» (*Apologia* n. 22, h II 15,20–22). Cum deus sit «ultra coincidentiam contradictoriorum» (v. supra), ratio restricta sit ad principium contradictionis quod vocatur, sequitur ut intellegentia sive intellectus sit regio coincidentiae (*De coni.* I 6 nn. 23,10–24,11; cf. *De vis. dei* 9 n. 35 (p I, fol. 103r, 38–45).

Nicolaus ut talia scriberet non tam Augustini quam PROCLI auctoritate moveri potuit, cuius ex libris, *Commentarium in Platonis Parmenidem* dicimus et *Theologiam Platonis* et *Elementationem theologicam*, sententiarum copiam hausit; quod ita esse ex libellis *De coniecturis*, *De beryllo*, *De venatione sapientiae* aliisque apparet (v. H. G. SENGER, CT III. 2. 1, p. 11–42).

Primum principium, quod nomine caret quodque 'unum' vel 'bonum' Platonici translative appellare soliti sunt, omnia subter se habere et contraria et alia, quae quovis modo cognosci significarique possint, illa Procli celeberrima doctrina Nicolaus suo exemplari *Commentarii in Platonis Parmenidem* (cod. Cus. 186; cf. etiam codicem Vat. Lat. 3074 et Argentoratensem, bibl. universitatis 84; *Commentarius* a Guillelmo de Moerbeka Latine versus publici iuris factus est a C. STEEL, *Proclus. Commentaire sur le Parménide de Platon*, Leuven-Leiden 1982–1985) imbui potuit; cf. *In Parm.* VI (Steel 368,83–87) et notam Nicolai (cod. Cus. 186, fol. 103r; v. C. BORMANN, CT III. 2. 2, p. 111, marg. 441): «natura causa oppositionum corporalium. anima vitalium intellectus animealium, vnum omnium simpliciter, quod autem omnium opposicionum causa ipsum ad nichil opponitur»; *In Parm.* VI (Steel 403,16–18) et notam Nicolai (cod. Cus. 186, fol. 114r; CT III. 2. 2, p. 126, marg. 510): «in omni opposicione necessarium est vnum exaltatum esse ab ambobus oppositis et non esse neutrum ipsorum aut ipsum magis nomine melioris appellari» (de hac re vide etiam ea, quae Nicolaus antea excerpserat cod. Arg. 84, Steel p. 19*, CT III. 2. 2, p. 159); *In Parm.* VII (Steel 518,74–78) et notam Nicolai (cod. Cus. 186, fol. 149v; CT III. 2. 2, p. 152, marg. 616): «nota, primo non conuenit hoc nomen vnum. sed noster conceptus ipsum format, et sic circa ipsum non sunt negaciones quia exaltatum super omnem opposicionem et negationem sed de ipso» (de hoc loco et de proximo cf. *De principio* n. 26, p II, 1, fol. 9v,9–14). Contradictionem apud principium, cui nomen non est, non valere scriptum est *In Parm.* VII (Steel 519,17–18); Nicolaus adnotavit (cod. Cus. 186, fol. 149v; CT III. 2. 2, p. 153, marg. 620): «contradictio in indicibili simul falsa. in solis dicibilibus diuidit verum et falsum».

At dubitandum non est, quin Nicolaus contradictoriorum in primo principio coincidentiam a Proclo prolatam esse dixerit, nam ad verba Platonis, quae Proclus ex Platonis *Parmenide* (145a2–3) deprompserat (*Theol. Plat.* IV 36, S–W IV 105,17–19; cod. Cus. 185, fol. 155r), «Vnum ergo et unum est et plura et totum et partes et terminatum et infinitum multitudine» adscripsit: «de coincidencia contrariorum in vno» (v. H. G. SENGER, CT III. 2. 1, p. 97, marg. 302); verba Procli, qui eo loco non de uno supremo, quod omnia supereminereet, sed de uno, quod in altera triade versaretur, locutus est, ad unum supremum transtulit.

Ea quoque, quae sunt in *Theologia Platonis* III 8 (S–W 32,13–33,2), finem et infinitum a primo, cui nomen non est, progredi, Nicolaus de uno supremo dicta esse videtur putasse; ad Procli verba a Petro Balbo in Latinum conversa (cod. Cus. 185, fol. 88ʳsq.; S–W III 32,28–33,2), «omnis in diuinis generibus contraposicionis quod melius quidem est ad terminum. quod uero deterius ad infinitatem referemus» adnotavit: «nota». Quid Proclus de origine finis et infiniti, πέρατος καὶ ἀπείρου scilicet, sensisset, Nicolaus ex Procli *in Parmenidem commentario* III (Steel 150,49sqq.) cognovit; quem locum novit adnotationibusque ornavit (cod. Cus. 186, fol. 41ᵛ; CT III. 2. 2, p. 48, marg. 162–163): «post vnum finis et infinitum ex quibus omnis intellectus», «nota quomodo vnum et multitudo ut sunt duo principia idem sunt quod finis et infinitum». Vide etiam ea, quae in *Elementatione theologica*, prop. 5 (Dodds p. 6,10–13), a Guillelmo de Moerbeka Latine reddita (cod. Cus. 195, fol. 35ʳᵇ–35ᵛᵃ) scripta sunt: «Que autem conueniunt et communicant inuicem aliqualiter. siquidem sub alio colliguntur. Illud ante ipsa est Si autem ipsa se ipsa colligunt non opponuntur invicem. opposita enim non festinant in inuicem».

Haec ergo sunt, quae Nicolaus se apud Proclum invenisse putavit quibusque commotus necessariam esse illam coincidentiae doctrinam sibi persuasit: (1) coincidentia finis et infiniti omniumque contrariorum in primo, quod ea quae sunt excessit; (2) primum principium res contrarias subter se habere; (3) contradictionis principium apud primum principium non valere.

Nicolaus, quae in Procli scriptis legere potuit, sed non legere nisus est, contrariorum coincidentiam non in deo seu primo principio, sed in regione intellectus esse, ea ut adfirmaret (cf. *De coni.* I n. 24; *De vis. dei* nn. 38–42; notam supra, p. 3 allatam) non ab Ioanne Scotto motus est (cuius *Periphyseon* operis librum primum possedit; cod. Londin., B. L., Addit. 11035, fol. 9ʳ–85ᵛ), quem tanti aestimavit, ut libros eius legi iuberet (*Apologia* n. 30, sed cf. n. 43; h II 20,21sqq., 29,15sqq.; vide epistulam ad Bernardum de Waging datam V Idus Sept. (9. Sept.) anni 1454, Vansteenberghe, *Autour*, p. 150sq.), ab isto enim illa Nicolai opinio, coincidentiam contrariorum in deo esse, confirmata est, sed ab aliis auctoribus, quorum in numero est Henricus Bate de Malinis.

Ad Ioannis Scotti librum primum (fol. 18ᵛ; Sheldon-Williams I, p. 60,25sq.) Nicolaus notavit: «nota contraria de deo dici»; ad fol. 19ʳ (Sh.–W. I, p. 62,9sq.): «Haec enim duo opposita *(*status et motus *scilicet)* sibi inuicem esse uidentur. Opposita autem in eo *(*in deo *scilicet)* cogitari uel intelligi uera ratio prohibet» scripsit «nota»; aliae notae Cusani, quae hanc ad rem magni momenti sunt, hae sunt: «Omnia vnum sunt» (fol. 40ʳ); «nota quidquid de deo dicitur affirmatiue, etiam negatiue dici potest» (fol. 63ʳ); «dionisius: deus est omnia» (fol. 79ʳ); ad libri primi finis verba (Sh.–W. I,

p. 206,30–38): «et quae ei seu *contraria* seu *opposita* uidentur esse, ut non dicam similia et dissimilia. Est enim ipse similium similitudo et dissimilitudo dissimilium, *oppositorum oppositio*, *contrariorum contrarietas*. Haec enim omnia pulchra ineffabilique armonia in unam concordiam colligit atque componit. Nam quae in partibus uniuersitatis opposita sibimet uidentur atque contraria et a se inuicem dissona, [dum] in generalissima ipsius uniuersitatis armonia considerantur conuenientia consonaque sunt» notavit «deus contrariorum contrarietas» (fol. 80^{r}). — Cum hic liber foras proderetur, publici iuris factus est tractatus GUERNERI BEIERWALTES *Eriugena und Cusanus*; v. infra, indicem auctorum.

HENRICUS BATE DE MALINIS (de quo vide *Apologiam* n. 22, h II 15,17–19) Nicolao coincidere unitatem atque pluralitatem in intellectualibus tradidit: «Fuit aliquando Henricus de Mechlinia, ut scribit in *Speculo divinorum*, ad hoc ductus, ut in intellectualibus conspiceret unitatis et pluralitatis coincidentiam, de qua plurimum admiratur.» (Vide etiam *De coni.* I 6 n. 22,10–12 et notam.) Henrici librum Nicolaus possedit, cod. Bruxell., BR 271. E. VAN DE VYVER, *Henricus Bate. Speculum divinorum et quorundam naturalium*, tom. I, append., p. 225, n. 42, Cusani verba ad *Speculi divinorum* partis VI cap. 21 rettulit, quo loco Nicolaus (fol. 108va) legit: «Non obliuiscendum autem est diuinum illud mirabile qualiter videlicet in substanciis intellectualibus indiuisibiliter in vnum distincte conueniunt et inconfuse pluralitas et vnitas numeralis», lineam, manus imaginem notamque apposuit: «nota. conuenire pluralitatem et vnitatem in intellectualibus».

Nicolaus apud magistrum ECHARDUM, cuius opera habuit (cod. Cus. 21), principium finemque coincidere (cf. *De beryllo* n. 60,20: «... species incorruptibilis, cuius principium et finis coincidunt»; vide etiam *De docta ign.* II 12 n. 168, h I 104,8 et saepius) in aeternitate, qui dei durationis modus est, legit; cf. e. g. *Expos. lib. Exodi* (ad *Ex.* 15,18), n. 85 (LW II 88,12–13); *Expos. s. evang. sec. Johannem* (ad *Jo.* 3,48), n. 337 (LW III 285, 15–16): «Et propter hoc in ipso *(*in deo *scilicet)* efficiens, forma et finis *coincidunt* in idem numero simpliciter.»

Magno ad coincidentiae principium considerandum perspiciendumque momento fuerunt ea, quae Nicolaus in ALBERTI ad Dionysii libros commentariis legit (cod. Cus. 96 fol. 180ra; *Super Dionysium De div. nom.*, cap. 5, n. 29, p. 320,1–3): «rationes enim contrariorum non sunt contrarie, quod etiam sunt in anima; vnde possunt esse simul et multo minus *(*contrariae *scilicet)* in deo», quem ad locum margine superiore adscripsit: «nota. sic raciones contrariorum possunt esse simul in anima quia non sunt contrarie forcius in deo». Ab Alberto quoque (ibid., cap. 4, n. 86, p. 192,7–25) Aristotelem (*Phys.* II 7, 198a24sqq.) tres causas, formalem, finalem, efficientem, saepe unam eandemque esse, ut Alberti verbo utamur: *incidere*, docuisse «secundum intentionem essentiae» didicit; ad illum Alberti locum notavit (cod. Cus. 96, fol. 139[rb]): «nota quomodo tres cause *coincidunt*»; his similia adscripsit (fol. 18[vb]) ad *Commentarium in lib. De cael. hier.*, cap. 4, § 2, ad opp. (Opera, ed. Borgnet, XIV, p. 104[a]): «tres cause secundum substanciam coincidunt in vnam. non secundum racionem». Albertus his locis verbo incidendi, non coincidendi usus est; verbum coincidendi Nicolaus aliis locis alioque sententiarum contextu apud Albertum legere potuit, cf. *Physicorum* lib. II, tract. 2, cap. 22 (Opera omnia, ed. Borgnet, vol. III, p. 159[a]): «sed in phisicis tres cause multocies coincidunt in rem vnam secundum racionem. licet non coincidant in vnum modum causalitatis» (cod. Cus. 194, fol. 19[ra]; adhuc non patet Nicolaum isto codice usum esse); cf. etiam Alberti Magni *Quaestiones super De animalibus secundum reportationem Conradi de Austria*, lib. XV, q. 3 et q. 13 (Opera omnia, vol. XII, 261,17, 271,50). Vide etiam ROBERTI GROSSETESTE tractatum *De statu causarum* (ed. L. Baur, BGPMA 9 (1912) 120sq.) et ROGERI BACONIS *Quaestiones supra libros octo Physicorum Aristotelis* (Opera hactenus inedita, edd. F. M. Delorme et R. Steele, vol. XIII, Oxonii 1935, p. 130sq.).

At Nicolaus Albertum Magnum in iis, qui coincidentiae principium usurpavere, non numeravit; de quo vide infra, p. 99 et 109.

Ut accuratius declaremus, quibus ex fontibus Nicolai de coincidentia contradictoriorum doctrina orta sit, facere non possumus, quin animos imprimis ad Raymundum Llullum et ad Heymericum de Campo advertamus; nam quae de «originalibus dignitatibus» et de iis, quae relatione mutua inter se coniuncta sunt, ab RAYMUNDO LLULLO sunt scripta, ea Nicolai doctrinae quasi viam quandam munivere, quamquam Nicolaus apud Raymundum Llullum neque vocabulum coincidentiae neque suam coincidentiae interpretationem reperire pouit, quod Llullus exclusae contradictionis principium neque reiecit neque intra fines quosdam coercuit (v. E. COLOMER, 1961, p. 97sq., 80 et 26). HEYMERICUS DE CAMPO illam Raymundi Llulli sententiam, qua docet «originales dignitates» et ea, quae relatione mutua inter se coniuncta sunt, inter se posse converti, ita mutavit, ut haec unum idemque fierent, id est: ut coinciderent; cf. ea, quae ab Heymerico in libro *Disputationis de potestate ecclesiae* (cod. Cus. 106, fol. 108[v],16–19) de Raymundi Llulli arte scripta sunt: «vnde fit quod quelibet ⟨dignitatum originalium *scilicet*⟩ per sua corruptibilia essencialia transformatur in correlatiua alterius, verbi gratia: sicut bonitas in magnitudine est ipsamet magnitudo. Ita bonificatum, bonificabile et bonificare coincidunt cum magnificatum, magnificabile et magnificare.» (Cf. etiam ea, quae R. HAUBST, *Fortleben*, p. 437sq., de usu verborum coincidendi et coincidentiae memoravit.) Vide etiam Heymerici *Compendium divinorum*, tract. 2 (cod. Mogunt. 610, fol. 121[r]): «Ex quo accipitur quod causalitas trium causarum agencium, scilicet forme, efficientis et finis, omnimode hoc ydemptificantur in primo. Quod propter iuste censetur primum omnibus esse intimissimum tamen nulli inclusum. Intimissimum quidem quia est vniuersorum forma, non inclusum quia non est forma informans. que coincidit cum efficiente in specie tantum et non numero eo quod talis forma dependet ab efficiente secundum essenciam et secundum actualem existenciam. Sed est forma effective et fontaliter formans per omnimodam coincidenciam ipsius cum efficiente et fine.»

Scimus Nicolaum hoc cognoscendi initio reperto omnia, quae a theologis philosophisque de deo praedicarentur, ad illam normam et regulam perscrutatum exegisse atque percensuisse; quo factum est, ut non solum Aristoteli, de quo multa in libro *De beryllo* locutus est (v. imprimis nn. 40,1–10, 42,1–11; cf. etiam *De li non aliud* 19 nn. 86–89, h XIII, 45,31–33, 46,3–6.14–29, 47,3–10; *De ven. sap.* 13 n. 38,1–10), iisque, qui eum secuti sunt (cf. *Apologia* nn. 1, 7, h II, 1,10–11 et 6,7–9) adversaretur, sed etiam, ut ceteros silentio praetereamus, Albertum Magnum reprehenderet, «qui vvlt evadere opposicionem in eo quod dyonisius dicit primum vnitum et discretum. quia dicit, quod hoc sit respectu diuersorum» (nota marg. ad Alberti Magni *Super Dion. De div. nom.*, cap. 2; cod. Cus. 96, fol. 105rb), «et pene omnes in hoc» deficientes «quod timeant semper intrare caliginem. que consistit in admissione contradictoriorum. nam hoc racio refugit et timet subintrare. et ob hoc vitando caliginem non pertingit ad visionem inuisibilis si presupponeret id esse necessarium quod sibi occurrit inpossibile et intraret ignote tenebras illas, reperiret indubie inpossibilitatem necessitatem esse et tenebras lucem. non conprehensione intellectuali, sed supra in visione, de qua loquitur dyonisius in mistica theologia.» (ibid., in marg. infer.).

Nicolaus quid de illo magno Dionysio senserit, quem libro *De mystica theologia* tantum in regulam coincidentiae adhibendam enisum esse opinatus est, ex litteris ante diem XVIII Kal. Oct. (14. Sept.) anni 1453 datis ad abbatem fratresque Tegernseenses, qui ex eo quaesiverant, quid sentiret «de eo, quod magnus ariopagita Dyonisius iubet Timotheum ignote ascendere ad mysticam theologiam» (Vansteenberghe, *Autour*, p. 113–116), cognosci potest, e quibus ea, quae ad librum *De beryllo*, quem iam tum in manibus habebat, et ad illam coincidentiae regulam magni sunt momenti, codicem Monac. Lat. 18711, fol. 250^r–250^v secuti excerpsimus:

»Et licet pene omnes doctissimi dicant caliginem tunc reperiri quando omnia a deo auferuntur. ut sic pocius nichil quam aliquid occurrat querenti/ tamen non est mea opinio illos recte caliginem subintrare qui solum circa negatiuam theologiam versantur. Nam cum negatiua auferat et nichil ponat/ tunc per illam reuelate non videbitur deus. non enim reperietur deus esse sed pocius non esse/ et si affirmatiue queritur non reperietur nisi per imitacionem et velate et nequaquam reuelate.

Tradidit autem dyonisius in plerisque locis theologiam per disiunctionem scilicet quod aut ad deum accedimus affirmatiue aut negatiue/ sed in hoc libello vbi theologiam misticam et secretam vvlt manifestare possibili modo. saltat supra disiunctionem usque in copulacionem et coincidenciam seu vnionem simplicissimam que est ... directe supra omnem ablacionem et posicionem, vbi ablacio coincidit cum posicione et negacio cum affirmacione et illa est secretissima theologia ad quam nullus phylosophorum accessit/ neque accedere potest/ stante principio communi totius phylosophie scilicet quod duo contradictoria non coincidant/ vnde necesse est mistice theolo⟨g⟩izantem supra omnem racionem et intelligenciam eciam seipsum linquendo se in caliginem inicere. et reperiet quomodo id quod racio iudicat impossibile scilicet esse et non esse simul. est ipsa necessitat/ ...

Et siquis legit textum grece et latine/ videbit sic dyonisium meo iudicio intelligendum. *(250^{v})* Vnde dicit quod seipsum calcatis intelligibilibus intendere debeat ignote. quoniam tunc reperiet confusionem in quam consurgit ignote esse certitudinem, et caliginem lucem atque ignoranciam scienciam/ ...

Nolo reprehendere quemquam sed hoc michi videtur nequaquam dyonisium voluisse thymoteum ignote debere consurgere nisi modo quo predixi ... Et michi visum fuit quod tota ista mistica theologia sit intrare ipsam infinitatem absolutam. dicit enim infinitas contradictoriorum coincidenciam scilicet finem sine fine Et nemo potest deum mistice videre nisi in caligine coincidencie que est infinitas/ sed de hoc lacius videbitis *(in libello De beryllo scilicet)* deo duce que ipse dederit/«

Vide etiam haec, quae sunt in libro *De visione dei* (9 nn. 36–37, fol. 103^{v},5–14), qui eodem anno atque litterae, quarum mentionem fecimus, in lucem prolatus est: «Vnde experior quomodo necesse est me intrare caliginem et admittere coincidentiam oppositorum super omnem capacitatem rationis: et quaerere ibi veritatem vbi occurrit impossibilitas. et supra illam omnem etiam intellectualem altissimum ascensum, quando peruenero ad id quod omni intellectui est incognitum, et quod omnis intellectus iudicat remotissimum a veritate ... Quapropter tibi gratias ago deus meus, quia patefacis mihi quod non est via alia ad te accedendi: nisi illa quae omnibus hominibus etiam doctissimis philosophis videtur penitus inaccessibilis et impossibilis.»

Nostrum non est explanare, quo modo Nicolaus coincidentiae regulam in usum suum converterit; sed vide notam ad n. 1,2–3 in apparatu locorum similium; sufficiant haec, quae de auctoribus fontibusque diximus.

3

ad n. 1,4–5

IUXTA INTELLECTUALEM VISIONEM CONCLUDERE: Plurimum interesse inter visionem intellectualem, de qua Nicolaus Platonicos et Dionysium Areopagitam secutus multa verba fecit, et ea, quae ab Aristotele de mente animoque et de cognitione dicta sunt, patet; vide ea, quae Nicolaus ipse (cod. Cus. 96, fol. 236rb) ad ALBERTI MAGNI *Super Dionysii epistolam V* (Opera omnia, vol. XXXVII, 2, p. 493,58–60) notavit: «cognicio refertur ad scienciam conclusionum. visio ad intellectum principiorum» (cf. DIONYSII AREOPAGITAE *Ep. V ad Dorotheum*, *Myst. theol.* 1, *Ep. I ad Gaium* (Dionysiaca I, p. 620, 574, 606sq.). «Unde simplex visio mentis non est visio comprehensiva, sed de comprehensiva se elevat ad videndum incomprehensibile.» (*De apice theor.* n. 11,1–2; v. notam ad n. 11,1–8, Schriften, H 19, p. 98sq.); nam «nichil de deo incomprehensibili potest comprehendi nisi incomprehensio ipsa» (vide Nicolai adnotationem in cod. Cus. 96, fol. 86va, ad Alberti Magni *Super Dion. De div. nom.* 1 n. 46 (p. 28,40–41).

Hanc visionem, cuius potestatem nobis intellectualis beryllus faceret, Nicolaus semper docuit, cf. *De coni.* I 6 et II 1 nn. 72–74; *De quaer. deum* 1 n. 19,5–14; *De fil. dei.* 1 n. 52,4–5 (visio intuitiva); *Apologia* nn. 9–10, nn. 20–21 (h II 7,10–26; 14,14–15,16); *Idiota de sapientia* II n. 47,1–4; *De vis. dei* 10 nn. 40–42 (fol. 103^{v},40sqq.); *De possest* n. 15,2 (mystica visio), n. 38,6 (visio intellectualis), n. 57,13 (aenigmatica visio), n. 74,19 (visio in tenebra); *Directio speculantis seu de li non aliud* nn. 24, 33, 87 (h XIII 16, 12–14, 19,28–30, 46,12–13); *De ludo globi II* nn. 65–66, 72, 77 (fol. 161^{r}, 18–20, 162^{r},11–12, 162^{v},20–36); *Complem. theol.* 14 (fol. 100^{rv}); *Sermo CL* (fol. 83^{r},28–40); *Sermo CCLXXXVIII* (fol. 187^{r},30sqq.).

4
ad n. 1,6

SPECULUM ET AENIGMA: Verba ex prima ad Corinthios epistula (13,12) deprompta sunt: «Videmus nunc per speculum in aenigmate; tunc autem facie ad faciem. Nunc cognosco ex parte; tunc autem cognoscam, sicut et cognitus sum».

Et patres ecclesiae et theologi, qui medio aevo vixerunt, et ipse Nicolaus deum, nisi ambages et aenigmata adhiberentur, in hoc mundo videri non posse docuere; ut exempla adferamus, cf. AUGUSTINUM, *De trin.* XV, 9, 16,41–51: «Proinde quantum mihi uidetur sicut nomine speculi imaginem uoluit intellegi, ita nomine aenigmatis quamuis similitudinem tamen obscuram et ad perspiciendum difficilem. Cum igitur speculi et aenigmatis nomine quaecumque similitudines ab apostolo significatae intellegi possint quae accommodatae sunt ad intellegendum deum eo modo quo potest, nihil tamen est adcommodatius quam id quod imago eius non frustra dicitur. Nemo itaque miretur etiam in isto uidendi modo qui concessus est huic vitae, per speculum scilicet, in aenigmate, laborare nos ut quomodocumque uideamus.» Nicolaus similia atque Augustinus declaravit:

«... ut intuearis omnia in simplicissima rectitudine verissime ... licet medio aenigmatico, sine quo in hoc mundo dei visio esse nequit ...» (*Idiota de sap.* II n. 47,2–4); vide etiam, quae Nicolaus ad Alberti Magni *Comment. in lib. B. Dion. A. De cael. hier.*, c. 2 § 2 (Opera omnia, ed. A. Borgnet, vol. XIV, p. 279; cod. Cus. 96, fol. 6rb) adnotavit: «nota. per motum et symbola deuenitur ad cognicionem eorum quorum species non habemus».

Notum est Nicolaum non solum in libro *De beryllo*, sed etiam in ceteris operibus semper dedisse operam, ut per ambages et aenigmata propius ad deum cognoscendum accederet, cf. e. g. *De docta ign.* I 11 n. 32, 12 n. 33 (h I 24,6–9.23–25); *Idiota de sap.* II n. 47,5; *De possest* nn. 23, 43,20, 44,3, 54–57; *De vis. dei n. 2* (fol. 99^{r},18–19); *Epist. ad Nicolaum Bononiensem*, n. 48 (CT IV. 3, p. 46,24–26); reliqua nominare inutile est, nam «aenigmatum nullus est finis, cum nullum sit adeo propinquum, quin semper possit esse propinquius» (*De possest* n. 58,2–3). Cum deus «solus in sua virtute et potentia causali» contineat «omnium rerum essentias et essentiales formas» (*De ven. sap.* 29 n. 86,17–19) et «quiditas rerum» (cf. *De docta ign.* I n. 10, h I 9,24) sit, quae de «aenigmate vel figura» (*Idiota de mente* 6 n. 92,4) a Nicolao dicta sunt, ea et in «quiditatem ... cuiuscumque rei» (ibid., n. 92,2–3) cadunt. —

De usu aenigmatum in libello *De beryllo* v. nn. 7,11, 9, 15, 21,1, 23,14, 27, 31,5, 32,15sqq., 33,8sqq., 44,13sqq., 53,13, 60,3, 61,1, 63,1.

5
ad n. 1,8

APPLICATO: Verbum applicandi hoc loco eandem vim habet atque in libris *De docta ign.* I 12 n. 33 (h I 24,20); *De apice theor.* n. 9,1; cf. etiam *De docta ign.* I 1 n. 4, 21 n. 66, II 1 n. 94 (h I 6,9, 44,15, 62,25); *De coni.* I n. 4,16–17, 8 n. 34,12; II 2 n. 86,15; *De ven. sap.* 34 n. 101,15; 39 n. 118,2.

Alia significatio illius verbi est in nn. 8,5 et 27,15, quae orta est ex medicorum scriptis, cf. e. g. GUILLELMI DE SALICETO *Artem chirurgicam* (1275) I 4 (ed. Venet. 1546, p. 305): «dentur ei pilulae ... et istud fiat ante localium applicationem». Vide etiam ea, quae sunt apud *Rogerum Baconem* de radicibus alkimiae speculativae et naturalis philosophiae et medicinae, «quae radices applicari debent ad omnium rerum generationem» (*Opus tertium*, cap. 12, ed. Brewer, p. 42). De hac significatione apud Nicolaum cf. *Idiota de stat. exp.* n. 164,7: dosis applicationis; n. 166,17: medelas applicare. Cf. etiam epistulam Nicolai ad Bernardum de Waging datam V Kal. Aug. (= 28.7.) anni 1455 (VANSTEENBERGHE, *Autour*, p. 160): «Applicui ingenium ad opus quod petistis» (ad opus *De beryllo* scilicet).

6

ad n. 1,11

PRAXIM: Nomen praxeos a Latinis rarius usurpatum hoc loco et n. 2,8 neque actionem vel operationem humanam recta ratione directam neque institutionem neque alia eiusdem generis, sed exercitationem, functionem, usum seu experientiam significat; cf. *De coni.*, prolog., n. 4,16–17: «applicatoriam praxim»; ibid., II, prolog., n. 70,6–7: «in praxi partim explicare curabo». Praxis ipsa aut experimentis utitur aut experimentum est, quod sensibus percipitur; cf. epistulam Nicolai ad abbatem fratresque Tegernseenses XVIII Kal. Oct. (= 14. 9.) anni 1453 datam (v. VANSTEENBERGHE, *Autour*, p. 116). Praxis est experientia, qua sive a rebus, quae sensibus subiectae sunt (cf. *De vis. dei*, praefat., nn. 2, 4, fol. 99r,24: «in praxi quae sensibilem talem exigit figuram»; fol. 99v,6–8: «Ex hac tali sensibili apparentia ...») sive ab aenigmate (v. supra, n. 1,6.9.11) ad intellectualem mysticae theologiae visionem ducimur; cf. *De vis. dei* 17 n. 78 (fol. 108v,19). Vide etiam epistulam Nicolai ad Bernadum de Waging XVII Kal. Sept. (= 16. 8.) anni 1454 datam (VANSTEENBERGHE, *Autour*, p. 140).

7

ad n. 5,5–7

TRES MODI COGNOSCITIVI ... QUI DICUNTUR CAELI SECUNDUM AUGUSTINUM: De tribus cognoscendi modis, quos Nicolaus et mundos et regiones et caelos [cf. etiam *De docta ign.* III 8 n. 232 (h I 145,25); *Sermonem XXXII*, n. 1 (h XVII, 1, p. 52 et notas); *Sermonem 'Trinitatem in unitate veneremur'* (CCXXXI; 1456; fol. 134v,37sqq.)] appellavit, cf. *De coni.* I 9 n. 41 et figuram ibi pictam, 12 nn. 61–63, II 16 n. 155 et adnotat. 29 (h III, p. 212); praeter fontes, qui his locis adlati sunt, cf. AUGUSTINUM *De Gen. ad litt.* I 9 et 17, XII 26, 29–31 et 34 (CSEL XXVIII, 1, p. 12,8–10, 24,6–9, 419,12–13, 424,10sqq., 430,12–432,9); Augustini verba laudavit ALBERTUS MAGNUS, *De IV coaequaevis (Summa de creaturis* I*)* 3, 14 (Borgnet XXXIV, p. 431a): «Dicendum, quod tres coeli dicuntur ibi tres modi visionis secundum Augustinum, scilicet sensibilis, imaginariae, et intellectualis: et dicuntur coeli, quia celant aliquid.»

Principium eius rei, quod modi cognoscendi tres nominati sunt caeli vel regiones, a Platonicorum philosophia ortum est, vide ea, quae sunt apud PROCLUM, *Theol. Plat.* IV 5 (S–W IV, p. 18,23–22,8), et notam Nicolai (cod. Cus. 185, fol. 122r; CT III. 2. 1, marg. 263): «nota intelligibile celum est regnum iouis» (cf. ibid., marg. 264). De trium regionum doctrina apud Proclum cf. etiam *Theol. Plat.* V 16 (Portus, p. 278; cod. Cus. 185, fol.

179^{v}), quem ad locum Nicolaus anno fere 1462 adnotavit: «tripliciter est vniuersum aut intelligibiliter aut intellectualiter aut sensualiter» (ibid., marg. 348); *Elem. theol.*, prop. 123 (Dodds, p. 108,33–110,1): πᾶν γὰρ τὸ ὂν ἢ αἰσθητόν ἐστι, καὶ διὰ τοῦτο δοξαστόν· ἢ ὄντως ὄν, καὶ διὰ τοῦτο νοητόν· ἢ μεταξὺ τούτων, ... καὶ διὰ τοῦτο διανοητόν. *In Parm.* VII (cod. Cus. 186, fol. 122^{v}) Nicolaus notavit (CT III. 2. 2, marg. 552): «...in intellectu intellectualiter. in anima animealiter, corporaliter et partibiliter in sensibilibus»; cf. etiam *Librum de causis* III 27–30 (Pattin 139sq.); Ioannis Scotti *Periphyseon* II (p. 48,13–17) de creaturis spiritualibus, intellectualibus, sensibilibus, cf. etiam III (p. 198,32–200,6); Alberti Magni *Met.* XI trac. 3, cap. 6 (XVI 2, p. 540sq.). — De Procli auctoribus Platone, Plotino, Iamblicho vide *Theol. Plat.* IV 5 (S–W IV, p. 21,14sqq.) et notam 21,5–6 apud Saffrey-Westerink p. 128.

8

ad n. 6,1 et n. 65,1–2

dictum protagorae: Nicolaus Protagorae dictum se apud Aristotelem legisse affirmavit, vide infra, n. 65,2 (*Met.* X 1, 1053a35–b3; XI 6, 1062b12 sqq.; cf. etiam IV 5, 1009a6sqq.; Diels-Kranz 80B1).

Inter omnes constat nomina Graeca saepe media quam vocant tempestate aut depravata aut aliud pro alio sumpta esse; de Protagora cf. e. g. ea, quae occurrunt oculis in Nicolai exemplaribus Metaphysicorum aut a Guillelmo de Moerbeka (cod. Cus. 182–183) aut a Bessarione (cod. Cus. 184; cod. Harl. 4241) Latine redditorum: cod. Cus. 182, fol. 47rb et 54ra: Pytagoras; cod. Cus. 183, fol. 31rb: Pytagoras, fol. 35va: Protagoras; cod. Harl. 4241, fol. 50^{r}: Protagoras, fol. 64^{r}: Pytagoras. Est in codice Cus. 184, fol. 62^{v}: «protagoras autem hominem ait mensuram esse cunctorum»; Nicolaus in margine adscripsit: «protagoras aiebat hominem mensuram cunctorum»; fol. 71^{r} (*Met.* 1062b12sqq.): «Simile autem dictis est et quod a pytagora dictum est Et ille namque omnium rerum mensuram hominem aiebat esse»; quem ad locum Nicolaus in margine adnotavit: «pitagoras omnium rerum hominem mensuram aiebat credo dici debere protagoras.»

Ergo nihil est, quod Ludovicum Baur (p. 6, ad versum 13) secuti Nicolaum illam sententiam, hominem esse mensuram omnium, a Pythagora originem accepisse opinatum putemus esse; nam quod et in codice Cus. 219, fol. 200^{r}, traditum est «picthagore», id nullum verum argumentum est; iste codex Cus. 219 a Nicolao parum accurate emendatus pluribus mendis affectus est; dignior cui fides habeatur est codex Tegernseensis (*Mn*: «protagore»), qui vetustior est quam codex Cus. 219 atque ex autographo Nicolai exscriptus videtur esse. Quod Nicolaus, postquam anno

1462 DIOGENIS LAERTII libros *De vitis atque sententiis philosophorum* ab Ambrosio Traversario anno 1433 in Latinum conversos accepit (cod. Harl. 1347), se recte scripsisse «credo dici debere protagoras» cognovit (cf. Diog. La. IX 51; fol. 170r Nicolaus notavit: «homo omnium modus et mensura»), nihil quidem ad argumentum, sed dignum quod memoretur est.

Fieri potuisse, ut Nicolaus, quae de Protagora sciret, apud Leonem Baptistam de Albertis inveniret, G. SANTINELLO docuit (*Nicolò Cusano e Leon Battista Alberti: pensieri sul bello e sull'arte*, in: Nicolò da Cusa. Relazioni tenute al convegno interuniversitario di Bressanone nel 1960, Firenze 1962, p. 169). De LEONE BAPTISTA v. *De pictura* I (ed. C. Grayson, London 1972, p. 52–54; cf. cod. Cus. 112, fol. 67r–73r, *Elementa artis pictoriae*).

Quae Nicolaus de homine omnium mensura sensisset, excussit et L. MARTÍNEZ GÓMEZ, *El hombre «mensura rerum» en Nicolas de Cusa*, Pensamiento 21 (1965) 41–63; vide etiam CH. TRINKAUS, *Protagoras in the Renaissance: An Exploration*, in: Philosophy and Humanism. Renaissance Essays in Honor of Paul Oskar Kristeller, Leiden 1976, p. 190–213; de Nicolao cf. p. 199sqq.

Vide haec quoque: AVICENNA, *Liber de philos. prima sive de scientia divina*, tr. III, c. 6 (Avicenna Latinus, ed. S. Van Riet, Louvain-Leiden 1977, p. 147,67–148,73): «postquam autem per mensuram cognoscitur mensuratum apud scientiam et sensum, tunc per mensuras cognoscuntur res ipsae. Quidam autem dixerunt quod homo mensurat unamquamque rem per hoc quod ipse habet sensum et scientiam et per eas apprehendit quicquid est, et ideo fortasse sensus et scientia sunt mensurae sciti et mensurati, et haec sunt radix illi.» Illa verba Nicolaus in suo exemplari legit, cod. Cus. 205, fol. 56vb. ALBERTUS MAGNUS, *In Dion. De div. nom.* 1 n. 31 (XXXVII, 1, p. 16b–17a); cod. Cus. 96, fol. 83va: «mens enim non accipitur hic pro memoria, sicut accipit augustinus *(cf. e. g. De trin. X 11,18 et X 12,19)*, sed pro ipso intellectu meciente eos dicitur enim mens a mecior, metiris secundum quod dicit philosophus .IX. metaphysicae *(Met. X 1 1053a35–36)* quod homo est mensura omnium intelligibilium secundum intellectum et sensibilium et (secundum *corr. NC s. lin.)* sensum / et hoc ideo quia unumquodque perfecte cognoscitur per circumscriptionem suorum terminorum quibus essencia sua mensuratur»; lineam duxit, quaedam adnotavit Nicolaus (CT III. 1, p. 98, marg. 143); *ibid.*, 4 n. 49 (p. 155,14–15; fol. 124rb): »mensura est principium cognitionis mensurati, ut dicitur in X Metaphysicae« (*Met.* X 1 1052b20.25).

9
ad n. 7,1–2

HERMETEM TRISMEGISTUM DICERE HOMINEM ESSE SECUNDUM DEUM: Vide librum, qui inscribitur *Asclepius* 6: «magnum miraculum est homo, animal adorandum atque honorandum. hoc enim in naturam dei transit, quasi ipse sit deus ... diis cognata diuinitate coniunctus est» (*Corpus Hermeticum*, tom. II, ed. A. D. Nock); 8: «dominus et omnium conformator, quem recte dicimus deum, quom a se secundum fecerit, qui uideri et sentiri possit ... uoluit alium qui illum, quem ex se fecerat, intueri potuisset, simulque et rationis imitatorem et diligentiae facit hominem»; 10: «aeternitatis dominus deus primus est, secundus est mundus, homo est tertius». Graeca verba Asclepii 8 ex FIRMIANI LACTANTII *Div. institutionibus* (IV 6, 4; cf. *Epitome* 37 (42), 4sq.) sumpta, quamvis mendosa, Nicolaus *Serm. I* n. 11,9sqq. laudavit (vide etiam notas ad locum datas h XVI 1, p. 10). Ad Asclepium 8 Nicolaus in codice Brux., B. R. 10.054–56, fol. 20v adnotavit: «nota quomodo deus de deo»; (de hac re cf. M. HONECKER, CSt II, p. 39 et 46sq.); cf. etiam *De coni.* II 14 n. 143,7–8: «Homo enim deus est ... humanus est igitur deus»; n. 144,3–4: «quoniam humanus est deus» (cf. adnotat. 43, h III, p. 222). Res ab altiore initio repetenda videtur esse; vide quae sunt apud CICERONEM *De fin.* II 40: «hi non viderunt ... hominem ad duas res, ut ait Aristoteles, ad intellegendum et agendum, esse natum quasi mortalem deum»; DIELS-KRANZ I 190,22: ἄνθρωποι ... θεοὶ θνητοί ... θεοί ... ἄνθρωποι ἀθάνατοι (LUCIANUS Heraclitum 22B62 imitatus ea scripsit).

10
ad n. 8,2–3

DERIDEBAT — INTELLIGERE: Illa ex EUSEBII *Praeparatione* XI 3 (Mras II, p. 9; vide etiam infra, n. 39,3–5) hausta esse scimus his: Nicolaus certe ab anno 1454 ineunte possedit (cod. Cus. 41, fol. 1ra–203rb) «libros Eusebii noviter in Latinum translatos» (cf. epistulam a CASPARO AINDORFFER anno 1454 ineunte ad Nicolaum datam; VANSTEENBERGHE, *Autour*, p. 120), quos GEORGIUS TRAPEZUNTIUS a Nicolao V. pontifice maximo iussus in Latinum converterat (vide ed. Venetiis 1470 introductionem, fol 1ra: «Eusebium pamphili de ewangelica preparatione latinum ex greco beatissime pater iussu tuo effeci.»); ad locum supra nominatum Nicolaus fol. 147rb adnotavit: «notandum de Indo».

Nicolaus a Casparo Aindorffer (v. supra) et a Bernardo de Waging rogatus (VANSTEENBERGHE, p. 123), postquam voluntati eorum se morem gesturum esse promisit (cf. epist. datam pridie Idus Febr. = 12. 2. anni 1454, loc. cit., p. 122), exemplar suum fratribus Tegernseensibus commodavit et XVII Kal. Sept. (= 16.8.) anni 1454 ut remitterent postulavit, «quia habeo opus libro» (loc. cit., p. 140); Caspar Aindorffer (loc. cit., p. 141) et Bernardus de Waging se mandato functuros esse nuntiaverunt (loc. cit., p. 148): «per fratres transcopiatum remitto»; exemplum codicis Nicolai est cod. Mon. lat. 18199, fol. 11–118, scriptum ab Oswaldo Nott de Tittmoning, ut est apud V. REDLICH, *Tegernsee und die deutsche Geistesgeschichte im 15. Jahrhundert*, München 1931, p. 193.

11

ad n. 18,9–12

AVICEBRON — REFLEXIONES: Nicolaus haec verba non ex SALOMONIS IBN GABIROL *Fonte vitae*, cui eo modo, quo a Nicolao laudata sunt, non insunt, sed ex ALBERTI MAGNI *Super Dionysium De div. nom.* sumpsit: «Unde dicitur in Libro fontis vitae, quod in vita non est aliquid alienum a natura entis nec in intellectivo aliquid alienum a natura vitae, sed ens reflexione una reflexum efficitur vita et duabus intellectus. Reflexio autem non est alicuius, nisi secundum quod agit, et secundum respectum ipsius ad alia,... Similiter ens dicitur reflecti, secundum quod respicit ad 'quod est', quod per esse participationem fit ens, et secundum quod una vel pluribus reflexionibus reflectitur, multiplicantur participationes et diversa genera entium. ... Et hic est etiam intellectus eorum qui dicunt, quod non est nisi una forma et illa duplicata vel triplicata constituit diversa entia.» (p. 315,62–74.76–79; v. ibi notam editoris ad lin. 62: «Apud Avencebrol, Fons vitae hanc sententiam non inveni»; cf. ea, quae L. Baur scripsit in apparatu primae editionis, h XI 1, p. 16).

Vide et haec, quae Nicolaus in cod. Cus. 96, fol. 178va notavit: (1) «in libro fontis vite/ in vita non est aliquid alienum a natura etc.»; (2) «ens reflexione vna reflexum est vita duabus intellectus»; (3) «nota intellectus dicencium vnam esse formam» (v. marg. 496 et 497, CT III. 1, p. 109).

12

ad n. 24,2–4

INTELLECTUS — ANIMA — NATURA — CORPUS: Quattuor ordines vel regiones aut similes aut his dissimiles Nicolaus enumeravit *De doct. ign.* II 4 n. 116 (h I 75,1sqq.; cf. notas 3 et 4 ibi additas; cf. etiam Schriften, H 15 b, p. 121, notam 49; Schriften, H 2, p. 106, notam 24,3); *De coni.*

I 4 nn. 14sqq. (cf. adnotat. 11, h III p. 193–194), 10 n. 53. Talia sapientiam Procli redolere iam dudum constat; praeter locos in h III, adnotat. 11, Schriften, H 15 b et H 2 allatos vide ea, quae sunt apud PROCLUM *Elem. theol.*, prop. 111, 129; *Theol. Plat.* II 10 (S–W 62,15), III 6 (S–W 27,8–11); cf. Nicolai notas (marg. 8–14, 42, CT III. 2. 1, p. 113sq., 117; marg. 199, ibid. p. 82). Naturam, de qua Nicolaus *De beryllo* nn. 24–26 locutus est, esse vim vitalem notum est, vide Procli *Elem. theol.*, prop. 21, 62, 109, et Dodds p. 209,22; ALBERTI MAGNI *In Dion. De div. nom.* 4 n. 28 (p. 135^b^), quem ad locum Nicolaus (cod. Cus. 96, fol. 117rb) notavit: «vita non influit nisi in naturam»; cf. etiam marg. 343, 344, 346 (CT III. 1, p. 104).

13
ad n. 39,1–5

QUOMODO — COLLEGIT: «de unitrino principio» vide ea, quae sunt apud EUSEBIUM CAESARIENSEM, *Praep. ev.* XI 20; «quam propinque ... christianae theologiae»: v. e. g. XI 8,1, 16,3, 19,5, 28,17sq. et saepius; Platonem eadem atque Moysen docuisse «non sententia modo, sed ipsis etiam vocibus verbisque» est apud Eusebium XI 9,4; Eusebio Plato videbatur esse «Moyses Attice loquens» XI 10,14; «ex libris Numenii»: NUMENII liber *De bono* laudatus est e. g. XI 10, 18, 22; «et Plotini»: v. e. g. XI 17. «atque aliorum»: Hi sunt ATTICUS (XI 2), PHILO (XI 15, 24), AMELIUS (XI 19), CLEMENS ALEXANDRINUS (XI 25), PORPHYRIUS (XI 28), alii, quos hoc loco non nominavimus. Vide etiam *Praeparationis ev.* libros XII et XIII et supra, p. 106, adnotat. 10.

Nicolaus ad locos, quos nominavimus, plura adnotavit in codice Cusano 41, e. g. fol. 152rb: «plato est moises attice loquens»; fol. 167ra: «Nota quod sincera fide plato scripture inhesisse videatur»; fol. 156va: «... dictum numenii ...»; fol. 158ra: «numenius de bono»; fol. 155va: «de plotino».

AUGUSTINUS quoque (vide n. 42,13–17) Platonis de deo doctrinam cum sacra scriptura ex parte magna consentire opinatus est (de hac re cf. Schriften, H 2, p. 116, ad 42,16); v. etiam *De doctrina christiana* II 28; *De civ. dei* VIII 11,1–3.23sqq.; X 29; Nicolai *Serm. XIX* n. 6,1–12 et notas h XVI, 3, p. 295); his similia sunt in PETRI ABAELARDI *Theologia christiana* I 68 (CCCM XII 100). Vide etiam ALBERTI MAGNI *Super Dion. De div. nom.* 2 n. 72 (p. 89,23–27; cod. Cus. 96, fol. 102vb,5–7); de magistro ECHARDO cf. Schriften, H 2, p. 116, ad 42,16.

14
ad n. 42,1–11

ARISTOTELES — ET OB HOC OMNES PHILOSOPHI: Vide haec, quae Nicolaus (cod. Cus. 96, fol. 105[rb] in marg. inf.) ad ALBERTI MAGNI *Super Dion. De div. nom.* 2 n. 84 (p. 97,56–98,63, fortasse ad lin. 49–50) adscripsit: «videtur quod albertus et pene omnes in hoc deficiant quod timeant semper intrare caliginem. que consistit in admissione contradictoriorum; nam hoc racio refugit et timet subintrare. et ob hoc vitando caliginem non pertingit ad visionem inuisibilis./ si presupponeret illud esse necessarium quod sibi occurrit inpossibile / et intraret ignote tenebras illas reperiret indubie inpossibilitatem necessitatem esse. et tenebras lucem / non conprehensione intellectuali / sed supra. in visione de qua loquitur dyonisius in mistica theologia./»

Ad Alberti Magni *Super Dion. Mysticam theologiam* cap. 1 (p. 459,76–460,5) Nicolaus (cod. Cus. 96, fol. 226[rb]) adnotavit: «exponit *(scil. Albertus)* modo suo ut vitet contradiccionem sed in hoc videtur insufficienter exponere nam dyonisius ponit pariter et / et simul etc. quia est solum deus ultra coincidenciam contradictoriorum. vnde latum et breue / multum et paucum coincidunt in deo. et hec est mistica theologia.» Vide supra, p. 94 et 98sq., adnotat. 2.

15
ad n. 42,9

INCOHATIONEM FORMARUM: Nicolaus Aristotelem «quandam incohationem formarum in materia ponere» scripsit secutus ALBERTUM MAGNUM, cuius ad commentarium *Super Dion. De div. nom.* 4 n. 206 (p. 285,44–47) in suo exemplari adnotavit (cod. Cus. 96, fol. 167[vb]): «vide hic quomodo materia participat formam. et de inchoatione formarum»; cf. etiam op. cit. 4 n. 158 (p. 243,51–53 et notam editoris). ALBERTUS quid sibi de ista formarum incohatione videretur, his verbis declaravit: «Esse istius potentiae est esse non absolutum, sed comparatum ad actum ... Id ipsum autem quod comparatum habet esse, incohatio quaedam formae est, quae est in materia» (*Met.* V 2, 16; ed. Colon. XVI, 1, p. 255,44sqq.); quale id esset, «quod comparatum habet esse», manifestum reddidit: «forma generis quae incohatio formarum est, intrinsecum movens» (ibid., VII 5, 9, p. 386,72–75). Sequitur ut illa formarum incohatio sit «aptitudo ad formam» sive «aptum esse ad formam» (*Super Dion. De div. nom.* 4 n. 82, p. 189,47–49; quo loco Albertus illa ab AVICENNA esse instituta dixit); cf. etiam ea, quae Nicolaus ad locum adscripsit (cod. Cus. 96, fol. 138[rb]): «aptitudo est incohatio». (Praeterea cf. ea, quae sunt scripta sub incohationis nomine in indice rerum et vocabulorum, vol. XXXVII, 2, p. 619; B. NARDI, *La dottrina d'Alberto Magno sull'incohatio formae*, in: Studi di filos. medievale, Roma 1960, p. 69sqq.; G. WIELAND, *Untersuchungen zum Seinsbegriff im Metaphysikkommentar Alberts des Großen*, BGPTMA, N. F. 7 (1972) 24sq.).

Nicolaus quo modo Alberti de incohatione formarum doctrinam interpretatus sit, ex his, quae ad Alberti Magni *Super Dion. De div. nom.* 2 n. 45 (p. 74,2–4) adnotavit (fol. 98rb; marg. 223, CT III. 1, p. 100), intellegi potest: «nota quomodo forma est in potencia materie/ et educitur per motum»: Albertum secutus incohationem formae principium quoddam intrinsecum esse neque formas induci «in materiam ab extrinseco», a primo motore, putavit; ab Alberto quoque didicit haec: «nihil, quod sit in primo motore, ponitur in materia, sed per motum eius educitur, quod erat in ipsa in potentia».

Et Albertus et Nicolaus illam doctrinam, quae est de incohatione formarum, non esse sciverunt apud ipsum Aristotelem, cuius «de processione rerum» sententia, si cum Platonis verbis comparatur, ut «magis videtur catholica» (op. cit., 2 n. 45, p. 73,41sq.) sic complenda est illis de formarum incohatione dictis («Cum autem huic positioni addiderimus ...»), ut sit «opinio catholica» (op. cit., p. 74,7–10).

Quae apud theologos philosophosque medii aevi de formarum incohatione disserebantur, ea modo quodam ex Stoicorum de rationibus seminalibus praeceptis videntur orta esse; illa praecepta, de quibus cf. e. g. M. POHLENZ, *Die Stoa* I 392 et II 191, cum apud Graecos ipsos varie atque diverse disputata sint (cf. e. g. PLOTINUM, *Enn.* IV 3,10; V 7,3; V 9,6; VI 2,5; VI 7,5), haud mirum est a Latinis aliis aliter tractata esse, cf. e. g. AUGUSTINI *De libero arbitrio* II 20 n. 54: «oportet auferas etiam ipsam inchoationem formae, quae tanquam materies ad perficiendum subiacere videtur artifici»; THOMAE AQUINATIS *S. th.* I q. 67 a. 3 ad 1: «Cum vero forma substantialis recipitur imperfecte secundum incohationem quandam ... ut fiat quasi incohatio aliqua formae ...»; *Sent.* II 8. 1.2c; 18. 1.2c et saepius. HEYMERICUS DE CAMPO nisus, ut Alberti Magni et Thomae Aquinatis instituta exaequaret «in lumine rationis Arestotilis (!)» (*Problemata inter albertum magnum et sanctum thomam*, q. 8, ed. Colon. 1496, fol. d V[r]–e IV[v]), «inchoationem formabilem» dixit «esse imperfectum», quod idem esset atque «illud quod significatur habitu confuso potentia formali formabili seu inchoatione formarum»; «inchoationes omnium formarum» contineri «in formali potestate» materiae primae «tanquam in confuso habitu»; «forma formabilis non est aliud quam potentia seu inchoatio formabilis» (fol. e I[r]). Eam de incohatione formarum doctrinam et Thomistas et Albertistas saeculo XV secutos esse ex scriptis GERHARDI DE MONTE (TER STEGHEN) et GERHARDI HARDERWICKENSIS intellegi potest; v. locos laudatos in: *Lexi-*

con Latinitatis Nederlandicae medii aevi, vol. IV, col. F 319sq., s. v. 'formabilis', Leiden 1987. — Aliud visum est THEODERICO DE FREIBERGA: «quandam alicuius formae saltem incohationem in re» non obvenire «habilitati receptivae», sed «potentiae activae seu passivae» (*De intellectu et intelligibili* III 7,2–3, Opera omnia I, Hamburgi 1977, p. 182,96–107).

16

ad n. 42,10

NEXUS, DE QUO LOQUOR: Certum est neque hanc quae est de materia, forma, nexu doctrinam — cf. *De docta ign.* II 10 n. 151 (h I 96,14–15) — neque illam «incohationem formarum» (vide supra, adnotat. ad n. 42,9) ad Aristotelem redire (cf. notas supra, ad n. 39,20–21, infra ad n. 48,19–20). Nicolaus philosophos, qui Platonis institutis praeceptisque sunt imbuti, secutus est, Augustinum, Ioannem Scottum, magistros Chartrenses, Dominicum Gundissalinum, Ioannem Saresberiensem; cf. notas ad libros *De docta ign.* I 7–9, II 7 n. 130, 10 nn. 151–155 (h 14–19, 83,12–84,9, 96–99) et ad *De ven. sap.* 24–25 nn. 71–73. Confer etiam (Ps.-?) RAYMUNDI LULLI quam nominavit Nicolaus *Scientiam inquisitivam veri et boni in omni materia* (cod. Cus. 83, fol. 100r), ex qua et alia et haec (fol. 100v) excerpsit: «quia mundus est vnus, per vnitatem dei creatus habet vnam formam constitutam ex primis principiis ex —tiuis eorum et materiam ex —bilibus et per agere generabilia sunt coniuncta»; v. E. COLOMER, *Nikolaus von Kues und Raimund Llull*, p. 179 et adnotat. 119; de materia, forma, coniunctione v. ibidem, p. 101sq.; E. W. PLATZECK, *Raimund Lull*, vol. I, p. 185, vol. II, p. 174*, adnotat. 179, quo loco animi lectorum ad AVENCEBROLIS *Fontem vitae* V 30 (ed. C. Baeumker, BGPMA 1 p. 313,6) revocantur.

Nicolaus in codice Cus. 85, fol. 55v, ad verba Raymundi Lulli adnotavit: «ita forma sustentatur in materia ... et actus intrinsecus est proprietas formam et materiam coniungens in tali esse sine qua coniunccione forma non informaret nec materia informaretur»; v. R. HAUBST, *Das Bild*, p. 339,7–12; sunt in RAYMUNDI LULLI *Arte amativa boni* (dist. 2, reg. 7,5) et haec: «subiectum huius extensae relationis sunt forma et materia et coniunctio substantiae» (ed. Mogunt. 1737, vol. VI, p. 18); v. R. HAUBST, *Das Bild*, p. 71 et 99–107.

17

ad n. 50,5–7

TAMEN — SEPARATUM: ARISTOTELES, *Met.* VII 7 1032a32–33; quem ad locum Nicolaus adscripsit (cod. Cus. 184, fol. 44v): «ab arte fiunt quorum species in anima ...»; 1032b11–14.21–23; vide notas Nicolai (fol. 44v): «quomodo sanitas ex sanitate et domus ex domo ars est species»; «motus conualescendi si ab arte incipit species est que est in anima»; VII 9 1034a21–24; VIII 3 1043b18–23; XII 3 1070a13–17; cf. etiam I 9 991b6–7 et XIII 5 1080a5–6.

Similia his sunt apud PROCLUM, *In Parm.* V (Steel 297,47–49): «Si autem et alia quedam diffinimus quorum non sunt species, nichil mirum, uelut artificialium unumquodque ...»; III (157,72sqq.; 167,84sqq.); cf. Nicolai notas marginales 203 et 206 (CT III. 2. 2, p. 56sq.): «ratio in mente artificis ydea est artificialium ...» et «conclusio artificialia non habent ydeam siue intellectuale exemplar»; vide etiam notam marg. 217 (loc. cit., p. 59).

18

ad n. 63,4.8sq.

QUANTITAS/MAGNITUDO DISCRETA ET CONTINUA: Quae Nicolaus de quantitate sive magnitudine continua et discreta protulit, ea non solum ex his orta sunt, quae de quantitate ARISTOTELES (*Met.* V 13 1020a7–14; *Cat.* 6 4b23sqq.; cf. etiam *Phys.* V 3 226b18sqq., ubi continui notio explicata est), de numeris (*Met.* 1020a13; *Cat.* 4b23), de rebus mathematicis (cf. e.g. *Met.* VI 1 1026a7–10; *An. post.* I 13 79a7 τὰ γὰρ μαθήματα περὶ εἴδη ἐστίν) disseruit, verum etiam ad Platonis eiusque asseclarum placita redeunt (cf. PLATONIS *Rem publicam* VI 510b2–511b2; ARISTOTELIS *Met.* I 6 987b14sqq.; vide etiam Nicolai notam ad PROCLI *Expositionem in Parmenidem Platonis* IV, CT III. 2. 2, p. 67, marg. 249). Cf. etiam ea, quae ALBERTUS MAGNUS de magnitudine Augustini verba (cf. e. g. *De trin.* VI 8, CCSL L 238,8–9) allegans dixit (*Super Dion. De div. nom.* 9 n. 3, p. 378,65sqq.); vide «exemplum de unitate et numero» (ibid. 5 nn. 26–27, p. 318,11sqq.) et Nicolai notas marg. 504–507 (CT III. 1, p. 109).

19

ad n. 66,9

OPPOSITA IUXTA SE POSITA MAGIS ELUCESCUNT: ARISTOTELES, *Soph. El.* 15 174b5–7; *De caelo* II 6 289a7–8; cf. THOMAE AQUINATIS *Comment. in libr. Peri herm.* I c. 5 lect. 8,16; *Comment. in libr. De caelo et mundo* II c. 6 lect. 9,8: «opposita enim iuxta se posita magis sentiuntur»; *S. th.* II–II q. 145 a. 4: «opposita autem maxime se invicem manifestant». Haec ita esse cum in rebus percipiendis tum in arte oratoria adhibenda notum erat iis, qui arti oratoriae studebant, cf. e. g. ARISTOTELIS *Artem rhetoricam* 1355a29–

36, 1362b30sqq.; CICERONIS *Oratorem* 166: «Semper haec, quae Graeci ἀντίθετα nominant, cum contrariis opponuntur contraria, numerum oratorium necessitate ipsa efficiunt etiam sine industria»; cf. etiam *De oratore* II 263: «ornant igitur in primis orationem verba relata contrarie»; QUINTILIANI *Institutionem oratoriam* V 10,73, VIII 5,9.

UNA — SCIENTIA: ARISTOTELES, *An. pr.* I 1 24a21; *Top.* I 14 105b33–34; *Met.* IV 2 1004a9–10, 1005a3–5; THOMAS AQUINAS, *S. th.* I q. 14 a. 8.

20

ad n. 69,1–3

ARISTOTELES — IN METAPHYSICA: *Met.* IV 5 1010b30–1011a2. Nicolaus ad locum a Bessarione Latine redditum lineam duxit adscripsitque «nota» (cod. Cus. 184, fol. 25r–25v): «et simpliciter si sensibile solum est: nil esset profecto si animata non essent: sensus namque non esset: Neque sensibilia itaque neque sensiones esse fortassis verum est sensientis enim hec passio est ipsa uero subiecta que sensum faciunt non esse et absque sensu hoc inpossibile est sensus namque non est ipse sui ipsius sed est aliquid aliud etiam preter sensum quod necesse est prius sensu esse: mouens enim natura prius est moto etsi ad se invicem dicuntur ipsa eadem nihil minus.»

21

ad n. 70,1

UNICO CONTUITU: Nicolaus pro contuitus nomine saepius usus est vocabulis visionis et apprehensionis et, rarius quidem, intuitionis, quae «est visio cum diligenti attentione» (vide *sermonem «Intuimini quantus sit iste»* anno 1453 scriptum; CXXXVI; p II 1 fol. 79r, 38); cf. *De apice theor.*, Schriften, H 19, p. 53sq. et 122, notas ad 1,5sq. et 16,2; *Idiota de mente* 7 n. 106,1; *De fil. dei* 6 n. 86,9–10.

Contueri res et dei et hominum est; de deo cf. *De li non aliud* 23 n. 104 (h XIII p. 54,15–17): «Se igitur et omnia unico et inenarrabili contuitu sapientes Deum videre aiunt, quia est visionum visio»; de hominibus cf. supra, n. 70,1.

Quae hoc loco dicta sunt, eadem paene sunt atque illa, quae apud IOANNEM SCOTTUM (*Periphyseon* I, p. 162,25) legimus: «eorum quae solo sapientiae contuitu considerantur», scilicet «quantitates et qualitates caeteraque similia solo animi contuitu aspiciuntur» (ibid., p. 164,15–16); cf. II (p. 44,25–27): «. . . solo contuitu animi naturalem unitatem omnium rerum in suis rationibus primordialibusque causis contemplantis.» Talia Nicolao ex libris Ioannis Scotti nota erant; de codice Londin., B. L., Addit. 11035, fol. 9r–85v (*Periphyseon* I) cf. MFCG 3 (1963) 84–86; Nicolaus quas in margine adscripserat notas, eas publici iuris fecit J. Koch, MFCG 3 (1963) 86–100.

De fontibus, ex quibus emanavit vis et significatio verborum unici intuitus animi, haec dicenda videntur esse: Ioannes Scottus (Periphys. I, p. 162,27sqq.) librum Boethii *De inst. arithm.* (ed. Friedlein, p. 7,26sqq.) laudavit; ad eum locum Nicolaus adnotavit (cod. Addit. 11035, fol. 61r): «boecius summus utriusque lingue». Plus ad rem afferunt momenti, quae sunt in Boethii *Philosophiae consolatione* V, pr. 4,30–32: Intellegentia «ipsam illam simplicem formam pura mentis acie contuetur ... formam ipsam, quae nulli alii nota esse poterat, comprehendit».

Dignum est quod memoremus Ambrosium Traversarium, cum Ps.-Dionysii scripta Latine redderet, vocabulo contuitus pro iis, quae apud alios usitata erant, usum esse: pro visione, contemplatione, inspectione, conspectione, conspectu scripsit contuitum, cf. *De div. nom.* (Dionysiaca I 124, 136), *Theol. myst.* (I 589), *De eccles. hier.* (II 1280, 1383).

22

ad. n. 41, 6–8

QUEMADMODUM IN LIBELLO DE MATHEMATICA PERFECTIONE ... DIXI: Inde efficitur, ut libellus iste, «qui prevalet omnibus», ut Nicolaus in codice Cus. 219, fol. 51r, scripsit, antequam *De beryllo* liber ante diem XV Kalendas Septembres (18. 8.) anni 1458 absolveretur, in dioecesi Brixinensi litteris mandatus esse videatur. At Nicolaus in exordio *De mathematica perfectione* libelli illum a se biduo Romae scriptum esse testatus est: «Et quoniam me a *(*mea *p)* palatio pes morbidus excusauit: biduo domi sedens / Mathematicam perfectionem quam mitto conscripsi.» (n. 1; *p* II, 2, fol. 101r,8–10); quibus verbis adducti nonnulli libellum mense Octobri anni 1458 Romae in urbe confectum esse putavere (vide, ut exempla adferamus, J. E. Hofmann, *Schriften*, H 11, p. XLIX et 245; E. Vansteenberghe, *Le Cardinal*, p. 259).

Si dicere conamur, quo tempore quoque loco libellus *De mathematica perfectione* compositus sit, illud multum difficultatis adfert, quod Nicolaus in principio libelli opus quoddam, quod addidisset, nominavit: «Quandam etiam meae considerationis *circa speculum et enigma* paruam allegaui scripturam: vbi ... R.P.V. ... subito videbit (si *visum mentis* recte *in rerum* conieci *principium*) hec talia quae etiam *a doctissimis scribi timebantur*. quoniam minus apte panduntur: quam *contemplentur ... communicare secreta ...*» (n. 1, ibid., lin. 19–24). Non erraverunt, qui Nicolaum talibus ad librum *De beryllo* allusisse existimavere, ad illud de speculo et aenigmate et de visu mentis scriptum et de intellectuali visione, qua comprehenderetur «principium omnium», quod non litteris explicari, sed contemplationi permitti oporteret (cf. *De beryllo* n. 1,6; cf. n. 1,4 et *De math. perf.* nn. 3–4 (fol. 101r,37; 101v,3); *De beryllo* n. 3,5; vide etiam nn. 2,1–4; 6,5–6; 72,2–3). Nicolaus procul dubio illis quae attulimus verbis librum *De beryllo* denotavit, quo «oppositorum coincidentia» (n. 1,2–3), «quemadmodum in libello De mathematica perfectione» (n. 41,6–7), per «mathematicales formas» (n. 49,14) aenigmatice videretur. Quae cum ita sint, sequitur ut liber *De beryllo*, priusquam libellus *De mathematica perfectione* elaboraretur, conscriptus esse videatur.

In codicibus autem legimus libellum *De mathematica perfectione* Antonio de Cerdania, cardinali sancti Chrysogoni, cum viveret, a Nicolao missum esse (vide *p* II, 2, fol. 101r), ex quo efficitur, ut libellus, priusquam Antonius pridie Idus Septembres (12. 9.) anni 1459 mortem occubuit, absolutus atque perfectus sit.

Opportune accidit, quod altero loco Nicolaus ipse, quo tempore istum libellum scripsisset, dixit: «post mortem pape nicolai *(Nicolai V scilicet, qui ante diem IX Kalendas Apriles (24. 3.) anni 1455 mortuus est)* et calixti *(Calixti III, qui ante diem VIII Idus Augustas (6. 8.) anni 1458 de vita decessit)* in principio papatus pape pij *(Pii II, qui pontifex maximus ante diem XIV Kalendas Septembres (19. 8.) creatus tiaram accepit ante diem III Nonas Septembres (3. 9.) anni 1458)* scripsi libellum de mathematica perfectione» (cod. Cus. 219, fol. 51r). Fieri potest, ut his verbis impediamur, quominus cognoscamus, quando libellus scriptus sit; constat enim biduo eum confectum esse, Nicolaus autem hoc loco se triennium et sex menses libello operam dedisse videtur dixisse. Qua ratione hic nodus solvi potest?

Nicolaus, cum postridie Idus Septembres (14. 9.) anni 1458 e castro sancti Raphaelis, quod Boechenstein vocabatur, egressus (v. supra, p. XII) ex pridie Kalendas Octobres (30. 9.) eius anni fuisse Romae demonstrari possit (v. E. MEUTHEN, *Die letzten Jahre*, p. 314), libellum *De mathematica perfectione* post eum diem, mense fortassis Octobri anni 1458, in urbe Roma videtur condidisse. Sequitur, ut libellus *De mathematica perfectione*, qui *De beryllo* n. 41,6–7 nominatus est, non sit is, qui mense Octobri 1458 Romae confectus et ad Antonium de Cerdania missus est. Aliud ergo scriptum Nicolao obversabatur, illud videlicet, quod «post mortem pape nicolai», post mensem Martium scilicet anni 1455, composuerat atque *De mathematica perfectione* inscripserat. Libellum, quem Nicolaus condiderat, priusquam opusculum illud autumno anni 1458 scripsit, quod libris veteribus, qui typis expressi sunt, continetur, K. REINHARDT in codice Toletano 19–26 (*To*, fol. 188r–191r) repperit vulgavitque (*Eine bisher unbekannte Handschrift mit Werken des Nikolaus von Kues in der Kapitelsbibliothek von Toledo*, in: MFCG 17 (1986) 96–133, imprimis 125sq.; libelli verba sunt in paginis 134–141); partes libelli olim in codice Cusano 218, fol. 138r–141v, memoriae traditi, postea erasi, J. E. HOFMANN a Rudolpho Haubst adiutus in medium protulerat (*Über eine bisher unbekannte Vorform der Schrift De mathematica perfectione des Nikolaus von Kues*, in: MFCG 10 (1973) 13–57). Inde factum est, ut et verba Nicolai (*De beryllo* n. 41,6–8) «quemadmodum in libello De mathematica perfectione ... dixi», ante diem qui erat ante diem XV Kalendas Septembres (18. 8.) anni 1458 scripta, et ea, quae sunt in codice Cusano 219, fol. 51r («post mortem pape nicolai ... scripsi libellum de mathematica perfectione»), facilia redderentur ad intellegendum.

Non insunt, videlicet, in illo priore opusculo post mensem Martium 1455 et ante mensem Augustum medium anni 1458 scripto, quod 'opusculum Brixinense', illum 'libellum Romanum' nuncupemus, ea verba, quibus aut cui missum sit aut id Romae in urbe scriptum esse declaratur. Ceterum dubitari nequit, quin argumentatio prioris opusculi magis imbuta sit sapientiae studio quam posterioris, quae plus debet artibus mathematicis.

Quae Nicolaus *De beryllo* n. 41,6–8 dixit, ea ad 'opusculum Brixinense' referenda sunt; cf. *To*, fol. 188v, 191r (MFCG 17, p. 135sq., 140, lin. 44–46, 74–79, 277sq.).

Librorum *De beryllo* et *De mathematica perfectione* plures subiunximus locos, inter quos similitudo intercedit:

De beryllo		*De math. perf.*
n. 1,11 (praxis)	:	lin. 113, 117, 155, 174;
n. 2,8–9	:	lin. 273–274;
n. 22	:	lin. 22;
n. 44,5–7	:	lin. 304;
n. 51,3–8	:	lin. 27–31;
n. 51,11–12	:	lin. 15.

INDICES

Numeri ad paragraphos earumque versus referendi sunt.

I.

INDEX NOMINUM

quae a Nicolao de Cusa laudantur

II.

INDEX SCRIPTORUM

Nicolai et aliorum auctorum ab ipso laudatorum

a) scripta Nicolai de Cusa

Docta ignorantia 27,14 37,10

De mathematica perfectione 41,6–7

b) scripta aliorum auctorum

Albertus Magnus
Commentaria super Dionysio (*i. e.* De div. nom.) 17,4 30,1

Aristoteles
Metaphysica 38,8–9 39,5 45,4 65,4 67,3 69,1–2
Politica 45,1

Averroes
Metaphysica 17,1.2

Avicebron
Fons vitae 18,9–10

Dionysius
De divinis nominibus 11,1–2

Euclides
Elementa 70,3

Eusebius Pamphili
Praeparatoria evangelii 39,3

Plato
De re publica 27,1–2
Epistulae 2,1 16,1 32,11
Phaedo 67,3

Proclus
Commentaria Parmenidis 12,11–12

III.

INDEX NOMINUM

quae in adnotationibus afferuntur
(numeri seriem adnotationum designant)

IV.

INDEX AUCTORUM

qui in apparatibus et adnotationibus ad contextum illustrandum laudantur

n. 203 : 44,4–5 || n. 206 : 56,1; 62,17; adnot. 15 || n. 208 : 44,16
c. 5 n. 4 : 37,20–22 || n. 5 : 56,19–22 || n. 6 : 71,9 || n. 9 : 28,9–14 || n. 10 : 28, 9–14 || n. 14 : 19,11–13 || n. 18 : 56,7–8 || n. 22 : 39,14; adnot. 11 || n. 23 : 71,14–15 || n. 26 : 63,3 || nn. 26–27 : adnot. 18 || n. 27 : 62,8 || n. 28 : 23,1 || n. 29 : 11,3–9; 41,1–3; 62,6–8; adnot. 2 || n. 31 : 19,1–2 || n. 32 : 18,4–6 || n. 36 : 17,8 || nn. 36–37 : 17,9 || n. 37 : 17,3–4; 56,2–4.9–10.10–19 || n. 39 : 11,9–11
c. 6 n. 6 : 44,16–17
c. 7 n. 7 : 6,3; 7,9–10 || n. 8 : 28,9–14; 30,9–11; 31,5–7; 68,8–9 || n. 9 : 36,10–11; 71,14 || n. 10 : 71,9 || n. 13 : 6,3 || n. 17 : 17,8 || nn. 22–23 : 71,11–13 || n. 23 : 36,9–10.10–11
c. 8 n. 3 : 7,11
c. 9 n. 3 : 43,2–4.5–6; adnot. 18 || n. 5 : 43,2–4; 58,5–6 || n. 8 : 47,5 || n. 13 : 39,8–10 || n. 16 : 58,3 || n. 24 : 68,6.10
c. 10 n. 2 : 30,6
c. 11 n. 24 : 26,1–4 || n. 26 : 26,1–4 || n. 28 : 26,1–4
c. 13 n. 15 : 16,15 || n. 16 : 44,10; 52,10–11 || n. 23 : 52,10–11

— — *(Opera omnia, ed. A. Borgnet, Parisiis 1890–1899)*
Commentarii in librum B. Dionysii Areopagitae De coelesti hierarchia *(vol. XIV, 1892)* c. 1 § 2 : 16,15; 38,1 || c. 2 § 2 : adnot. 4 || c. 4 § 2 : adnot. 2
Mineralium libri quinque *(vol. V, 1890)* I, tr. 1, c. 3 : adnot. 1 || c. 9 : adnot. 1 || II, tr. 2, c. 2 : adnot. 1
Physicorum libri VIII *(vol. III, 1890)* lib. II, tr. 2, c. 22 : adnot. 2
Summa de creaturis, I. De IV coaequaevis *(vol. XXXIV, 1895)* tr. 3, q. 14 : adnot. 7

ALEXANDER APHRODISIAS
In Aristotelis Metaphysica commentaria *(Commentaria in Aristotelem Graeca, vol. I, ed. M. Hayduck, Berlin 1891)* 55,20–24 : 9,2–3

ALHAZEN
Optica *(Opticae Thesaurus. Alhazeni Arabis libri septem, nunc primum editi ... Omnes instaurati ... a Federico Risnero, Basileae 1572; New York — London ²1972)* : adnot. 1

AMBROSIUS AUTPERTUS
Expositio in Apocalypsin *(CCCM vol. XXVII A, ed. R. Weber, 1975)* X : adnot. 1

ANAXAGORAS *(H. Diels und W. Kranz, Die Fragmente der Vorsokratiker, 2. Band, Berlin ¹⁶1972)* Fr. 12–14 : 4,2

ANONYMUS
Liber de causis *(ed. A. Pattin, Tijdschrift voor Filosofie 28 [1966] p. 90–203)* prop. II 22 : 30,15–16 || III 27–30 : adnot. 7 || 33 : 36,5 || IV 37 : 35,12–13 || 49 : 36,10–11 || IX 92 : 36,10–11 || IX–X : 71,11–13

ANSELMUS CANTUARIENSIS *(Opera omnia, rec. F. S. Schmitt, Edinburgi 1946–1961)*
De veritate *(vol. I, 1946)* c. 10–11 : 27,5–10

ANSELMUS LAUDUNENSIS
Enarrationes in Apocalypsin *(PL 162, col. 1499–1586)* c. 21 : adnot. 1

ARISTOTELES *(Aristotelis opera, ed. Academia Regia Borussica. Aristoteles Graece ex rec. I. Bekkeri, Berolini 1831; [2]1960sqq.— Scriptorum classicorum bibliotheca Oxoniensis, Oxonii 1936sqq.)*

Analytica priora et posteriora *(edd. W. D. Ross et L. Minio-Paluello, Oxonii [1]1964; Repr. with corr. 1968, 1982)*

Analytica priora I 1 24a21 : adnot. 19

Analytica posteriora I 13 79a7 : adnot. 18 || 25 86b30–39 : 53,9–10

Categoriae *(ed. L. Minio-Paluello, Oxonii [1]1949; 1974)* 5 3b33–34 : 28,3–4; 61,5–6 || 6 4b23sqq. : adnot. 18 || 6a17–18 : 45,14 || 6a19–20 : 61,6–7 || 7 7b31–33 : 45,10–11 || 11 14a15–16 : 45,14

De anima *(ed. W. D. Ross, Oxonii [1]1956; 1974)* I 1 403b3–5 : 56,9–10 || 3 407a3–5 : 36,6–7 || II 2 413b2 : 64,2–3 || 11 422b23–27 : 66,11–18 || 422b26–27 : 66,16–17 || 423b27–28 : 66,16–17 || 424a4–6 : 66,11–18 || III 1 425a27 : 71,2 || 7 431a16–17 : 52,2–3 || 431b2 : 52,2–3

De caelo *(ed. D. J. Allan, Oxonii [1]1936; Repr. with corr. 1955, 1973)* I 1 268a23–25 : 22,3–5 || 3 270a14–15 : 46,14–15 || 5 271b12–13 : 43,2–4 || II 1 284a27sqq. : 36,6–7 || 6 289a7–8 : adnot. 19

De generatione et corruptione *(ed. H. J. Drossaart Lulofs, Oxonii [1]1965; 1972)* I 4 320a2–4 : 44,16 || II 2 329b18–20 : 66,16–17 || 4 331b2–3 : 46,14 || 10 337a1–6 : 46,14 || V 7 788a13–14 : 43,2–4

De sophisticis elenchis *(ed. W. D. Ross, Oxonii [1]1958; Repr. with corr. 1963, 1974)* 15 174b5–7 : adnot. 19 || 33 182b23–25 : 43,2–4

Metaphysica *(ed. W. Jaeger, Oxonii [1]1957; 1973)* I 1 980a22 : 2,7–8 || 980a22–28 : 65,4–7 || 2 982a32–b2 : 48,9 || 3 984b15–18 : 4,2; 35,6 || 984b18–20 : 35,2–3 || 4 985a18–21 : 35,6; 67,3 || 985a20–21 : 67,2 || 5 986a25 : 45,4–5 || 985b27 : 52,9 || 987a19 : 52,10–11 || 6 987b14sqq. : adnot. 18 || 9 991b6–7 : 56,10–11; adnot. 17

II 1 993b24–26 : 28,9–14 || 993b30–31 : 5,1–2 || 2 994b5–6 : 46,5

III 2 996a4sqq. : 49,3 || 996b13–20 : 48,9 || 997b12–15 : 56,16–18 || 3 998b9–10 : 52,10–11 || 4 999b8 : 48,14 || 1001a4sqq. : 49,3 || 5 1001b26sqq. : 52,11 || 1002b3–4 : 44,6–7

IV 2 1004a9–10 : adnot. 19 || 1004b27–1005a4 :40,1–3 || 1005a3–5 : adnot. 19 || 3–4 1005b19–1006a5 : 40,8 || 4 1006a5sqq. : 51,10–12 || 5 1009a6sqq. : adnot. 8 || 1010b30–1011a2 : adnot. 20

V 4 1014b3–6 : 71,9 || 8 1017b19–20 : 9,2–3 || 1017b21–22 : 48,7 || 13 1020a7–8 : 44,7–8 || 1020a7–14 : adnot. 18 || 1020a11–12 : 44,7–8 || 1020a11–14 : 22,3–5 || 1020a13 : adnot. 18 || 1020a23–25 : 44,8 || 15 1020b26–1021a19 : 28,9–14

VI 1 1026a7–10 : adnot. 18 || 1026a14–15 : 49,14–15 || 1026a19 : 39,5

VII 1 1028a13–15 : 48,2 || 1028a36–b2 : 48,6–7 || 1028b2–4 : 43,9–10; 48,4–6 || 3 1028b34 : 48,7 || 1028b35 : 49,3 || 1029a2–3 : 39,20–21 || 1029a3–9 : 39,20–21 || 1029a20–21 : 53,9–10 || 6 1031b8–1032a4 : 49,3 || 1031b15–18 : 49,3 || 7 1032a13sqq. : 39,20–21 || 1032a24 : 39,19 || 1032a32–33 : 56,2–4;

adnot. 17 || 1032b1–2 : 59,3 || 1032b11–14.21–23 : 56,2–4; adnot. 17 || 8 1033a24sqq. : 39,20–21 || 1033a24–b19 : 48,16–18 || 1033b8–10 : 56,4 || 1033b19–29 : 56,16–18 || 1034a8 : 43,4 || 9 1034a21–24 : adnot. 17 || 10 1034b34 : 44,2–5 || 1035b20–22 : 44,2–5 || 1035b31–33 : 48,19–20 || 1036a3–4.9–12 : 52,7 || 11 1036b17–20 : 52,10–11 || 1037a4–5 : 52,7 || 1037a29–30 : 61,12–13 || 13 1039a10–12 : 49,13–14 || 14 1039a24sqq. : 49,9 || 17 1041b6 : 48,8

VIII 1 1042a25sqq. : 48,10–11 || 1042a14 : 49,3 || 3 1043b16–18 : 48,16–18 || 1043b18–22 : 50,2 || 1043b18–23 : adnot. 17 || 6 1045a33–34 : 52,7

IX 8 1049b10–11 : 49,6

X 1 1052b18–24.24–26 : 71,18–19; adnot. 8 || 1053a31–33 : 7,9 || 1053a35–b3 : adnot. 8 || 1053b7 : 13,4–5 || 2 1053b21–24 : 49,3 || 3 1054b30sqq. : 45,14 || 7 1057b7 : 62,3–4

XI 1 1059b14–16 : 52,7 || 6 1062b12sqq. : adnot. 8 || 1062b24–26 : 48,14 || 7 1064b3 : 39,5

XII 2 1069b20–21 : 13,2 || 1069b32–34 : 40,1–3 || 3 1069b35–36 : 48,10–11 || 1070a13–17 : adnot. 17 || 1070b30–35 : 17,4–6 || 7 1072a23sqq. : 36,6–7 || 1072a23–25 : 36,13 || 1072b11–14 : 38,8–9 || 1072b14–30 : 39,6–8 || 1072b20–23 : 38,8–9 || 1072b28–30 : 38,8–9 || 1073a5–7 : 43,2 || 8 1073a26–b1 : 36,11–12 || 1073b38–1074a16 : 36,11–12 || 9 1074b18–22 : 38,8–9 || 1074b33–35 : 36,14–15 || 10 1075a14–15 : 16,15 || 1075b8–9 : 35,6 || 1076a4 : 36,14–15

XIII 1 1076a16sqq. : 49,13–14 || 2 1076a38sqq. : 49,13–14 || 1076b7–8 : 23,1–6 || 3 1077b17sqq. : 56,16–18 || 5 1080a5–6 : adnot. 17 || 8 1084b25–26 : 52,11

XIV 4 1091b11–12 : 35,6

Physica *(ed. W. D. Ross, Oxonii ¹1950; Repr. with corr. 1956, 1973)* I 2 185a16–17 : 45,10–11 || 185b10 : 44,7–8 || 9 192a27sqq. : 48,11 || II 2 194a24sqq. : 56,2–4 || 7 198a24sqq. : adnot. 2 || 198a24–25 : 17,4–6 || V 3 226b18sqq. : adnot. 18 || VI 10 240b12 : 33,2–4 || VIII 5 256a3sqq. : 36,13 || 9 265b32sqq. : 36,6–7

Politica *(ed. W. D. Ross, Oxonii ¹1957; 1978)* I 1–2 1252a18–26 : 45,1–4 || 3 1253b1–8 : 45,1–4

Topica *(ed. W. D. Ross, Oxonii ¹1958; Repr. with corr. 1963, 1974)* I 14 105b33–34 : adnot. 19 || VI 4 141b5–7 : 22,3–5

Aristotelis Ars rhetorica *(ed. R. Kassel, Berolini et Novi Eboraci 1976)* I 1 1355a29–36 : adnot. 19 || 6 1362b30sqq. : adnot. 19

ARISTOTELES (PSEUDO-)

De mundo *(Berolini 1831)* 2 391b11sqq. : 36,6–7 || 6 397b13sqq. : 36,6–7

ARNOLDUS SAXO

De finibus rerum naturalium *(ed. E. Stange, Die Encyklopädie des Arnoldus Saxo, Erfurt 1905)* III : adnot. 1 || IV 8 : adnot. 1

AUGUSTINUS

Confessiones *(CCSL XXVII, ed. L. Verheijen, 1981)* X 6,9 : 14,12–14 || XIII 37,52 : adnot. 2

De civitate dei *(CCSL XLVII, 1955)* VIII 11,1–3.23sqq. : adnot. 13 || X 29 : adnot. 13
De diversis quaestionibus LXXXIII *(CCSL XLIV A, ed. A. Mutzenbecher, 1975)* q. 46,2 : 17,$_{8}$
De doctrina christiana *(CSEL LXXX, ed. G. M. Green, 1963)* II 28 : adnot. 13
De Genesi ad litteram libri duodecim *(CSEL XXVIII 1, ed. I. Zycha, 1894, p. 1–435)* I 9.17 : adnot. 7 || XII 26.29–31.34 : adnot. 7
De libero arbitrio *(CSEL LXXIV, ed. G. M. Green, 1956)* II 20 n. 54 : adnot. 15
De trinitate *(CCSL L, L A, edd. W. J. Mountain, F. Glorie, 1968)* VI 8 : adnot. 18 || X 11,18 : adnot. 8 || 12,19 : adnot. 8 || XV 9,16 : adnot. 4 || 11,20 : 39,$_{8-10}$ || 14,23 : 39,$_{8-10}$

AUGUSTINUS (PSEUDO-)
Tractatus de duodecim lapidibus *(PL 40, col. 1229–1230)* : adnot. 1

AVENCEBROL *v.* SALOMON IBN GABIROL

AVERROES *(Aristotelis opera cum Averrois commentariis, Venetiis 1562–1574; Frankfurt ^{2}1962)*
Commentarii in Aristotelis Metaphysicorum libros XIV *(vol. VIII)* XI 18 : 17,$_{1-2.2-3}$ || XII 24 : 17,$_{1-2.4-6}$ || 52 : 16,$_{15}$
Commentarii in Aristotelis Physicorum libros VIII *(vol. IV)* VIII 36 : 36,$_{10}$

AVICENNA
Liber de anima seu Sextus de naturalibus *(Avicenna Latinus, ed. S. Van Riet, Louvain — Leiden 1972)* I : 24,$_{4}$
Liber de philosophia prima sive scientia divina I–IV *(vol. I)* V–X *(vol. II)* *(Avicenna Latinus, ed. S. Van Riet, Louvain — Leiden 1977, 1980)* tr. III c. 6 : adnot. 8
Metaphysica (= De philosophia prima sive scientia divina; *Opera philos., Venetiis 1508; Lovain ^{2}1961, fol. 70^{r}–109^{v})* tr. IX c. 3 : 36,$_{11-12}$ || c. 4 : 36,$_{11-12}$; 38,$_{4}$

BAEUMKER, C.
Witelo, ein Philosoph und Naturforscher des XIII. Jahrhunderts *(BGPMA III 2; Münster 1908)* : 30,$_{1-8}$

BARTHOLOMAEUS ANGLICUS
De genuinis rerum coelestium, terrestrium et inferarum proprietatibus *(ed. Francofurti 1601, ^{2}1964)* XVI 21.31 : adnot. 1

BAUR, L.
Nicolaus Cusanus und Ps. Dionysius im Lichte der Zitate und Randbemerkungen des Cusanus *(CT III. Marginalien, 1., Heidelberg 1941)* : adnot. 11, 12, 15, 18

BEDA VENERABILIS
Explanatio Apocalypsis. Epistola ad Eusebium *(PL 93, col. 129–206)* lib. III, c. 21 : adnot. 1

Beierwaltes, W.
Deus Oppositio oppositorum *(Salzburger Jahrbuch für Philosophie 8 [1964] 175–185)* : adnot. 2
Eriugena und Cusanus *(in: Eriugena redivivus. Zur Wirkungsgeschichte seines Denkens im Mittelalter und im Übergang zur Neuzeit, Hg. von W. Beierwaltes, Heidelberg 1987, p. 311–343)* : adnot. 2

Bernardus de Waging
Epistulae ad Nicolaum de Cusa *(E. Vansteenberghe, Autour de la Docte Ignorance, BGPMA XIV 2–4, Münster 1915)*
Epistula scripta 1454 : 1,2–3
Epistula ante 12. 2. 1454 : adnot. 10
Epistula ante 9. 9. 1454 : adnot. 10

[Biblia Sacra]
Vetus Testamentum
Genesis 1,26–27 : 7,5–6
Exodus 15,18 : adnot. 2 || 28,15–20 : adnot. 1 || 39,8–13 : adnot. 1
Iob 23,13 : 17,10 || 32,8 : 72,8–9
Psalmorum liber 5,9 : 46,4 || 24,5 : 46,4 || 41,2 : 72,11–12 || 71,18–19 : 72,12–13 || 83,8 : 69,10–12 || 99,3 : 14,12–14 || 113,11– (3); 134,6 : 17,10 || 135,4 : 72,12–13
Proverbiorum liber 2,6 : 72,8–9 || 8,23 : 16,19 || 16,4 : 4,5
Ecclesiastes 8,17; 11,5 : 51,8–9
Sapientiae liber 12,18 : 17,10
Ecclesiasticus 1,4 : 35,14–16 || 24,5.14 : 35,14–16
Isaias 2,10.19 : 69,10–12 || 33,6 : 68,8–9 || 35,2 : 4,5–6 || 40,5 : 4,5–6 || 60,2 : 4,5–6
Daniel 3,56 : 68,15
Ionas 1,14 : 17,10
Liber I Macchabeorum 15,9 : 4,5–6
Liber II Macchabeorum 2,8; 3,24 : 69,10–12
Novum Testamentum
Evangelium secundum Matthaeum 16,27 : 69,14 || 24,30 : 69,14 || 25,31 : 69,14
Evangelium secundum Marcum 8,38 : 69,14 || 13,26 : 69,14
Evangelium secundum Lucam 2,15 : 69,13 || 21,27 : 69,14
Evangelium secundum Ioannem 1,1–14 : 42,15–16 || 1,3–4 : 16,18–19 || 1,12 : 70,7 || 1,32–33 : 42,17–18 || 3,48 : adnot. 2 || 5,24.25 : 69,14 || 14,8 : 69,10–12 || 14,26 : 42,17–18 || 20,22 : 42,17–18
Epistulae Pauli
ad Romanos epistula 1,20 : 65,14–15 || 2,7 : 69,14 || 9,23 : 68,9 || 11,33 : 68,8–9
I ad Corinthios epistula 2,14 : 2,4–5 || 13,12 : 15,2; 53,13; adnot. 4
II ad Corinthios epistula 3,5 : 69,10–12
ad Galatas epistula 3,26 : 70,7
ad Ephesios epistula 2,7 : 69,14
ad Philippenses epistula 4,19 : 68,9
ad Colossenses epistula 1,15 : 35,14–16 || 1,27 : 68,9 || 2,3 : 2,10; 68,8–9
I ad Timotheum epistula 6,16 : 53,15–17
ad Hebraeos epistula 1,2 : 69,13; 70,4

Epistula Iacobi 1,5 : 72,8–9
Apocalypsis Ioannis Apostoli 21,19–20.21 : adnot. 1

BOETHIUS
De institutione arithmetica *(ed. G. Friedlein, Lipsiae 1867; Frankfurt ²1966, p. 1–173)* : adnot. 21
Philosophiae consolatio *(CCSL XCIV, ed. L. Bieler, 1957)* V pr. 4,30–32 : adnot. 21

BONAVENTURA *(Opera omnia edita studio et cura PP. Collegii a S. Bonaventura, Ad Claras Aquas [Quaracchi] 1882–1902)*
Itinerarium mentis in deum *(vol. V, 1891, p. 295–313)* 7 : 6,3

BORMANN, C.
Die Exzerpte und Randnoten des Nikolaus von Kues zu den lateinischen Übersetzungen der Proclus-Schriften 2.2 Expositio in Parmenidem Platonis (CT III. Marginalien, 2. Proclus Latinus, Heidelberg 1986) : adnot. 2, 7, 17, 18

BOVILLUS, CAROLUS
Liber se sensibus *(ed. Paris. 1510; Stuttgart — Bad Cannstatt ²1970, fol. 22ʳ–60ʳ)* cap. 1,7; 4,2; 6,5 : 66,1–2

BRUNO DE SEGNIA
Expositio in Apocalypsim *(PL 165, col. 605–736)* lib. VII : adnot. 1

BRUNUS, IORDANUS
De la causa, principio e uno *(Dialoghi Italiani. Dialoghi metafisici e dialoghi morali. Nuovamente ristampati con note da Giovanni Gentile. Terza edizione a cura di Giovanni Aquilecchia, Classici della filosofia VIII, Firenze ³1958)* dial. 1 : 1,2–3 || 3 : 8,4–9; 33,3–4 || 5 : 1,2–3; 10,17; 32,6–7; 40,1–10.4–42,11; 41, 1–4.6–8.8–12; 42,1–8; 58,1–3
De gli eroici furori *(ed. cit.)* I, dial. 2; II, dial. 3 : 42,1–8
Spaccio de la bestia trionfante *(ed. cit.)* dial. 1 : 42,1–8
De triplici minimo et mensura *(Opera latina conscripta, I 3, edd. F. Tocco, H. Vitelli, Florentiae 1889)* lib. IV : 64,7

CASPAR AINDORFFER
Epistulae ad Nicolaum de Cusa *(E. Vansteenberghe, Autour de la Docte Ignorance, BGPMA XIV 2–4, Münster 1915)*
Epistula ante 12. 2. 1454 : adnot. 10
Epistula ante 9. 9. 1454 : adnot. 10

CICERO *(M. Tulli Ciceronis scripta quae manserunt omnia)*
De finibus bonorum et malorum *(fasc. 43, rec. Th. Schiche, Lipsiae 1915, ²Stutgardiae 1982)* II 40 : adnot. 9
Orator *(fasc. 5, ed. R. Westman, Leipzig 1980)* 166 : adnot. 19
De oratore *(fasc. 3, ed. K. F. Kumaniecki, Leipzig 1969)* II 263 : adnot. 19

COLOMER, E.
Nikolaus von Kues und Raimund Llull *(Quellen und Studien zur Geschichte der Philosophie, ed. P. Wilpert, vol. II, Berlin 1961)* : adnot. 2 || adnot. 16

[Corpus Iuris Civilis]
Digestae *(ed. T. Mommsen — P. Krueger, Berolini ^{11}1908)* I 4.1 : 51,7–8
Institutiones *(ed. P. Krueger, Berolini ^{11}1908)* I 2.6 : 51,7–8

Diogenes Laertius
De vitis atque sententiis philosophorum *(interpr. Ambrosii Traversarii, cod. Lond. B. L., Harleian. 1347)* VIII 5 : 35,2–3 || IX 51 : adnot. 8

Dionysius Areopagita (Pseudo-) *(Dionysiaca, vol. I–II, ed. Ph. Chevallier, Bruges—Paris 1937–1950)*
De caelesti hierarchia *(vol. II, p. 725–1039)* II 2 : 12,13
De divinis nominibus *(vol. I, p. 3–561)* I 4 : 8,4; 12,2 || 5–6 : 13,11 || 8 : 2; 1–2 || II 8 : 70,7 || 11 : 8,4 || III 3 : 2,1–2 || IV 1 : 27,4 || 4 : 27,4 || 5 : 4,3; 27,4 || 7 : adnot. 2 || 28 : 62,17 || V 7 : 11,3–9; 12,2; adnot. 2 || 8 : 11,11–13, 17,8.9; 27,4; adnot. 2 || 10 : 11,9–11; adnot. 2 || VII 1 : 6,3 || 3 : 13,11; 65,16; adnot. 2 || 7 : 68,8–9 || XIII 4 : 12,13
De mystica theologia *(vol. I, p. 563–602)* cap. 1 n. 2 : 2,1–2; adnot. 2; adnot. 3 || 1–3 : 12,13 || 5 : 11,13; adnot. 2
Epistulae *(vol. I, p. 603–669)* I : 12,13; adnot. 3 || V : adnot. 3

Echardus, Magister *(Meister Eckhart, Die deutschen und lateinischen Werke. Hrsg. im Auftrage der Deutschen Forschungsgemeinschaft, Berlin — Stuttgart 1936sqq.)*
Expositio libri Exodi *(LW II, edd. K. Weiß, J. Koch, H. Fischer, 1954sq.)* n. 85 : adnot. 2
Expositio sancti Evangelii secundum Iohannem *(LW III, edd. K. Christ, J. Koch, 1936)* n. 337 : adnot. 2 || n. 528 : 24,4

Epiphanius Salaminius
De XII gemmis Rationalis summi sacerdotis Hebraeorum liber *(PG 43, col. 321–366)* : adnot. 1

Eusebius Caesariensis
Praeparatio evangelica *(Eusebius Werke, 8. Bd., Die Praeparatio Evangelica, Zweiter Teil, hrsg. K. Mras, 2. Auflage hrsg. É. des Places, Berlin 1983)* XI 2 : adnot. 13 || 3 : adnot. 10 || 3,8 : 8,2–3 || 8,1; 9,4; 10; 10,14; 15; 16,3; 17; 18; 19; 19,5; 20; 22; 24; 25; 28; 28,17sq. : adnot. 13 || XII; XIII : adnot. 13

Georgius Trapezuntius
Introductio in Eusebii librum de evangelica praeparatione *(ed. Venetiis 1470)* : adnot. 10

Greeff, R.
Der Beril des mittelhochdeutschen Dichters Albrecht (1270) *(in: Beiträge zur Geschichte der Brille, hrsg. von den Firmen Carl Zeiss und Marwitz & Hauser, Stuttgart 1958)* : adnot. 1

Guillelmus de Saliceto
Ars chirurgica (1275) *(ed. Venet. 1546)* I 4 : adnot. 5

HAUBST, R.
Das Bild des Einen und Dreieinen Gottes in der Welt nach Nikolaus von Kues *(Trierer Theol. Studien, Bd. 4, Trier 1952)* : adnot. 16
Cod. Harl. 3487 (Aristoteles [u.a.], Naturphilosophische Schriften, auch De anima, mit Glossenapparat) Cod. Harl. *4241* (Aristoteles, Metaphysik in der Übersetzung Bessarions), *(MFCG 12 [1977] 21–43)* : 36,6–7
Zum Fortleben Alberts des Großen bei Heymerich von Kamp und Nikolaus von Kues *(in: Studia Albertina, BGPTMA, Suppl.-Bd. 4 [1952] 420–447)* : adnot. 2

HENRICUS BATE DE MALINIS
Speculum divinorum et quorundam naturalium *(ed. E. Van de Vyver, Tome I, Louvain — Paris 1960; cod. Brux., B. R. 271)* I, prooem. II: 2,10 || VI, c. 21 : adnot. 2

HERACLITUS *(H. Diels und W. Kranz, Die Fragmente der Vorsokratiker, 1. Band, 12. Nachdruck der 6. verbesserten Auflage, Zürich 1985)* I 190,22; 22B62: adnot. 9

[HERMES TRISMEGISTUS]
Asclepius *(Apulei Platonici Madaurensis opera quae supersunt, vol. III : de philosophia libri, ed. P. Thomas, Stutgardiae ³1970, p. 36–81)* 1 : 2,1–2 || 20 :13,11
— *(Corpus Hermeticum, Tome II, edd. A. D. Nock, A.-J. Festugière, Paris 1945)* 6; 8; 10 : adnot. 9
Tractatus V *(Corpus Hermeticum, Tome I, edd. A. D. Nock, A.-J. Festugière, Paris 1945)* 10 : 13,11

HEYMERICUS DE CAMPO
Compendium divinorum *(cod. Mog. 610)* trac. 2 : adnot. 2
Disputatio de potestate ecclesiastica *(cod. Cus. 106)* : adnot. 2
Problemata inter albertum magnum et sanctum thomam *(ed. Colon. 1496)* q. 8 : adnot. 15

HILDEFONSUS TOLETANUS (PSEUDO-)
Libellus de corona virginis *(PL 96, col. 285–318)* c. 24 : adnot. 1

HOFFMANN, E.
Die Vorgeschichte der Cusanischen Coincidentia oppositorum *(Schriften, H. 2, Über den Beryll, Leipzig 1938, p. 1–35)* : adnot. 2

HOFMANN, J. E.
Über eine bisher unbekannte Vorform der Schrift De mathematica perfectione des Nikolaus von Kues *(MFCG 10 [1973] 13–57)* : adnot. 22

HONECKER, M.
Nikolaus von Cues und die griechische Sprache *(CSt II, Heidelberg 1938)* : adnot. 9

HRABANUS MAURUS
De universo sive de rerum naturis *(PL 111, col. 9–614)* lib. XVII, c. 7 *(De gemmis)* : adnot. 1

HUGO DE ST. VICTORE
De modo dicendi et meditandi *(PL 176, col. 877–880)* : 2,8

HYMNUS 'Cives caelestis patriae'] *(Analecta hymnica medii aevi, vol. II, ed. G. M. Dreves, Frankfurt/M. ²1961, p. 94sq.)* : adnot. 1

IOACHIM DE FLORIS
Expositio in Apocalypsim *(Venetiis 1527; Frankfurt ²1964)* : adnot. 1

IOANNES SCOTTUS ERIUGENA
Periphyseon *(Iohannis Scotti Eriugenae Periphyseon [De Divisione Naturae] Lib. I–III, edd. I. P. Sheldon-Williams, L. Bieler, Schriptores Latini Hiberniae, vol. VII, IX, XI, Dublin 1968, 1972, 1981)* I : adnot. 2; adnot. 21 || II : 65,16; adnot. 7; adnot. 21 || III : 65,16; adnot. 7

IOANNES TORTELLIUS ARETINUS
De orthographie *(ed. Romae 1471)* : 27,16

ISAAC BEN SALOMON ISRAELI
Liber de definicionibus *(ed. J. T. Muckle, AHDLM 12–13 [1937–1938] p. 299–340)* : 31,1–5

ISIDORUS HISPALENSIS
Etymologiarum sive originum libri XX *(ed. W. M. Lindsay, Oxonii 1911)* XVI 7,5 : adnot. 1

KOCH, J.
Die Ars coniecturalis des Nikolaus von Kues *(Arbeitsgemeinschaft für Forschung des Landes Nordrhein-Westfalen. Geisteswissenschaften H. 16, Köln-Opladen 1956)* : adnot. 2
Kritisches Verzeichnis der Londoner Handschriften aus dem Besitz des Nikolaus von Kues: Cod. Addit. 11035 *(MFCG 3 [1963] 84–100)* : adnot. 21

KÜHN, G. und ROOS, W.
Sieben Jahrhunderte Brille *(in: Deutsches Museum. Abhandlungen und Berichte, 36. Jg., H. 3 [1968] p. 7sqq.)* : adnot. 1

LACTANTIUS *(Opera omnia, Pars I, CSEL XIX, edd. S. Brandt et G. Laubmann, 1890)*
Divinae institutiones I 6,4sq. : 13,11 || IV 6,4 : adnot. 9
Epitome divinarum institutionum 37 (42),4sq. : adnot. 9

LEO BAPTISTA DE ALBERTIS
De pictura *(ed. C. Grayson, London 1972)* : adnot. 8

MANTESE, G.
Ein notarielles Inventar von Büchern und Wertgegenständen aus dem Nachlass des Nikolaus von Kues *(MFCG 2 [1962] 85–110)* : 27,16; adnot. 1

MARBODUS REDONENSIS
De XII lapidibus pretiosis in fundamento coelestis civitatis positis *(PL 171, col. 1771–1772)* : adnot. 1

1,2–3 || n. 4,1–2 : adnot. 2 || n. 7,10–12 : 10,21–22 || nn. 8-9 : 27,1–4 || n. 9,1 : adnot. 5 || n. 9,3–4 : 43,10–11 || n. 9,7 : 27,16–17 || n. 10,3 : 64,16–17 || n. 11, 1–2 : adnot. 3 || n. 14,9 : 13,1–2 || n. 14,21–23 : 64,12 || n. 15,5 : 17,9; 34,1–2; 51,16 || n. 15,18–19 : 36,12–14 || n. 16,1 : 53,12 || n. 21,5 : 64,16–17 || n. 24 : 27,16–17 || n. 24,1 : 5,9 || n. 25 : 23,12–13 || n. 25,5–6 : 44,1–3 || n. 26 : 33,5–7 || propos. 5–6 nn. 21–22 : 70,2–3 || 11 n. 27,1–5 : 62,12–13 || 12 n. 28,8 : 72,1

De concordantia catholica *(h ²XIV 1–2; XIV 3, ed. G. Kallen, Hamburgi 1963, 1965, 1959)* I 2 n. 9,4–21 : 19,1–2 || 4 n. 19,13–22 : 25,1–3 || II 13 n. 113,5 : 17,12–13 || III 4 n. 331,7–11 : 16,11 || 12 n. 376,1sqq. : 16,7–8

De coniecturis *(h III, edd. I. Koch, C. Bormann, I. G. Senger, Hamburgi 1972)* I prol., n. 2 : 46,3–4 || n. 4,16–17 : adnot. 5; adnot. 6 || 1 n. 5 : 7,2–4 || n. 6,2–3 : 33,1 || n. 6,8–9 : 7,9.10 || 2 n. 9,5–9 : 7,11 || cap. 4–8 : 29,3–14 || 4 n. 12,3–5 : 52,9–10 || nn. 14sqq. : adnot. 12 || n. 15,4–5 : 24,2–3 || n. 15,4–7 : 5,1–2 || n. 15,5 : 20,6–7 || 5 nn. 17–19 : 13,1–2 || 5 n. 17,15 : 12,1–3 || n. 20,1–2 : 72,1 || n. 21,9–10 : 32,4–6 || cap. 6 : 30,16–17; adnot. 3 || n. 22,10–12 : adnot. 2 || n. 22,10–18 : 71,5 || n. 23,10–11 : 19,23 || nn. 23,10–24,11 : adnot. 2 || n. 23, 4–14 : 71,5 || n. 24 : adnot. 2 || n. 24,1–3 : 1,2–3; 41,1–3 || n. 24,1–6 : 32,4–6 || n. 24,9–10 : adnot. 2 || n. 26,1–2 : 71,4 || 7 n. 27,6–7 : 26,1 || 8 n. 30,7–12 : 22,1–5 || n. 30,12–13 : 9,2–3 || n. 31,1–2 : 71,17–18 || n. 32 : 66,10; 71,2 || n. 32,1–2 : 69,1–2 || n. 34,2–6 : 16,19 || n. 34,10–15 : 40,8–10 || n. 34,12 : adnot. 5 || 9 n. 39,6–9 : 52,3–7 || n. 41 : adnot. 7 || n. 42,1–3 : 19,1–2 || 10 n. 44,7sqq. : 33,4–5; 53,2–4 || n. 52,7–12 : 6,7–8 || n. 52,7–13 : 7,9.10 || n. 53 : adnot. 12 || n. 53,10–12 : 40,3–8; 40,8–10 || 11 n. 54,6–7 : 5,2–3 || n. 55 : 5,9 || n. 57,10–11 : 23,14 || n. 60,2–5 : 72,1 || 12 nn. 61–63 : adnot. 7 || n. 63 : 5,1–2

II prol., n. 70,6–7 : adnot. 6 || 1 nn. 72–74 : adnot. 3 || n. 78,7–15 : 41,1–3 || n. 78,10–15 : adnot. 2 || n. 78,14–15 : 45,14 || 2 n. 81 : 40,8–10 || n. 83 : 62,8 || n. 83,17–18 : 64,5–8 || n. 86,15 : adnot. 5 || 4 n. 91,6–10 : 22,1–5 || n. 91,7–9 : 9,2–3 || n. 92,16–19 : 22,1–5 || 6 n. 105,5–8 : 64,3–8 || n. 105,9–15 : 64,10–11 || 7 n. 107,4–5 : 46,14 || n. 110,12–14 : 46,5 || 9 n. 117,5–6 : 5,1–2 || 10 n. 123,14–16 : 30,14 || n. 125,4–6 : 25,1–3 || n. 128 : 66,2 || n. 128,13–16 : 26,2 || 11 n. 130 : 15,11 || n. 130,9–16 : 24,8–9 || n. 130,13–15 : 66,2 || 12 n. 133,1–5 : 71,2 || 13 n. 134,29–31 : 49,16 || nn. 136–139 : 37,2 || n. 137,11–13 : 5,11 || cap. 14 : 24,1 || n. 141 : 15,11; 71,2 || n. 142,4 : 54,7 || n. 143,7–8 : adnot. 9 || n. 144 : 7,2–4 || n. 144,3–4 : adnot. 9 || n. 145,1 : 34,7 || 15 n. 150,16 : 56,1 || cap. 16 : 24,2–3 || n. 155 : adnot. 7 || n. 156,9–10.18–20 : 26,1 || n. 156,22–23 : 16,8–12 || n. 157 : 15,11; 30,16–17; 31,1–3 || n. 157,1–14 : 24,8–9 || n. 157,13–19 : 66,2 || n. 158, 4–5 : 16,8–12 || n. 158,5–8 : 26,2 || n. 159,1–10 : 43,7–9 || n. 160,1–8 : 71,10–13 || n. 163 : 64,10–11 || n. 166,1–6 : 24,8–9 || n. 166,4–6 : 24,7–8 || n. 167,4–6 : 71,10–13 || n. 169,7–8 : 66,10; 69,1 || 17 n. 176,3–4 : 24,2 || n. 178,1–3 : 65, 8–10 || n. 179,1 : 7,5 || n. 179,9–14 : 25,1–3 || n. 180,6–13 : 25,10–11

De dato patris luminum *(h IV, ed. P. Wilpert, Hamburgi 1959)* 1 n. 92,3–5 : 65,3–5 || n. 92,9–10 : 53,17 || n. 94,6.18–19 : 70,2 || n. 95,3–4 : 70,2 || 2 n. 99,9 : 5,2–3 || n. 99,9–17 : 58,4–5 || n. 100,1–12 : 64,6–7 || n. 102,10–11 : 13,10–12 || n. 103 : 69,6 || n. 103,1 : 4,5–6 || 4. n. 108,9 : 4,3.5–6 || n. 109,7–9.12 : 23,7 || n. 110,1–2 : 37,18 || n. 111,31–33 : 66,18–19 || n. 116,5–6 : 46,10 || n. 117,6–11 : 62,3–7 || n. 118,7–8 : 46,10 || n. 121,7 : 53,17

De geometricis transmutationibus *(p II 2)* fol. 33^{v},1–4 : 45,4–5

De li non aliud *(h XIII, edd. L. Baur, P. Wilpert, Lipsiae 1944)* 4 n. 12: 1,2–3; 41,1–3 || 5 n. 16: 12,1–3 || 6 n. 22: 13,10–12 || 7 n. 24: adnot. 3 || 8 nn. 28–29: 61,5–8 || nn. 29–30: 61,7 || 9 n. 32: 68,12–13 || n. 33: adnot. 3 || n. 34 : 51,16 || 10 n. 38: 17,7–8; 34, 1–2.2 || 11 n. 42: 54,8–9 || 12 n. 47: 63,15–18 || 13 nn. 51–52: 71,17 || 18 nn. 83–85: 48,1–2 || n. 83: 15,9–10; 48,4–6 || 19 nn. 86–89: adnot. 2 || 19 n. 87: 53,12; adnot. 3 || n. 89: 32,4–6 || 20 n. 92: 4,3 || 21 n. 97: 16,15–16; 34,1–2.2; 35,10–11 || n. 98: 16,5–6; 36,1–2 || 23 n. 104: 70,2–3; adnot. 21 || n. 105: 71,13–14 || n. 106: 4,3; 68,9 || 24 n. 110: 8,7–9; 53,1–2 || nn. 112–113 : 7,2–4 || prop. 12 n. 118: 4,3; 66,18–19 || 20 n. 125: 49,5-7

De ludo globi *(p I)* I n. 18 fol. 154^{r},31–33: 16,19 || n. 19 fol. 154^{r},46: 17,9–13; fol. 154^{r},46–154^{v},2: 37,18 || nn. 22–29 fol. 154^{v},31–155^{v},31: 26,2 || nn. 28–29 fol. 155^{v},16–23: 26,8 || n. 28 fol. 155^{v},16–18: 52,9–10 || n. 29 fol. 155^{v}, 26–27: 2,5 || n. 40 fol. 157^{r},5: 37,10; 68,1–2 || nn. 40–43 fol. 157^{r}: 37,13 || n. 43 fol. 157^{r},41: 36,6–7 || n. 47 fol. 157^{v},43: 48,14 || n. 48 fol. 158^{r},7–8: 17,4–6 || n. 57 fol. 159^{r},22–24: 68,1–2

II n. 65–66 fol. 161^{r},18–20: adnot. 3 || n. 70 fol. 161^{v},39: 70,2 || n. 72 fol. 162^{r},11–12: adnot. 3 || n. 77 fol. 162^{v},20–36: adnot. 3 || n. 80 fol. 163^{r},19–21: 71,13–14 || n. 88 fol. 164^{r},1–3: 21,2–4; fol. 164^{r},25–31: 43,7–9 || n. 85 fol. 163^{v},44–45: 23,7 || n. 91 fol. 164^{v},14sqq.: 29,3–14 || n. 92 fol. 164^{v},35–38: 23,7 || n. 93 fol. 165^{r},6–7: 7,2–4 || n. 98 fol. 165^{v},21–22: 36,6–7 || n. 99 fol. 165^{v},23–26: 37,20; fol. 165^{v},23–25: 17,7–8; fol. 165^{v},24: 54,14 || n. 104 fol. 166^{r},39–40: 43,2–4; fol. 166^{v},5–8: 5,11 || n. 188 fol. 168^{r},15–30: 48,11

De mathematica perfectione *(cod. Toletanus [opusculum Brixinense] fol. 188^{r}–191^{r})* : adnot. 22

De mathematica perfectione *(p II 2 [libellus Romanus] fol. 101^{r}–113^{v})*: adnot. 22

De pace fidei *(h VII, edd. R. Klibansky, H. Bascour, ²Hamburgi 1970)* 2 n. 7, 5–9 : 2,4–5 || 7 n. 21: 33,1 || 10 n. 27: 51,12–14 || 13 n. 43: 69,12–14

De possest *(h XI 2, ed. R. Steiger, Hamburgi 1973)* n. 4,9–11: 17,7–8 || n. 8, 19–22: 20,3 || n. 9,6–7: 20,3 || n. 9,18–21: 12,1–3 || n. 9,19–21: 8,7–9 || n. 12, 16–18: 37,13 || n. 12,19: 17,4–6 || n. 13,11–12: 12,1–3 || n. 13,13–16: 1,2–3 || n. 15,2: adnot. 3 || n. 17,3–9: 15,11 || n. 21,7: 11,10–11 || n. 22,1–3: 17,7–8 || n. 23: adnot. 4 || n. 25,1–3: 1,11–12 || n. 25,1–8: 9,1 || n. 26: 53,13–14 || n. 31,1–3: 1,11–12 || n. 31,1–6: 7,11 || n. 32,8–9: 69,11 || n. 34,4–6: 65,16 || n. 38,6: adnot. 3 || n. 38,7: 65,3–5 || n. 38,8–11: 54,15 || nn. 42,19–43,29: 27,14–15 || n. 43,1–11: 55,8–9 || n. 43,7–22: 7,11 || n. 43,19–21: 9,1 || n. 43,20: adnot. 4 || n. 43,21–23: 61,12–13 || n. 43,24–28: 43,7–9 || n. 43,26–27: 63,12–13 || n. 44,1–2: 55,9–10 || n. 44,1–3: 7,11; 9,1 || n. 44,3: adnot. 4 || n. 44, 17–20: 59,1–3 || nn. 45,6–48,7: 33,1 || n. 46,3–4: 55,8–9 || n. 47,11–13: 68,5–6 || n. 48,1–3: 39,17–18 || n. 48,5–6: 46,10 || n. 51,4–22: 33,1 || nn. 54–57: adnot. 4 || n. 54,3–5: 1,11–12 || n. 57,13: 7,11; adnot. 3 || n. 58,2–3: adnot. 4 || n. 58,10–17: 71,13–14 || n. 60,1: 7,11; 9,1 || n. 60,16–17: 56,16–17 || n. 61: 7,11 || n. 61,9–11: 9,1 || n. 63,3–6: 71,10–13 || n. 63,6–10: 55,9–10 || n. 63,6–11: 49, 14–15 || n. 63,7–9: 63,6 || n. 64,4–6.10–15: 61,9 || n. 64,15–18: 34,2 || n. 65,13:

n. 95,5–6 : 16,16–17 || 33 n. 97,14–17 : 57,15–17 || n. 100,7 : 53,13–14 || 34 n. 101,15 : adnot. 5 || n. 103,1–3 : 63,7–8 || n. 103,9–12 : 53,13–14 || 35 n. 105, 26–27 : 69,11 || 36 n. 106: 20,6–7; adnot. 1 || n. 106,3–10 : 5,1–2 || n. 106,4 : 53,12 || n. 106,4–5 : 14,3 || n. 106,5–6 : 24,2–3 || n. 106,10–11 : 24,7–8 || n. 106, 16sqq. : 5,9 || n. 106,17–18 : 64,10 || n. 107 : 64,10 || n. 107,1 : 58,2 || n. 107, 1–2 : 5,7–11 || 37 n. 108,14–15 : 60,23–25 || n. 108,14–16 : 13,3–4; 71,19 || n. 109,17–18 : 24,7–8 || n. 109,17–23 : 68,17 || 38 n. 111,6–7 : 12,1–3 || n. 113, 1–2 : 72,1 || n. 114 : 37,15–17 || 39 n. 118,2 : adnot. 5 || n. 118,11–17 : 27, 10–13 || n. 123,2–4 : 15,11 || n. 124,1–4 : 27,1–4 || n. 124,5–7 : 1,11–12

De visione dei *(p I)* praefat. n. 2 fol. 99r,18–19 : adnot. 4; fol. 99r,24 : adnot. 6; n. 4 fol. 99v,6–8 : adnot. 6 || 4 n. 9 fol. 100r,17–19 : 64,19–21 || 5 n. 16 fol. 101r,1 : 71,13–14 || 8 n. 29 fol. 102v,19 : 71,13–14 || 9 n. 35 fol. 103r,38–45 : adnot. 2; n. 36 fol. 103v,5sqq. : 1,2–3; nn. 36–37 fol. 103v,5–14 : adnot. 2 || 10 nn. 38–42 fol. 103v–104r : adnot. 2; nn. 40–42 fol. 103v,40sqq. : adnot. 3; n. 40 fol. 103v,45–104r,2 : 26,10; nn. 40–42 fol. 103v,40–104r,36 : 32,4–6; nn. 41–42 fol. 104r,21sqq. : 16,19 || 13 nn. 53–54 fol. 105v,14–27 : 32,4–6 || 16 n. 67 fol. 107v,11–13 : 53,17 || 17 nn. 74–76 fol. 108r,34–108v,15 : 33,1; n. 75 fol. 108v,2sqq. : 1,2–3 || n. 78 fol. 108v,19 : adnot. 6 || 22 n. 100 fol. 111v,30 : 24,2 || 23 nn. 102–105 fol. 112r,15–35.46 : 26,2; n. 105 fol. 112r, 46–112v,1 : 24,4 || 24 n. 111 fol. 113r,3–9 : 24,2; fol. 113r,6–7 : 36,12–14

Directio speculantis *v.* De li non aliud

Epistulae

Epistula ad Nicolaum Bononiensem data 11. 7. 1463 *(CT IV 3, ed. G. von Bredow, Heidelberg 1955)* n. 3 : 69,6–9 || n. 6 : 7,5–6 || n. 18 : 7,5–6 || n. 48 : 7,11; adnot. 4

Epistulae ad Casparem Aindorffer *(E. Vansteenberghe, Autour de la Docte Ignorance, BGPMA XIV, 2–4, Münster 1915)*

Epistula data 22. 9. 1452 : 6,3

Epistula data 14. 9. 1453 : 12,12–13; 32,1.4–6.9; adnot. 2; adnot. 6

Epistula data 12. 2. 1454 : 1,2–3; adnot. 1; adnot. 10

Epistulae ad Bernardum de Waging *(ibid.)*

Epistula data 16. 8. 1454 : adnot. 6; adnot. 10

Epistula data 9. 9. 1454 : adnot. 2

Epistula data 28. 7. 1455 : adnot. 5

Excerpta ex Aristotelis libris Metaphysicorum, *interpretatus est Bessario (cod. Vat. lat. 1245, fol. 113vb)* : 36,5; 39,7–10

Idiota de mente *(h V, ed. R. Steiger, ²Hamburgi 1983)* 1 n. 56,11 : 2,11 || n. 57,4–6 : 7,9.10 || n. 57,5–6 : 71,17–18 || n. 57,8–13 : 26,1 || n. 57,9 : 7,5 || n. 57,9–13 : 24,4 || 2 n. 67 : 17,7–8 || n. 67,4–6 : 71,5 || n. 67,4–8 : 18,5 || 3 n. 69, 6–7 : 13,10–12 || n. 70,1–2 : 7,2–4 || n. 70,2–3 : 55,8–9 || n. 71,7–9 : 6,7–8 || n. 72 : 7,9.10 || nn. 72,1–73,4 : 7,5–6 || 4 n. 74,16–17 : 7,9.10 || n. 78,7–9 : 7,7 || n. 79,2sqq. : 64,4 || 5 n. 80,11–12 : 24,4 || n. 80,11–14 : 26,2 || 6. n. 88,15–16.22 : 55,8–9 || n. 91,9 : 63,2 || n. 92,2–3.4 : adnot. 4 || n. 92,5–6 : 63,2 || n. 95,11–16 : 33,5–7 || 7 nn. 97–107 : 48,11 || n. 98 : 7,2–4 || n. 100,1–3 : 66,13–15 || n. 100,1–15 : 26,8 || n. 102,1–10 : 26,8 || n. 102,7–8 : 24,4 || n. 102,12 : 56,1 || nn. 103–104 : 52,8–9 || n. 103,1 : 26,2 || n. 103,1–2 : 24,11 || n. 104,1–3 : 49,

CXXXVI fol. 79^{r},38 : adnot. 21
CXXXIX *(sec. Koch CXXXIV; CT I 2./5.)* n. 6 : 69,6–9 || n. 7 : 68,8 || n. 8 : 70,3–4 || n. 11 : 70,7
CXXXIX fol. 80^{r},29–32 : 54,13
CIL fol. 82^{v},1–5 : 26,2 || fol. 82^{v},14 : 4,3–4
CL fol. 83^{r},28–40 : adnot. 3
CLXVI fol. 88^{rv} : 17,4–6 || fol. 88^{v},6–9 : 35,1 || fol. 88^{v},8 : 39,1
CLXXII fol. 93^{v},38–42; 94^{v},20–37 : 43,7–9 || fol. 94^{r},4–21; 94^{v},39–40 : 43,6–7; 54,7 || fol. 95^{r},33.46 : 63,14–15
CLXXXII fol. 95^{v},33–34 : 68,10
CLXXXIV fol. 112^{r},8sqq. : 68,9
CXCIII fol. 114^{v},1 : 17,7–8
CCII fol. 120^{v}sq. : 4,5–6 || fol. 121^{r},3 : 16,1.15–16
CCX fol. 126^{r} : adnot. 1
CCXIV fol. 127^{v},30–33 : 60,23–25; 62,8
CCXIV *(sec. Koch CCXIII; CT I 2./5.)* n. 25 : 37,18
CCXXXI fol. 134^{r},44–134^{v},9 : 17,4–6 || fol. 134^{v},37sqq. : adnot. 7 || 134^{v}, 43–44 : 71,17–18
CCXLI fol. 140^{v},40 : 63,2
CCXLII fol. 142^{v},29–42 : 46,3
CCXLIV fol. 146^{r},12–18 : 36,10–12; 37,2 || fol. 146^{v},19sqq. : 27,1–4
CCXLIX fol. 150^{v}–151^{r} : 53,17
CCLXVI fol. 166^{v},29–167^{r},12 : 12,1–3 || fol. 167^{r},19–20 : 70,7
CCLXVIII fol. 170^{r},2–4 : 64,4
CCLXX fol. 173^{v},14.26.46 : 68,19
CCLXXI fol. 174^{v},38–40 : 39,12 || fol. 175^{v},12 : 68,19
CCLXXII *(sec. Koch CCLXXI; CT I 2./5.)* nn. 26–27 : 25,1–3
CCLXXXVIII fol. 186^{v} :70,8–9 || fol. 187^{r},30–187^{v},23 : 70,2 || fol. 187^{r}, 30sqq. : adnot. 3 || fol. 187^{r},36 : 64,9–10 || fol. 188^{r},11–14 : 38,3–8
CCXC fol. 188^{r},41–43 : 69,6–9

PETRUS ABAELARDUS
Theologia christiana *(CCCM XII)* I 68 : adnot. 13

PINDER, UDALRICUS
Speculum intellectuale felicitatis humane *(Norimbergae 1510)* : *v. locos in apparatu testimoniorum laudatos*

PLATO *(Platonis opera, rec. I. Burnet, Oxonii 1900–1907)*
Epistulae
II 312d5–313c5 : 32,11–12 || 312d7–e1 : 2,1; 16,5–6 || 312e1–3 : 4,5; 16,1–2 || 312e4–313a2 : 16,3–5 || 314a1–5 : 2,1; 16,5–6
VI 323d2–4 : 4,5
VII 340c–d : 72,3–6 || 341c4–d1 : 72,1–3 || 342a7sqq. : 55,2–6 || 342c1–4 : 57,15 || 343a5–9 : 57,15
Leges IV 716c4 : 12,1–2 || X 896d10sqq. : 37,6–7 || XII 960c7–8 : 37,10
Parmenides 145a2–3 : adnot. 2
Phaedo 61d5 : 72,3–6 || 64a–68b : 72,3–6 || 66a5–6 : 72,3–6 || 67e4–5 : 72,3–6 ||

70d sqq.: 46,14 || 97b sqq.: 4,2 || 97b–d: 35,4–5 || 98b7–99a5: 67,3 || 98c1–2: 67,2 || 103a–b: 46,14–15
Philebus 30a sqq.: 37,6–7
Res publica VI 507d8–509b10: 27,1–4 || 510b2–511b2: adnot. 18 || VII 517a8–c5: 27,1–4 || X 597a: 14,1–2 || 617c: 37,10 || 620d–e: 37,10
— *(Corpus Platonicum medii aevi. Plato Latinus, ed. R. Klibansky, Londinii 1940sqq.)*
Timaeus *(vol. IV, ed. J. H. Waszink, ²1975)* 29a3: 35,9 || 29e–30a: 38,1 || 30c sqq.: 37,6–7 || 41a7: 35,9 || 41e: 68,15–19

PLATZECK, E. W.
Raimund Lull *(Bibliotheca Franciscana 5–6, Romae — Düsseldorf 1962, 1964)*: adnot. 16

PLINIUS SECUNDUS
Naturalis historia *(Pliny, Natural History, Vol. X, Libri XXXVI–XXXVII, ed. D. E. Eichholz, London — Cambridge/Mass. 1971)* XXXVII 76sq.: adnot. 1

PLOTINUS
Enneades *(Plotini opera, tom. I–III, edd. P. Henry, H.-R. Schwyzer, Paris — Bruxelles 1951–1973)* IV 3,10; V 7,3; 9,6; VI 2,5; 7,5: adnot. 15

POHLENZ, M.
Die Stoa *(Göttingen* vol. I *⁶1984, vol. II ⁵1980)*: adnot. 15

PROCLUS
Commentarius in Platonis Parmenidem *(Procli philosophi Platonici opera inedita, ed. V. Cousin, Parisiis 1864, Frankfurt ²1962)*
Commentaire sur le Parménide de Platon. Traduction de Guillaume de Moerbeke *(ed. C. Steel, Tome I Leuven — Leiden 1982, Tome II, Leuven 1985; cod. Cus. 186, v. infra, indicem codicum)*
Procli commentarium in Parmenidem. Pars ultima adhuc inedita interpr. G. de Moerbeka *(edd. R. Klibansky et C. Labowsky, Plato Latinus, vol. III, Londinii 1953, Nendeln ²1973, p. 26–77)*
I: 7,11; 13,6.10; 67,3 || I–II: 50,3 || II: 4,1; 19,22; 41,1–3 || III: 3,5; 4,4; 16,10; 17,8.9; 35,9–10; 37,18; 38,6–8; 43,2; 47,3; 51,15–16; 68,15–19; adnot. 2,17 || IV: 2,1–2; 7,7–8; 16,5–6; 35,9–10; 58,3.5 || V: 7,11; 55,2–6; adnot. 17 || VI: 4,4.5; 12,1–2.11–12; 13,2.3–5; 16,1–2; 22,2–3; 34,2.8; 35,9–10; 46,10; 53,13–14; adnot. 2 || VII: 13,3–5.10; 16,1–2; 17,10; 21,2.3–7; 23,1.10; 35,18; 41,3–6; 53,13–14; 55,2–6; adnot. 2, 7
Elementatio theologica *(The Elements of Theology, ed. E. R. Dodds, Oxford ²1977; El. theol. transl. a Guilelmo de Moerbeke, ed. C. Vansteenkiste, Tijdschrift voor Philosophie 13 [1951] p. 263–302 et 491–531)* prop. 5: adnot. 2 || prop. 21: 37,1; adnot. 12 || prop. 33: 46,14 || prop. 62: adnot. 12 || prop. 64: 13,1–2 || prop. 92: 12,1–2 || prop. 101: 19,9–10 || prop. 109: adnot. 12 || prop. 111: adnot. 12 || prop. 117: 12,1–2 || prop. 123: adnot. 7 || prop. 129: adnot. 12 || prop. 192: 37,6
Theologia Platonis *(Procli Successoris Platonici In Platonis Theologiam Libri Sex. Per Aemilium Portum Ex Graecis Facti Latini, Hamburgi 1618, Frankfurt*

^{2}1960; Théologie Platonicienne (livres I–IV). Texte établi et traduit par H. D. Saffrey et L. G. Westerink, Paris 1968–1981) I 3 : 33,2–4 || 14 : 24,4–7.8–9; 26,8; 37,6–7; 68,17 || 15 : 36,5 || 21 : 37,6 || II 4 : 4,1; 7,5–6; 27,1–4 || 5 : 12,11–12; 27,1–4 || 7 : 13,8–10; 27,1–4 || 8 : 32,11–12; 35,10 || 10 : 13,8–10; adnot. 12 || III 6 : adnot. 12 || 7 : 7,11; 27,1 || 8 : adnot. 2 || IV 3 : 19,9–10 || 5 : adnot. 7 || 11 : 12,11–12 || 30 : 40,7 || 36 : adnot. 2 || V 4 : 37,6–7 || 12 : 4,3 || 16 : 12,11–12; 35,9–10; adnot. 7 || 17 : 4,4; 26,9 || 19 : 4,4; 35,9–10.12–13; 62,17; || VI 3 : 4,4; 26,9; 37,20 || 22 : 37,6 || 23 : 37,10

PROTAGORAS *(H. Diels und W. Kranz, Die Fragmente der Vorsokratiker, 2. Band, Berlin ^{16}1972)* 80B1 : adnot. 8

QUINTILIANUS
Institutionis oratoriae libri duodecim *(ed. M. Winterbottom, tom. I–II, Oxonii 1970)* V 10,73; VIII 5,9 : adnot. 19

RAYMUNDUS LULLUS
Ars amativa boni *(Opera, vol. VI, Moguntiae 1737, Frankfurt ^{2}1965, p. 7–148)* : adnot. 16
RAYMUNDUS LULLUS (PSEUDO-)
Scientia inquisitiva veri et boni in omni materia *(excerpta Nicolai in cod. Cus. 83)* : adnot. 16

REDLICH, V.
Tegernsee und die deutsche Geistesgeschichte im 15. Jahrhundert *(München 1931)* : adnot. 10

REINHARDT, K.
Eine bisher unbekannte Handschrift mit Werken des Nikolaus von Kues in der Kapitelsbibliothek von Toledo *(in: MFCG 17 [1986] 96–141)* : adnot. 22

RICHARDUS DE ST. VICTORE *(PL 196, col. 1–202)*
Beniamin maior I 4 : 2,8

ROBERTUS GROSSETESTE
De statu causarum *(Die philosophischen Werke des Robert Grosseteste, Bischofs von Lincoln, ed. L. Baur, BGPMA 9 [1912] p. 120–126)* : adnot. 2

ROGERUS BACO
Epistula de secretis operibus artis et naturae *(Fr. Rogeri Bacon opera quaedam hactenus inedita, vol. I, ed. J. S. Brewer, London 1859, ^{2}1965)* c. 5 : adnot. 1
Opus maius, Pars V : De scientia perspectiva *(The 'opus maius' of Roger Bacon, ed. J. H. Bridges, vol. II, Oxonii 1897, Frankfurt ^{2}1964)* III dist. 2, c. 4; ultima dist., c. 1–2 : adnot. 1
Opus tertium *(ed. cit. Brewer)* c. 12 : adnot. 5
Questiones supra libros octo Physicorum Aristotelis *(Opera hactenus inedita Rogeri Baconi, vol. XIII, ed. F. M. Delorme coll. R. Steele, Oxonii 1935)* : adnot. 2

ROOS, W. *v.* KÜHN, G.

SALOMOM IBN GABIROL
Fons vitae *(Avencebrolis (Ibn Gebirol) Fons vitae ex Arabico in Latinum translatus ab Iohanne Hispano et Dominico Gundissalino, ed. C. Baeumker, BGPMA 1, 2–4, Münster 1895)* : adnot. 11 || V 30 : adnot. 16

SENGER, H. G.
Die Exzerpte und Randnoten des Nikolaus von Kues zu den lateinischen Übersetzungen der Proclus-Schriften 1 Theologia Platonis. Elementatio theologica *(CT III. Marginalien, 2. Proclus Latinus, Heidelberg 1986)* : adnot. 2, 7, 8, 12

STEINBECK, CASPAR *v. infra, indicem codicum*

[SYMBOLUM (PSEUDO-)ATHANASIANUM] *(Enchiridion symbolorum, definitionum et declarationum de rebus fidei et morum, edd. H. Denzinger, A. Schönmetzer, ³⁶1976)* : 39,12

[SYMBOLUM NICAENUM] *(ibid.)* : 39,12

THEODERICUS CARNOTENSIS *aliique* MAGISTRI CARNOTENSES *(Commentaries on Boethius by Thierry of Chartres and His School, ed. N. M. Häring, Toronto 1971)*
Commentum super Boethii librum De trinitate *(p. 55–116)* II 48 : 58,5
Glosa super Boethii librum De trinitate *(p. 257–300)* IV 10sq. : 13,11
Lectiones in Boethii librum De trinitate *(p. 123–229)* II 4–5 : 12,2 || IV 11 : 13,11

THEODERICUS DE FREIBERGA
Tractatus de intellectu et intelligibili *(Dietrich von Freiberg, Opera omnia, tom. I, Hamburg 1977, p. 125–210)* III 7,2–3 : adnot. 15

THOMAS BRADWARDINUS
Geometria speculativa *(ed. P. Circuleus, Paris. 1495)* I 2 : 58,8

THOMAS DE AQUINO *(Sancti Thomae de Aquino opera omnia iussu Leonis XIII P. M. edita, tom. Isqq., Romae 1882sqq.)*
Commentaria in libros Aristotelis De caelo et mundo *(tom. III, 1886)* II c. 6 lect. 9,8 : adnot. 19
Commentaria in Aristotelis libros Peri hermeneias *(tom. I, 1882)* I c. 5 lect. 8,16 : adnot. 19
Summa theologiae *(tom. IV–XII, 1888–1906)* I q. 14 a. 8 : adnot. 19 || q. 67 a. 3 ad 1 : adnot. 15 || II–II q. 145 a. 4 : adnot. 19
— Expositio super librum Boethii De trinitate *(rec. B. Decker. Studien und Texte zur Geistesgeschichte des Mittelalters, ed. J. Koch, vol. IV, Leiden 1955; ²1965)* q. 1 a. 2 ad 3 : 63,2 || q. 5 a. 3 n. 3 : 63,7–8
— Scriptum super libros Sententiarum Magistri Petri Lombardi *(ed. R. P. Mandonnet, tom. II, Paris. 1929)* II 8. 1. 2 c; 18. 1. 2 c : adnot. 15

THOMAS GALLUS VERCELLENSIS
Extractio e Dionysii libro De divinis nominibus *(cod. Cus. 45; Dionysiaca, vol. I, ed. Ph. Chevallier, Bruges 1937, p. 673–708)* : 8,4

V.

INDEX CODICUM

A. qui olim fuerunt Nicolai de Cusa

a) qui nunc Cusae in Bibliotheca Hospitalis S. Nicolai asservantur

Cus. 112
fol. 67^{r}–73^{r} (LEO BAPTISTA DE ALBERTIS, Elementa artis pictoriae) : adnot. 8

Cus. 177 (PLATO, Opera)
fol. 1^{v}–29^{r} (Phaedo, interpr. Leonardus Brunus Aretinus) : 4,2; 35,4–5; 72,3–6
fol. 58^{r}–89^{r} (Phaedo, interpr. Henricus Aristippus) : 35,4–5

Cus. 178 (PLATO, Respublica, interpr. Petrus Candidus Decembrius)
fol. 12^{r}–205^{r} : 27,1–4

Cus. 179
fol. 1^{r}–78^{r} (ARISTOTELES, Politica, interpr. Leonardus Brunus Aretinus) : 45,1–4

Cus. 182 (ARISTOTELES, Opera)
fol. 1^{r}–62^{v} (Metaphysica, interpr. Guillelmus de Moerbeka) : adnot. 8

Cus. 183 (ARISTOTELES, Opera)
fol. 1^{r}–46^{r} (Metaphysica, interpr. Guillelmus de Moerbeka) : adnot. 8
fol. 48^{r}–79^{v} (De anima) : 36,6–7
fol. 80^{r}–106^{v} (De caelo et mundo) : 36,6–7

Cus. 184 (ARISTOTELES, Metaphysica, interpr. Bessario) : 4,2; 5,1–2; 7,9; 13,2.4–5; 35,2–3.6; 36,13.14–15; 38,8–9; 39,6–8.20–21; 43,4.9–10; 45,4–5; 48,4–6.7.8.9.10–11.16–18.19–20; 49,3.5–6.6.9.13–14.14–15; 50,2; 52,7.9.10–11.11; 56,2–4; 59,3; 61,12–13; 67,2.3; 71,18–19; adnot. 8; adnot. 17; adnot. 20

Cus. 185 (PROCLUS, Theologia Platonis, interpr. Petrus Balbus Pisanus) : 4,1.3; 7,5–6; 37,10; 40,7; adnot. 2; adnot. 7

Cus. 186 (PROCLUS, Comment. in Parmenidem, interpr. Guillelmus de Moerbeka) : 3,5; 41,1–3; 50,3; adnot. 2; adnot. 7

Cus. 194 (ALBERTUS MAGNUS, Libri VIII physicorum) : adnot. 2

Cus. 195
fol. 34^{v}–66^{v} (PROCLUS, Elementatio theologica, interpr. Guillelmus de Moerbeka) : 12,1–2; 13,1–2; adnot. 2

Cus. 205
fol. 49^{r}–80^{v} (AVICENNA, Metaphysica) : 36,11–12; 38,4; adnot. 8
fol. 121^{r}–121^{v} (ISAAC, Liber de definicionibus) : 31,1–5
fol. 134^{r}–188^{v} (EUCLIDES, Geometriae elementa, interpr. et comment. Ioannes Campanus) : 70,3

Cus. 218 (NICOLAUS DE CUSA, Opera)
fol. 138^{r}–141^{v} [De mathematica perfectione] : adnot. 22

Cus. 219 (NICOLAUS DE CUSA, Opera)
fol. 51^{r} : adnot. 22

b) qui alibi reperiuntur

B. qui non fuerunt Nicolai de Cusa

NICOLAI DE CUSA OPERA OMNIA

NICOLAI DE CUSA
OPERA OMNIA

IUSSU ET AUCTORITATE
ACADEMIAE LITTERARUM
HEIDELBERGENSIS

AD CODICUM FIDEM EDITA

VOLUMEN XI 2

HAMBURGI
IN AEDIBUS FELICIS MEINER

MCMLXXIII

NICOLAI DE CUSA

TRIALOGUS DE POSSEST

EDIDIT

RENATA STEIGER

HAMBURGI
IN AEDIBUS FELICIS MEINER

MCMLXXIII

ISBN 3-7873-0307-3
IMPRESSA SUNT HAMBURGI:
HAMBURGER DRUCKEREIGESELLSCHAFT
KURT WELTZIEN K.G.
Printed in Germany

TABULA

PRAEFATIO EDITORIS

Praefatio editoris

I. De tempore conscribendi et de interlocutoribus

Nicolaus de Cusa quo tempore Trialogum de possest, cui nullo in codice annus ascriptus est, exaraverit, non certum habemus; quem elaboratum esse ante annum 1463 ex eo intelligimus, quod Trialogus de possest laudatur in libello De venatione sapientiae (n. 38,11), quem eo ipso anno confectum esse scimus. Huc accedit, quod nec Trialogum inter ea opera invenimus, quae Nicolaus ad finem anni 1458 monasterio Tegernseensi misit, et colloquium hieme fuisse ex ipso libello comperimus (n. 1,12–17) et itinera, quae Cardinalis illis annis confecit, novimus. His rebus commota cum E. Vansteenberghe[1]) censeo Trialogum mense Februarii 1460 compositum esse Andracii[2]), in castro suo sancti Raphaëlis[3]), nomine Germanico Buchenstein[4]).

Interlocutores sunt Cardinalis ipse et duo amici[5]), Iohannes Andreas Vigevius, eo tempore familiaris Nicolai, abbas monasterii S. Iustinae, postero tempore episcopus Aleriensis, et Bernardus Kraiburgensis, decretorum doctor, tunc cancellarius archiepiscopi Salisburgensis. In Tetralogo de li non aliud abbam Iohannem iterum interlocutorem videmus. Compares quae J. Uebinger[6]) summa industria de interlocutoribus huius dialogi exposuerit. Dominum Bernardum Nicolaus paulo post petivit, ut onus administrationis spiritualium et temporalium ecclesiae Brixinensis archiepiscopo Salisburgensi a papa commissae subiret[7]).

---

1) E. Vansteenberghe, *Le Cardinal Nicolas de Cues,* Paris 1920, Frankfurt ²1963, p. 273. V. etiam E. Meuthen, *Die letzten Jahre des Nikolaus von Kues,* Köln-Opladen 1958, p. 57.

2) V. cod. Cus. 221 p. 127; 239; 427.

3) V. ibid. p. 101; 240; 249; 502; 504.

4) V. Nicolaus de Cusa, *De beryllo, finis* (Opera omnia vol. XI 1 ed. L. Baur, Lipsiae 1940, p. 53); cod. Cus. 221 p. 143; 437; 501; 503. De nominibus et localitate v. B. Richter-Santifaller, *Die Ortsnamen von Ladinien* (Veröffentlichungen zur Landeskunde von Südtirol, H. 36, 1937, S. 159ff.; 162; 172f.).

5) Cf. Vansteenberghe *ibid.* p. 30, 266 et 273; cod. Cus. 221 p. 136.

6) J. Uebinger, *Die Gotteslehre des Nikolaus Cusanus,* Münster-Paderborn 1888, p.143sqq.

7) Cf. cod. Cus. 221 p. 136 (Nicolaus Cardinalis Domino Bernardo); v. ibid. p. 48 (Pius Papa Archiepiscopo Salisburgensi).

II. De codicibus et memoria operis

Trialogus de possest, cuius autographum desideratur, uno tantum codice integer, altero prope ad dimidiam partem memoriae traditus est.

C = Codex Cusanus 219; Trialogum foliis 170^r–180^v continet. De codice, quem Nicolaus ad opera sua colligenda ultimis aetatis annis cum codice Cus. 218 conscribendum curavit, videas, quae in praefatione libelli, qui De pace fidei inscribitur, exposita sunt (vol. VII p. XIV–XVI, XXVIII).

Ga = Codex Monacensis Latinus 7338 bibliothecae civitatis Bavarorum (Bayerische Staatsbibliothek); foliis 126^r–133^r magnam partem libelli exhibet. Describitur in praefatione Opusculorum I (vol. IV p. XV).

Codices *C* et *Ga* alterum ex altero non esse exscriptos facile demonstrari potest.

1. Codicem *Ga* non e codice *C* fluxisse hac ratione perspicies:

Cod. *Ga* verba praebet, quae in cod. *C* non invenimus:

n. 1,5 cardinalem : nostrum *add.*
1,16 Bernardus : pater *add.*
5,2 quae : ego *add.*
5,8 creaturam : sic nec malum n⟨ ⟩ nec peccatum nec deformitatem aut imperfectionem. Ex quo patet talia in p⟨ ⟩ non posse ex mundi creatura comprehendi *add.*
6,19 dissentire : his *add.*
9,25 aequalitas : actu *add.*
12,12 est : omne *add.*
13,14 quae : in *add.*
17,7 altissimus : noster *add.*
18,2 praemissis : posse *add.*
19,26 phantasmate : te *add.*
21,2 deus : est *add.*
22,3 eas : namque *add.*

Praecipue quod *Ga* post 'creaturam' (n. 5,8) plurima in orationem addit, magni ad intelligendum momenti est. Ea quidem verba, quae *Ga* post 'praemissis' (n. 18,2) et 'eas' (n. 22,3) praebet, auctoris sententiam videntur conturbare potius quam explanare.
Saepius etiam verba commutata sunt, quod, qua ratione factum sit, non facile explicemus, si cod. *Ga* codicem *C* descripserit.

Exempla enumerentur haec:

n. 1,9 reserabit : reserat
1,11 placido : placito
2,1 Iohannes : Bernardus
2,16 videt : legit
2,16 mentaliter : intellectualiter
9,7 creatura : creaturis
9,7 sunt : est
14,8 eo : deo
18,12 quiescere : dormire
19,8 fuisset : esset
19,11 fixo : puncto circuli fixi
19,27 videri : videre (te)
21,2 alter : alius
32,7 transiliit : transilit

Accedit, quod nonnullis in locis codicis *Ga* 'igitur' legimus, ubi cod. *C* 'ergo' praebet: n. 6,12.16; 7,2; 9,14; 13,10; 15,1; 16,14; 17,14; 18,13; 19,1.12; 31,5.
Alias quidem lectiones invenimus, quae aut e proposito fluxisse aut manu librarii depravatae, ergo et corrupta codicis *C* verba esse possint:

n. 2,11 dei : ei
9,1 haec : hoc
9,21 finitae : finita
13,16 ipso : X°
15,7 nulla : nullo
15,12 mundum : nondum
18,15 mobilis : mobile

31,3 possit : nequit
33,5 concepto : conceptu
33,6 oculi : oculis

Codicem *Ga* non pendere e codice *C* insuper confirmatur verborum commutationibus, quas in apparatu critico ad n. 3,14–16; 12,14–13,8 et 14,11–18 invenies, et nonnullis maculis codicis *C*, de quibus liceat haec afferre:

n. 3,15 creativa : creaturae
12,4 est : et
15,3 revelationis : relevationis
17,13 possit : posset
20,10 alteritatem : alterietatem

Nec non afferre possum codicem *C* 'idē' scripsisse (n. 27,8), ubi 'id ē' scribendum fuisset, et omisisse verba 'fixus' et 'caeli', quae cod. *Ga* continet (n. 18,14 et 23,14).
Maximi vero momenti et ponderis videtur esse, quod legimus in codice *Ga* et 'posse esse' pro 'possest' et 'Puta vocetur possest.Omnia in illo utique complicantur, et est dei satis propinquum nomen' pro 'Omnia in illo nomine utique videret complicare. Hoc enim esset dei propinquissimum nomen'. Illud ergo dei nomen propinquum et finitimum in codice *Ga* deest, non minus quam inscriptio libelli et illa, quae n. 24,5–31,1 de vi et significatione verbi compositi 'possest' dicuntur. Sed haud scio an humanista aliquis terminum illum, ut ita dicam, barbarum refugerit idque dicere reformidaverit; cf. etiam 'altiori' pro 'altiore', n. 3,8, et 'meliori' pro 'meliore', n. 12,13.

2. Omnibus his rebus apparet nec codicem *C* quidem e codice *Ga* esse exscriptum. Quod confirmatur eo, quod cod. *Ga* verba non praebet, quae in codice *C* invenimus:

n. 3,6 Ideo apostolus dicebat: A creatura mundi ut a visibili mundo tamquam creatura ad creatorem elevemur *om.*
5,8 ipsum *om.*
10,8 quae utique in infinitum distare affirmamus *om.*
10,18 de bono *om.*

10,18 aliis, sic et de *om.*
13,9 mihi *om.*
15,8 et *om.*
18,9 simul ipsum *om.*
19,1 in ipso *om.*
22,7 temporis *om.*
31,10 se *om.*

Librarium non recte in n. 15,8 et 31,10 verba omississe apparet. Figura in margine fol. 172ᵛ codicis *C* in *Ga* desideratur.
N. 34,11 verbo 'docet' desinit *Ga*. Quaerendum est, an ea stirps, unde cod. *Ga* fluxit, illa quae desunt continuerit et cod. *Ga* si umquam servavit, quo tempore omiserit illa.

3. Codices *C* et *Ga* eo modo esse coniunctos quod ex eodem archetypo fluxerunt, probabiliter ex his colligi videtur posse:

n. 1,10 tu ipse *in codice C manu alia supra lineam scriptum om. Ga*
19,6 in fine *in codice C ex* infinitate *emendatum, Ga legit* infinite
23,15 eius *supra lin. m. al.,* et *in lin. del. C,* et *Ga*
11,4 aliquod *C et Ga falso pro* aliquid

De quaestione, an cod. *Ga* primam, cod. *C* alteram redactionem operis servaverit, alibi tractandum erit.

4. Editio codice *C* nititur exceptis illis locis, quibus aut cod. *Ga* meliorem lectionem servavit aut codicem *C* mendosa praebere apparet, ut his locis:

n. 40,4 aliquo a te : aliquid
57,12 haec : hac
64,5 subsistunt : subsistant
67,20 id quod : quod id
74,15 inintelligibiliter : intelligibiliter

III. De libris, qui typis vulgati sunt

Trialogus de possest inest in omnibus libris, qui saeculis decimo quinto et decimo sexto impressi sunt. Exhibetur in editione Argentoratensi (1488) vol. II v 6r–y 3r (= p. 455–473), in editione Mediolanensi (1502) fol. EE Vr–GG IIIr, in editione Parisina (1514) vol. I fol. 174v–183v, in editione Basiliensi (1565) vol. I p. 249–266. Editiones distinctius descriptae sunt vol. I huius editionis p. X–XI et vol. VII p. XXIX–XXXI. Cum constet eas de fonte communi *C* pendere, lectiones variae illic occurrentes non notabuntur.

IV. De ratione edendi

Apparatus criticus ita institutus est, ut in eo insint omnes lectiones variantes praeter verba emendata aut bis scripta vel immutato ordine posita aut a librario manifesto depravata, etiamsi in praefatione notata sunt. In verbis scribendis usum exeuntis medii aevi ipsiusque Nicolai non adhibuimus, sed regulas, quibus H. Georges in verborum indice usus est, secuti sumus. Interpungendi rationem ad ea praecepta accomodavimus, quibus Germanici hoc tempore utuntur. Sed grammaticam atque compositionem Nicolai corrigere aut reformidare nobis non visum est. Si vis cognoscere, quomodo et qua facultate Cusanus oratione Latina uteretur, confer vol. VII p. XXXIII–XXXIV. Hic Trialogus non solum anacoluthum (n. 39,7–12), sed etiam coniunctiones satis superque repetitas continet, e. gr. n. 22,1–3; 25,1–3. In fontibus testimoniisque indagandis omnem curam atque operam posui.

Gratias ago omnibus, qui me adiuverunt, imprimis Carolo Bormann, Heriberto Fischer SJ et Gerardo Senger.

Denique memoriam retineamus illius viri docti, qui primus editionem Trialogi de possest curandam suscepit, sed nonnullis praeparationibus ad textum constituendum confectis morte ereptus est, Brunonis Decker.

Coloniae mense Ianuario 1973

Renata Steiger

INDEX SIGLORUM

AHDLM	= Archives d'Histoire Doctrinale et Littéraire du Moyen Age, Paris 1926sqq.
BGPhMA	= Beiträge zur Geschichte der Philosophie des Mittelalters, Münster 1891sqq.
BGPhThMA	= Beiträge zur Geschichte der Philosophie und Theologie des Mittelalters, Münster 1928sqq.
CCSL	= Corpus Christianorum. Series Latina, Turnholt 1954sqq.
CSEL	= Corpus scriptorum ecclesiasticorum Latinorum, Wien 1866sqq.
CT	= Cusanus-Texte. Sitzungsberichte der Heidelberger Akademie der Wissenschaften. Philosophisch-historische Klasse, Heidelberg 1929sqq.
DW	= Meister Eckhart. Die deutschen Werke, Stuttgart-Berlin 1936sqq.
ES	= Enchiridion Symbolorum, edd. H. Denzinger, A. Schönmetzer, Freiburg ^{34}1967
HSB	= Sitzungsberichte der Heidelberger Akademie der Wissenschaften. Philosophisch-historische Klasse.
LW	= Meister Eckhart. Die lateinischen Werke, Stuttgart-Berlin 1936sqq.
LaW	= Life and Works of Clarembald of Arras, a Twelfth-century Master of the School of Chartres, by N. M. Häring, Pontifical Institute of Medieval Studies, Studies and Texts 10, Toronto 1965
MFCG	= Mitteilungen und Forschungsbeiträge der Cusanus-Gesellschaft, Mainz 1961sqq.
PG	= Patrologiae cursus completus. Series Graeca, accurante I. P. Migne, Paris 1857sqq.
PL	= Patrologiae cursus completus. Series Latina, accurante I. P. Migne, Paris 1844sqq.

TRIALOGUS DE POSSEST

1

Trialogus de possest

Ed. Paris. I fol. 174v

Incipit dialogus reverendissimi in Christo patris domini Nicolai de Cusa cardinalis sancti Petri ad vincula de possest. Interlocutores tres sunt.

5 BERNARDUS: Cum nobis concedatur colloquendi cardinalem dudum optata facultas nec sibi sit onerosum conceptum diu pensatum propalare, velis, peto, mi abba Iohannes, aliqua ex tuis studiis ipsum excitandi gratia proponere. Provocatus indubie grata nobis reserabit.

10 IOHANNES: Audivit iam ante me saepissime. Si quid moveris tu, ipse scilicet citius occurret, cum te placido vultu respiciat et diligat. Nec deero, si sic iudicabis. Accedamus igitur propius ad ignem. Ecce ipsum in sella tuis desideriis placere paratum.

CARDINALIS: Accedite. Frigus solito intensius nos artat et 15 excusat, si igni consederimus.

BERNARDUS: Cum tempus sic urgeat, proni sumus tuis iussis parere.

CARDINALIS: Aliqua inter vos versatur forte dubitatio, cum sitis solliciti. Facite me studiorum vestrorum participem.

20 IOHANNES: Dubia utique habemus, quae tu speramus dissolves. Si placet, Bernardus movebit.

CARDINALIS: Placet.

2 IOHANNES: Incidi in studium epistulae Pauli apostoli ad Romanos et legi, quomodo deus manifestat hominibus ea, quae eis

---

1 2–4) Incipit — tres sunt *m. al. C om. Ga* 5) BERNARDUS *in marg. m. al. C* 5) cardinalem: nostrum *add. Ga* 10) saepissime: tria in *add. et* tria *del. Ga* 10) tu ipse scilicet *suprascrips. Nicolaus m. prop. C om. Ga* 11) placito *Ga* 16) BERNARDUS: pater *add. Ga* 18) fortasse *Ga* 20) IOHANNES ABBAS *in marg. m. al. C* 21) Bernardus: BERNARDUS *Ga*

2 1) IOHANNES: BERNARDUS *Ga*

de ipso nota sunt. Ait autem hoc fieri hoc modo: «Invisibilia enim ipsius a creatura mundi per ea quae facta sunt intellecta conspiciuntur, sempiterna quoque eius virtus et divinitas.» 5
Istius modi elucidationem a te audire exposcimus.
CARDINALIS: Quis melius sensum Pauli quam Paulus exprimeret? Invisibilia alibi ait aeterna esse. Temporalia imagines sunt aeternorum. Ideo si ea quae facta sunt intelliguntur, invisibilia dei conspiciuntur, uti sunt sempiternitas, virtus eius 10
et divinitas. Ita a creatura mundi fit dei manifestatio.
BERNARDUS: Miramur abbas et ego quod invisibilia conspiciuntur.
CARDINALIS: Conspiciuntur invisibiliter, sicut intellectus invisibilem veritatem, quae latet sub littera, quando intelligit quae 15
legit invisibiliter videt. Dico invisibiliter hoc est mentaliter, cum aliter invisibilis veritas, quae est obiectum intellectus, videri nequeat.
BERNARDUS: Quomodo autem a visibili creatura mundi elicitur 3
haec visio?
CARDINALIS: Id, quod video sensibiliter, scio ex se non esse.

---

6) Istius *ex* astius *corr. C* 1) invisibilia *ex* visibilia *corr. C* 11) dei: ei *Ga*
16) videt: legit *Ga* 16) mentaliter: intellectualiter *Ga*

---

2 3–5) Invisibilia — divinitas: *Rom. 1,20.* 8) Invisibilia — aeterna esse: *cf. 2 Cor. 4,18.* 16–18) Dico — nequeat: *cf.* AUGUSTINUS *In Ioh. ev. tract. XIII n. 3 (CCSL XXXVI 131,22sq.30–32.38sq.41); v.* DIONYSIUS AREOPAGITA *De div. nom. V 7 (PG 3, 821 B; in paraphr.* VERCELLENSIS *Dionysiaca I 693,346sq.).*

---

2 3–11) Ait — manifestatio: *cf. De docta ign. I 11 n. 30 (I 22,4–6).* 14–16) sicut — mentaliter: *cf. De mente 5 n. 84 (V 65,2–10).* 16–18) Dico — nequeat: *cf. n. 60,17; De coniect. I 13 n. 66,1sq. (III 65); De pace fidei 15 n. 50 (VII 48,2):* Scire autem et intelligere atque oculo mentis intueri veritatem semper placet. *V. etiam infra n. 63,5sq.; Sermo XXX (Sanctus, sanctus, sanctus, II 1 fol. 145ʳ,8–10); Apol. doctae ign. n. 3; 20; 21 (II 3,3sq.; 14,14–17; 15,10–13); De mente 5 n. 80 (V 63,2–5 et not. ad 62,15); De beryllo 2 n. 3; 7 n. 8; 30 n. 53 (XI 1 p. 4,18–5,1; 8,7–11; 39,23–25); Dir. spec. 19 (XIII 46,9–12); Compend. 1 n. 2,1sq. (XI 3 p. 3); De ap. theor. n. 16,1sq. (XIII).* 17) invisibilis — intellectus: *cf. Apol. doctae ign. n. 16 (II 12,9–11).*

Sicut enim sensus nihil a se discernit, sed habet discretionem a
5 superiori virtute, sic et sensibile a se non est, sed est ab altiore virtute. Ideo apostolus dicebat «a creatura mundi», ut a visibili mundo tamquam creatura ad creatorem elevemur. Quando igitur videndo sensibile intelligo ipsum a quadam altiori virtute esse, cum sit finitum, quod a se esse nequit – quomodo enim
10 finitum sibi ipsi terminum posuisset? –, tunc virtutem, a qua est, non possum nisi invisibilem et aeternam conspicere. Virtus enim creativa non potest intelligi nisi aeterna. Nam quomodo esset ab alia virtute, nisi foret creata? Sempiterna igitur est virtus, per quam mundi exstat creatura, ideo invisibilis. «Quae
15 enim videntur, temporalia sunt.» Et haec est ipsa omni creaturae invisibilis divinitas.

4 Bernardus: Forte hoc sic est ut clare ostendis. Videtur tamen Paulum parum per hoc aperire de dei desideratissima notitia. Cardinalis: Immo non pauca sed maxima. Dixit enim: «Invisibilia» ipsius dei «a creatura mundi intellecta conspiciuntur», non
5 quod invisibilia dei sint quid aliud quam deus invisibilis, sed quia plura in creatura mundi sunt visibilia, quorum quodlibet sua adaequata ratione id est quod est, ideo de qualibet visibili creatura docet ad cuiuslibet invisibile principium ascendendum.

---

3 6) Ideo — elevemur *om. Ga* 8) altiore *Ga* 10) tunc: hanc *Ga* 13) Sempiterna — creatura *in marg. m. al. C* 14–16) ideo — invisibilis: et hoc est ipsa *Ga*
4 1) Bernardus: Iohannes *Ga*

---

3 4sq.) a superiori virtute: *v.* Proclus *Elem. theol. prop. XX (273).* 14sq.) *2 Cor. 4,18.*
4 3sq.) *Rom. 1,20.*

---

3 4sq.) sensus — virtute: *cf. De coniect. I 8 n. 32,1–10 et II 16 n. 157,17–19 (III 38 et 157); De quaer. deum 2 n. 33,6sq.12–14; 35,8 (IV 23–25):* Sicut igitur ratio discretiva est, quae in oculo discernit visibilia... *n. 36,11sq. (26):* Sicut igitur ab ipso dependet esse, ita et cognosci. *De mente 5 n. 83sq. (V 64,20.24sq.); De vis. dei 22 n. 100 (I fol. 111v,29sq.); v. Sermo CCLXXXVI (Sic currite, II 1 fol. 188v–189r).* 4sq.) a superiori virtute: *cf. De docta ign. III 6 n. 215 (I 136,6sq.).* 7) elevemur: *cf. De quaer. deum 2 n. 36,1–8 (IV 25sq.).* 8–10) intelligo — posuisset: *cf. De docta ign. I 6 n. 15 (I 13,23–25):* cum omne non-maximum sit finitum, est et principiatum; erit autem necessarium, quod ab alio; alioquin, si a seipso, fuisset quando non fuisset.
4 8) ascendendum: *cf. n. 15,3.4; 17,1.17; 31,2; 36,13; 53,11.*

BERNARDUS: Intelligimus competenter ista, quomodo a crea- 175r turis in|citamur, ut earum rationes aeternas in principio 10 conspiciamus. Hoc potuisset sic clare per apostolum dici, si aliud non intendebat. Quod si aliquid dicere proposuit fecundius deum apprehendere gliscenti rogamus aperiri.

CARDINALIS: Arbitror quod multa valde etiam altissima et mihi 5 abscondita. Sed quae nunc conicio haec sunt: Docere nos voluit apostolus, quomodo in deo illa invisibiliter apprehendere poterimus, quae in creatura videmus. Omnis enim creatura actu exsistens utique esse potest. Quod enim esse non potest, 5 non est. Unde non-esse non est creatura. Si enim est creatura, utique est. Creare etiam cum sit ex non-esse ad esse producere, utique clare ostendit ipsum non-esse nequaquam creaturam. Neque hoc parvum est apprehendisse.

Dico autem consequenter: Cum omne exsistens possit esse 6 id quod est actu, hinc actualitatem conspicimus absolutam, per quam quae actu sunt id sunt quod sunt. Sicut cum alba videmus

---

5 2) quae: ego *add. Ga* 8) ipsum *om. Ga* 8) creaturam: sic nec malum n‹ec . . .› nec peccatum nec deformitatem aut imperfectionem. Ex quo patet talia in p‹ › non posse ex mundi creatura comprehendi. *add. Ga*

---

5 5sq.) Quod — non est: *cf.* THOMAS *De pot. q. 3 a. 1 ad 2.* 7) Creare — producere: *cf.* DIONYSIUS AREOPAGITA *De div. nom. I 3 (PG 3, 589 C; Dionysiaca I 22³ vers.* AMBR. TRAVERS.*);* IOHANNES SCOTTUS *Periphyseon I (64,3sq.):* creat igitur omnia quae de nihilo adducit ut sint, ex non esse in esse. THEODERICUS CARNOTENSIS *Glossa in librum Boethii De trinitate II 15 (282sq.);* BONAVENTURA *Brevil. p. 2 c. 1 (V 219 b):* Et quia productio ex nihilo ponit esse post non-esse ex parte producti . . .

---

10) rationes aeternas: *cf. infra n. 22,1–3.*

5 1sq.) Arbitror — abscondita: *cf. De coniect. I 5 n. 17,3sq. (III 21).* 4–6) Omnis — non est: *cf. n. 6,5sq.; 47,19; 49,9; De ven. sap. 3 n. 7,3sq. (XIII):* nihil factum est aut fiet, quin potuit aut possit fieri. *38 n. 110,6sq. (XIII); De ludo globi I n. 46 (I fol. 157v,33sq.); De ap. theor. n. 4,7–9; 18 II (XIII):* Non est nisi quod esse potest. 6) non esse — creatura: *v. De coniect. I 9 n. 42,2sq. et not. (III 46).*

6 2sq.) actualitatem — sunt: *cf. De docta ign. I 23 n. 70 (I 46,17–20); De coniect. II 6 n. 98,19 (III 96).* 3–5) Sicut — album: *cf. De docta ign. II 4 n. 114 et 9 n. 147 (I 74,4–8; 94,2sq.); De coniect. II 17 n. 171,6 (III 173); De mente 9 n. 119 et 11 n. 137 (V 87,12; 98,25sq.); De pace fidei 6 n. 17 (VII 16,8sq.); Sermo CCXIII n. 4 (CT I 2/5 p. 88,4sq.):* Omnia autem ut sunt ab essentia sunt, sicut alba ab albedine, et bona a bonitate et vera a veritate. *De princ. n. 13,6 (p. 12); Sermo CCXL (Tota pulchra es, II 1 fol. 139v,41); Dir. spec. 20 (XIII 48,8sq.); De ludo globi I n. 17 (I fol. 154r,18sq.); Marg. 255.*

visibili oculo, albedinem intellectualiter intuemur, sine qua
5 album non est album. Cum igitur actualitas sit actu, utique et
ipsa potest esse, cum impossibile esse non sit. Nec potest ipsa
absoluta possibilitas aliud esse a posse, sicut nec absoluta
actualitas aliud ab actu. Nec potest ipsa iam dicta possibilitas
prior esse actualitate quemadmodum dicimus aliquam poten-
10 tiam praecedere actum. Nam quomodo prodisset in actum
nisi per actualitatem? Posse enim fieri si se ipsum ad actum
produceret, esset actu antequam actu esset. Possibilitas ergo
absoluta, de qua loquimur, per quam ea quae actu sunt actu
esse possunt, non praecedit actualitatem neque etiam sequitur.
15 Quomodo enim actualitas esse posset possibilitate non exsi-
stente? Coaeterna ergo sunt absoluta potentia et actus et utrius-

---

6 8) Nec: neque *Ga* 12 *et* 16) ergo: igitur *Ga*

---

6 4sq.) albedinem — album: *cf.* MAGISTER ECHARDUS *Sermo XXIII n. 219 (LW IV 205,12sq.)*. 6) cum — sit: *cf.* AVICENNA *Met. IV 2 (85vaG; 85vbG)*: dicemus quod omne quod incipit, antequam incipiat, vel est in se possibile esse vel est impossibile esse. Quod autem est impossibile esse, non erit. 6) impossibile esse: *v.* HEIMERICUS DE CAMPO *Ars demonstrativa (Cod. Cus. 106 fol. 65v,16sq.)*: Sed omne impossibile non esse est necesse esse, et econtra necesse non esse est impossibile esse. *V. infra n. 59,16sq.* 7) absoluta possibilitas: *cf.* THEODERICUS CARNOTENSIS *Lectiones in librum Boethii De trinitate II 54 (171)*. 10sq.) Nam — actualitatem: *cf.* MOSES MAIMONIDES *Dux perplexorum I 54 (ed. Iustinianus 1520 fol. 21r)*; THOMAS *In De causis prop. IV (34,20–22)*; *v.* ARISTOTELES *Met. IX (Θ 8 1049 b 4sqq.)*. 16sq.) Coaeterna — nexus: *v.* THEODERICUS CARNOTENSIS *Glossa V 21 (321)*; *v. etiam infra n. 49,23–25.*

---

6) cum — sit: *cf. De mente 11 n. 130 (V 94,10)*; *De ven. sap. 2 n. 6,13sq. (XIII)*. 7) absoluta possibilitas: *cf. infra n. 28,1–4 et notam*; *De docta ign. II 7 n. 130 (I 84,8sq.)*: Et infimus modus essendi est, ut res possunt esse, et est possibilitas absoluta. 8sq.) Nec — actualitate: *cf. De docta ign. II 1 n. 97 (I 64,22–65,1)*. 10–12) Nam — actu esset: *cf. Sermo I n. 2,21sq. (XVI 1 p. 4)*; *De docta ign. II 9 n. 141 (I 89,28–90,2)*; *Sermo XVI n. 8 (CT I 1 p. 12,5sq.)*; *De beryllo 28 n. 49 (XI 1 p. 37,8–11)*; *Dir. spec. prop. 20 (XIII 65,25sq.)*; *De ven. sap. 7 n. 17,3–5 (XIII)*: Et quia posse fieri non potest se ipsum in actum producere — nam producere ex actu est — ... 10) prodisset in actum: *de modo loquendi cf. De docta ign. II 4 n. 116; 8 n. 138; III 5 n. 209 (I 74,26–28; 89,2; 133,24sq.) et saepius*; *De quaer. deum 2 n. 37,7 (IV 26)*; *De beryllo 3 n. 4 (XI 1 p. 5,7)*. 11–18) Posse — aeternitas: *cf. De mente 11 n. 131 (V 94,21–95,4)*. 16–18) Coaeterna — aeternitas: *cf. Cribr. Alch. II 7 n. 104sq. (I fol. 135v,29sqq.)*.

que nexus. Neque plura sunt aeterna, sed sic sunt aeterna quod ipsa aeternitas. Videnturne vobis haec sic aut aliter se habere?
BERNARDUS: Utique mens dissentire nequit.
IOHANNES: Quasi dum solem intueor, negare nequeo ipsum 20 superlucidum; sic ista tuo ductu clarissima intueor. Exspecto autem quod more tuo magna ex his inferas.
CARDINALIS: Satis mihi est, si vestro iudicio non aberro. **7** Pergam ergo hac via ad quae festino. Nominabo autem hanc quam sic videmus aeternitatem deum gloriosum. Et dico nunc nobis constare deum ante actualitatem, quae distinguitur a potentia, et ante possibilitatem, quae distinguitur ab actu, esse 5 ipsum simplex mundi principium. Omnia autem quae post ipsum sunt cum distinctione potentiae et actus, ita ut solus deus id sit quod esse potest, nequaquam autem quaecumque creatura, cum potentia et actus non sint idem nisi in principio.
BERNARDUS: Siste, pater, parumper et dubium declara. Quo- **8** modo dicis deum id esse quod esse potest? Videtur enim hoc de sole et luna et terra et alio quolibet pariformiter dici posse.
CARDINALIS: Loquor in absolutis et generalissimis terminis,

---

19) BERNARDUS *in marg. m. al. C* 19) dissentire: his *add. Ga*
7 2) ergo: igitur *Ga*
8 4) CARDINALIS *in marg. supplev. C*

---

17) Neque — aeterna: *cf.* THEODERICUS CARNOTENSIS *Tractatus 40 (197):* duo aeterna vel plura esse non possunt. 17sq.) sic — aeternitas: *cf.* IDEM *Lectiones I 21 (137):* Unde ... cum sit aeternus, est aeternitas. *V. etiam infra n. 49,16sq.*
7 3) deum gloriosum: *cf. Dan. 3,45.52.56.* 9) cum potentia — in principio: ARISTOTELES *Phys. III (Γ 1 201 a 19–21).*

---

17) neque — aeterna: *cf. De docta ign. I 7 n. 21 (I 16,13–16); De pace fidei 6 n. 17 (VII 16,19sq.); Sermo CXXXIV n. 6 (CT I 2/5 p. 80,3sq.); De ven. sap. 23 n. 68,10sqq. (XIII).* 17sq.) sic — aeternitas: *cf. Sermo CCXIII n. 5 (CT I 2/5 p. 90,17sq.); De ludo globi I n. 17 (I fol. 154r, 14sq.):* Solus enim omnium creator sic est aeternus quod aeternitas.
19) Utique — nequit: *cf. De docta ign. I 1 n. 2 (I 5,13sq.).*
7 3–7) Et dico — actus: *cf. De docta ign. I 16 n. 42 (I 30,15–18); De vis. dei 15 n. 61 (I fol. 106v,33–35); De ven. sap. 29 n. 88,6sq. (XIII).* 7sq.) solus — potest: *cf. infra n. 8,6; De docta ign. I 4 n. 11; 5 n. 14; II 1 n. 97 (I 10,12sq.; 12,27sq.; 64,14sq.); Sermo XVIII n. 14 (CT I 6 p. 40,11sq.); De dato patr. 2 n. 97,13sq. (IV 72); De ven. sap. 3 n. 7,11 et 39 n. 115,9 (XIII); De ludo globi I n. 46 (I fol. 157v,35sq.); Compend. Epil. n. 45,7sq. (XI 1 p. 34).*

5 quasi dicerem: Cum potentia et actus sint idem in deo, tunc deus omne id est actu, de quo posse esse potest verificari. Nihil enim esse potest, quod deus actu non sit. Hoc facile videt quisque attendens absolutam potentiam coincidere cum actu. Secus de sole. Nam licet sol sit actu id quod est, non tamen id
10 quod esse potest. Aliter enim esse potest quam actu sit.
BERNARDUS: Prosequere, pater. Nam certum est nullam creaturam esse actu omne id quod esse potest, cum dei potentia creativa non sit evacuata in ipsius creatione, quin possit de lapide suscitare hominem et adicere seu diminuere cuiusque
15 quantitatem et generaliter omnem creaturam in aliam et aliam vertere.
CARDINALIS: Recte dicis. Cum igitur haec sic se habeant, quod deus sit absoluta potentia et actus atque utriusque nexus et ideo sit actu omne possibile esse, patet ipsum complicite esse omnia.
20 Omnia enim, quae quocumque modo sunt aut esse possunt, in ipso principio complicantur, et quaecumque creata sunt aut creabuntur, explicantur ab ipso, in quo complicite sunt.

---

8 12sq.) cum — creatione: *cf.* THOMAS *In De div. nom. c. 2 lect. 6 (216); c. 4 lect. 10 (437).* 13sq.) possit — hominem: *cf. Luc. 3,8; De quaer. deum 4 n. 48,12 (IV 33).* 14sq.) adicere — quantitatem: *cf. Luc. 12,25.* 20–22) Omnia enim — complicite sunt: *cf.* THEODERICUS CARNOTENSIS *Lectiones II 4 (153).*

---

8 5) Cum — deo: *cf. De gen. 1 n. 145,10–12 (VI 106); De vis. dei 15 n. 62 (I fol. 106ᵛ–107ʳ).* 5sq.) tunc — verificari: *cf. n. 7,7sq.; 9,10; De docta ign. I 2 n. 5; III 2 n. 190 (I 7,11sq.; 123,18); De quaer. deum 3 n. 46,1 (IV 31); De pace fidei 8 n. 22 (VII 22,5); De ven. sap. 13 n. 34,12sq. (XIII).* 9–11) Nam — sit: *cf. infra n. 11,4–10; 27,15; 30,10–13; 52,4–6.* 11sq.) certum — potest: *cf. n. 7,6sq.; De ap. theor. n. 24,2sq. VIII (XIII).* 12sq.) cum — creatione: *cf. infra n. 27,13sq.; De docta ign. III 1 n. 185 (I 120,16sq.):* Et universum non evacuat ipsam infinitam absolute maximam dei potentiam. *De ludo globi I n. 19 (I fol. 154ʳ,39–41).* 18sq.) ideo — possibile esse: *cf. De docta ign. I 2 n. 5 (I 7,11sq.).* 19) patet — omnia: *cf. De docta ign. I 16 n. 43; 23 n. 71; II 2 n. 101; 13 n. 179 (I 31,6; 46,22sq. et notam; 66,26; 113,11); Apol. doctae ign. n. 43 et 46 (II 29,4sq.; 31,27); De mente 7 n. 106 (V 79,1sq.); De ven. sap. 3 n. 8,9–11 (XIII).* 20–22) Omnia — sunt: *cf. Apol. doctae ign. n. 42 (II 28,19–22); v. De docta ign. II 3 n. 105sqq. (I 69sq.); De vis. dei 11 n. 45sq. (I fol. 104ᵛ,14sqq.).* 20sq.) Omnia — complicantur: *cf. De pace fidei 7 n. 21 (VII 21,11sq.):* quia in principio complicari debet principiatum... *De princ. n. 36,4sq. (p. 25).*

IOHANNES: Quamvis haec a te pluries audiverim, numquam 9
tamen nisi magna visa sunt et mihi difficillima. Ideo ne pigriteris
respondere: An velis dicere creaturas, quae per decem praedica-
175v menta significantur, puta substantia, quantitas, | qualitas et
alia, in deo esse? 5
CARDINALIS: Volo dicere omnia illa complicite in deo esse deus
sicut explicite in creatura mundi sunt mundus.
IOHANNES: Igitur deus est magnus.
CARDINALIS: Utique est magnus; sed sic magnus quod magnitudo quae est omne id quod esse potest. Nam non est magnus 10
magnitudine quae maior esse potest aut magnitudine quae
dividi et minui potest quemadmodum creata quantitas, quae
non est id quod esse potest.
BERNARDUS: Si ergo deus est magnus magnitudine quae id
est quod esse potest et — ut dicis — quae maior esse non potest 15
et quae minor esse non potest, tunc deus est magnitudo maxima
pariter et minima.

---

9 1) hoc *Ga* 2) difficilia *Ga* 7) creaturis *Ga* 7) sunt: est *Ga* 12) et: aut *Ga* 14) BERNARDUS *in marg. supplev. C* 14) ergo: igitur *Ga*

---

9 3–5) An velis — esse: *cf.* ALANUS AB INSULIS *Theol. reg. 8 (PL 210, 627sq.).* 3sq.) decem praedicamenta: *cf.* ARISTOTELES *Praed. (4 1 b 25–27); Top. I (A 9 103 b 20–23); Anal. post. I (A 22 83 a 21–23; b 13–17).* 6sq.) Volo — mundus: *cf.* THEODERICUS CARNOTENSIS *Glossa II 20 (284); v. supra n. 8,20–22 et notam.* 8) Igitur — magnus: *cf. Deut. 7,21; 10,17; Ps. 47,2; 76,14; 88,8; Ioh. 10,29.* 9sq.) Utique — potest: *cf.* BOETHIUS *De trinitate 4 (156,18–157,1);* THEODERICUS CARNOTENSIS *Commentum in librum Boethii De trinitate IV 27 (123);* IDEM *Lectiones IV 41 (197); 58 (202):* cum Deus magnus sit, non tantum magnus est sed etiam ipsa magnitudo. CLARENBALDUS ATTREBATENSIS *Tractatus super librum Boethii De trinitate IV 52; 65 (LaW 162; 166).*

---

9 9–17) Utique — minima: *cf. Sermo CCLXXXIX (Sicut nuper, II 1 fol. 190r,21sq.); v. supra n. 8,17–19.* 9) Utique — magnus: *cf. n. 46, 15sq.; Dir. spec. 14 (XIII 35,22–36,2), ubi* NICOLAUS *laudat* DIONYSIUM AREOPAGITAM *De div. nom. IX 2 (PG 3, 909 C; Dionysiaca I 452; 454).* 10) est_1 — potest: *cf. Sermo XVIII n. 14 (CT I 6 p. 40, 10–12); De dato patr. 2 n. 97,13sq. (IV 72); De ven. sap. 12 n. 33,3; 34 n. 101,11sq. (XIII). 10–12)* Nam — quantitas: *cf. n. 11,6sq.; 30,13; 40,17sq.; 52,6; 65,6sq.; De ven. sap. 34 n. 102,6–8 (XIII); ad* maius et minus esse posse *v. De docta ign. II 1 n. 95sq. (I63,23–64, 13).*

CARDINALIS: Utique non errat dicens deum magnitudinem absolute maximam pariter et minimam; quod non est aliud
20 dicere quam infinitam et impartibilem, quae est omnis magnitudinis finitae veritas et mensura. Quomodo enim foret maior alicui quae sic est maxima quod et minima? Seu quomodo minor alicui quae sic est minima quod maxima? Aut quomodo non est omnis magnitudinis essendi aequalitas quae omne id
25 est actu quod esse potest? Utique essendi aequalitas esse potest.

---

19) aliud *corr. supra lin.* aliter *in lin. del. Ga* 21) finita *Ga* 25) aequalitas: actu *add. Ga*

18–25) Utique — potest: *cf.* THEODERICUS CARNOTENSIS *Tractatus 43; 45 (198; 199).* 20) impartibilem: *cf.* DIONYSIUS AREOPAGITA *De div. nom. I 4 (PG 3, 589 D; Dionysiaca I 23⁴, interpretibus* IOHANNE SCOTTO, ROBERTO GROSSETESTE); *l. c. II 11 (Dionysiaca I 679,115 paraphr.* VERCELLENSIS*).* 21) veritas et mensura: *cf. Excerptum Ex scientia inquisitiva veri et boni in omni materia (Cod. Cus. 83 fol. 100ʳ,72sq.):* Item, sicut primum ens est mensura cuiuslibet entis, ita et prima veritas est mensura omnis veritatis. *(*RAYMUNDUS LULLUS *Liber de inquisitione veri et boni in omni materia, v.* E. COLOMER *172 A. 109);* HEIMERICUS DE CAMPO *Tractatus de sigillo aeternitatis (Cod. Cus. 106 fol. 84ʳ,5sqq.):* Deinde quaeritur an deus sit veritas, puta prima et summa, et respondit quod sic, quia exemplar omnis causatae veritatis, siquidem veritas intellectus componentis et dividentis mensuratur per conformitatem sui ad esse et non esse rei, et haec ultima resolvitur ad veritatem incausatam tamquam ad mensuram primam et irresolubilem, quae identificatur originali principio et summitati divini esse. 21) mensura: *cf.* PROCLUS *Elem. theol. prop. XCII (299); CXVII (497; ed. Dodds p. 102,28):* Πᾶς θεὸς μέτρον ἐστὶν τῶν ὄντων. IDEM *In Plat. Parm. VI (Cod. Arg. 84; v.* R. HAUBST *MFCG I (1961) 28); Marg.* NICOLAI *(Cod. Cus. 186 fol. 114ʳ; v.* R. HAUBST *ibid. 31):* Deus mensura omnium. 24) essendi aequalitas: *cf.* THEODERICUS CARNOTENSIS *Commentum II 31; 32; 35; 41 (100; 101; 103);* CLARENBALDUS ATTREBATENSIS *Tractatus II 36 (LaW 120sq.).*

18sq.) Utique — minimam: *cf. De docta ign. I 2 n. 5; 4 n. 11 (I 7,10; 10,22–24) et saepius; De sap. II n. 41 (V 34,16sq.); De beryllo 2 n. 3; 8 n. 9 (XI 1 p. 4,19; 9,12).* 19–21) quod — mensura: *cf. n. 24,11; 25,3sq.; De docta ign. I 16 n. 45 (I 32,9–12); Apol. doctae ign. n. 47 (II 32,6–18); De sap. II n. 46 (V 38,17–19); De beryllo 7 n. 8 (XI 1 p. 8,7–11.13–15).* 19sq.) quod — infinitam: *cf. De docta ign. I 4 n. 12 (I 11,9sq.17).* 21) veritas et mensura: *cf. n. 13,11sq.; 52,17 et notam.* 21–25) Quomodo — potest: *cf. De ven. sap. 13 n. 35,13–36,2 (XIII):* deus est ante omnem differentiam ... Et cum sit...ante differentiam parvi et magni, non maior uni et minor alteri nec aequalior uni et alteri inaequalior. — Sunt in hoc campo delectabilissimae venationes, quia possest est actu omne posse. 23–25) Aut — potest: *cf. De docta ign. I 4 n. 11; III 3 n. 200 (I 10,10–14; 128,1–3).* 24) essendi aequalitas: *v. De docta ign. I 8 n. 22sq.; 24 n. 80; II 7 n. 129 (I 17; 50,31–51,4; 82,24–83,1.3); Sermo XVI n. 24 (CT I 1 p. 26,1–6); Sermo XVIII n. 11 (CT I 6 p. 36,15–38,2); De sap. I n. 23 (V 20,9–12); De ven. sap. 23:* De septimo campo, scilicet aequalitatis, *nn. 68–70 (XIII); Compend. 10 nn. 30–33 (XI 1 p. 24 sqq.).*

BERNARDUS: Grata sunt haec. Sed sicut video, nec nomen nec **10**
res nec quicquam omnium, quae creatae magnitudini conveniunt, convenienter de deo dicuntur, cum differant per infinitum. Et fortassis non solum in magnitudine hoc verum, sed in omnibus quae de creaturis verificantur. 5
CARDINALIS: Recte concipis, Bernarde. Et hoc ipsum apostolus insinuat, cum faceret inter illa quae in creaturis attinguntur et in deo differentiam uti est inter visibilia et invisibilia, quae utique in infinitum distare affirmamus.
IOHANNES: Quantum capio, in his paucis multa valde conti- 10
nentur. Nam si dico ex pulchritudine creaturarum deum pulchrum et scio quod deus est ita pulcher quod pulchritudo quae est omne id quod esse potest, scio nihil pulchri totius mundi deficere deo ac quod omnis quae potest creari pulchritudo non est nisi quaedam similitudo improportionalis ad illam 15
quae actu est omnis essendi possibilitas pulchritudinis, quae

---

10 6) Bernarde: BERNARDUS *interlocutor inducitur in Ga* 8) quae — affirmamus *om. Ga*

---

10 1–5) nec — verificantur: *cf.* PROCLUS *In Plat. Parm. VII (Plat. Lat. III 52,1–8; ibid. 104 (7) annotatur quod* totum locum de 'supereminentia unius' Cusanus signo adnotavit*).* 7–9) cum — affirmamus: *cf.* BOETHIUS *Cons. phil. II pr. 7,17 (CCSL XCIV 33,51–53):* Etenim finitis ad se inuicem fuerit quaedam, infiniti uero atque finiti nulla umquam poterit esse collatio. 11–17) Nam — potest: *cf.* BOETHIUS *De trin. 2 (153,36–39);* THEODERICUS CARNOTENSIS *Lectiones II 59 (173);* MAGISTER ECHARDUS *In Sap. n. 40 (LW II 361,2–7), ubi laudatur* BOETHIUS *Cons. phil. III m. IX (CCSL XCIV 52,6–9).* 12 *et* 18) *De pulchritudine, bonitate dei v. e. gr.* PLATO *Phaedr. 246 d 8 sq.;* DIONYSIUS AREOPAGITA *De div. nom. IV 7 (PG 3, 701 C; Dionysiaca I 178[1]).*

---

10 7–9) cum — affirmamus: *cf. Sermo III n. 11,9sq. et notam (XVI 1 p. 48); De docta ign. I 3 n. 9 (I 8,20sq. et notam):* ex se manifestum est infiniti ad finitum proportionem non esse. *II 2 n. 102 et 4 n. 114 (67,10sq.; 73,24–26); De quaer. deum 1 n. 29,9–12 (IV 21); De fil. dei 4 n. 72,31sq. (IV 54); Apol. doctae ign. n. 27 et 47 (II 18,26sq. et notam; 32,6–8); De vis. dei 23 n. 101 (I fol. 112r,1sq.); De princ. n. 38,11sq. (p. 26).* 9) in infinitum distare: *cf. De docta ign. I 24 n. 77; II 8 n. 140 (I 49,24–26; 89,21).* 12sq. *et* 17sq.) deus — potest *et* Ita — aliis: *v. De ven. sap. 35 n. 104,3sqq. (XIII).* 12) deus — pulchritudo: *cf. De vis. dei 6 n. 20 (I fol. 101v,6sq.); Marg. 423–425; 445.* 13sq.) scio — deo: *cf. n. 12,3sq.; De ven. sap. 26 n. 77,2sq. (XIII):* Non enim potest quicquam rationabiliter videri, quo ipsum possest careat.

non potest esse aliter quam est, cum sit id quod esse potest. Ita de bono, de vita et aliis, sic et de motu. Nullus enim motus est in fine seu id quod esse potest nisi qui deo convenit, qui est 20 motus maximus pariter et minimus seu quietissimus. Et ita mihi videris dicere. Sed haesito, an in simili convenienter dici possit deum esse solem aut caelum sive hominem aut aliud tale.

11 CARDINALIS: Non est vocabulis insistendum. Nam si dicitur deum esse solem, utique si intelligitur hoc sane de sole qui est omne id actu quod esse potest, tunc clare videtur istum solem non esse aliquid simile ad illum. Hic enim sol sensibilis dum 5 est in oriente, non est in qualibet parte caeli, ubi esse posset, neque est maximus pariter et minimus, ut non possit esse nec maior nec minor, neque est undique et ubilibet, ut non possit esse alibi quam est, neque est omnia, ut non possit esse aliud quam est, et ita de reliquis. Sic quidem de omnibus creaturis

---

17) Ita — de motu: Ita de vita et motu. *Ga*
11 7) et: neque *Ga*

---

11 1) Non — insistendum: *cf.* DIONYSIUS AREOPAGITA *De div. nom. IV 11 (PG 3, 708 BC; Dionysiaca I 202[2]sqq.).* 1sq.) si — solem: *v.* PLATO *Res publ. VI (508 a 4sqq.); VII 2sq. (516 a sqq.); Leg. X 8 (897 d 8sqq.).* 6sq.) neque — minor: *cf. Excerptum Ex arte mystica theologiae et philosophiae (Cod. Cus. 83 fol. 94v,2sq.):* Utitur Raymundus in isto libro terminis inusitatis et inquirit in superlativo gradu deum verum. Et omnia alia sunt per comparativum et positivum. *(7sq.):* probatum est, quod sunt tres gradus reales, in quibus omnia secundum magis et minus radicantur. *V.* RAYMUNDUS LULLUS *Ars mixtiva theologiae et philosophiae (Monac. Cod. lat. 10 512, 10 530; v.* E. COLOMER *132 A 6).* 7–9) est undique — aliud quam est: *cf.* DIONYSIUS AREOPAGITA *De div. nom. V 8 (PG 3, 824 A; Dionysiaca I 355[3–4], interprete* SARACENO*):* Etenim non hoc quidem est, hoc autem non est; neque alicubi quidem est, alicubi autem non est.

18–20) Nullus — quietissimus: *cf. De coniect. I 6 n. 23,10sq. et notam (III 30).*
11 1) Non — insistendum: *cf. Sermo I n. 11,36sq. (XVI 1 p. 10); De docta ign. I 2 n. 8 (I 8,9–11):* Oportet autem attingere sensum volentem potius supra verborum vim intellectum efferre quam proprietatibus vocabulorum insistere, quae tantis intellectualibus mysteriis proprie adaptari non possunt. *Compl. theol. 1 (II 2 fol. 92v,19sq.); De aequalitate (II 1 fol. 20r,13); De ven. sap. 33 n. 97,18sq.; 98,9sqq. (XIII).* 6sq.) neque — minor: *cf. De docta ign. I 3 n. 9 (I 8,21–9,1); v. De coniect. annot. 26 ad n. 50,1–3 (p. 208sq.).* 6sq. *et* 8sq.) neque — minor *et* neque — aliud quam est: *cf. Dir. spec. prop. 17 (XIII 64,12–16).*

pariformiter. Non refert igitur quomodo deum nomines, dum- 10
modo terminos sic ad posse esse intellectualiter transferas.
BERNARDUS: Intelligo te dicere velle deum esse omnia, ut non **12**
possit esse aliud quam est. Quomodo hoc capit intellectus?
CARDINALIS: Utique hoc firmissime asserendum. Deo enim nil
omnium abest quod universaliter et absolute esse potest, quia
est ipsum esse, quod entitas potentiae et actus. Sed dum est 5
omnia in omnibus, sic est omnia quod non plus unum quam
aliud, quoniam non est sic unum quod non aliud.
BERNARDUS: Cave, ne tibi ipsi contradicas. Aiebas enim parum
ante deum non esse solem, modo asseris ipsum omnia.
CARDINALIS: Immo dicebam ipsum solem; sed non modo es- 10
sendi quo hic sol est, qui non est quod esse potest. Qui enim

---

10) dum *Ga*
12 3) nihil *Ga* 5) est: et *C* 9) ipsum: eum *Ga* 10) CARDINALIS *in marg. supplev.C*

10sq.) Non refert — transferas: *cf.* PROCLUS *In Plat. Parm. VII (Plat. Lat. III 72,30–33)*; IOHANNES SCOTTUS *Periphyseon I (78,33sq.)*; PSEUDO-BEDA *Comm. in l. Boethii De trin. (PL 95, 398 A)*; THEODERICUS CARNOTENSIS *Lectiones IV 13sq. (188sq.)*: ...Licet... quandoque translative ponantur ad loquendum de Deo, tamen recurrunt ad suam originem, innuendo ... translative, non proprie ostendendo. *27 (193)*; IDEM *Glossa IV 15 (307)*. 11) intellectualiter: *cf.* BOETHIUS *De trin. 2 (152,16sq.)*: ...in diuinis intellectualiter uersari oportebit. *V. etiam infra n. 63,6sq.*
12 5) ipsum esse: *cf.* BOETHIUS *De trin. 2 (152,18–20)*; THEODERICUS CARNOTENSIS *Commentum II 17; 21 (96; 97)*; IDEM *Glossa II 47 (294)*. 5–7) dum est — non aliud: *cf.* THEODERICUS CARNOTENSIS *Glossa II 13 (281)*; *v. etiam infra n. 14,9sq.* 5sq.) est — omnibus: *cf.* IOHANNES SCOTTUS *De div. nat. III 9; 17 (PL 122, 645 B; 678 C)*. 11sq.) Qui — deficit: *v.* HEIMERICUS DE CAMPO *Tractatus de sigillo aeternitatis (Cod. Cus. 106 fol. 83r,36)*: (deus) nullum habens defectum. *(37)*: Est purus actus, cui non potest fieri additio.

10sq.) dummodo — transferas: *cf. De docta ign. I 10 n. 29 (I 21,18sq. 20sq.)*: si ex signo ad veritatem te elevaveris verba transsumptive intelligendo... *11 n. 31; 12 n. 33; 24 n. 79 (22,18; 24,18–23; 50,22–25)*; *De coniect. II 17 n. 175,2sq. (III 176)*: Dum enim de divinitate locutus sum, eos ad eius naturam transumas. *De fil. dei 2 n. 57,2–4 (IV 43)*; *De ap. theor. n. 9,1 (XIII)*.
12 3sq.) Deo — potest: *cf. n. 10,13sq.*; *Apol. doctae ign. n. 11 (II 8,20sq.)*. 5sq.) dum — omnibus: *cf. n. 56,2; 58,11; 74,6*; *De pace fidei 11 n. 29 (VII 31,3)*; *v. De docta ign. II 3–5 nn. 105sqq. (I 69–78)*. 6sq.) sic — aliud: *cf. De ven. sap. 13 n. 35,14sq. (XIII)*: cum sit ante differentiam unius et alterius, non est plus unum quam aliud. 7) non — aliud: *cf. De docta ign. I 16 n. 43 (I 31,4–7)*: Deus enim ... non istud quidem est et aliud non est.

est id quod esse potest, utique solare esse sibi non deficit; sed habet ipsum meliori essendi modo quia perfectissimo et divino. Sicut essentia manus verius esse habet in anima quam in manu, 15 cum in anima sit vita et manus mortua non sit manus, ita de toto corpore et singulis mem|bris: ita se habet universum ad 176r deum, excepto quod deus non est anima mundi sicut anima hominis anima est, nec forma alicuius, sed omnibus forma, quia causa efficiens, formalis seu exemplaris et finalis.

---

12) est_3: omne *add. Ga* **14–13** 8) essentia—viva: valor et duratio auri in se habet valorem et durationem omnium metallorum magis perfecte, quia incorruptibiliori modo quam sint in ipsis valor auri in se omnium metallorum valorem complicat, divina essentia omnium creaturarum essentiam in infinitum perfectius in se habet. Sed si vis mineralis auri esset omne id quod metallum esse potest, propinquius exemplum foret. *Ga V. De coniect. II 16 n. 156,23sq. (III 155).*

---

15) cum in anima sit vita: *cf.* Liber de Causis *III (n. 35,28–30).* 17) anima mundi: *v.* Plato *Tim. 34 c sq.; Philebus 30 ab;* Aristoteles *Phys. II (B 7 198 a 24–26); De an. II 4 (415 b 10sqq.).* 18) nec forma alicuius: *cf.* Heimericus de Campo *Compendium divinorum, tr. 2 De primo principio (Cod. Mog. 610 fol. 121r,11sqq.):* iuste censetur primum omnibus esse intimissimum, tamen nulli inclusum. Intimissimum quidem, quia est universorum forma; non inclusum, quia non est forma informans, quae coincidit cum efficiente in specie tantum et non numero *(Excerptum in* R. Haubst, *Zum Fortleben ..., p. 438).* Theodericus Carnotensis *Tractatus 32 (195).* 19) causa — finalis: *cf.* Bonaventura *Brevil. p. 2 c. 1 (V 219 b); Sent. I d. 3 pars I dub. 3;* Heimericus de Campo *Quaestiones (Cod. Cus. 106 fol. 25r,20):* In hac causali trinitate ... *Glossa interlin.:* effectiva, formali et finali. *Tractatus de sigillo aeternitatis (Cod. Cus. 106 fol. 77v,2):* trium causarum activarum, scilicet effectivae, exemplaris et finalis.

---

13) meliori essendi modo: *cf. n. 71,11sq.* 14–16) Sicut — membris: *cf. Sermo XVIII n. 29 (CT I 6 p. 62,15–19); Sermo CCLXXXII (Alleluia. Veni, sancte spiritus, II 1 fol. 185r,16–18); De ludo globi I n. 27 (I fol. 155r,44–155v,4); n. 39 (fol. 156v,41–43).* 14) verius esse habet: *cf. infra n. 13,7sq. et notam.* 17sq.) excepto — anima est: *cf. De docta ign. II 9 n. 145 (I 92,21–93,2);* de anima mundi *v. l. c. nn. 141sqq. (89sqq.); De mente 13 nn. 145sqq. (V 104sqq.).* 19) causa — finalis: *cf. De docta ign. I 21 n. 64; II 9 n. 150 (I 43,14sq.; 95,24); Sermo XXX (Sanctus, sanctus, sanctus, II 1 fol. 144v,23sq.); Sermo CLXI (Pax hominibus, II 1 fol. 88r,42); Sermo CCXXX (Trinitatem in unitate, II 1 fol. 134r,44sq.); De beryllo 16 n. 17; 23 n. 35 (XI 1 p. 16,1–4; 27,19–22); De ven. sap. 8 n. 22,12–14; 34 n. 102,11; 39 n. 115,11sq. (XIII):* causa efficiens, formalis seu exemplaris et finalis. *De ludo globi I n. 48 (I fol. 158r,7sq.); Marg. 49; 446.*

BERNARDUS: Vultne Iohannes evangelista dicere omnia sic in **13** deo esse vita sicut de manu dixisti et anima?
CARDINALIS: Arbitror vitam ibi veritatem et vivacitatem dicere. Nam cum non sint res nisi per formam formentur, tunc formae in forma formarum verius et vivacius esse habent quam 5 in materia. Res enim non est, nisi sit vera et suo modo viva. Quo cessante esse desinit. Ideo verius est in forma formarum quam in se. Ibi enim est vera et viva.
IOHANNES: Optime nos instruis, pater. Videtur mihi ex uno te omnia elicere. Deus ergo est omnia, ut non possit esse aliud. 10

---

13 9) mihi *om. Ga* 10) ergo: igitur *Ga*

---

13 1–8) Vultne — viva: *v.* MAGISTER ECHARDUS *In Sap. n. 32 (LW II 352,10–353,1).* 1sq.) Vultne — anima: *cf. Ioh. 1,3sq.;* THEODERICUS CARNOTENSIS *Commentum IV 8 (117);* IDEM *Glossa II 13 (281sq.);* CLARENBALDUS ATTREBATENSIS *Tractatulus 22 (LaW 235sq.).* 3sq.) Arbitror — dicere: *cf.* AUGUSTINUS *De gen. ad litt. V 15 (CSEL XXVIII 1 158,10sq. 25sq.);* ANSELMUS CANTUARIENSIS *Monologion c. 35 (I 54,6–13).* 4–6) Nam — materia: *cf.* IDEM *l. c. c. 36 (55,4–6);* THEODERICUS CARNOTENSIS *Commentum II 41; 63; 64 (103; 109sq.);* IDEM *Lectiones II 38; 39; 42; 46; 65sq. (165; 166; 168; 174sq.). De* forma formarum *cf.* THEODERICUS CARNOTENSIS *Lectiones II 39; 43 (165; 166):* Dicitur autem prima Forma, quae est divinitas, «Forma formarum» quia est generativa formarum. IDEM *Glossa II 15 (282);* MOSES MAIMONIDES *Dux perplexorum I 68 (ed. Iustinianus 1520 fol. 27v–28r).* 7sq.) Ideo — in se: *cf.* ALBERTUS MAGNUS *In De myst. theol. c. 5 dub. (XIV 859sq.).*

---

13 1–8) Vultne — viva: *cf. n. 61,1–5.* 3sq.) Arbitror — dicere: *cf. n. 50,5sq.* 4–6) Nam — materia: *cf. Sermo XIII (Cod. Cus. 220 fol. 85r,24sq.):* Omnium factorum in Verbo idealem exemplaritatem, quia 'quod factum est, in ipso vita erat', quoniam creatura habet verius esse in deo quam in seipsa *(v. CT I 2/5 p. 161 annot. 2). De docta ign. II 9 n. 149 (I 95,18sq.); De vis. dei 7 n. 24 (I fol. 102r,11sq.); De princ. n. 15,18–21; n. 34,10sq. (p. 13; 24):* cum omne causatum verius sit in sua causa quam in seipso ... *n. 37,2sq.10sq. (p. 26):* Principium enim veritas est omnium creaturarum ... In principio igitur, quod est veritas, sunt omnia ipsa aeterna veritas. *Epist. ad Nicolaum Albergati n. 22 (CT IV 3 p. 34,19sq.). Ad* forma formarum *cf. De vis. dei 9 n. 34; 15 n. 63 (I fol. 103r,30sq.; 107r,8); De pace fidei 11 n. 29 (VII 31,2–5; v. etiam p. 79, annot. 22); Sermo CCXIII n. 17 (CT I 2/5 p. 100,24–102,5); De princ. n. 21,17sq. (p. 16).* 4) cum — formentur: *v. infra n. 43,21; 64,1sq.* 7sq.) Ideo — in se: *cf. De beryllo 32 n. 56 et 57 (XI 1 p. 41,23–25; 42,3–6.15–18); De ven. sap. 26 n. 77,2 (XIII); v. Marg. 488; 489:* Si res considerantur secundum naturam entitatis tunc verius sunt in Deo quia creatura in Deo est creatrix essentia. 10) Deus — aliud: *cf. n. 12,5–7.*

Ita est undique, ut non possit esse alibi. Ita est omnium adaequatissima mensura, ut non possit esse aequalior. Sic de forma et specie et cunctis. Nec est hac via difficile videre deum esse absolutum ab omni oppositione et quomodo ea, quae nobis
15 videntur opposita, in ipso sunt idem et quomodo affirmationi in ipso non opponitur negatio et quaeque talia.

14 CARDINALIS: Cepisti, abba, propositi radicem et vides hanc contemplationem per multos sermones inexplicabilem brevissimo verbo complicari. Esto enim quod aliqua dictio significet simplicissimo significato quantum hoc complexum 'posse est',

---

13) et_1: sic de *Ga* 14) quae: in *add. Ga* 15) ipso: Christo *Ga*

11sq.) est omnium — mensura: *cf.* LIBER DE CAUSIS *XV (XVI) (n. 135,97–00)*; ALBERTUS MAGNUS *Met. X tr. 1 c. 5 (XVI 2 438,5–24), ubi* NICOLAUS *in margine annotavit:* deus mensura seu regula omnium. MAGISTER ECHARDUS *In Eccli. n. 64 (LW II 294,4sq.)*; *Sermo XII 2 n. 141 (LW IV 132,12–14).* 13–16) Nec est — talia: *cf.* PROCLUS *In Plat. Parm. VII (Plat. Lat. III 70,9sq.)*: sed exaltatum est *(sc. le unum)* propter simplicitatem ab omni oppositione et omni negatione. *V. etiam in apparatu fontium p. 97 (ad p. 70,9) et marg.* NICOLAI *(ibid. p. 106 (21))*: ... et sic circa ipsum non sunt negaciones, quia exaltatum super omnem opposicionem et negacionem, sed de ipso. *V.* R. KLIBANSKY *Ein Proklos-Fund p. 35sq. Cf.* DIONYSIUS AREOPAGITA *De myst. theol. I 2 (PG 3, 1000 B; Dionysiaca I 571[1]–572[1])*; ALBERTUS MAGNUS *In De myst. theol. c. 1 § 3 A dub. (XIV 824).*
14 2) contemplationem: *cf.* IOHANNES SARESBERIENSIS *De sept. sept. 7 (PL 199, 963 C).* 2) per multos sermones inexplicabilem: *cf. Eccl. 1,8.*

---

11) Ita — alibi: *cf. n. 11,7sq.* 11sq.) Ita — aequalior: *cf. n. 9,20–26; 52,17; De docta ign. I 16 n. 45; 18 n. 54; 21 n. 65 (I 32,8–15.23–26; 36,27sq.; 43,24sq.); Sermo XVI n. 19 (CT I 1 p. 20,30sq.); Apol. doctae ign. n. 47 (II 32,6sq.16sq.); De sap. I n. 23 (V 20,16–21,1); De pace fidei 11 n. 29 (VII 31,5sq.); De beryllo 11 n. 12 (XI 1 p. 11,18–20); Dir. spec. prop. 11 (XIII 62,30sq.); De ven. sap. 34 n. 102,11sq. (XIII); Marg. 262.* 13–16) Nec — talia: *cf. De docta ign. I 4 n. 12 (I 10,25–11,3)*: Oppositiones igitur hiis tantum, quae excedens admittunt et excessum, et hiis differenter conveniunt; maximo absolute nequaquam, quoniam supra omnem oppositionem est. Quia igitur maximum absolute est omnia absolute actu, quae esse possunt, taliter absque quacumque oppositione, ut in maximo minimum coincidat, tunc super omnem affirmationem est pariter et negationem. *Sermo XVI n. 9 (CT I 1 p. 12,12sq.19); De coniect. I 5 n. 21,3–10 et notam (III 27); De dato patr. 3 n. 107,3–7 (IV 79); De princ. n. 26,8–10 (p. 19).* 15sq.) quomodo — negatio: *cf. n. 55,23–27.*
14 1–3) vides — complicari: *cf. De coniect. I 5 n. 20,1sq. (III 25).*

scilicet quod ipsum posse sit. Et quia quod est actu est, ideo 5
posse esse est tantum quantum posse esse actu. Puta vocetur
possest. Omnia in illo utique complicantur, et est dei satis
propinquum nomen secundum humanum de eo conceptum.
Est enim nomen omnium et singulorum nominum atque
nullius pariter. Ideo dum deus sui vellet notitiam primo 10
revelare, dicebat: «Ego» sum «deus omnipotens», id est sum
actus omnis potentiae. Et alibi: «Ego sum qui sum.» Nam ipse
est qui est. Quae enim nondum sunt id quod esse aut intelligi
possunt, de illis absolutum esse non verificatur. Habet autem
Graecus: Ego sum entitas, ubi nos: «Ego sum qui sum.» 15
Est enim forma essendi seu forma omnis formabilis formae.
Creatura autem, quae non est quod esse potest, non est
simpliciter. Solus deus perfecte et complete est.

---

14 6) Puta — propinquum: omnia in illo nomine utique videret complicari. Hoc enim esset dei propinquissimum *Ga* 8) eo: deo *Ga* 9) Est: esset *Ga* 11–18) deus — est: qui sum, et alibi, qui est misit me. Nihil enim aliud a deo est simpliciter et complete. Quamdiu enim non est omne quod esse potest, nondum est simpliciter et perfectissime. *Ga*

---

11) *Gen. 17,1.* 12) *Ex. 3,14.* 12–14) Ego — verificatur: *v.* IOHANNES SCOTTUS *De praedestinatione IX 4 (PL 122, 591 C)*; THEODERICUS CARNOTENSIS *Commentum II 21 (97)*; IDEM *Glossa II 14 (282)*; MAGISTER ECHARDUS *Prolog. in op. prop. n. 5 (LW I 168,6–8)*; *In Exod. n. 74 (LW II 77,1–12).* 15) Ego sum entitas: *cf.* THEODERICUS CARNOTENSIS *Commentum II 22 (97)*: ... ab aliis „Unitas" quasi *onitas* ab *on* Graeco, id est entitas, ab omnibus autem usitato vocabulo „Deus" appellatur. IDEM *Glossa V 18 (320); v. et ibid. annot. 1*; IDEM *Lectiones II 48 (168).* 16) forma essendi: *cf.* IDEM *Commentum II 17 (96)*; *Tractatus 31 (195)*; CLARENBALDUS ATTREBATENSIS *Tractatus II 23 (LaW 116)*; *Tractatulus 46 (LaW 247).*

---

5) ipsum posse: *v. De ap. theor. n. 4,9–11; 5,1–4 (XIII).* 5–8) ideo — nomen: *cf. De ven. sap. 13 n. 34,12sq. (XIII)*: Solus deus est possest, quia est actu quod esse potest. *26 n. 76sq. (XIII). De* nomine dei *v. De docta ign. I 24–26 nn. 74sqq. (I 48sqq.).* 9sq.) Est — pariter: *cf. n. 26,9–11; 58,13–15; 69,4.* 11) deus omnipotens: *cf. n. 25,13.* 14–16) Habet — formae: *cf. n. 65,1–4; De docta ign. I 8 n. 22 (I 17,6–8); Sermo XVI n. 11 (CT I 1 p. 14,7–17).* 16–18) Est enim — complete est: *cf. De dato patr. 2 n. 102,2–5 (IV 76)*: quomodo deus est universalis essendi forma omnium formarum, quam formae specificae in descensu non universaliter et absolute, uti ipsa est et se dat, recipiunt sed contractione specifica. 16) forma essendi: *cf. De docta ign. I 23 n. 70; 73 (I 46,20; 47,23); Sermo XVI n. 11; 14; 26 (CT I 1 p. 14,12; 16,6; 26,22); De dato patr. 2 n. 98,7.9 (IV 73); Apol. doctae ign. n. 11 (II 9,1sq.).* 16) forma omnis formabilis formae: *cf. De gen. 1 n. 147,4sq. (IV 107); Apol. doctae ign. n. 11 (II 8,16–19); De sap. I n. 23; II n. 34 (V 20,11sq.16–21,1; 30,7sq.); De mente 2 n. 67 (V 54,16–18).*

15 Ducit ergo hoc nomen speculantem super omnem sensum, rationem et intellectum in mysticam visionem, ubi est finis ascensus omnis cognitivae virtutis et revelationis incogniti dei initium. Quando enim supra se ipsum omnibus relictis ascen-
5 derit veritatis inquisitor et reperit se amplius non habere accessum ad invisibilem deum, qui sibi manet invisibilis, cum

---

15 1) ergo: igitur *Ga* 3) relevationis *C* 4) supra *ex* super *corr. Ga* 5) veritatis *supra lin. Nicolaus m. prop.* virtutis *in lin. del. C*

---

15 1–14) Ducit — quaerentibus: *cf.* Bonaventura *In Hexaëmeron coll. II 29sq. (V 341)*; Iohannes Gerson *De mystica theologia tr. I cons. 43,14–22; v. infra n. 34,8sq.; 35,3sq.* 1–10) Ducit — manifestaverit: *cf.* Dionysius Areopagita *De div. nom. VII 3 (PG 3, 872 AB; Dionysiaca I 406[1–4]); De myst. theol. I 1 (PG 3, 997B–1000A; Dionysiaca I 567[2]sqq.); II (PG 3, 1025 B; Dionysiaca I 581[2]sqq.)*; Albertus Magnus *In Epist. V B. Dionysii A (XIV 893)*; Iohannes Gerson *De mystica theologia tr. II cons. 12,34–41.* 1sq.) super — intellectum: *cf.* Boethius *Cons. phil. V pr. 4,27–30 (CCSL XCIV 97,73–80); v. infra n. 63,5sq.;* Dionysius Areopagita *De div. nom. I 1 (PG 3, 588 A; Dionysiaca I 7[4]–8[1])*; Iohannes Scottus *De div. nat. IV 5 (PL 122, 755 B).* 3) incogniti dei: *cf. Act. 17,23.* 4sq.) supra — ascenderit: *cf.* Anonymus *Liber de spiritu et anima 14 (PL 40, 791; v. etiam lin. 11; n. 55,11.13).* 6sq.) cum — videatur: *v.* Liber XXIV Philosophorum *prop. XXI (38,7–14); v. infra n. 74,15.19; 75,1.*

---

15 1–14) Ducit — quaerentibus: *cf. n. 17,17sq.; 39,8; 70,1 (*linquere omnia*); n. 17,18 (*intellectum suum transcendere*); n. 32,7 (*transilire*).* 1–4) Ducit — initium: *cf. De quaer. deum 2 n. 36,9–11 (IV 26); De vis. dei n. 1 (I fol. 99[r],9sq.)*: ... mirabilia quae supra omnem sensibilem, rationalem et intellectualem visum revelantur. *Epist. V ad abbatem et monachos Tegernseenses (ed. Vansteenberghe p. 115)*: Unde necesse est mystice theologizantem supra omnem rationem et intellectum etiam se ipsum linquendo se in caliginem inicere. *Dir. spec. 20 (XIII 48,9–17); v. De ap. theor. n. 10sq. (XIII).* 1sq.) Ducit — visionem: sensus, ratio, intellectus: *cf. n. 17,3–8; 70,3sq. (*sensus, imaginatio, intellectus*); n. 62,15 (*sensus, ratio*) et n. 63,13 (*imaginatio, intellectus*). De coniect. II 16 n. 157,4–10 et 159,6–11 (III 156; 159sq.); De aequalitate (II 1 fol. 15[v],43–16[r],6); De ludo globi I n. 26 (I fol. 155[r],35sqq.).* 4sq.) Quando — inquisitor: *cf. Epist. V ad abbatem et monachos Tegernseenses (p. 114); Apol. doctae ign. n. 13 (II 10,18–20) = Dir. spec. 14 (XIII 35,4–6) =* Dionysius Areopagita *De div. nom. VII 1 (PG 3, 865D–868A; Dionysiaca I 385[4]–386[1]); De beryllo 30 n. 53 (XI 1 p. 39,23–40,1).* 5–9) reperit — illuminari: *cf. n. 53,8 et quae ibidem allegata sunt ex commentariis* Alberti Magni *in Epist. V et De myst. theol.* Dionysii Areopagitae. 5sq.) accessum: *cf. De docta ign. I 26 n. 89; II 13 n. 180; III 11 n. 246 (I 56,15–18; 114,3; 153,13).* 6–10) cum — manifestaverit: *cf. De quaer. deum 3 n. 39,1–10 (IV 27sq.).*

nulla luce rationis suae videatur, tunc exspectat devotissimo
desiderio solem illum omnipotentem et per sui ipsius ortum
pulsa caligine illuminari, ut invisibilem tantum videat quantum
se ipsum manifestaverit. Sic intelligo apostolum deum a crea- 10
tura mundi intellecta, puta quando ipsum mundum creaturam
intelligimus et mundum transcendentes creatorem ipsius in-
quirimus, se manifestare ipsum ut creatorem suum summa
formata fide quaerentibus.
IOHANNES: Quorsum nos vehis, pater, mundanos supra mun- 15
dum!

Indulgebis, ut te praesente cum Bernardo colloquar. Dicito, **16**
vir zelose, an quae dicta sunt cepisti?
BERNARDUS: Spero aliquid saltem, licet parum.
IOHANNES: Quomodo intelligis in possest omnia complicari?
BERNARDUS: Quia posse simpliciter dictum est omne posse. 5
Unde si viderem omne posse esse actu, utique nihil restaret
amplius. Si enim aliud aliquid restaret, utique hoc esse posset;
ita non restaret, sed prius non fuisset comprehensum.

---

7) nullo *Ga* 8) et *om. Ga* 12) mundum: nondum *Ga*
16 4) possest: posse esse *Ga* 7) aliquid aliud *pos. Ga* 8) non *om. Ga*

---

9) caligine: *cf.* DIONYSIUS AREOPAGITA *De myst. theol. I 1 (PG 3,997 AB; Dionysiaca I* 566^{2}*);* IDEM *Epist. V ad Dorotheum (PG 3, 1073 A; Dionysiaca I* 620^{1}*–*621^{4}*).* 9sq.) ut — manifestaverit: *cf.* DIONYSIUS AREOPAGITA *De div. nom. I 2 (PG 3, 589 A; Dionysiaca I* 16^{1}*);* ALBERTUS MAGNUS *In Epist. V B. Dionysii C (XIV 893).* 12) transcendentes: *cf.* BONAVENTURA *Itin. I 2 (V 297a).*

16 4) complicari: *v.* DIONYSIUS AREOPAGITA *De div. nom. XIII 3 (PG 3, 980 B; Dionysiaca I* 545^{3}*); IV 7 (PG 3, 701 C; Dionysiaca I* 178^{4}*).*

7–9) exspectat — illuminari: *cf. De docta ign. III 9 n. 236 (I 147,22sq.); v. infra n. 32,9.* 9sq.) ut — manifestaverit: *cf. n. 32,22–25; 36,11sq.; Complement. theol. 3 (II 2 fol.* 94^{r}*,30–34).* 10–12) Sic — creatorem: *cf. n. 72,9–11; De beryllo 36 n. 65 (XI 1 p. 49,1–5).* 12) transcendentes: *cf. n. 17,18; De docta ign. I 2 n. 8; 4 n. 12; 14 n. 37 (I 8,12; 11,12.19; 28,4); Apol. doctae ign. n. 14 (II 11,5–7); De vis. dei 6 n. 20 (I fol.* 101^{r}*,45sq.).* 15) Quorsum nos vehis: *cf. De vis. dei 7 n. 24 (I fol.* 102^{r}*,15sq.).*

16 4–10) Quomodo — nihil: *cf. Compend. Epil. n. 45,9–12 (XI 3 p. 34); v. Sermo XVI n. 13 (CT I 1 p. 14,24–26); De vis. dei 13 n. 55 (I fol.* 105^{v}*,33–36); De ven. sap. 21 n. 59,19–22 (XIII); De ludo globi II n. 66 (I fol.* 161^{r}*,24–27).* 5) posse simpliciter dictum: *cf. De ven. sap. 23 n. 68,13sq. (XIII).*

IOHANNES: Recte dicis. Nam si non est posse esse, nihil est, et
10 si est, omnia id sunt quod sunt in ipso et extra ipsum nihil.
Omnia igitur quae facta sunt in ipso ab aeterno necesse est
fuisse. Quod enim factum est, in posse esse semper fuit, sine
quo factum est nihil. Patet possest omnia esse et ambire, cum
nihil aut sit aut possit fieri, quod non includatur. In ipso ergo
15 omnia sunt et moventur et id sunt quod sunt quicquid sunt.

17 Sed quomodo intelligis ascendentem supra se ipsum constitui
oportere?

BERNARDUS: Quia nullo gra|du cognitionis attingitur. Sensus *176v*
enim nihil non-quantum attingit. Sic nec imaginatio. Simplex
5 enim et quod non possit esse maius aut minus vel mediari aut
duplicari nullo sensu nec etiam per quamcumque subtilissimam
attingitur phantasiam. Nec altissimus intellectus concipere
potest infinitum interminum et unum quod omnia atque

---

13) possest: posse esse *Ga* 14) ergo: igitur *Ga* 15) sunt$_2$ *ex* est *corr. C*
17 7) altissimus: noster *add. Ga*

9–13) Recte — nihil: *cf.* DIONYSIUS AREOPAGITA *l. c. VIII 6 (PG 3, 893 CD; Dionysiaca I 432²–433⁴).* 13) Patet — ambire: *cf.* IDEM *l.c. VIII 5 (PG 3, 893 A; Dionysiaca I 427⁴–428²)*; IOHANNES SCOTTUS *De div. nat. II 28 (PL 122, 590 B)*: Deus...cognoscit se...omnia ambire, quia in ipso sunt omnia, et extra ipsum nihil est. *III 4 (633 A).* 14sq.) In — moventur: *cf. Act. 17,28; v. De quaer. deum 1 n. 17,11 (IV 13).*
17 4–7) Simplex — phantasiam: *cf.* CLARENBALDUS ATTREBATENSIS *Tractatus VI 13 (LaW 185).*

---

10) omnia — nihil: *cf. De docta ign. I 17 n. 50; II 5 n. 117 (I 34,24–28; 76,5sq.); De coniect. II 7 n. 107,15sq. (III 104); De quaer. deum 2 n. 36,4–7 (IV 25sq.); Sermo CCXIII n. 19 (CT I 2/5 p. 102,25–104,1).* 11–13) Omnia — nihil: *cf. De mente 11 n. 130 (V 94,9–11); De vis. dei 10 n. 41 (I fol. 104r,12–15); De princ. n. 22,11sqq. (p. 17).* 13) Patet — ambire: *cf. De docta ign. I 21 n. 64; 65; III 2 n. 190; 12 n. 254 (I 43,10–13.23; 123,22; 158,3sq.); De vis. dei 14 n. 58 (I fol. 106r,28sq.)*: Video, domine, ... te infinitatem omnia ambientem. Non est igitur extra te quicquam. Omnia autem in te non sunt aliud a te.
17 3–9) Quia — diversitas: *cf. De docta ign. I 10 n. 27 (I 20,4–8); Sermo XVI n. 7 (CT I 1 p. 10,24sq.)*: Deus non attingitur racione nec ymaginatione nec sensu. 7–9) Nec — diversitas: *cf. De docta ign. I 4 n. 12 (I 11,9–18)*: Aliter enim non esset maximitas absoluta omnia possibilia actu, si non foret infinita et terminus omnium et per nullum omnium terminabilis...Hoc autem omnem nostrum intellectum transcendit, qui nequit contradictoria in suo principio combinare via rationis. *Apol. doctae ign. n. 12 (II 10,2sq.); v. n. 21 (15,4–7).*

ipsum, ubi non est oppositionis diversitas. Nisi enim intellectus se intelligibili assimilet, non intelligit, cum intelligere sit 10 assimilare et intelligibilia se ipso seu intellectualiter mensurare. Quod in eo, quod est id quod esse potest, non est possibile; nam immensurabile utique est, cum non possit esse maius. Quomodo ergo per intellectum, qui numquam est adeo magnus quin possit esse maior, intelligi posset. 15

IOHANNES: Profundius quam credideram dicta patris nostri subintrasti. Et hoc ultimum certum me facit oportere ascendentem omnia linquere, etiam suum intellectum transcendere, cum virtus infinita per terminatam capi non possit.

CARDINALIS: Gaudeo de vestro profectu ac quod iis locutus 20 sum, qui pro suo captu dicta magnificant.

---

13) posset *C* 14) ergo: igitur *Ga* 20) his *Ga*

9–13) Nisi — maius: *cf.* LIBER XXIV PHILOSOPHORUM *prop. XVI (36,19–37,2).* 10sq.) cum — assimilare: *cf.* ARISTOTELES *De an. I (A 2; 5 404b 17sq.; 409b 26–28; 410 a 23–25); III (Γ 3 427 a 27–29; b 5);* MAGISTER ECHARDUS *In Sap. n. 6 (LW II 327,3–5); In Ioh. n. 26; 123 (LW III 21,4sq.; 107,8 et notas):* Simile enim simili semper cognoscitur. 17sq.) oportere — transcendere: *cf.* IDEM *Sermo XXIV 2 n. 247 (LW IV 225,13–226,5);* RAYMUNDUS LULLUS *Arbor philosophiae (Cod. Cus. 83 fol. 157r,29–31):* Punctus transcendens est instrumentum intellectus humani, per quod seu cum quo suum attingit obiectum supra naturas potentiarum, quae sunt subtus, et per quod attingit supra naturam obiectum supernum. IDEM *Declaratio Raymundi (ed. Keicher, 100,16–19):* Est et alius modus punctorum transcendentium, videlicet cum intellectus mediante gratia dei supra se ipsum transcendit et in se ipso veritatem primae causae et eius operationem attingit, quam tamen in se ipso, videlicet in sua natura, intelligere non potest. 19) virtus infinita: *cf.* LIBER DE CAUSIS *XV (XVI) (n. 129,71sq.; n. 131,81–83).*

9sq.) Nisi — intelligit: *cf. n. 33,1sq. et quae ibi annotata sunt ex Sermone CLXV.* 10sq.) cum — assimilare: *cf. De fil. dei 6 n. 86,4sq. et notam (IV 61sq.); De gen. 4 n. 165,1sqq. (IV 118); De princ. n. 21,11sqq. (p. 16); Cribr. Alch. II 3 n. 94 (I fol. 134v,21sq.); De ven. sap. 17 n. 50,1; 29 n. 86,10sq.; 87,16 (XIII); Compend. 10 n. 32,5 (XI 3 p. 25).* 11) intelligibilia — mensurare: *cf. De beryllo 38 n. 71 (XI 1 p. 52,21sq.).* 17–19) oportere — possit: *cf. De vis. dei 13 n. 52; 52sq. (I fol. 105r,40–42; fol. 105v,3sqq.).* 17sq.) oportere — transcendere: *cf. n. 15,1–9; 17,1sq.; 32,7; 39,8; 70,1–6; Apol. doctae ign. n. 15 et 30 (II 11,24–26; 20,5–8).* 19) cum virtus — possit: *cf. n. 10,7–9; De princ. n. 29,5–8 (p. 21).* 20sq.) Gaudeo — magnificant: *cf. De ven. sap. Prol. n. 1,13–16; 39 n. 124,10 (XIII); De ludo globi I n. 60 (I fol. 159v,10sq.); Compend. Epil. n. 47,8–10 (XI 3 p. 36).*

18 BERNARDUS: Quamvis constet mihi omnibus diebus meis contemplationis cibum posse ex praemissis elicere et sermones multiplicare et semper proficere, optamus tamen aliquo sensibili phantasmate manuduci, maxime quomodo aeternum est
5 omnia simul et in nunc aeternitatis tota, ut ipso phantasmate relicto salientes supra omnia sensibilia elevemur.
CARDINALIS: Conabor. Et recipio omnibus nobis etiam in praxi notum trochi ludum puerorum: Proicit puer trochum et proiciendo simul ipsum retrahit cum chorda circumligata. Et
10 quanto potentior est fortitudo brachii, tanto citius circumvolvitur trochus, adeo quod videatur, dum est in maiori motu, stare et quiescere, et dicunt pueri ipsum tunc quiescere. Describamus ergo circulum *b c*, qui super *a* circumvolvatur quasi superior circulus trochi, et sit alius circulus *d e* fixus:

---

18 2) praemissis: posse *add. Ga* 9) simul ipsum *om. Ga* 12–14) *figura sequens in marg. C deest in Ga* 12) quiescere: dormire *Ga* 13) ergo: igitur *Ga* 14) fixus *om. C*

---

18 4) manuduci: *cf.* DIONYSIUS AREOPAGITA *De div. nom. I 3 (PG 3, 589 C; Dionysiaca I 20⁴); De cael. hier. I 3 (PG 3, 121 C; Dionysiaca II 735³);* HUGO DE S. VICTORE *In Hier. cael. II (PL 175, 948 A);* BONAVENTURA *Itin. III 1 (V 303 a);* IOHANNES GERSON *De myst. theol. tr. I cons. 24,14sq.* 6) elevemur: *cf.* IOHANNES GERSON *l. c. tr. I cons. 26,17–20.* 7sq.) Et recipio — puerorum: *v.* PLATO *Res publ. IV (436 c–e), quod opus a* GEORGIO TRAPEZUNTIO *ca. a. 1451 Latine versum* NICOLAUS *legit in exemplari suo, cod. Londin. Brit. Mus. Harleian. 3261.*

---

18 1sq.) Quamvis — elicere: *cf. Complement. theol. 2 (II 2 fol. 93ʳ,32sq.); De vis. dei 11 n. 45 (I fol. 104ᵛ,11sq.); De ven. sap. 13 n. 34,3sq. (XIII):* Intellectus intrans in campum possest, hoc est, ubi posse est actu, venatur cibum sufficientissimum. 3) proficere: *cf. De docta ign. I 10 n. 29; 17 n. 51 (I 21,21sq.; 35,2sq.).* 4) manuduci: *cf. De coniect. I 9 n. 41,6sq. et notam (III 45sq.).* 6) elevemur: *cf. n. 26,1; 36,4.* 8–12) Proicit — quiescere: *cf. Sermo CCLXXXII (Alleluia. Veni, sancte spiritus, II 1 fol. 185ᵛ,20–22);* G. v. BREDOW *Der spielende Philosoph (Vierteljahresschrift für wissenschaftliche Pädagogik 32 (1956) 1 S. 108–115. S. 109f).* 11sq.) dum — quiescere: *cf. n. 10,18–20.*

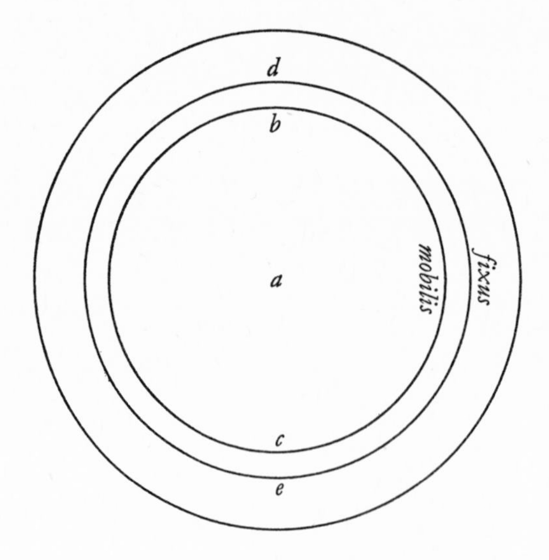

Nonne quanto velocius mobilis circumrotatur, tanto videtur 15 minus moveri?

BERNARDUS: Videtur certe, et hoc vidimus pueri.

CARDINALIS: Esto ergo quod posse moveri in ipso sit actu, **19** scilicet ut moveatur actu quantum est possibile: Nonne tunc penitus quiesceret?

BERNARDUS: Nulla successio posset notari ex repentina velocitate. Ita utique motus deprehendi nequiret successione cessante. 5

IOHANNES: Quando motus foret infinitae velocitatis, *b* et *c* puncta in eodem puncto temporis forent cum *d* puncto circuli fixi sine eo quod alter punctus scilicet *b* prius tempore fuisset quam *c*, aliter non esset maximus et infinitus motus, et tamen non esset motus sed quies, quia nullo tempore illa puncta de *d* 10 fixo recederent.

CARDINALIS: Recte ais, abba. Maximus ergo motus esset simul et minimus et nullus.

---

15) mobile *Ga* 17) haec *C*

19 1) CARDINALIS *om. Ga* 1) ergo: igitur *Ga* 1) in ipso *om. Ga* 6) foret: esset *Ga* 6) in fine *ex* infinitate *mut. C* 8) fuisset: esset *Ga* 11) fixo: puncto circuli fixi *Ga* 12) ergo: igitur *Ga* 13) minimus *ex* minus *corr. C*

BERNARDUS: Ita necessario videtur.
15 CARDINALIS: Nonne quemadmodum *b c* puncta opposita eo casu forent semper cum *d*, ita semper etiam cum opposito eius scilicet *e*?
IOHANNES: Necessario.
CARDINALIS: Nonne etiam omnia intermedia puncta circuli *b c*
20 similiter?
IOHANNES: Similiter.
CARDINALIS: Totus ergo circulus etiamsi maximus foret, in omni nunc simul foret cum puncto *d*, etiamsi *d* punctus minimus foret, et non solum in *d* et *e*, sed in omni puncto circuli *d e*.
25 IOHANNES: Ita foret.
CARDINALIS: Satis sit ergo hoc phantasmate posse aenigmatice aliqualiter videri, quomodo si *b c* circulus sit ut aeternitas et alius *d e* tempus, non repugnare aeternitatem simul totam esse in quolibet puncto temporis et deum principium et finem simul
30 esse totum in omnibus et quaelibet talia.
20 BERNARDUS: Video adhuc unum utique magnum.
IOHANNES: Quid hoc?
BERNARDUS: In deo hic distantia nequaquam distare. Nam *d e* distant per diametrum circuli, cuius sunt opposita pun|cta; sed *177r*

---

14) BERNARDUS *in marg. supplev. C* 16) etiam *om. Ga* 19) CARDINALIS *in marg. supplev. C* 23) cum: in *Ga* 26) phantasmate: te *add. Ga* 27) videre *Ga* 29) principium *in textu abbreviat. explicat m. 3 in marg. C* 30) quaeque *Ga*

---

19 28sq.) non repugnare — temporis: *cf.* BOETHIUS *Cons. phil. V pr. 6,4 (CCSL XCIV 101,8sq.):* Aeternitas igitur est interminabilis uitae tota simul et perfecta possessio. 29) deum principium et finem: *cf. Apoc. 22,13.*

---

19 22–24) Totus — d e *et* **22** 5) cum — idem: *cf. De docta ign. II 3 n. 105 (I 69,14–21); De mente 9 n. 118 (V 86,21–87,7); De ludo globi I n. 49 (I fol. 158r,16–19).* 28–30) non repugnare — in omnibus: *cf. De dato patr. 2 n. 97,10–20 (IV 72); De ludo globi I n. 27 (I fol. 155v,2sq.).*

20 3) In deo — distare: *cf. De docta ign. II 4 n. 113 (I 73,8–10):* Deus est absoluta maximitas atque unitas, absolute differentia atque distantia praeveniens et uniens.

non in deo. Veniente enim *b* ad *d* est simul et cum *e*. Ita omnia, 5
quae in tempore distant in hoc mundo, sunt in praesentia
coram deo, et quae distant opposite sunt ibi coniuncte, et
quae hic diversa ibi idem.

IOHANNES: Haec certe notanda, ut intelligamus deum supra
omnem differentiam, varietatem, alteritatem, tempus, locum et 10
oppositionem esse.

CARDINALIS: Iam intelligetis facilius, quomodo concordabitis **21**
theologos, quorum alter dicit sapientiam quae deus omni
mobili mobiliorem et verbum velociter currere et omnia
penetrare atque a fine ad finem pertingere atque ad omnia
progredi. Alius vero dicit primum principium fixum immobile 5

---

21 2) deus: est *add. Ga*

---

20 5–7) omnia — deo: *cf.* THEODERICUS CARNOTENSIS *Commentum IV 42 (126); Lectiones IV 71; 72 (206);* CLARENBALDUS ATTREBATENSIS *Tractatus IV 77 (LaW 170):* Deus semper est non temporis mora sed aeternitatis immobili praesentia. RAYMUNDUS LULLUS *Excerptum Ex scientia inquisitiva veri et boni in omni materia (Cod. Cus. 83 fol. 100ʳ,53):* Duratio aeternitatis est plenitudo praesentialitatis, quam primo duratio aevi partialiter, secundo duratio quaecumque successiva quasi per partes explicat. 7sq.) quae distant — idem: *cf.* THEODERICUS CARNOTENSIS *Lectiones IV 49; 51sq. (199; 200).* 9–11) deum — esse: *cf.* PROCLUS *In Plat. Parm. VI (ed. Cousin 1076,35–37; 1092,36–1093,1; 1123,26sq.; 1127,20sq.); VII (1203,38–1204,2).*

21 2sq.) alter — mobiliorem: *cf. Sap. 7,24;* DIONYSIUS AREOPAGITA *De div. nom. IX 1 (PG 3,909 B; Dionysiaca 451$^{3-4}$ et 701 paraphr.* VERCELLENSIS*).* 3–6) verbum — moveri: *cf.* IOHANNES SCOTTUS *Periphyseon I (60,22–32).* 3–5) verbum — progredi: *cf.* IDEM *De div. nat. III 9 (PL 122, 642 D).* 3sq.) verbum — penetrare: *cf. Ps. 18,5; 147,15; Hebr. 4,12; v.* PROCLUS *In Plat. theol. I 24 (60,59sq.); II 4 (107,21–23).* 4) a fine — pertingere: *cf. Sap. 8,1.* 4–7) ad omnia — movetur: *cf.* DIONYSIUS AREOPAGITA *De div. nom. V 10 (PG 3, 825 B; Dionysiaca I 365$^{3-4}$);* IDEM *Epist. IX 3 ad Titum (PG 3, 1109 D; Dionysiaca I 654^{4}–655^{1}).* 5sq.) Alius — moveri: *cf.* ARISTOTELES *Phys. III (Γ 1 201 a 27); Met. XII (Λ 6 1072 a 25);* BOETHIUS *Cons. phil. III m. IX (CCSL XCIV 51,3):* stabilisque manens das cuncta moueri. THOMAS *S. th. I q. 2 a. 3 prima via;* MAGISTER ECHARDUS *(saepius laudans dictum Boethii) In Gen. I n. 47; 143; 159 (LW I 219,6–8; 297,8–10; 307,2sq.); Predigt 13 (DW I 218,8sq.).*

5–7) Ita — deo: *cf. De docta ign. I 23 n. 72; 26 n. 87; II 3 n. 106 (I 47,18sq.; 55,9sq.; 69,24):* Ita nunc sive praesentia complicat tempus. *De vis. dei 10 n. 41sq. (I fol. 104ʳ,18sqq.).* 7) quae distant — coniuncte: *cf. De beryllo 10 n. 11 (XI 1 p. 11,6sq.).* 9sq.) deum — differentiam: *cf. De ven. sap. 13 n. 35,5sqq. (XIII).* 10) alteritatem: *cf. n. 45,3; 59,11sq. 60,9; 63,2.*

stare in quiete, licet det omnia moveri, quidam quod simul stat et progreditur, et adhuc alii quod neque stat neque movetur. Ita quidam dicunt ipsum generaliter in omni loco, alii particulariter in quolibet, alii utrumque, alii nullum. Haec et 10 his similia facilius per hoc speculare medium capiuntur, licet infinite melius haec omnia sint in deo ipse deus simplex, quam per dictum paradigma etiam per cuiuscumque altissimum saltum.

22 BERNARDUS: Immo etiam de aeternis rerum rationibus, quae in rebus aliae et aliae atque differentes sunt, etiam pariformiter videtur eas in deo non esse varias. Nam etsi circuli *b c* puncta concipiantur rationes rerum seu ideae, non tamen sunt plura,

---

6) quidam *in textu abbrev. repet. in marg. m. 3 C* quidem *Ga* 8) quidem *Ga*

22 2) pariformiter videtur eas: videtur eas namque pariformiter *Ga* 3) circuli *ex* circula *corr. Ga*

---

7) quod neque stat neque movetur: *cf.* PROCLUS *In Plat. Parm. VI (ed. Cousin 1076,34sq.)*; DIONYSIUS AREOPAGITA *De myst. theol. V (PG 3, 1048 A; Dionysiaca I 598³)*. 8) Ita — loco: *cf. Ier. 23,24; Ps. 138,8.* 8sq.) alii — in quolibet: *cf. Ies. 66,1; Ps. 113,16.* 9) Alii utrumque: *cf.* IOHANNES SCOTTUS *De div. nat. V 31 (PL 122, 942 BC)*. 9) alii nullum: *cf.* AUGUSTINUS *Liber LXXXIII quaest. q. 20 (PL 40,15sq.)*; IOHANNES SCOTTUS *l. c. III 9 (PL 122, 643 C)*; *v.* ANSELMUS CANTUARIENSIS *Monol. c. 21sq. (I 36 sqq.)*

22 1–3) Immo — varias: *cf.* IOHANNES SCOTTUS *De div. nat. II 36; III 9 (PL 122, 615sq.; 642 A)*; THEODERICUS CARNOTENSIS *Commentum II 11; 44sq. (94; 104)*; IDEM *Glossa II 32; 35 (288; 289)*; IDEM *Lectiones II 66 (175)*; CLARENBALDUS ATTREBATENSIS *Tractatus II 10; 59sq. (LaW 110; 129sq.)*; IDEM *Tractatulus 47 (LaW 248)*; MAGISTER ECHARDUS *In Gen. I n. 155 (LW I 305,2sq.)*; *In Sap. n. 99 (LW II 434,3–7)*; *Predigt 9 (DW I 148,1–3)*. 1) de aeternis rerum rationibus: *cf.* AUGUSTINUS *Epist. CLX (PL 33, 701sq.)*; MAGISTER ECHARDUS *In Sap. n. 32 (LW II 352,10–353,1)*: deus fecit *omnia, ut essent,* id est ut haberent esse extra in rerum natura, quamvis ab aeterno in ipso fuerint et aeternaliter secundum suas rationes.

---

21 6sq.) quidam — movetur: *cf. De beryllo 10 n. 11 (XI 1 p. 11,10–12)*.

22 1–3) Immo – varias: *cf. De docta ign. I 17 n. 48; 23 n. 72; II 9 n. 148; 149 (I 33,18–20; 47,10; 94,25–32; 95,4–9)*; *De sap. II n. 38 (V 32,21–23)*: Plura dico exemplaria, dum ad variarum rerum varias rationes referimus; unum vero sunt exemplar, quia in absoluto coincidunt. *De mente 2 n. 67 (V 54,16–19)*; *De vis. dei 3 n. 8 (I fol. 99ᵛ,43–46)*; *Dir. spec. 10 (XIII 22,23–23,9)*; *De ven. sap. 28 n. 84sq. (XIII)*; *De ludo globi II n. 64 (I fol. 160ᵛ,42–161ʳ,5)*; *Marg. 7:* Idea divina una, ideata plura. *587.* 4) rationes rerum seu ideae: *cf. De docta ign. II 7 n. 129 (I 83,4sq.)*; *De beryllo 10 n. 11; 16 n. 17 (XI 1 p. 11,12–14; 16,5–7)*.

cum totus circulus et punctus sint idem. Quando enim *b* est 5
cum *d*, totus circulus est cum *d* et omnes eius puncti sunt unus
punctus, licet videantur esse plura, quando ad *d e* temporis
circulum et eius puncta respicimus.

CARDINALIS: Multum acceditis ad theologiam illam latissimam **23**
pariter et concisam. Possemus adhuc plura in hoc trochi motu
pulcherrima venari, scilicet quomodo puer volens trochum
mortuum seu sine motu facere vivum sui conceptus similitudinem
sibi imprimit per inventum sui intellectus ingenium et 5
motu manuum recto pariter et obliquo seu pulsionis pariter et
attractionis imprimit sibi motum supra naturam trochi, cum
non haberet nisi motum versus centrum uti grave: facit ipsum
circulariter moveri ut caelum. Et hic spiritus movens adest
trocho invisibiliter diu aut parum secundum impressionem 10
communicatae virtutis. Quo desinente volvere trochum revertitur
uti erat prius ad motum versus centrum. Nonne hic est
similitudo creatoris spiritum vitae dare non-vivo volentis? Uti

---

7) temporis *om. Ga*

23 3) trochum *ex* trocheum *corr. C* 13) creatoris *in marg. m. al. C* 13) vitae *in marg. m. al. C*

---

23 1sq.) Multum — concisam: *cf.* DIONYSIUS AREOPAGITA *De myst. theol. I 3 (PG 3, 1000 B; Dionysiaca I 572², interpretibus* SARACENO *et* AMBROSIO TRAVERSARI*).* 4) mortuum — vivum: *v.* MACROBIUS *Comm. in Somn. Scip. II 13 n. 1 (II 133,12–14).* 5) imprimit: *cf.* THOMAS *S. th. I q. 115 a. 4.* 9–11) hic spiritus — virtutis: *cf.* LIBER DE CAUSIS *XV (XVI); XVII (XVIII) (n. 130,75–78; 131,79–83; 143,38–40; 145,45–47)*; IOHANNES SARESBERIENSIS *De sept. sept. 7 (PL 199, 961sq.).* 12–20) Nonne — in terram suam: *v.* MOSES MAIMONIDES *Dux perplexorum I c. 71 (ed. Iustinianus 1520 fol. 31ʳ); II c. 2 (fol. 40ʳᵛ).* 12sq.) Nonne — volentis: *v.* MACROBIUS *Comm. in Somn. Scip. II 13 n. 5 (II 133,27–29).* 13) spiritum vitae: *cf. Gen. 6,17; 7,15.22; Rom. 8,2; De quaer. deum 2 n. 37,11 (IV 27).*

---

23 3) *De verbo venandi v. De coniect. II Prol. n. 70,11sq.; 6 n. 102,8–10; 10 n. 126,1; 11 n. 130,16; 15 n. 148,6 (III 71; 98sq.; 121; 126; 148); De fil. dei 6 n. 86,11–13 (IV 62); De ven. sap. Prol. n. 1,19sq. (XIII).* 7) supra naturam: *cf. De ludo globi I n. 5 (I fol. 152ᵛ, 27–29).* 7sq.) cum — grave: *cf. De ven. sap. 28 n. 83,7sq. (XIII).* 9) spiritus movens: *cf. De docta ign. II 10 n. 153 (I 98,6–11).* 13–20) Uti — suam: *v. Sermo CCXLIII (Michael et angeli eius, II 1 fol. 146ʳ,16sqq.).*

enim praeordinavit dare, ita medio motus caeli, qui sunt
15 instrumenta exsecutionis voluntatis eius, moventur motu recto
ab oriente ad occasum et cum hoc reversionis de occasu ad
orientem simul, ut sciunt astrologi, et spiritus vitae ex zodiaco
animali impressus movet vitaliter id, quod de sua natura vita
caruit, et vivificat quamdiu spiritus durat, deinde revertitur in
20 terram suam. Talia, quae tamen non sunt praesentis speculationis, et plura valde significantur in hoc ludo puerorum. Haec
sic cursim rememorata sint, ut consideretis quomodo etiam in
arte puerorum relucet natura et in ipsa deus, quodque sapientes
mundi qui hoc ponderarunt veriores assecuti sunt de scibi-
25 libus coniecturas.

24 BERNARDUS: Ago tibi immensas gratias, pater optime, quoniam
multa dubia et quae videbantur impossibi|lia hoc aptissimo *177v*
trochi aenigmate facta sunt mihi non solum credibilia sed
necessaria.

---

14) caeli *om. C* 15) eius *supra lin. Nicolaus m. prop.* et *in lin. del. C* et *Ga* 17) vitae ex *suprascrips. Ga*

14–20) medio — in terram suam: *v.* THOMAS *S. c. gent. III 82sqq.; S. th. I q. 104 a. 2; q. 115 a. 3sq.* 14sq.) medio — eius: *cf.* HEIMERICUS DE CAMPO *Ars demonstrativa (Cod. Cus. 106 fol. 70rv):* quia secundum legem naturalis providentiae superiora regunt inferiora per media. Ergo intellectus immateriales influunt substantiis generabilibus et corruptibilibus per caelum tamquam per aptum medium... *(70v,7sqq.):* ille motus est primo situalis et quia ordinatur instrumentaliter ad regimen inferiorum mundi a caelo localiter contenti, ideo est etiam contenti localis. 14) motus caeli: *v.* MACROBIUS *Comm. in Somn. Scip. I 17 n. 8sq. (II 68,8–19).* 15–17) moventur — simul: *cf.* IDEM *l. c. I 18 n. 2; II 4 n. 8 (II 70,3–11; 108,19–25);* HONORIUS AUGUSTODUNENSIS *De imagine mundi I 68 (PL 172, 138).* 17sq.) spiritus — vitaliter: *cf.* MACROBIUS *l. c. I 19 n. 23 (II 77, 18–23).* 17) ex zodiaco: *v. l. c. I 21 n. 16 (II 87,29–31);* HONORIUS AUGUSTODUNENSIS *l. c. I 91 (142).* 19sq.) vivificat — in terram suam: *cf.* MACROBIUS *l. c. II 12 n. 13 (II 132,23–30); v.* THEODERICUS CARNOTENSIS *Commentum II 24 (98);* CLARENBALDUS ATTREBATENSIS *Tractatulus 20 (LaW 234sq.).*

14sq.) medio — eius: *cf. De beryllo 23 n. 36;36 n. 68 (XI 1 p. 28,11–13; 50,11sq).* 17) ex zodiaco: *cf. Compend. 13 n. 43,5sq. (XI 3 p. 33).*

CARDINALIS: Qui sibi de deo conceptum simplicem facit quasi 5
significati huius compositi vocabuli possest, multa sibi prius
difficilia citius capit. Nam si quis se ad lineam convertit et
applicat ipsum possest, ut videat possest lineale, hoc est ut
videat lineam illud esse actu quod esse potest et omne id esse
quod lineam fieri posse intelligit, utique ex sola illa ratione quia 10
est possest ipsam videt lineam maximam pariter et minimam.
Nam cum sit id quod esse potest, non potest esse maior: sic
videtur maxima, nec minor: sic videtur minima. Et quia est id
quod linea fieri potest, ipsa est terminus omnium superficierum.
Sic et terminus figurae triangularis, quadrangularis et omnium 15
polygoniarum et omnium circulorum et figurarum omnium,
quae fieri possunt ex linea sive recta sive curva, et omnium
figurarum exemplar simplex, verissimum et adaequatissimum
et aequalitas in se omnes habens et per se omnia figurans. Et
ita unica figura omnium figurabilium linealiter et ratio una 20
atque causa omnium quantumcumque variarum figurarum.

In hoc aenigmate vides quomodo si possest applicatur ad **25**
aliquod nominatum, [quomodo] fit aenigma ad ascendendum

---

24 5–31 1) Cardinalis — Sed *non insunt in Ga* 6) significati *et* compositi *in textu abbreviat. explic. in marg. Nicolaus m. prop. C* 15) figurae *in textu abbreviat. explic. in marg. m. 3 C*

---

24 12sq.) Nam — minima: *cf. De docta ign. I 4 n. 11 (I 10,12–15).* 13–21) Et — figurarum: *cf. De docta ign. I 13–15 nn. 35sqq.; II 9 n. 148 (I 25sqq.; 94,23–32).* 18) exemplar: *cf. Apol. doctae ign. n. 15 (II 11,20–23):* sicut imaginis esse penitus nihil perfectionis ex se habet, sic omnis sua perfectio est ab eo, cuius est imago; exemplar enim mensura et ratio est imaginis. *n. 37 (26,7–10).* 18) exemplar... verissimum et adaequatissimum: *cf. De vis. dei 9 n. 34 (I fol. 103r,34).* 19) aequalitas — figurans: *cf. De docta ign. I 17 n. 49 (I 34,8–11).*

25 2) aenigma: *cf. n. 39,10sq.; 43,20; 44,3.9; 45,12; 54,3; 57,20; 72,10; De docta ign. I 12 n. 33 (I 24,24); Apol. doctae ign. n. 14 (II 11,9); De fil. dei 1 n. 54,15sq.; 2 n. 55,5; 61,2 (IV 41; 42; 45); De vis. dei 4 n. 12 (I fol. 100v,3).*

ad innominabile, sicut de linea per possest pervenisti ad indivisibilem lineam supra opposita exsistentem, quae est omnia
5 et nihil omnium lineabilium. Et non est tunc linea, quae per nos linea nominatur, sed est supra omne nomen lineabilium. Quia possest absolute consideratum sine applicatione ad aliquod nominatum te aliqualiter ducit aenigmatice ad omnipotentem, ut ibi videas omne quod esse ac fieri posse intelligis supra
10 omne nomen, quo id quod potest esse est nominabile, immo supra ipsum esse et non-esse omni modo, quo illa intelligi possunt. Nam non-esse cum possit esse per omnipotentem, utique est actu, quia absolutum posse est actu in omnipotente. Si enim ex non-esse potest aliquid fieri quacumque potentia,
15 utique in infinita potentia complicatur. Non esse ergo ibi est omnia esse. Ideo omnis creatura, quae potest de non-esse in esse

---

25 3sq.) indivisibilem: *v.* BOETHIUS *Cons. phil. III pr. 11,10–13 (CCSL XCIV 57,25–36)*; LIBER DE CAUSIS *XXVII (XXVIII) (n. 198,47–51)*; THEODERICUS CARNOTENSIS *Tractatus 34 (196)*: Unitas enim essendi conservatio et forma est, divisio vero causa interitus. IDEM *Glossa II 16 (283)*; MAGISTER ECHARDUS *In Gen. I n. 88sq. (LW I 246,7–9; 248,6–8)*. 9sq.) supra omne nomen: *cf. Phil. 2,9; De docta ign. I 6 n. 17 (I 14,13–15)*. 11) supra ipsum esse et non-esse: *cf.* DIONYSIUS AREOPAGITA *De myst. theol. I 2 (PG 3, 1000 B; Dionysiaca I 572[1])*: ... super omnem ablationem et positionem.

3sq.) indivisibilem: *cf. n. 9,18–20; 57,12; De docta ign. I 17 n. 48 (I 33,13)*: Sicut linea infinita est indivisibilis. *n. 50 (34,19)*; *De coniect. I 10 n. 44,7 (III 48)*; *De beryllo 12 n. 13 (XI 1 p. 12,14–19)*; *v. De pace fidei 8 n. 22 (VII 22,10sq.)*. 5sq.) Et — lineabilium: *cf. De vis. dei 13 n. 57 (I fol. 106ʳ,12–19)*. 7sq.) Quia — omnipotentem: *cf. De beryllo 16 n. 20 (XI 1 p. 18,25sq.)*: Esse autem quanto simplicius, tanto virtuosius et potentius, ideo absoluta simplicitas seu veritas est omnipotens. *De ven. sap. 13 n. 35,1 (XIII)*. 11–16) supra — omnia esse: *cf. Sermo XVI n. 13 (CT I 1 p. 14,24–16,3)*: quomodo ipsa complicat omnia ... Neque est non-esse extra ipsam neque nihil; non-esse enim in infinita unitate est ipsa simplicissima entitas. Extra enim infinitatem nec esse nec non-esse potest intelligi esse ... tam ea que sunt, quam ea que non sunt, complicans et ambiens. *De princ. n. 36,1sqq. (p. 25)*. 11) supra ipsum esse et non-esse: *cf. infra n. 53,11sq.; 62,9; De sap. II n. 32 (V 29,2sq.)*; *De ven. sap. 13 n. 35,5–8 (XIII)*: Est enim *(sc. deus)* ante differentiam omnem; ante differentiam actus et potentiae ... immo ante differentiam esse et non esse, aliquid et nihil. 12) Nam — omnipotentem: *cf. De sap. I n. 22 (V 19,15–17)*.

perduci, ibi est ubi posse est esse et est ipsum possest.

26 Ex quo te elevare poteris, ut supra esse et non-esse omnia ineffabiliter, aenigmatice tamen, videas, quae de non-esse per actu esse omnia in esse veniunt. Et ubi hoc vides, verissime et discretissime nullum nomen nominabile per nos invenis. Illi enim principio non convenit nec nomen unitatis seu singularitatis nec pluralitatis aut multitudinis nec aliud quodcumque nomen per nos nominabile seu intelligibile, cum esse et non-esse ibi sibi non contradicant nec alia quaecumque opposita aut discretionem affirmantia vel negantia. Eius enim nomen est nomen nominum et non plus singulare singulorum quam universale simul omnium et nullius.

27 BERNARDUS: Intelligo te dicere quomodo hoc nomen compositum possest de posse et esse unitum habet simplex significatum iuxta tuum humanum conceptum ducentem aenigmatice inquisitorem ad aliqualem de deo positivam assertionem. Et capis posse absolutum prout complicat omne posse supra actionem et passionem, supra posse facere et posse fieri. Et concipis ipsum posse actu esse. Hoc autem esse quod actu

---

25 17) perduci: produci, per *suprascrips. Nicolaus m. prop. C* 17) est_2 *suprascrips. m. 3 C* 17) possest *ex* posest *supr. lin. corr. C; ad hunc modum scribendi v. De ven. sap. n. 30,8 (et saepius)* : posest*; n. 115,5sq. (et saepius)* : pos factum, pos fieri, pos facere *C*.
26 9) est nomen *in marg. m. al. C*

---

26 3–11) Et ubi — nullius: *cf.* AUGUSTINUS *In Ioh. ev. tract. XIII n. 5 (CCSL XXXVI 133,38–41)*; DIONYSIUS AREOPAGITA *De div. nom. I 7 (PG 3, 596 C; Dionysiaca I 48[4]–49[3])*; THEODERICUS CARNOTENSIS *Lectiones IV 11 (188); Glossa IV 10 (304sq.)*.

---

26 1) te elevare: *cf. Sermo XVI n. 14 (CT I 1 p. 16,4–6); Apol. doctae ign. n. 30 et 32 (II 24,12–14; 26,2sq.).* 9–11) Eius — nullius: *cf. De docta ign. I 24 n. 75 (I 48,13–15); De mente 2 n. 67sq. (V 54,20–55,14); De beryllo 12 n. 13 (XI 1 p. 13,5–7).*
27 5sq.) capis — passionem: *cf. De vis. dei 12 n. 49 (I fol. 105[r],9sqq.).* 6) supra — fieri: *cf. De ven. sap. 13 n. 35,6sq. (XIII).*

est omne posse esse dicis, id est absolutum. Et ita vis dicere quod ubi omne posse actu est, ibi pervenitur ad primum
10 omnipotens principium. Non haesito quin omnia in illo complicentur principio, quod omnia quae quocumque modo possunt esse in se habet. Nescio si bene dico.

CARDINALIS: Optime. Principium igitur suam vim omnipotentem in nullo quod esse potest evacuat. Ideo nulla creatura est
15 possest. Quare omnis creatura potest esse quod non est. Solum principium quia est ipsum possest, non potest esse quod non est.

BERNARDUS: Clarum est hoc. Si enim principium posset non esse, non esset, cum sit quod esse potest.

20 IOHANNES: Est igitur absoluta necessitas, cum non possit non esse.

CARDINALIS: Recte dicis. | Nam quomodo posset non esse, *178r* quando non-esse in ipso sit ipsum.

IOHANNES: Mirabilis deus, in quo non-esse est essendi neces-
25 sitas.

---

27 8) Et *supra lin. C* 12) habet *ex* habent *corr. C*

---

27 15–21) omnis — esse: *cf.* AVICENNA *Met. IV 2 (85ra F)*; MOSES MAIMONIDES *Dux perplexorum I 51 (fol. 19r)*. 20) absoluta necessitas: *cf.* THEODERICUS CARNOTENSIS *Commentum II 22 (97)*; IDEM *Glossa II 15 (282)*; CLARENBALDUS ATTREBATENSIS *Tractatus II 43 (LaW 124)*; IDEM *Tractatulus 22 (LaW 235)*. 20sq.) cum — esse: *cf.* DIONYSIUS AREOPAGITA *De div. nom. VIII 6 (PG 3, 893 B; Dionysiaca I 430[1–4])*. 24) Mirabilis deus: *cf. Ps. 67,36*.

10–12) Non — habet: *cf. De docta ign. II 3 n. 107 (I 70,14sq.)*. 13sq.) Principium — evacuat: *cf. De coniect. I 5 n. 18,1–6; II 5 n. 96,1–3 (III 23sq.; 92sq.); De beryllo 9 n. 10 (XI 1 p. 10,23sq.)*. 20) absoluta necessitas: *cf. Sermo XIII (Verbum caro factum est, II 1 fol. 40r,40); De docta ign. I 3 n. 10; 6 n. 15sq. (I 9,22sq.; 13sq.); II 4 n. 114; 7 n. 129 (74,3; 83,4sq.); De coniect. II 1 n. 72,2 et notam (III 72); De sap. II n. 31 (V 27,12sq.); De vis. dei 9 n. 36 (I fol. 103v,9)*. 24sq.) essendi necessitas: *cf. n. 53,14; 68,7sq.; Apol. doctae ign. n. 47 (II 32,11–13)*.

BERNARDUS: Quia mundus potuit creari, semper ergo fuit **28**
ipsius essendi possibilitas. Sed essendi possibilitas in sensibilibus materia dicitur. Fuit igitur semper materia. Et quia numquam creata, igitur increata. Quare principium aeternum.
IOHANNES: Non videtur procedere hoc tuum argumentum. 5
Nam increata possibilitas est ipsum possest. Unde quod mundus ab aeterno potuit creari, est quia possest est aeternitas. Non est igitur verum aliud requiri ad hoc quod possibilitas essendi mundum sit aeterna nisi quia possest est possest, quae est unica ratio omnium modorum essendi. 10

CARDINALIS: Abbas bene dicit. Nam si posse fieri non habet **29**
initium, hoc ideo est, quia possest est sine initio. Praesupponit enim posse fieri absolutum posse, quod cum actu convertitur, sine quo impossibile est quicquam fieri posse. Quod si absolu-

---

28 1–4) Quia mundus — aeternum: *v.* PLATO *Tim. 28 b;* ARISTOTELES *Phys. VIII (Θ 1 251 b 28–252 a 1); De caelo et mundo I (A 3 270 a 12–22; 12 283 a 20–24);* IOHANNES SCOTTUS *De div. nat. III 5; 14 (PL 122, 636sq.; 664 C);* PETRUS LOMBARDUS *Sent. II d. 1 c. 1;* IOHANNES SARESBERIENSIS *Metalogicus II 2 (PL 199, 858 C);* THEODERICUS CARNOTENSIS *Commentum II 28 (99);* CLARENBALDUS ATTREBATENSIS *Tractatulus 24 (LaW 237);* AEGIDIUS DE ROMA *Errores philos. I 3sq. (4,1–13).* 2sq.) Sed — dicitur: *cf.* AVICENNA *Met. IV 2 (85vbG);* THEODERICUS CARNOTENSIS *Commentum II 19 (97):* Haec ergo possibilitas a philosophis materia nominatur. IDEM *Glossa II 17sq. (283);* CLARENBALDUS ATTREBATENSIS *Tractatus II 26; 46 (LaW 117; 125);* IDEM *Tractatulus 19; 21 (LaW 234; 235);* IOHANNES SARESBERIENSIS *De sept. sept. 7 (PL 199, 961 D).*

---

28 1–4) Quia — aeternum: *v. De ven. sap. 9 nn. 23sqq. (XIII); De docta ign. II 8 nn. 132sqq.:* De possibilitate sive materia universi *(I 84sqq.); Epist. ad Nicolaum Albergati n. 19 (CT IV 3 p. 34,1–4).* 2sq.) Sed — dicitur: *cf. De docta ign. II 1 n. 97; 8 n. 132 (I 65,3; 85,5); De mente 7 n. 107 (V 79,14sq.); De beryllo 28 n. 48 (XI 1 p. 36,17sq.).* 6) increata — possest: *cf. De docta ign. II 8 n. 136 (I 88,2sq.); De vis. dei 15 n. 62sq. (I fol. 107r,3–5).* 6sq.) Unde — aeternitas: *cf. n. 6,16–18; De docta ign. II 2 n. 101 (I 66,24–67,6); De dato patr. 3 n. 104,2–8 (IV 77sq.); De vis. dei 10 n. 41 (I fol. 104r,12–16); Sermo CXXXIV n. 6 (CT I 2/5 p. 78,18–21); De ven. sap. 27 n. 82,1sqq. (XIII).* 9sq.) unica ratio: *cf. De docta ign. I 23 n. 72 (I 47,10):* Deus igitur est unica simplicissima ratio totius mundi universi.

29 1–10) Abbas — verificatur: *cf. De princ. n. 33,14sqq. (p. 23); De ludo globi I n. 46; II n. 81 (I fol. 157v,32sqq.; fol. 163r,34sq.).* 2–4) Praesupponit — posse: *cf. De ven. sap. 3 n. 7,11–13; 7 n. 17,3–7 (XIII):* posse fieri non potest se ipsum in actum producere ... quare ante potentiam est actus. Non est igitur posse fieri aeternum principium. *De ap. theor. n. 6,8–12 (XIII).* 4–6) Quod — possest: *cf. De docta ign. I 24 n. 79 (I 50,16sq.).*

5 tum posse indigeret alio, scilicet materia sine qua nihil posset, non esset ipsum possest. Quod enim hominis posse facere requirat materiam quae possit fieri, <est>quia non est ipsum possest, in quo facere et fieri sunt ipsum posse. Hoc enim posse quod de facere verificatur est idem posse quod de fieri verifica-
10 tur.

BERNARDUS: Difficile est mihi hoc capere.

CARDINALIS: Quando attendis in deo non-esse esse ipsum possest, capies. Nam si in posse facere non-esse coincidit, utique et posse fieri coincidit. Ac si tu fores auctor libri quem
15 scribis, in posse tuo activo, scilicet in ipso scribere librum, complicaretur ipsum posse passivum, scilicet ipsum scribi ipsius libri, quia non-esse libri in tuo posse esse haberet.

30 IOHANNES: Maxima sunt quae aperis, pater. Nam omnia in possest sunt et videntur ut in sua causa et ratione, licet nullus intellectus capere possit ipsum nisi qui est ipsum.

CARDINALIS: Intellectus noster quia non est ipsum possest —
5 non enim est actu quod esse potest; maior igitur et perfectior semper esse potest —, ideo ipsum possest licet a remotis videat, non capit. Solum ipsum possest se intelligit et in se omnia, quoniam in possest omnia complicantur.

IOHANNES: Bene considero quomodo omnia de possest negan-
10 tur, quando nullum omnium quae nominari possunt sit ipsum, cum possit esse id quod non est. Ideo quantitas non est.

---

29 5) indigeret *corr. ex* indigent *C* 7) quia non est *in marg. m. al. C* 12) esse$_2$ *in marg. supplev. C*
30 9) negantur *in marg. m. al. C*

---

30 1sq.) omnia — ratione: *cf.* IOHANNES SCOTTUS *De div. nat. III 9 (PL 122, 642 A).*

---

5) indigeret: *cf. n. 64,16; 65,5.* 14–17) Ac si — haberet: *cf. De ap. theor. n. 15,16–19; 21sq. V et VI (XIII).*

30 1sq.) omnia — ratione: *cf. De docta ign. II 2 n. 102; 13 n. 180 (I 67,11sq.; 113,26–28); De vis. dei 19 n. 83sq. (I fol. 109^v,1.14sq.); De beryllo 32 n. 57 (XI 1 p. 42,15sq.); De princ. n. 15,6sqq. (p. 13;) De ludo globi II n. 101 (I fol. 166^r,5–7).* 6) a remotis: *cf. Apol. doctae ign. n. 55 (II 36,13sq.).* 7) non capit: *cf. n. 51,13sq.; De docta ign. II Prol. n. 90 (I 59,10sq.).* 8) in — complicantur: *cf. n. 14,7.*

Quantitas enim cum possit esse id quod non est, non est possest. Puta potest esse maior quam est aut aliud quam est; sed non sic possest, cui nec maioritas quae esse potest aut quicquam quod esse potest deest. Ipsum enim posse est actu per- 15 fectissimum.

Sed nunc subiunge quaeso, postquam ille superadmirabilis **31** deus noster nullo quamvis etiam altissimo ascensu naturaliter videri possit aliter quam in aenigmate, ubi potius posse videri quam visio attingitur et in caliginem umbrosam pervenit inquisitor: quomodo ergo demum ille qui manet semper 5 invisibilis videatur?

CARDINALIS: Nisi posse videri deducatur in actum per ipsum qui est actualitas omnis potentiae per sui ipsius ostensionem, non videbitur. Est enim deus occultus et absconditus ab oculis omnium sapientum, sed revelat se parvulis seu humilibus, 10

---

31 3) possit: nequit *Ga* 5) ergo: igitur *Ga*

---

31 5–8) quomodo — ostensionem: *cf.* IOHANNES SCOTTUS *Super Hier. cael. c. 1 § 2 (PL 122, 135 B)*; HUGO DE S. VICTORE *De sacram. II p. 18 c. 16 (PL 176, 613 AB)*: ... Si quaeris quomodo dictus sit invisibilis si videri potest, respondeo. Invisibilem esse natura. Videri autem potest cum vult sicut vult. Plurimis enim visus est non sicut est, sed quali specie illi placuit apparere. *V. etiam infra n. 72,6–11.* 9–13) Est enim — patrem: *cf. Matth. 11,25–27; Luc. 10,21sq.* 9) Est enim — absconditus: *cf. Ies. 45,15.* 10) humilibus: *cf. Matth. 18,4; v.* MAGISTER ECHARDUS *In Ioh. n. 318 (LW III 265,4–6); Sermo XXXVIII n. 380 (LW IV 326,7sq.); Predigt 14 et 15 (DW I 235,9–11; 246,10–14).*

13–16) sed — perfectissimum: *cf. Sermo I n. 2,25–27 (XVI 1 p. 4); Epist. ad Nicolaum Albergati n. 19 (CT IV 3 p. 34,4sq.).*

31 1–5) Sed — inquisitor: *cf. De vis. dei 6 n. 21 (I fol. 101ᵛ,8–14).* 2) etiam altissimo ascensu: *cf. l. c. 9 n. 36 (fol. 103ᵛ,7sqq.).* 4sq.) in caliginem — inquisitor: *cf. n. 15,9.* 7–11) Nisi — gratiam: *cf. De quaer. deum 3 n. 39,1–3 (IV 27)*: Iam palam nobis est, quod ad ignotum deum attrahimur per motum luminis gratiae eius, qui aliter deprehendi nequit, nisi se ipsum ostendat. 9sq.) Est enim — humilibus: *cf. De docta ign. III 11 n. 245 (I 152,19–22); Apol. doctae ign. n. 5 (II 4,4–6.13–19); Epist. IV ad Casparem Aindorffer (ed. Vansteenberghe p. 112); De vis. dei 5 n. 13 (I fol. 100ᵛ,21sq.).* 9) Est enim — absconditus: *cf. De vis. dei 12 n. 47 (I fol. 104ᵛ,29sq.); De pace fidei 1 n. 4 (VII 5,17); Cribr. Alch. II 1 n. 88 (I fol. 134ʳ,17); v. Dialogum* De deo abscondito *per totum (IV p. 3sqq.).* 10) humilibus: *cf. Sermo CLXVI (Quotquot tangebant eum, II 1 fol. 93ᵛ,9sq.13–15)*: Et sic fides quae venit in humiliatam animam, est exaltans naturam extra suam finitatem ... Sic divina non *(potest videre)* nisi in divino lumine quod est fides viva. Fides igitur non habet locum nisi in anima humiliata. Praesumptuosus, arrogans et superbus non credit nisi intelligat, humilis non intelligit nisi credat.

quibus dat gratiam. Est unus ostensor, magister scilicet Iesus Christus. Ille in se ostendit patrem, ut qui eum meruerit videre qui est filius, videat et patrem.

32 IOHANNES: Forte vis dicere, quod pater illis ostenditur, in quibus Christus per fidem habitat.

---

32 1) quod *in marg. C* 1) pater quod *pos. Ga*

---

11) quibus dat gratiam: *cf.* DIONYSIUS AREOPAGITA *De div. nom. I 2 (PG 3, 589 A; Dionysiaca I 674,17 paraphr.* VERCELLENSIS*)*: et juxta acceptam gratiam reverenter et caste ad supernorum contemplationem elevantur. IOHANNES SCOTTUS *Periphyseon I (52,4sq.); De div. nat. V 32 (PL 122, 949 AB)*; HUGO DE S. VICTORE *In Hier. cael. II (PL 175, 935 C)*. 11 *et* 12) quibus dat gratiam *et* qui eum meruerit videre: *cf.* THEODERICUS CARNOTENSIS *Lectiones Prol. 10 (126)*: *Quantum lux divina* mentem nostram illuminavit, in quaerendo scilicet quaestionis de Trinitate solutionem. *Dignata.* Quasi dicat: non ex merito. Si quid enim apud Deum promeretur, hoc est ex gratia, non ex merito. Dignatur enim Deus condescendere menti eius per gratiam ad illuminandum eam ... 11–13) Est — patrem: *cf. Ioh. 14,8sq.* 11) magister: *cf.* DIONYSIUS AREOPAGITA *De eccles. hier. II (PG 3, 392 AB; Dionysiaca II 1107[3])*. 12) meruerit: *cf.* IDEM *De div. nom. III 3 (PG 3, 684 C; Dionysiaca I 142[4], interprete* SARACENO*)*: sicut super dignitatem; *(interprete* AMBROSIO TRAVERSARI*)*: ut et quae merita excellent nostra *(*ὑπὲρ ἀξίαν*)*. IDEM *Epist. V ad Dorotheum (Dionysiaca I 620[4]–621[1], versione* AMBROSII TRAVERSARI*)*: Ad hanc pertingit eaque absorbetur quisquis Deum nosse ac videre meruerit. RICHARDUS DE S. VICTORE *Benjamin Minor 79sq. (PL 196, 56)*; IOHANNES GERSON *De myst. theol. tr. I cons. 24,50–52; de modo loquendi v. etiam* HUGO DE S. VICTORE *Erudit. didascal. III 14 (PL 176, 773 D)*: Non ego sum Plato, nec Platonem videre merui.

32 1sq.) pater — habitat: *cf. Ephes. 3,17; v.* MAGISTER ECHARDUS *Predigt 1 (DW I 8,9–9,1)*.

---

11) quibus dat gratiam: *cf. Sermo LII (Sedete quoadusque, II 1 fol. 54v,5sqq.); Apol. doctae ign. n. 30 (II 20,19–22)*. 11sq.) Est — patrem: *cf. Epist. IV ad Casparem Aindorffer (p. 112); De vis. dei 19 n. 85 (I fol. 109v,23–25); De ludo globi II n. 71 (I fol. 161v,42–44); v. De dato patr. 4 n. 111,1–4 (IV 81)*. 11sq.) magister Iesus Christus: *cf. n. 72,16sq.; De fil. dei 2 n. 56,11sq. (IV 43); De vis. dei 24 n. 113 (I fol. 113r,27)*. 12) meruerit: *cf. Sermo XIII (Verbum caro factum, II 1 fol. 39v,38–41); De vis. dei 7 n. 25 (I fol. 102r,17–21)*: Qui igitur faciem tuam videre meretur, omnia aperte videt et nihil manet ei occultum... Nemo igitur te capiet, nisi tu te dones ei. *V. De quaer. deum 3 n. 42,16–19 (IV 29)*.

32 1–7) Forte — transiliit: *cf. Sermo CCLXXXVII (Dum sanctificatus fuero, II 1 fol. 188r,46–188v,7); Sermo CCLXV 1 (Sic currite, II 1 fol. 167r,20–26)*: Sed filius recipitur per inhabitationem spiritus dei in interiori homine, qui virtutem nostri spiritus corroborat, ut in ipso nostro interiori homine habitet Christus per fidem ... Sic per fidem formatam et conformitatem imitativam Christum induendo ad comprehensionem devenitur, quia haec est forma sanctitatis, scilicet forma Christi. Unde Christiformes sunt omnes sancti comprehendentes. *V. infra n. 33,1sq.4sq.*

CARDINALIS: Non potest Christus per fidem habitare in aliquo, nisi habeat spiritum veritatis, qui docet omnia. Diffunditur enim spiritus Christi per Christiformem et est spiritus caritatis, 5 qui non est de hoc mundo, nec mundus ipsum capere potest, sed Christiformis qui mundum transiliit. Hic spiritus, qui stultam facit mundi sapientiam, est illius regni, ubi «videtur deus deo-

---

3–5) Non—caritatis: *cf.* AUGUSTINUS *De trinitate XV 18 n. 32 (CCSL L_A 508,26–29):* Dilectio igitur quae ex deo est et deus est proprie spiritus sanctus est per quem diffunditur in cordibus nostris dei caritas per quam nos tota inhabitet trinitas. ANONYMUS *Liber de spiritu et anima 16 (PL 40, 792); v.* MAGISTER ECHARDUS *In Ioh. n. 290 (LW III 242,4–9).* 3sq. *et* 6) Non — veritatis *et* nec — potest: *cf. Ioh. 14,17.* 4) spiritum — omnia: *cf. Ioh. 14,26; 16,13.* 4sq.) diffunditur — caritatis: *cf. Gal. 4,6; Rom. 5,5.* 5) per Christiformem: *cf.* MAGISTER ECHARDUS *In Ioh. n. 155 (LW III 128, 1–3); Sermo XXII n. 214 (LW IV 200,4–201,3).* 5) spiritus caritatis: *cf.* HUGO DE S. VICTORE *In Hier. cael. IV (PL 175, 1001sq.):* Ecce quid charitas facit. Solis animis diligentibus Deum, abscondita divina manifesta facta dicuntur ... Nam nisi diligerent non intelligerent, quia non intelliguntur nisi cum diliguntur; et rursum nisi amarent non quaererent. *VII (1065sq.).* 6) qui — mundo: *cf. Ioh. 17,14; 18,36.* 6) nec — potest: *cf. Ioh. 14,17; 1 Cor. 2,14.* 7) qui — transiliit: *v. Ioh. 16,33:* ego vici mundum. *Cf.* DIONYSIUS AREOPAGITA *De myst. theol. I 3 (PG 3, 1000 C; Dionysiaca I 573$^{3-4}$, versione* AMBROSII TRAVERSARI*):* ...solisque illis amoto velamine veraciter luceat qui impura omnia et pura transiliunt. MAGISTER ECHARDUS *In Ioh. n. 292 (LW III 244,13):* Debet enim homo transire omne mutabile et creatum contemnendo. *Predigt 10 (DW I 164,16–18):* War umbe enwerden wir denne niht wîs? Dâ gehoeret vil dar zuo. Diu meiste sache ist, daz der mensche muoz durchgân und übergân alliu dinc und aller dinge ursache, und dis beginnet den menschen verdriezen. *V. etiam infra n. 55,13 (transivit).* 7–9) Hic — illuminativa: *cf.* HUGO DE S. VICTORE *In Hier. cael. III (PL 175, 975sq.);* IOHANNES SARESBERIENSIS *De sept. sept. 7 (PL 199, 963 BC):* ... Qui ergo spiritum dei in se habent, et deum habent et vident, quia oculum illuminatum habent, quo deus videri potest. *V. etiam infra n. 56,8–11.* 7sq.) Hic — sapientiam: *cf. 1 Cor. 1,20.* 8sq.) videtur — Sion: *Ps. 83,8; laudatur a* IOHANNE SCOTTO *De div. nat. V 31 (PL 122, 945sq.) et* BONAVENTURA *Itin. I 8 (V 298 a).*

3–7) Non — transiliit: *cf. De docta ign. III 11 n. 252 (I 156,10–17); Sermo CCLXXIX (Pater vester caelestis, II 1 fol. 183^r,39–46); v. etiam infra n. 33,3sq. et 38,1sq.; Epist. ad Nicolaum Albergati n. 48 (CT IV 3 p. 46,23–26); v. etiam infra n. 39,10sq.* 5) spiritus Christi: *cf. De docta ign. III 9 n. 238; 12 n. 256; Epist. auct. n. 264 (I 148,28–149,2; 158,24–26; 164,5sq.); De vis. dei 21 n. 92 (I fol. 110^v,26sqq.).* 6) non est — potest: *cf. Epist. IV ad Casparem Aindorffer (p. 112).* 7) Christiformis: *cf. De docta ign. III 11 n. 252 (I 156,4–9).* 7) transiliit: *cf. De docta ign. I 10 n. 29; 12 n. 33; 24 n. 77 (I 21,14–17; 24,13–16; 49,7sq.); De vis. dei 12 n. 48 (I fol. 104^v,38).* 8sq.) videtur — Sion: *cf. De beryllo 37 n. 69 (XI 1 p. 51,13); Dir. spec. 24 (XIII 58,6sq.).*

rum in Sion». Est enim virtus illuminativa nati caeci, qui per
10 fidem visum acquirit. Neque dici potest quomodo hoc fiat.
Quis enim dicere posset hoc? Nec qui ex non-vidente factus
est videns. Multis enim quaestionibus interrogabatur illuminatus, sed artem qua Christus eum fecit videntem nec sci|vit nec *178v*
dicere potuit. Sed bene dixit ipsum facere potuisse sibi, quia
15 credidit fieri posse videns ab ipso, et hanc fidem respiciens
noluit ipsam irritam esse. Nemo enim umquam in ipso confidens derelictus est. Postquam enim homo est desperatus de se
ipso, ita quod se tamquam infirmum et penitus impotentem ad
desiderati apprehensionem certus est, convertit se ad amatum
20 suum, indubia fide promissioni Christi inhaerens, et pulsat

---

9–17) Est enim —derelictus est: *cf. Ioh. 9; Matth. 9,27–31; Marc. 10,46–52.* 9sq.) Est enim — acquirit: *cf.* GUILLERMUS ALTISSIODORENSIS *Summa aurea III tr. 3 c. 1 q. 1 (Parisiis 1500 fol. 131vb):* sola fides est, quae prima et per se illuminat intellectum. BONAVENTURA *Itin. I 7 (V 297sq.);* HEIMERICUS DE CAMPO *Tractatus de sigillo aeternitatis (Cod. Cus. 106 fol. 82r,11–13):* Doctrina vero intellectum ab errore liberat et ita ipsum illuminat, ut per illuminatos proprie mentis oculos viam salutis apprehendere queat. *(14):* caeci ... post caecitatem illustrati. 16sq.) Nemo — derelictus est: *cf. Deut. 31,6; Ps. 9,11; 36,28; Ies. 41,17.* 18) tamquam infirmum: *cf.* HUGO DE S. VICTORE *De modo orandi 7 (PL 176, 985 C; D).* 18) impotentem: *cf.* DIONYSIUS AREOPAGITA *De div. nom. IV 26 (PG 3, 728 C; Dionysiaca I 289³⁻⁴).* 19–21) convertit — devotissima: *cf.* HUGO DE S. VICTORE *De modo orandi 2 (PL 176, 980 A);* ALANUS AB INSULIS *Summa de arte praedicatoria c. 29 (PL 210, 168 AB; 169 C).* 20–23) et pulsat — quaesitum: *cf. Luc. 11,1–13.*

9sq.) Est — acquirit: *cf. Sermo II n. 27,22sq. (XVI 1 p. 39); Sermo XIII (Verbum caro factum est, II 1 fol. 39v,29–32):* sine te mihi tenebrae lumen et lumen tenebrae ponuntur. Et sic sine tua luce adest error et adest vanitas, non est veritas, non est discretio, est confusio, adest ignorantia, non est scientia, adest caecitas, non est via neque vita. *De docta ign. III 11 n. 244 (I 152,13sq.); De vis. dei 22 n. 100 (I fol. 111v,35sq.39sq.); v. infra n. 38,14–16.* 16–24) Nemo — illi: *cf. De docta ign. II 13 n. 179sq. (I 113,15–19; 114,3–6).* 16–20) Nemo — inhaerens: *cf. De dato patr. 5 n. 119,1–12 (IV 85sq.); De gen. 4 n. 174,2–5 (IV 123).* 19) convertit se: *cf. De docta ign. III 9 n. 236sq. (I 147sq.); Apol. doctae ign. n. 15 (II 11,18sq.).* 19sq.) ad amatum suum: *cf. De docta ign. III 11 n. 250 (I 155,17–20).* 20) indubia — inhaerens: *cf. De pace fidei 16 n. 55 (VII 52,14–17); De docta ign. III 11 n. 248 (I 154,23–27); Sermo XVI n. 38 (CT I 1 p. 36,7–16).* 20) pulsat: *cf. n. 33,3–5 et notam; De docta ign. II 13 n. 179 (I 113,15–17).*

oratione devotissima, credens non posse derelinqui, si non cessaverit pulsare Christum, qui suis nihil negat. Indubie assequetur quaesitum. Apparebit enim Christus dei verbum et manifestabit se illi et cum patre suo ad ipsum veniet et mansionem faciet, ut videri possit. 25

BERNARDUS: Capio te dicere velle quod viva fides, caritate 33

---

23) assequetur *corr. in textu, repet. in marg. m. 3 C*
33 1) viva: caritate *pos. et del. Ga*

---

21) oratione devotissima: *cf.* IOHANNES DAMASCENUS *De fide orthodoxa III 24 (PG 94, 1089 C); secundum versionem* BURGUNDIONIS PISANI *c. 68,3 (ed. Buytaert p. 267)*: oratio est ascensus intellectus ad deum. IOHANNES SCOTTUS *De div. nat. V 30 (PL 122, 940 D);* THOMAS *In De div. nom. c. 3 l. u. (231; 233; v. etiam infra n. 34,9 et supra n. 15,9);* BONAVENTURA *Itin. I 1; 8 (V 296sq.; 298 a);* IOHANNES GERSON *De myst. theol. tr. I cons. 27,4–7.18–26; 43,26sq.* 21) credens — derelinqui: *v.* BOETHIUS *Cons. phil. V pr. 6,46 sq. (CCSL XCIV 105,151–154).* 23) Apparebit — Christus: *cf. Col. 3,4; 1 Ioh. 2,28; 3,2.* 24) manifestabit se illi: *cf. Ioh. 14,21.* 24sq.) cum patre — faciet: *cf. Ioh. 14,23.*

---

21) oratione devotissima: *cf. Sermo XVI n. 42 (CT I 1 p. 38,24–30); Sermo XLIX (Respexit humilitatem, V_1 fol. 47ra; v.* BAUR, *Marginalien p. 29); Sermo CXCIV n. 10 (CT I 6 p. 128,21–25).* 21–24) credens — illi: *cf. Dir. spec. 20 (XIII 48,17–20).* 21) non posse derelinqui: *cf. De vis. dei 4 n. 10 (I fol. 100^r,33)*: Tu igitur numquam poteris me derelinquere. 24sq.) et_1 — faciet: cf. *Sermo LII (Sedete quoadusque, II 1 fol. 54^v,26–28)*: caritas tua est vita tua, quia est participatio absolutae caritatis et vitae, ut secundum ascensum tuum in caritatem sit descensus caritatis in te. Est enim amor transformatorius amantium. Dilectio dei est deum venire et manere. *Sermo CLXV (Suscepimus, deus, misericordiam tuam, II 1 fol. 91^v,32–34)*: Qui in caritate manet, in deo manet, et deus in eo. Est coincidentia in manere sanctum in deo et deum in sancto. *(fol. 92^r,6sq.); v. etiam n. 32,5.* 25) ut videri possit: *cf. n. 31,3; Compend. Epil. n. 47,4sq. (XI 3 p. 36)*: Quia igitur ipsum posse, quo nihil potentius, vult posse videri.

33 1–5) viva — noster: *cf. Sermo CLXII (Ubi venit plenitudo temporis, II 1 fol. 90^r,32–35.42–44)*: Fides Christi in nobis probatur, si habemus spiritum Christi, qui est pignus quod veram filiationem dei uti filii adoptionis assequemur, quia spiritum quasi pignus habemus, qui est ad perfectum deducens spiritum nostrum. Spiritus ille est quasi calor seu caritas confortans et purgans atque illuminans... Si igitur nos dixerimus esse fideles vera fide et formata et habuerimus istum spiritum filii dei, per quem deus operatur omnia ... 1–3) viva — naturae: *cf. De docta ign. III 6 n. 219; 11 n. 248 (I 138,3–14; 154,17sq.) et saepius; Sermo CLXVI (Quotquot tangebant eum, II 1 fol. 93^r,27–32); Sermo CLXV (Suscepimus, deus, misericordiam tuam, II 1 fol. 92^r,14–16)*: Unde patet templum dei esse spiritum intellectualem in caritate exsistentem. Cum amans in se gerit speciem amati, hoc est se transformasse in similitudinem amati ... *Sermo CCLXXI n. 33 (CT I 2/5 p. 152,28sq).* 1sq.) viva — formata: *cf. De docta ign. III 11 n. 250 (I 155,15–21); De pace fidei 16 n. 58 (VII 54,24–55,1); Sermo CCXIII n. 14 (CT I 2/5 p. 98,7–16).*

scilicet formata quae facit quem Christiformem, illa implet defectum naturae et stringit quodammodo deum, ut quicquid in nomine Christi petierit assiduus orator, impetret. Confortatur
5 ex spiritu fidei concepto in spiritu nostro ipse spiritus noster secundum mensuram fidei, sicut spiritus visivus oculi caeci nati tenebrosus et impotens spiritu fidei Christi sanatus et confortatus sibi prius invisibile vidit.

CARDINALIS: Illa est suprema unici salvatoris nostri Christi
10 doctrina, ipsum, qui est verbum dei per quod deus fecit et saecula, omnia adimplere quae natura negat in eo, qui ipsum ut verbum dei indubitata fide recipit, ut credens in ea fide, in qua est Christus, potens sit ad omnia medio verbi in eo per fidem habitantis.

---

2) illa *ex* ille *corr. C* 5) conceptu *Ga* 6) oculis *Ga*

---

33 3) stringit quodammodo deum: *cf.* MAGISTER ECHARDUS *Predigt 22 (DW I 385,4sq.)*: Ich gedâhte underwîlen, dô ich her gienc, daz der mensche in der zît dar zuo komen mac, daz er got mac twingen. *(7–10)*: Swenne sich der mensche dêmüetiget, sô enmac sich got niht enthalten von sîner eigenen güete, et enmüeze sich senken und giezen in den dêmüetigen menschen, und dem allerminsten dem gibet er sich in dem allermeisten und gibet sich im alze mâle. 3sq.) quicquid — impetret: *cf. Ioh. 14,13sq.; 15,16; 16,23sq.26sq.* 6) secundum mensuram fidei: *cf. Rom. 12,3.* 10sq.) verbum — saecula: *cf. Hebr. 1,2; Ioh. 1,3; Ps. 32,6.* 11) adimplere: *cf. Ephes. 1,23;* DIONYSIUS AREOPAGITA *De div. nom. VIII 9 (PG 3, 897 AB; Dionysiaca I 446[1]A); v. II 10 (PG 3, 648 C; Dionysiaca I 105[4]–106[1], interprete* SARACENO*)*: Omnium causa et adimpletiva est Jesu Deitas. 13) potens — omnia: *cf. Marc. 9,23.*

2sq.) illa — naturae: *cf. De docta ign. III 12 n. 257 (I 159,21–24); Sermo XVIII n. 26 (CT I 6 p. 58,19–60,3); Sermo LII (Sedete quoadusque, II 1 fol. 54ᵛ,5–9)*: Vult igitur Christus ... omnem defectum nostrum in se ipso supplere, ut sic nobis per gratiam eius nihil desit ... quin possimus eo mediante finem desideriorum nostri spiritus comprehendere. *Sermo CLXXII (Una oblatione, II 1 fol. 103ʳ,6sq.).* 3) defectum naturae: *cf. Sermo CCVIII (Mitto angelum meum, II 1 fol. 123ʳ,7–9; v. etiam n. 32,9; 38,14–16).* 3–5) stringit — noster: *cf. Sermo CCXXXVII (Laudans invocabo, II 1 fol. 137ᵛ,23sq.)*: Habet igitur oratio quandam omnipotentiam, non ex spiritu nostro, sed ex spiritu qui est in spiritu nostro. 3sq.) stringit — impetret: *cf. Sermo CCLXVIII (Haec omnia tibi dabo, II 1 fol. 171ᵛ,14–16)*: Et scias quod deus non debet per tentationem sed per orationem cogi. Et haec videtur quaedam oppositorum coincidentia, scilicet quod oratio fit coactio. 10sq.) ipsum — saecula: *cf. De docta ign. III 11 n. 245 (I 152,23sq.).* 12) fide recipit: *cf. Cribr. Alch. II 16 n. 137 (I fol. 139ᵛ,24).*

Sicuti aliqua in hoc mundo medio humanae artis fieri videmus **34**
per eos, qui artem habent in anima sua studio acquisitam, ita
quod ars est in ipsis recepta et manens et verbum docens et
imperans ea quae artis sunt, sic et ars divina, quae firmissima
fide acquisita est in spiritu nostro, est verbum dei docens et 5
imperans ea quae artis creativae et omnipotentis exsistunt. Et
sicut non potest indispositus artista operari ea quae artis sunt,
ita nec indispositus fidelis. Dispositio autem fidelis volentis
deum videre, quae necessario requiritur, est munditia cordis.

---

34 1) sicut *Ga* 3) et_2: ut *Ga*

---

34 1sq.) Sicuti — acquisitam: *cf.* AVICENNA *Met. IV 2 (85*^{ra}*F).* 2–4) ita — sunt: *cf.* MAGISTER ECHARDUS *In Ioh. n. 9 (LW III 10,5sq.)*: notandum, quod verbum, conceptus mentis sive ars ipsa in mente artificis est id per quod artifex facit omnia, et sine quo ut sic nihil facit. 4–6) ars divina — exsistunt: *cf.* AUGUSTINUS *De trin. VI 10 n. 11 (CCSL L 241,20–23)*; IOHANNES SCOTTUS *De div. nat. II 24 (PL 122, 579 BC).* 8sq.) Dispositio — munditia cordis (purgare); n. 32,3–9: spiritus Christi — virtus illuminativa (illuminare); n. 33,1sq.: viva fides — implet defectum naturae; n. 33,10sq.: verbum dei — omnia adimplere quae natura negat; n. 35,4sq.: oportet quod posse desiderare perficiatur (perficere): *cf. e. gr.* IOHANNES SCOTTUS *Periphyseon I (54,16)*; HUGO DE S. VICTORE *In Hier. cael. IV (PL 175, 998 BC).* 8sq.) Dispositio — cordis: *cf.* AUGUSTINUS *De trin. VIII 4 n. 6 (CCSL L 275,12–16); XIII 20 n. 25 (417,1sq.)*; IDEM *En. in Ps. 84,8 n. 9 (CCSL XXXIX 1168,71–76)*; BONAVENTURA *In Hexaëm. coll. II 6 (V 337 ab); XX (426 a)*; MAGISTER ECHARDUS *In Exod. n. 276 (LW II 222,11sq.)*; IDEM *Sermo VI 2 n. 57 (LW IV 56,8sq.; 57,2)*; *Predigt 5b (DW I 88,6sq.)*: Ze dem andern mâle solt dû reines herzen sîn, wan daz herze ist aleine reine, daz alle geschaffenheit vernihtet hât. *Predigt 21 (DW I 358,13–359,4)*; IOHANNES GERSON *De myst. theol. tr. I cons. 30,40–43.* 8) Dispositio: *v.* ALBERTUS MAGNUS *In De cael. hier. c. 4 § 5 dub. ad 10 (XIV 116)*: ... tamen per aliquas dispositiones sibi a Deo inditas, ut gloriae vel gratiae, efficitur proportionatus ad videndum ipsum vel per fidem, vel per speciem (=spem?). *Marg.* NICOLAI *(Baur 55)*: ... Intellectus noster per se non est proportionatus videre Deum. *V. supra n. 31,11.* 9) munditia cordis: *cf. Matth. 5,8; v.* BERNARDUS CLARAVALLENSIS *De diversis Sermo XLV n. 6 (PL 183, 669)*: Et est trinitas, in quam cecidit, videlicet impotentia, caecitas, immunditia. *V. supra n. 32,9 (*caeci*)*; *lin. 18 (*impotentem*).*

---

34 4–6) ars divina, ars creativa, ars omnipotentis: *cf. De docta ign. I 24 n. 80 (I 51,8–10); Sermo XVI n. 23 et 25 (CT I 1 p. 24,14sq.; 26,9sq.); De gen. 4 n. 173,9–12 (IV 123); De sap. I n. 23 (V 20,18–21,1); De mente 2 n. 59; 61 (V 50,12sq.; 51,8–10); De beryllo 37 n. 70 (XI 1 p. 51,20–27); Cribr. Alch. I 13 n. 61 (I fol. 131*^{r}*,4sq.); Epist. ad Nicolaum Albergati n. 18 (CT IV 3 p. 32,28–30).* 8sq.) Dispositio — cordis: *cf. Sermo CCXLIII (Michael et angeli eius, II 1 fol. 147*^{r}*,5–8); Sermo CCLIV (Pax dei, II 1 fol. 155*^{r}*,32–35. 37–41).* 8) Dispositio: *v. De vis. dei 4 n. 10sq. (I fol. 100*^{r}*,34sqq.).*

10 Illi enim beati sunt et deum videbunt, ut verbum fidei Christi nostri nos docet.

35 BERNARDUS: Vellem de praemissis adhuc clarius si fieri posset informari.

CARDINALIS: Arbitror necessarium quod qui videre deum cupit, ipsum quantum potest desideret. Oportet enim quod 5 posse desiderare ipsius perficiatur, ut sic actu tantum ferveat desiderium quantum desiderare potest. Hoc quidem desiderium est vivus amor, quo deum quaerens ipsum ex toto corde, ex tota anima, hoc est ex omnibus viribus suis, quantum scilicet potest, diligat. Quod quidem desiderium nemo habet 10 nisi qui Christum ut dei filium ita diligit sicut Christus ipsum, in quo utique per fidem Christus habitat, ita ut dicere possit se spiritum Christi habere.

---

11) *verbo* docet *desinit Ga*

---

35 3sq.) Arbitror — desideret: *cf.* DIONYSIUS AREOPAGITA *De div. nom. IV 5 (PG 3, 700sq.; Dionysiaca I 174²⁻³)*; IDEM *De cael. hier. III 3 (PG 3, 165 D; Dionysiaca II 794²–795⁴ et paraphr.* VERCELLENSIS, *1048,795)*; IOHANNES SCOTTUS *Periphyseon I (52,30–33)*: ... Ex ipsa igitur sapientiae dei condescensione ad humanam naturam per gratiam et exaltatione eiusdem naturae ad ipsam sapientiam per dilectionem fit theophania *(v. supra n. 31,11). Marg.* NICOLAI: nota, quomodo fit theophania *(Cod. Londin. Brit. Mus. Addit. 11035; v. MFCG 3 (1963) p. 87).* ALBERTUS MAGNUS *In De cael. hier. c. 7 § 1 dub. 1 ad 2 (XIV 159sq.); Marg.* NICOLAI *(Baur 71)*; IOHANNES GERSON *De myst. theol. tr. I cons. 27,42–44.* 4sq.) Oportet — perficiatur: *cf.* DIONYSIUS AREOPAGITA *De cael. hier. I 1 (PG 3, 120sq.; Dionysiaca II 1043,727sq. paraphr.* VERCELLENSIS*).* 5sq.) ut — desiderium: *cf.* DIONYSIUS AREOPAGITA *De div. nom. IV 13 (Dionysiaca I 685,218sq. paraphr.* VERCELLENSIS*)*: ... excitantem mentes ad fervens desiderium ipsius. 7sq.) ex toto corde — viribus suis: *cf. Deut. 6,5; Luc. 10,27.* 11sq.) in quo — habere: *cf. Rom. 8,9sq.; Gal. 4,6; v. 1 Cor. 2,16.*

---

35 3–9) Arbitror — diligat: *cf. n. 32,5; De quaer. deum 3 n. 42,9–15 (IV 29).* 3sq.) Arbitror — desideret: *cf. Sermo II n. 27,27–34 (XVI 1 p. 39); de coincidentia dilectionis cum cognitione v. Epist. IV ad Casparem Aindorffer (p. 111sq.); Epist. IX ad Casparem Aindorffer (p. 122); Epist. XVI ad Bernardum de Waging (p. 135); Sermo CLXV (Suscepimus, deus, misericordiam tuam, II 1 fol. 91ᵛ,45–92ʳ,4); Epist. XXXIV ad Bernardum de Waging (p. 159sq.); Sermo CCXXXIV (Membra vestra templum sunt, II 1 fol. 135ᵛ,43–136ʳ,3); Sermo CCLIII (Sublevatis oculis, II 1 fol. 184ʳ,4sqq.).* 4–6) Oportet — potest: *v. De docta ign. III 9 n. 236 (I 148,5–7).*

IOHANNES: Intelligo fidem superare naturam et non esse deum **36**
alia fide visibilem quam fide Christi. Qui cum sit verbum dei
omnipotentis et ars creativa, dum spiritui nostro ipsum per
fidem recipienti illabitur, super naturam elevat in sui consortium spiritum nostrum, qui non haesitat propter inhabitantem 5
in eo spiritum Christi et eius virtute supra omnia ut verbum
imperiale ferri.

BERNARDUS: Utique in verbo imperativo cunctipotentis, qui
dicit et facta sunt, ipsa omnipotentia, quae deus creator et pater
omnium est, revelatur, neque in alio aliquo quam in suo verbo 10
potest revelari. Cui igitur hoc verbum se manifestat, in ipso
utique ut in filio pater ostenditur. Sed stupor est ingens hominem posse per fidem ad verbum omnipotentis ascendere.

CARDINALIS: Legimus aliquos subito artem verbi linguarum **37**
dono sancti spiritus recepisse, ita ut de ignorantibus subito
facti sint scientes genera linguarum. Et haec vis non erat nisi
participatio verbi divinae artis. Illi tamen non habuerunt
scientiam nisi humanam, sed super hominem subito per in- 5
fusionem acquisitam. Alii non solum linguarum sed doctorum

---

36 6) verbum *in textu abbreviat. explic. in marg. m. 3 C* 7) imperale *C*

---

36 2) fide Christi: *cf. Rom. 3,26; Gal. 2,16; 3,22.* 4) super naturam elevat: *cf.* ALBERTUS MAGNUS *In De myst. theol. c. 2 § 2 dub. 1 (XIV 840)*; BONAVENTURA *Itin. I 1 (V 296 b).* 4sq.) in sui consortium: *cf. 2 Petr. 1,4.* 5–7) qui — ferri: *v.* LIBER DE CAUSIS *VIII (IX) (n. 81,55–58; 82,63–67; 84,74–76)*; THOMAS *In h. l. prop. IX (p. 59,3–7; 60,14–16).* 8sq.) qui dicit et facta sunt: *cf. Ps. 32,9; 148,5.*

37 1–3) Legimus — linguarum: *cf. Act. 2,1–13; 1 Cor. 12,10.* 6–9) Alii — virtutis esse: *cf. Marc. 16,17sq.; Luc. 10,19.*

---

36 2) fide Christi: *cf. De docta ign. III 11 n. 245; 248 (I 152,17–21; 154,17–23).* 3–7) dum — ferri: *cf. De docta ign. III 11 n. 248; 249 (I 154,11–15; 155,6–9); Sermo CLXXIX (Una oblatione, II 1 fol. 103ʳ,28–43); De ludo globi I n. 35 (I fol. 156ʳ,43–45).* 8) cunctipotentis: *cf. n. 38,6; De quaer. deum 3 n. 41,3 et 46,8sq. (IV 28; 31).*

37 1–3) Legimus — linguarum: *cf. Compend. 3 n. 6,15sq. (XI 3 p. 6).* 3sq.) Et haec — artis: *cf. De ludo globi II n. 102 (I fol. 166ʳ,19sq.)*: Ars creativa, quam felix anima assequetur, non est ars illa per essentiam, quae deus est, sed illius artis communicatio et participatio.

peritiam receperunt, alii virtutem miraculorum. Et haec certa sunt. Fideles enim a principio cum fide viva talem spiritum receperunt, ut certi | essent fidem tantae virtutis esse. Et sic si *179ʳ*
10 plantari debuit expediebat, non modo post eius receptionem, ut non quaerat signa sed sit pura et simplex.

38 Hic spiritus per fideles receptus quamvis cum mensura, tamen est spiritus Christi participator nos certos faciens quod quando in nobis habitaret integer spiritus Christi, ultimum felicitatis assecuti essemus, scilicet potestatem verbi dei per
5 quod omnia, scilicet nostrae creationis scientiam. Felicitas enim ultima, quae est visio intellectualis ipsius cunctipotentis, est adimpletio illius desiderii nostri quo omnes scire desidera-

---

37 11) sit *suprascript. C*

---

38 1sq.) Hic — participator: *v.* DIONYSIUS AREOPAGITA *De div. nom. IV 1 (PG 3, 693 B; Dionysiaca I 146³–147¹).* 1) quamvis cum mensura: *cf. Ephes. 4,7;* DIONYSIUS AREOPAGITA *De div. nom. I 2 (PG 3, 588sq.; Dionysiaca I 15²⁻⁴);* THOMAS *In De div. nom. c. 4 lect. 4 (330).* 2) spiritus Christi: *cf. Rom. 8,9.* 4sq.) verbi — omnia: *cf. Ioh. 1,3;* SYMBOLUM CONSTANTINOPOLITANUM *(ES 150 p. 67):* per quem omnia facta sunt. 5sq.) Felicitas — cunctipotentis: *cf.* ARISTOTELES *Eth. Nic. X 7 (1177 a 12–18);* THOMAS *In De causis Prooem. (1,4–6):* Sicut Philosophus dicit in *X° Ethicorum,* ultima felicitas hominis consistit in optima hominis operatione quae est supremae potentiae, scilicet intellectus, respectu optimi intelligibilis. 7sq.) illius desiderii — desideramus: *cf.* ARISTOTELES *Met. I (A 1 980 a 21); laudatur De beryllo 36 n. 65 (XI 1 p. 48,18sq.).*

---

38 1–8) Hic — desideramus: *cf. De fil. dei 1 n. 52,10–53,8 (IV 40); Sermo LII (Sedete quoadusque, II 1 fol. 54ᵛ,5–9).* 4sq.) potestatem — scientiam: *cf. De docta ign. II 13 n. 180 (I 113,22–29).* 5–14) Felicitas — ignorata: *cf. De ludo globi II n. 70sq.; 101sq. (I fol. 161ᵛ,40–43; fol. 166ʳ,40sqq.).* 5–11) Felicitas — universi: *cf. Sermo CCXLIII (Michael et angeli eius, II 1 fol. 147ʳ,11–18).* 5–9) Felicitas — spiritus: *cf. Sermo CCLXXXVI (Sic currite, II 1 fol. 189ʳ,23–25):* quamdiu tantum scimus veritatem et ipsam non videmus visione illa, quae est ultima fruitiva cognitio, nondum ad finem desideriorum attigimus. Igitur felicitas in visione intellectus conditoris omnium exsistit. *De gen. 4 n. 169,4–170,2 (IV 120sq.); De ludo globi II n. 74 (I fol. 162ʳ,26–28).* 5sq.) Felicitas — cunctipotentis: *cf. De fil. dei 3 n. 62,4–10 (IV 47); Sermo XCIV (Deus in loco sancto suo, II 1 fol. 75ʳ, 18–20); Epist. XVI ad Bernardum de Waging (p. 135); Cribr. Alch. II 18 n. 149 (I fol. 141ʳ,10–12).* 6) visio intellectualis: *cf. De beryllo 1 n. 1 (XI 1 p. 3,4–6).* 7sq.) illius — desideramus: *cf. De docta ign. III 10 n. 241 (I 150,7–9); De coniect. I 1 n. 5,19sq. (III 8); De sap. I n. 9 (V 9,19–10,1); De pace fidei 6 n. 16 (VII 15,7–11); De beryllo 1 n. 2 (XI 1 p. 4,8); Compend. 2 n. 4,10sq. (XI 3 p. 5); v. De sap. I n. 12sq. (V 14,2–6).*

mus. Nisi igitur ad scientiam dei qua mundum creavit pervenerimus, non quietatur spiritus. Semper enim restabit scientia scientiarum, quamdiu illam non attingit. Et haec scientia est 10 verbi dei notitia, quia verbum dei est conceptus sui et universi. Qui enim non pervenerit ad hunc conceptum, neque ad scientiam dei attinget neque se ipsum cognoscet. Non enim potest se causatum cognoscere causa ignorata. Ideo hic intellectus cum sit omnia ignorans, intellectualiter in «umbra mortis» 15 perpetua egestate tristabitur.

8sq.) Nisi — spiritus: *cf.* IOHANNES SCOTTUS *De div. nat. V 4 (PL 122, 869 A)*; THOMAS *Expos. s. Boethii De trin. q. 5 a. 4 resp. 1 (ed. Decker 192,23–25), ubi laudatur* ARISTOTELES *Phys. I (A 1 184 a 10–14).* 8) ad — creavit: *cf.* IOHANNES SCOTTUS *De div. nat. II 28 (PL 122, 596 B).* 9) non quietatur: *v.* AUGUSTINUS *Conf. I 1 n. 1 (CSEL XXXIII 1,8sq.).* 10) attingit: *cf.* AUGUSTINUS *Sermo CXVII c. 3 (PL 38, 664).* 13sq.) Non — ignorata: *cf.* LIBER DE CAUSIS *V (VI) (n. 60,35sq.)*: omnis quidem res non cognoscitur et narratur nisi ex ipsa causa sua. THOMAS *In h. l. Prooem. (1,7); prop. VI (45,14sq.).* 14–16) Ideo — tristabitur: *cf.* IOHANNES SCOTTUS *De div. nat. V 38 (PL 122, 1002 D)*: ... in tenebris ignorantiae et in regione umbrae mortis sedebat, non solum ipsius, qua anima segregatur a corpore per corruptionem, verum etiam, qua deus animam deserit per peccatum? HUGO DE S. VICTORE *In Hier. cael. V (PL 175, 1016 B).* 15) in umbra mortis: *Ps. 87,7; 106,14; Ies. 9,2; Matth. 4,16; Luc. 1,79.* 16) tristabitur: *v.* AVICENNA *De anima p. IV c. 5 (21va)*; THOMAS *In De div. nom. c. 4 lect. 9 (401)*: quandoque ... (bonum amatum) est totaliter praesens ei et sic causatur in eo delectatio vel gaudium de amato; et per contrarium, de eius absentia causatur timor et tristitia de ipso. IOHANNES GERSON *De myst. theol. tr. II cons. 8,19–22.*

8sq.) Nisi — spiritus: *cf. De quaer. deum 3 n. 38,3–7 (IV 27); De dato patr. 5 n. 113,1–9 et 115,1–3 (IV 83; 84); De coniect. II 16 n. 167,19–22 (III 169); Cribr. Alch. I n. 5sq. (I fol. 124r,1–3.7sq.12sq.); v. De ven. sap. 7 n. 16,3–5 (XIII).* 8sq.) pervenerimus: *cf. De docta ign. I 10 n. 27; II 9 n. 148 (I 20,7sq.; 94,12sq.); Apol. doctae ign. n. 27 (II 18,22).* 9sq.) scientia scientiarum: *cf. De coniect. I 10 n. 44,4sq. (III 47).* 10) attingit: *cf. n. 10,7; 17,3.4; 42,14sq.; 43,5sq.30; 62,9; 71,6; De docta ign. I 4 n. 11; 19 n. 57 (I 10,6; 38,14) et saepius.* 11) verbi — universi: *cf. Sermo I n. 8,6–10 (XVI 1 p. 8); De vis. dei 10 n. 41 (I fol. 104r,16sq.); Cribr. Alch. II 6 n. 102 (I fol. 135v,7–10); Compend. 7 n. 19,11–16 (XI 3 p. 14sq.).* 12–14) Qui — ignorata: *cf. De ludo globi II n. 70 (I fol. 161v,37–42).* 13sq.) Non — ignorata: *cf. De docta ign. II Prol. n. 90 (I 59,6–9); De mente 10 n. 127 (V 91,18–21); v. Dir. spec. 3 (XIII 7,30sqq.).* 14–16) Ideo — tristabitur: *cf. De docta ign. III 9 n. 238 (I 149,3–5); De sap. I n. 13 (V 14,6–15); Epist. V ad abbatem et monachos Tegernseenses (p. 114); Sermo CCVIII (Mitto angelum meum, II 1 fol. 123r,33–37)*: Ille enim qui potest tollere caecitatem ignorantiae a spiritu rationali est dator vitae. Nam mors intellectus est ignorantia. Cuius delectatio est intelligere. In quo autem delectatur, vivit cum laetitia. Unde dare oculo visum seu menti intelligentiam spectat ad sapientiam seu verbum sive rationem infinitam. *Sermo CCLIV (Pax dei quae exsuperat, II 1 fol. 154r,41.44–46); De ludo globi II n. 72 (I fol. 162r,7–10); v. Epist. ad Nicolaum Albergati n. 12 (CT IV 3 p. 30, 17–24).*

39 IOHANNES: Incidit mihi videre fidem esse videre deum.
BERNARDUS: Quomodo?
IOHANNES: Nam fides est invisibilium et aeternorum. Videre ergo fidem est videre invisibile, aeternum seu deum nostrum.
5 CARDINALIS: Non es parvum verbum locutus, mi abba. In Christiano vero non est nisi Christus: in hoc mundo per fidem, in alio per veritatem. Quando igitur Christianus Christum videre quaerens facialiter linquet omnia quae huius mundi sunt, ut iis subtractis quae non sinebant Christum, qui de hoc mundo
10 non est, sicuti est videri, in eo raptu fidelis in se sine aenigmate Christum videt, quia se a mundo absolutum qui est Christiformis videt. Non ergo nisi fidem videt, quae sibi facta est visibilis per denudationem mundialium et sui ipsius facialem ostensionem.

40 BERNARDUS: Haec certe meo iudicio magna sunt valde et quam breviter atque clare a te dicta. Vellem tamen adhuc aliquid a te, pater, audire de sacratissima trinitate, ut de omnibus maximis

---

39 13) facialem *ex* faciliter *corr. et repet. m. 3 in marg. C*
40 1) —cio *suprascript. C*

---

39 3) fides — aeternorum: *cf. Hebr. 11,1–3; 2 Cor. 4,18.* 8) videre quaerens facialiter: *cf. 1 Cor. 13,12; 2 Cor. 4,6.* 8) linquet — sunt: *cf.* MAGISTER ECHARDUS *Predigt 12 (DW I 193,6sq.)*: Wan der gotes wort hoeren sol, der muoz gar gelâzen sîn. *Predigt 23 (393,4–6).* 9sq.) qui — non est: *cf. Ioh. 8,23; 17,14.* 10) sicuti est videri: *cf. 1 Ioh. 3,2.* 10) in eo raptu: *cf. 2 Cor. 12,2–4.* 13) per denudationem: *cf.* AVICENNA *De anima p. I c. 5 (5vaE); p. V c. 5 (25rbA);* MAGISTER ECHARDUS *Sermo XI 1 n. 112 (LW IV 105,11); Sermo XXIV 2 n. 246 (LW IV 225,11sq.)*: Debet igitur anima ‹se› exuere omnibus, ut nuda nudum quaerat deum. *Predigt 1 (DW I 11,5–8; 11,10–12,3); Predigt 2 (25,6–26,3; 40,1–4)*: Ez ist von allen namen vrî und von allen formen blôz, ledic und vrî zemâle, als got ledic und vrî ist in im selber . . .

---

39 6) non — Christus: *cf. Sermo XVI n. 11 (CT I 1 p. 38,11–13).* 6sq.) in — veritatem: *cf. De docta ign. III 12 n. 255 (I 158,14sq.).* 8) videre quaerens facialiter: *cf. De fil. dei 3 n. 62,2–10 (IV 46sq.); Sermo CCLXXI n. 33 (CT I 2/5 p. 152,21–28).* 8) linquet — sunt: *cf. Sermo CCXIII n. 27 (CT I 2/5 p. 114,4–6); De quaer. deum 3 n. 42,14sq. (IV 29).* 10) in eo raptu: *cf. De docta ign. II 1 n. 93; III 11 n. 245 et 247 (I 62,17; 152,28sq.; 153,22); Apol. doctae ign. n. 16 (II 12,4sq.); De sap. I n. 17 (V 16,12–16).*
40 3–5) ut — consolationem: *cf. De coniect. Prol. n. 3,13–15 (III 5); v. etiam supra n. 18,1–3.*

aliquo a te sic audito mihi ipsi aliqualem praestare possem devotam consolationem. 5
CARDINALIS: Semper varie multa dici posse, licet insufficientissime, haec quae praemisi et quae in variis libellis meis legisti ostendunt. Multis enim valde et saepissime profundissimis meditationibus mecum habitis diligentissimeque quaesitis antiquorum scriptis repperi ultimam atque altissimam de deo con- 10 siderationem esse interminam seu infinitam seu excedentem omnem conceptum. Omne enim cuius conceptus est aliquis, utique in conceptu clauditur. Deus autem id omne excedit. Nam conceptus de deo est conceptus seu verbum absolutum in se omne conceptibile complicans, et hic non est conceptibilis 15 in alio. Omne enim in alio aliter est. Nihil enim per intellectum actu concipitur ut concipi posset. Per altiorem enim intellectum

---

4) aliquo a te: aliquid te *C* 16) Omne — alio *in marg. m. al. C*

---

40 12sq.) Omne — excedit: *cf.* ALBERTUS MAGNUS *In De div. nom. (Cod. Cus. 96 fol. 81vb)*: ... quid autem sit, nullus intellectus creatus videre potest ... intellectus creatus esset maior deo, cum omne claudens sit maior eo quod claudit. Quod absurdum est. *Marg.* NICOLAI *(Baur 125)*. 17sq.) Per altiorem — conciperetur: *cf.* THOMAS *In De div. nom. c. 3 lect. un. (251)*.

8–10) Multis — repperi: *cf. De ven. sap. Prol. n. 1,14 (XIII)*: quae diligentissima meditatione repperi. 10–16) ultimam — in alio$_1$: *cf. Sermo XXX (Sanctus, sanctus, sanctus, II 1 fol. 145^r,16–18); Dir. spec. 20 (XIII 49,14–21); Compl. theol. 11 (II 2 fol. 98^r,31–34).* 10–12) ultimam — conceptum: *cf. De vis. dei 13 n. 51 (I fol. 105^r,34–42); De ludo globi I n. 47 (I fol. 158^r,1). Ad* deum esse incomprehensibilem *v. n. 66,3; De docta ign. I 4 n. 11 (I 10,4–6); De deo absc. per totum (IV p. 3sqq.); Apol. doctae ign. n. 15 (II 11,12–12,13); De sap. I n. 12; 32 (V 13,12; 28,8sq.); De mente 2 n. 67sq. (V 54,19–55,4); De vis. dei 13 n. 52 (I fol. 105^v,5); De ven. sap. 12 n. 31,20–23 (XIII); De ap. theor. n. 2,5–8 (XIII).* 14) conceptus — absolutum: *cf. De sap. II n. 34sq. (V 30,1–20); Sermo CCLXXIX (Pater vester caelestis, II 1 fol. 183^r,8sq.).* 15) omne — complicans: *cf. De vis. dei 10 n. 41 (I fol. 104^r,16sq.)*: Unicus enim conceptus tuus qui est et verbum tuum, omnia et singula complicat. *De princ. n. 9,5–7 (p. 10).* 16–19) Omne — conceptus$_1$: *cf. De coniect. I 11 n. 55,1–9 (III 56); v. infra n. 43,7–12.* 16) Omne — est: *cf. De coniect. I Prol. n. 3,1sq.; 11 n. 54,6sq.12.20–23 (III 4; 55sq.); De fil. dei 1 n. 54,21sq.; 3 n. 62,4sq. (IV 42; 47); De dato patr. 2 n. 99,9.13sq. (IV 74); De beryllo 4 n. 5 (XI 1 p. 5,18).*

melius conciperetur. Solus per se seu absolutus conceptus est actu omnis conceptibilis conceptus. Sed noster conceptus, qui 20 non est per se seu absolutus conceptus sed alicuius conceptus, ideo per se conceptum non concipit, cum ille non sit plus unius quam alterius, cum sit absolutus.

41 Ideo istum infinibilem et interminabilem seu inconceptibilem dei conceptum ob suam infinitatem etiam dicimus necessario ineffabilem. Verbum enim illud nullo nomine seu termino finiri seu diffiniri per nos potest, cum concipi nequeat. Sic 5 neque ipsum nominamus unum nec trinum nec alio quocumque nomine, cum omnem conceptum unius et trini et cuiuscumque

---

20 *et* 21) se *suprascript. C*
41 1) et *suprascript. C*

---

41 1–3) Ideo — ineffabilem: *cf.* AUGUSTINUS *De doctr. christ. I 6 n. 6 (CCSL XXXII p. 9sq.)*; DIONYSIUS AREOPAGITA *De div. nom. VII 1 (PG 3, 865 BC; Dionysiaca I 382[4]–384[1])*; IDEM *De myst. theol. III (PG 3, 1033 B; Dionysiaca I 589[4]–590[2])*; THEODERICUS CARNOTENSIS *Lectiones IV 8 (186)*. 2 *et* 7) ob suam infinitatem *et* ab eo removemus: *cf.* PSEUDO-BEDA *Comment. in l. Boethii De trin. (PL 95, 398 BC)*: ... Infinitas igitur nomen est theologiae negationis. Dum enim omnes res a Deo removemus, et Deum in obscuritate suae infinitatis intelligimus. 3sq.) Verbum — nequeat: *cf.* DIONYSIUS AREOPAGITA *De div. nom. IX 3 (PG 3, 912 B; Dionysiaca I 456[4]–457[1], versione* SARACENI*)*: ... sine termino, sine definitione, comprehensivum omnium, ipsum autem incomprehensibile. AVICENNA *Met. V 5 (89[rb]A; 89[vb]D); VIII 5 (99[vb]), laudatur a* MAGISTRO ECHARDO *In Exod. n. 107; 183 (LW II 107,9–11; 157,16–158,3)*: ... non est in ipso deo aliquid eorum, quae finem et terminum significant, puta diffinitio, demonstratio ... ALBERTUS MAGNUS *In De cael. hier. c. 2 § 7 dub. 2 et 3 (XIV 44sq.)*. 4–7) Sic — excedat: *cf.* DIONYSIUS AREOPAGITA *De div. nom. XIII 3 (PG 3, 981 A; Dionysiaca I 551[4]–552[4]); De myst. theol. V (PG 3, 1045sq.; Dionysiaca I 597sqq.); v.* IOHANNES SCOTTUS *De div. nat. III 22 (PL 122, 686 D)*; LIBER DE CAUSIS *V (VI) (n. 57,22–27)*: Causa prima superior est omni narratione ... THOMAS *In h. l. prop. VI (43,3–11)*; IDEM *In De div. nom. c. 1 l. 1 (14)*.

18–20) Solus — conceptus$_2$: *cf. Dir. spec. 20 (XIII 49,17–27)*.
41 1–8) Ideo — excellat: *cf. Cribr. Alch. II 1 n. 88 (I fol. 134[r],12–17)*. 1–4) Ideo — nequeat: *cf. De vis. dei 13 n. 51 (I fol. 105[r],29–32); De pace fidei 7 n. 21 (VII 20,11sq.; v. etiam p. 68 annot. 5); De beryllo 30 n. 53 (XI 1 p. 39,23–25); De princ. n. 19,12–16 (p. 15); Dir. spec. 2 (XIII 5,28–30; 6,14sq.; 8,23–25; 10,18–20)*. 3sq.) Verbum — nequeat: *cf. De ven. sap. 14 n. 39,4sqq. (XIII); v. Dir. spec. 1 (XIII 3,25–4,20)*. 4–7) Sic — excedat: *cf. n. 66,2–4; Sermo XXX (Sanctus, sanctus, sanctus, II 1 fol. 145[r],18–20); De pace fidei 7 n. 21 (VII 20,9sq.)*: ut infinitus, nec trinus nec unus nec quicquam eorum quae dici possunt.

nominabilis excedat, sed ab eo removemus omne omnium conceptibilium nomen, cum excellat.

IOHANNES: Quanto igitur intellectus intelligit conceptum dei minus formabilem, tanto maior est, ut mihi videtur. 10

CARDINALIS: Recte dicis, abba. Ideo quicumque putat apprehendisse ipsum, sciat hoc ex defectu et parvitate sui intellectus evenire.

BERNARDUS: Doctior igitur est sciens se scire non posse.

CARDINALIS: Hoc necessario omnes illuminatissimi etiam dicent. 15

BERNARDUS: Dum considero nihil concipi per nos posse uti *179ᵛ* est conceptibile, clare mi|hi constat deum concipi non posse, qui concipi utique non potest nisi omnis conceptibilitas actu concipiatur. 20

42 CARDINALIS: Scimus quod omnis numerabilis proportio diametri ad costam est inattingibilis, cum nulli duo numeri dari possent, qui praecise sic se habeant. Sed quibuscumque datis habitudo eorum est aut maior aut minor quam diametri ad

---

42 4) aut_1 *suprascript. C*

7sq.) sed — excellat: *cf.* DIONYSIUS AREOPAGITA *De div. nom. II 3 (PG 3, 640 B; Dionysiaca I 71²–72¹); VII 3 (PG 3, 872 A; Dionysiaca I 403⁴);* IDEM *De cael. hier. II 3 (PG 3, 140C–141A; Dionysiaca II 1045,757sq.);* IOHANNES SCOTTUS *De div. nat. II 29 (PL 122, 598 A);* LIBER XXIV PHILOSOPHORUM *XVI (36, 19–37,2):* Deus est, quem solum voces non significant propter excellentiam. ALBERTUS MAGNUS *In De myst. theol. c. 1 § 3 A dub.; c. 3 § 3 (XIV 824; 851sq.);* THOMAS *In De div. nom. c. 5 lect. 2 (661); c. 7 lect. 4 (729; 732).* 11–14) quicumque — posse: *cf.* AUGUSTINUS *Sermo CXVII c. 3 (PL 38, 663).* 11sq.) quicumque — ipsum: *cf.* DIONYSIUS AREOPAGITA *De myst. theol. I 2 (PG 3, 1000 A; Dionysiaca I 569⁴–570¹).*

7sq.) sed — excellat: *cf. Sermo XIV (Nomen eius Ihesus, Cod. Cus. 220, fol. 103; v.* BAUR *Marginalien p. 38); De docta ign. I 26 n. 87 (I 54,19–24).* 11–13) quicumque — evenire: *cf. De deo absc. n. 2,7sq.; 4,3–5 (IV 3; 4); Dir. spec. 14 (XIII 38,5–7)* = DIONYSIUS AREOPAGITA *Epist. I ad Gaium (PG 3, 1065 A; Dionysiaca I 606⁴–607¹).* 14) Doctior — posse: *cf. De docta ign. I 1 n. 4 (I 6,21sq.):* tanto quis doctior erit, quanto se sciverit magis ignorantem. *De gen. 4 n. 174,5sq. (IV 123); De ven. sap. 12 n. 32,1sq. (XIII).*

42 1sq.) Scimus — inattingibilis: *cf. De coniect. II 1 n. 76,13 (III 75); v. etiam annot. 32 ad n. 76,14–18, p. 214 et annot. 19,3 ad n. 35,13sq., p. 201sq.* 3–8) Sed — haberent: *v. De docta ign. I 3 n. 9 (I 9,1–9).*

5 costam, et quibuscumque datis possunt dari numeri propinquiores illi habitudini. Et ita videtur possibilis, sed actu numquam datur illa possibilitas. Actus autem esset praecisio, ita quod numeri praecise se sic haberent. Ratio est: Quia nisi numerus detur qui nec par nec impar, non erit quaesitus. Omnis autem
10 numerus quem nos concipimus necessario est par vel impar et non simul; ideo deficimus. Videmus tamen quod apud illum conceptum qui concipit nobis impossibile praecisio exsistit. Sic dicere nos oportet quod noster conceptus non potest proportionem ipsius posse et ipsius esse attingere, cum nullum medium
15 commune habeamus per quod attingamus habitudinem, cum posse sit infinitum et indeterminatum et actus finitus et terminatus, inter quae non cadit medium. Sed videmus illa in deo esse indistincta, et ideo est supra nostrum conceptum.

BERNARDUS: Cum omne quod per nos scitur non sciatur sicut
20 sciri potest – potest enim melius sciri –, sola scientia dei, ubi omne posse est actu, est perfecta et praecisa.

43 IOHANNES: Nonne, Bernarde, verissimum est bis duo esse quat-

---

7) esset *in marg. supplev. C* 8) se *suprascript. C* 10) quem *in lin. abbreviat. supra lin. explic. m. 3 C* 19) BERNARDUS *in marg. supplev. C*

---

42 8sq.) numerus — impar: *v.* MACROBIUS *Comm. in Somn. Scip. I 6 n. 7 (II 19,24–27):* unum autem quod μονάς id est unitas dicitur et mas idem et femina est, par idem atque impar, ipse non numerus sed fons et origo numerorum. *V. etiam n. 46,3–5.* 9sq.) Omnis — impar: *cf.* ARISTOTELES *Met. I (A 5 986 a 17sq.);* IOHANNES SARESBERIENSIS *Metalogicus I 11 (PL 199, 839 AB).* 14sq.) medium commune: *v.* BOETHIUS *De inst. arithm. II 40sqq. (p. 137sqq.).* 20sq.) sola — praecisa: *v.* ANSELMUS CANTUARIENSIS *Monol. c. 35sq. (I 54sq.); v. supra n. 13,3.7sq.*

8–11) Ratio — deficimus: *cf. De coniect. I 7 n. 28,16–18; II 1 n. 76,9–14 et notam (III 35, 75); De mente 6 n. 91 (V 69,2–4); De math. compl. (II 2 fol. 67v,23sq.); v. etiam Die mathematischen Schriften (ed. J. E. Hofmann, H. 11, 1952, S. 89); De coniect. (ed. J. Koch et W. Happ, Schriften H. 17 annot. 76,3).* 11) deficimus: *cf. De docta ign. I 16 n. 46 (I 32,24–26).* 12–18) Sic — conceptum: *v. De ven. sap. 29 n. 88,4sqq. (XIII).* 19sq.) omne — sciri$_2$: *cf. n. 40,16–18 et notam; De sap. II n. 38 (V 32,9–11); De ven. sap. 12 n. 31,10sq. (XIII).* 20sq.) sola — praecisa: *cf. De coniect. I 10 n. 52,12sq.; II 16 n. 168,25–28 (III 54; 171); De ap. theor. n. 14,5sq. (XIII).*

tuor et omnem triangulum habere tres angulos aequales duobus rectis?
BERNARDUS: Immo.
IOHANNES: Non est igitur verum quod nostra scientia non at- 5
tingat praecisam veritatem.
CARDINALIS: Oportet ut consideretur id quod dicitur. Nam in mathematicis quae ex nostra ratione procedunt et nobis experimur inesse sicut in suo principio per nos ut nostra seu rationis entia sciuntur praecise, scilicet praecisione tali rationali 10
a qua prodeunt, sicut realia sciuntur praecise praecisione divina a qua in esse procedunt. Et non sunt illa mathematicalia neque quid neque quale sed notionalia a ratione nostra elicita, sine quibus non posset in suum opus procedere, scilicet aedificare,

---

43 11) procedunt *in textu,* prodeunt *in marg. m. al. C* 12) neque quid *in marg. m. al. C*

---

43 2sq.) omnem — rectis: *cf.* ARISTOTELES *Anal. post. I (A 1 71 a 19sq.).* 7–11) in mathematicis — prodeunt: *v.* IOHANNES SCOTTUS *De div. nat. IV 8 (PL 122, 774 A).* 11sq.) realia — procedunt *et* 18sq.) Unde — operatur: *cf.* DIONYSIUS AREOPAGITA *De div. nom. VII 2 (PG 3, 869 AB; Dionysiaca I 397²–398²);* HUGO DE S. VICTORE *In Hier. cael. VI (PL 175, 1028 D);* THOMAS *In De div. nom. c. 3 lect. un. (229).* 12sq.) Et non — elicita: *cf.* ARISTOTELES *Met. VII (Z 10 1036 a 9–12);* IOHANNES SCOTTUS *De div. nat. III 11sq. (PL 122, 651 B; 659 A).* 13–15) sine quibus — et cetera: *cf.* THEODERICUS CARNOTENSIS *Tractatus 35 (196):* Cum autem ex numero sint et pondus et mensura et locus et figura et tempus et motus ...

---

43 2sq.) omnem — rectis: *cf. De docta ign. I 14 n. 38 (I 28,15); De coniect. II 2 n. 80,6sq. (III 78); De ven. sap. 26 n. 76,12sq. (XIII).* 5sq.) quod — veritatem: *cf. De docta ign. I 3sq. nn. 9sqq.; II Prol. n. 90 (I 8–11; 59,9–12); Apol. doctae ign. n. 41 (II 27,21–23); De mente 7 n. 105 (V 78,3–9).* 7–12) Oportet — procedunt: *ad* entia rationis — entia realia *cf. De beryllo 6 n. 7 (XI 1 p. 7,8–11).* 7–9) in mathematicis — principio: *cf. De coniect. II 1 n. 77,8sq. (III 76); De mente 3 n. 70 (V 56,9sq.):* Tu nosti, orator, quomodo nos exserimus ex vi mentis mathematicales figuras. *6 n. 88; 7 n. 104 (67,17sqq.; 77,18–20); De beryllo 32 n. 56; 35 n. 63 (XI 1 p. 41,10; 47,2sq.).* 10sq.) praecise — prodeunt: *cf. De coniect. I 10 n. 52,7–11 (III 53).* 11–13) sicut — elicita: *cf. De mente 3 n. 72 (V 57,11–21).* 12sq.) Et non — elicita: *cf. De beryllo 32 n. 56 (XI 1 p. 42,7–10).* 13) notionalia — elicita: *cf. De ludo globi II n. 93 (I fol. 165ʳ,6sq.); v. De beryllo 35 n. 63 (XI 1 p. 47,2sq.).* 13–15) sine — cetera: *cf. De coniect. I 2 n. 7,5–9 (III 11sq.).*

15 mensurare et cetera. Sed opera divina, quae ex divino intellectu procedunt, manent nobis uti sunt praecise incognita, et si quid cognoscimus de illis, per assimilationem figurae ad formam coniecturamur. Unde omnium operum dei nulla est praecisa cognitio nisi apud eum qui ipsa operatur. Et si quam de ipsis
20 habemus notitiam, illam ex aenigmate et speculo cognitae mathematicae elicimus: sicut formam quae dat esse a figura quae dat esse in mathematicis. Sicut figura trianguli dat esse triangulo, ita forma seu species humana dat esse homini. Figuram trianguli cognoscimus, cum sit imaginabilis, formam
25 humanam non, cum non sit imaginabilis nec sit quanta quantitate discreta seu continua. Omne autem, quod non cadit sub multitudine nec magnitudine, non potest nec concipi nec

---

24) sit *suprascript. C*

15–19) Sed — operatur: *cf.* IOHANNES SCOTTUS *Periphyseon I (38,27–40,2); De div. nat. II 27 (PL 122, 585 B);* MOSES MAIMONIDES *Dux perplexorum III 22 (fol. 84ʳ).* 20) ex aenigmate et speculo: *cf. 1 Cor. 13,12.* 21) formam — esse: *cf.* BOETHIUS *De trin. 2 (152,20):* omne ... esse ex forma est. CLARENBALDUS ATTREBATENSIS *Tractatulus 19 (LaW 234);* AVENCEBROL *Fons vitae I 13 (BGPhMA I 2–4 p. 16,17sq.).* 25sq.) quantitate discreta seu continua: *cf. n. 44,11sq.;* BOETHIUS *In Categ. Aristotelis II (PL 64, 201 B);* DIONYSIUS AREOPAGITA *De div. nom. IV 4 (PG 3, 697 C; Dionysiaca I 682,163 paraphr.* VERCELLENSIS*);* CLARENBALDUS ATTREBATENSIS *Tractatus IV 17 (LaW 152):* omnis quantitas vel continua vel discreta est siue actu siue potestate. THOMAS *In De causis prop. VII (50,24–27).* 26sq.) sub — magnitudine: *cf.* BOETHIUS *De inst. arithm. I 1 (p. 8,15–23).*

15–19) Sed — operatur: *v. De docta ign. I 3 n. 10 (I 9,24sq.); De sap. I n. 25 (V 22,3–5); De mente 2 n. 58 (V 49,17sq.); De ven. sap. 12 n. 31,21–23 (XIII):* Et cum quid sit posse fieri non sit comprehensibile, sicut nec eius causa ipsum praecedens, nullius quiditas causis ignoratis, uti scibilis est, actu comprehenditur. 17) per assimilationem — formam: *cf. n. 17,10sq.; De beryllo 30 n. 52 (XI 1 p. 38,23–39,3).* 18) coniecturamur: *cf. De coniect. I Prol. et 1 n. 2,2–9; 5,3–8 (III 4; 7); v. etiam editorum annotationes 2 et 3 ad n. 2,3sq. et 2,5, p. 187sqq.* 19–21) Et — elicimus: *cf. De coniect. I 2 n. 9,5–7 (III 14).* 21) formam — esse: *cf. n. 64,1sq.; De sap. I n. 23 (V 20,10sq.); De vis. dei 23 n. 102 (I fol. 112ʳ,24); Sermo CCXXIV (Consummatum est, II 1 fol. 132ᵛ,34).* 26–30) Omne — attingitur: *cf. De beryllo 26 n. 43 (XI 1 p. 33,12–15):* Et quia intellectus noster, qui non potest concipere simplex, cum conceptum faciat in imaginatione, quae ex sensibilibus sumit principium seu subiectum imaginis suae seu figurae: hinc est, quod intellectus essentiam rerum concipere nequit. 26 28) Omne — intelligit: *cf. De docta ign. I 11 n. 31 (I 22,22sq.); De coniect. I 8 n. 35,1 et notam (III 40); De quaer. deum 5 n. 49,13–15 (IV 34).*

imaginari nec de eo phantasma fieri; sic nec praecise intelligi. Oportet enim omnem intelligentem phantasmata speculari. Ideo de his potius 'quia est' quam 'quid est' attingitur. 30

44 BERNARDUS: Si igitur recte consideraverimus, nihil certi habemus in nostra scientia nisi nostram mathematicam, et illa est aenigma ad venationem operum dei. Ideo magni viri si aliquid magni locuti sunt, illud in similitudine mathematicae fundarunt: ut illud quod species se habent ut numeri et sensitivum in 5 rationali sicut trigonum in tetragono et talia multa.

CARDINALIS: Bene dicis. Ideo hic sic dixerim, ut sciatis quod si

---

29) Oportet — speculari: *cf.* ARISTOTELES *De memoria et reminisc. c. 1 (449 b 31)*; IDEM *De an. III 7 (431 a 14sq.)*; *laudatur a* THOMA *S. th. II/II q. 180 a. 5 ad 2*; IDEM *Expos. s. Boethii De trin. q. 6 a. 2 ad 5 (218,6sq.)*: dicendum quod phantasma est principium nostrae cognitionis. ALBERTUS MAGNUS *In De cael. hier. c. 2 § 2 dub. 1 sol. (XIV 27) et marg.* NICOLAI *ad locum (Baur 17)*; MAGISTER ECHARDUS *In Gen. II n. 113 (LW I 579,8–10)*. 30) Ideo — attingitur: *cf.* ARISTOTELES *Anal. post. II (B 1 89 b 24sq.)*; IOHANNES SCOTTUS *Periphyseon I (138,8sq.)*; ALBERTUS MAGNUS *In De div. nom. (Cod. Cus. 96 fol. 79rb; 87rb)*; *v. etiam marg.* NICOLAI *(Baur 110; 167)*; ALBERTUS MAGNUS *In De cael. hier. c. 2 § 7 dub. 2 sol. (XIV 44)*; HEIMERICUS DE CAMPO *Ars demonstrativa (Cod. Cus. 106 fol. 66r,21sqq.)*: Et ideo quia effectus ducit in cognitionem suae causae quoad quia est emineatque veritas causae supra veritatem effectus praeter praedictum modum cognoscendi deum per abnegationem effectus ipse Dionysius addit alios duos modos cognoscendi ipsum, scilicet quoad quia est et per eminentiam. *V. etiam supra n. 41,7sq. et infra n. 56,16; 66,2sq.*

44 5) species — numeri: *cf.* ARISTOTELES *Met. VIII (H 3 1043 b 36–1044 a 2)*; MAGISTER ECHARDUS *In Gen. I n. 192 (LW I 338,4–9)*. 5sq.) sensitivum — tetragono: *cf.* ARISTOTELES *De an. II (B 3 414 b 29–31)*. 7–10) Ideo — trinum: *cf.* AUGUSTINUS *De doctr. christ. I 5 n. 5 (CCSL XXXII 9)*; PSEUDO-BEDA *Comment. in l. Boethii De trin. (PL 95, 395 B)*; THEODERICUS CARNOTENSIS *Lectiones VII 5 (222)*; IDEM *Glossa V 17 (319sq.)*; IOHANNES SARESBERIENSIS *De sept. sept. 7 (PL 199, 961 BC)*; *v.* E. HOFFMANN *Platonismus und Mystik im Mittelalter, S. 105–114.*

---

29) Oportet — speculari: *cf. De docta ign. III 7 n. 226 (I 141,28–30)*; *De coniect. II 16 n. 161,31–33 (III 164)*; *De vis. dei 22 n. 98 (I fol. 111v,11–13)*; *De ludo globi II n. 88 (I fol. 164r,26sq.)*. 30) Ideo — attingitur: *cf. Compl. theol. 2 (II 2 fol. 93r,18–21)*; *De ven. sap. 12 n. 31,11sqq. (XIII)*; *v. etiam De pace fidei 18 n. 65 (VII 60 adnot. ad 2)*: *De differentia inter modos cognoscendi 'quia est' et 'quid est' v.* ARISTOTELES *Anal. post. I 1, et medii aevi commentatores, a quibus Nicolaus valde discrepat.*

44 1sq.) nihil — mathematicam: *cf. De docta ign. I 11 n. 31sq. (I 22,24–23,1; 24,6–9)*; *v.* E. HOFFMANN *«Dies sanctificatus», Erläuterungen (CT I 1 p. 46)*. 3–5) Ideo — fundarunt: *cf. De docta ign. I 11 n. 31 (I 23,1–4)*. 5) species — numeri: *cf. De coniect. I 5 n. 17,11 et notam (III 22)*. 5sq.) sensitivum — tetragono: *cf. De docta ign. I 11 n. 32 (I 23,15–18)*. 7–10) Ideo — trinum: *cf. Sermo XVI n. 20 (CT I 1 p. 22,7 sq.) v. De docta ign. I 7–10 nn. 18sqq.; 19sq. nn. 55sqq. (I 14sqq.; 37sqq.)*.

illam theologiam Christianorum deum esse unum et trinum in aenigmate videre volumus, recurrere nos possumus ad princi-
10 pium mathematicae: illud utique est unum pariter et trinum. Videmus enim quantitatem, sine qua non est mathematica, esse discretam, cuius principium est unum, et continuam, cuius principium est trinum. Nec sunt duo principia mathematicae, sed unum quod et trinum.

15 BERNARDUS: Capio bene quoad discretam quantitatem unum principium, sed non quoad continuam trinum.

CARDINALIS: Prima figura quantitatis continuae est trigonus, in quam aliae figurae resolvuntur, quod ostendit ipsam esse primam. Tetragonus in trigonos | resolvitur. Sed trigonus non *180r*
20 potest resolvi in duorum angulorum aut unius anguli figuram. Quare patet primum principium mathematicae esse unitrinum.

45 BERNARDUS: Si igitur viderem principium mathematicae in sua puritate, utique sine pluralitate ipsum viderem unitrinum. Principium enim est ante alteritatem et pluralitatem et tale, quod omnia principiata quando in simplex resolvuntur, ad ip-
5 sum terminantur.

---

44 11) enim *suprascript. C* 17) CARDINALIS *in marg. supplev. C*
45 4) principiata *in textu abbreviat. in marg. explic. Nicolaus ipse C*

17–19) Prima — primam: *cf.* BOETHIUS *De inst. arithm. II 6; 19 (p. 92,2–4; 104,12sq.); v.* PLATO *Tim. 53 c 4sqq.*
45 3) ante alteritatem et pluralitatem: *cf.* CLARENBALDUS ATTREBATENSIS *Tractatus I 34 (LaW 98sq.):* Dicemus ergo quia alteritas ab unitate ut a suo immobili descendit principio sed PRINCIPIUM PLURALITATIS alteritatem idcirco hic dici quia prima pluralitatis forma et certa in ea cognitio multitudinis reperitur. ... sine alteritate nulla potest esse pluralitas.

9sq.) recurrere — trinum: *v. De coniect. I 2 n. 9,1–5 (III 14).* 11–19) Videmus — resolvitur: *cf. Sermo XVI n. 19 (CT I 1 p. 20,17–31); De coniect. I 8 n. 35,1–5 (III 40).* 11–14) Videmus — trinum: *v. De ven. sap. 26 n. 77,12–16 (XIII).* 17–20) Prima — figuram: *cf. De docta ign. I 20 n. 60 (I 40,17–22); De coniect. II 4 n. 92,28–30 (III 90); De beryllo 33 n. 58 (XI 1 p. 43,10–12); De ven. sap. 26 n. 74,11–13 (XIII).* 21) Quare — unitrinum: *v. De beryllo 33 n. 60 (XI 1* p. *44,1–23).*
45 3–5) Principium — terminantur: *cf. De pace fidei 5 n. 14 (VII 14,12–14.21sq.).* 4sq.) ad ipsum terminantur: *cf. De ven. sap. 28 n. 84,3sq. (XIII).*

CARDINALIS: Optime. Sed attende: Ut principium videatur, necesse est abstrahi simplex, sine quo nihil principiatorum esse potest. Si igitur simplex, sine quo nec numerus nec figura esse potest, est id quod non est plus unum quam trinum et ita unum quod trinum et non est trinum ex numero, cum numerus 10 sit principiatum, sed trinum ut sit perfectum principium omnium, ita in aenigmate videtur deus unitrinus ut sit perfectissimum principium omnium.

IOHANNES: Sine numero dicis eum trinum. Nonne tres personae **46** sunt ex ternario numero tres personae?

CARDINALIS: Nequaquam. Quia numerus quem tu conspicis dum hoc dicis est mathematicus et ex mente nostra elicitus, cuius principium est unitas. Sed trinitas in deo non est ab 5 alio principio, sed est principium.

BERNARDUS: Utique trinitas in principio est principium et non

---

46 2) sunt — personae *in marg. m. al. C*

---

46 3–5) Quia — unitas: *cf.* MACROBIUS *Comm. in Somn. Scip. I 6 n. 7:* unum autem quod μονάς id est unitas dicitur . . . non numerus sed fons et origo numerorum. *(II 19,24–27); quem locum laudat* MAGISTER ECHARDUS *In Gen. II n. 15 (LW I 485,12–486,3); In Sap. n. 149 (LW II 487,3–7);* MACROBIUS *l. c. II 2 n. 8 (II 100,25sq.);* PROCLUS *In Plat. Parm. VI (ed. Cousin 1076,25–29);* DIONYSIUS AREOPAGITA *De div. nom. V 6 (PG 3, 820 D; Dionysiaca I 343[3]–344[2]);* AVICENNA *Met. III 2; 3 (78[va]D; 78[vb]A);* MAGISTER ECHARDUS *Predigt 21 (DW I 368,9sq.).*

6–8) Ut — potest: *cf. De coniect. I 10 n. 45,1–5 (III 49).* 9sq.) ita — numero: *cf. De docta ign. I 19 n. 57 (I 38,19–22); De vis. dei 17 n. 73sq. (I fol. 108[r],28sqq.); De pace fidei 8 n. 23 (VII 24,6–10).* 9sq.) ita — trinum: *cf. Apol. doctae ign. n. 34 (II 23,15–17); De ven. sap. 8 n. 22,15sq. (XIII).* 10sq.) cum — principiatum: *cf. De dato patr. 3 n. 105,4–6 (IV 78).* 12sq.) deus — omnium: *cf. n. 57,14sq.; De sap. I n. 22 (V 20,6sq.).*

46 1sq.) Sine — personae: *cf. De pace fidei 7 n. 20 (VII 20,1–8).* 3sq.) numerus — elicitus: *cf. De docta ign. I 5 n. 14 (I 13,6sq.); De coniect. I 2 n. 7,4sq. et 9,6.8sq. (III 11; 14); De mente 6 n. 88; 93sq. (V 67,18; 70,7sq.20–22); De beryllo 32 n. 56 (XI 1 p. 42,6–10).* 5) cuius — unitas: *cf. n. 45,10sq.; De docta ign. I 5 n. 14 (I 12,22–24) et saepius; Sermo XVIII n. 7 (CT I 6 p. 30,9); De fil. dei 4 n. 72,29 et not. (IV 54); De sap. I n. 6 (V 7,7); Sermo LXXI n. 7 (CT I 6 p. 100,20–22); De ven. sap. 37 n. 108,14sq. (XIII); De ludo globi II n. 64 (I fol. 161[r],4sq.).* 5sq.) Sed — principium: *cf. Dir. spec. 5 (XIII 12,22–27).* 7–10) Utique — esset: *cf. De pace fidei 6 n. 17 (VII 16,16–20) et p. 73 adnot. 12; v. etiam supra n. 6,16sq.*

est a numero, qui non potest esse ante principium. «Omnis» enim «multitudinis unitas est principium». Si igitur trinitas in
10 divinis esset numerus, et principiata a se ipsa esset.

Cardinalis: Vides igitur primum principium unitrinum ante omnem numerum. Et si non potes hoc concipere quod sit ante numerum, hoc est ideo quia tuus intellectus sine numero nihil concipit. Id tamen, quod concipere nequit, videt supra concep-
15 tum negari non posse et credit. Sicut igitur deum magnum sine quantitate continua, ita trinum sine quantitate discreta seu numero. Et sicut credit deum magnum sibi attribuendo magnitudinem, ita credit trinum sibi attribuendo numerationem.

47 Iohannes: Intelligo nos consideratione creaturarum habita creatorem unitrinum affirmare, qui — ut praedictum est — in se manet omni modo dicendi ineffabilis.

---

12) Et — numerum *in marg. m. al. C* 16) numero *suprascrips. m. al. C*

8sq.) Omnis — principium: *cf.* Proclus *In Plat. theol. II 1 (76; 81)*; Dionysius Areopagita *De div. nom. IV 21 (PG 3, 721; Dionysiaca I 263[3])*. 9sq.) Si — esset: *cf.* Magister Echardus *In Ioh. n. 135 (LW III 115,11–16)*. 11sq.) Vides — numerum: *cf.* Boethius *De trin. 3 (154,3sq.)*; Theodericus Carnotensis *Tractatus 34 (196)*: nulla ... in deitate pluralitas, quare nec numerus.

8sq.) Omnis — principium: *cf. Sermo IV n. 22,2sq. (XVI 1 p. 64); Sermo XVIII n. 7 (CT I 6 p. 30,9–15); De pace fidei 5 n. 15; 7 n. 21 (VII 14,19; 20,16–21,1; v. etiam p. 70 adnot. 8); De ven. sap. 21 n. 59,9sq. (XIII)*. 11–18) Vides — numerationem: *v. De beryllo 35 n. 63 (XI 1 p. 47,12–16); De ven. sap. 26 n. 77,12–16 (XIII)*. 13sq.) quia — concipit: *cf. De coniect. I 2 nn. 7 sqq. (III 11sqq.); De mente 6 n. 95 (V 71,8–14); De beryllo 35 n. 63 (XI 1 p. 47,3sq.9sq.); De ludo globi II n. 80 (I fol. 163[r],28sq.)*. 15) credit: *v. Sermo CCLXV 1 (Sic currite, II 1 fol. 167[v],7sq.24sq.)*: Posse igitur credere est maxima animae nostrae virtus; excedit omnem virtutem intellectivam... Et non credit hoc verbum dei esse quia intelligit, sed intelligit quia credit. 15–17) Sicut — numero: *cf. Epist. ad Nicolaum Albergati n. 44 (CT IV 3 p. 44,14sq.)*: divina trinitas est ante omne accidens et quantitatem continuam et discretam.

47 1–5) Intelligo — quicquam: *cf. Sermo I n. 14,18sq. (XVI 1 p. 12); Sermo XVI n. 18 (CT I 1 p. 20,10–12); Sermo XXX (Sanctus, sanctus, sanctus, II 1 fol. 145[r],1–3)*. 1sq.) Intelligo — affirmare: *cf. De pace fidei 7 n. 21 (VII 21,10sq.); De beryllo 22 n. 34 (XI 1 p. 27,7–9); Cribr. Alch. II 5 n. 100 (I fol. 135[r],34–37)*.

CARDINALIS: Recte ais. Nam sine potentia et actu atque utriusque nexu non est nec esse potest quicquam. Si enim aliquid 5 horum deficeret, non esset. Quomodo enim esset si esse non posset? Et quomodo esset si actu non esset, cum esse sit actus? Et si posset esse et non esset, quomodo esset? Oportet igitur utriusque nexum esse. Et posse esse et actu esse et nexus non sunt alia et alia. Sunt enim eiusdem essentiae, cum non faciant nisi 10 unum et idem. Rosa in potentia et rosa in actu et rosa in potentia et actu est eadem et non alia et diversa, licet posse et actus et nexus non verificentur de se invicem sicut de rosa.

BERNARDUS: Bene capio non posse negari dum mente rosam video me unitrinam videre. Nam ipsam video in posse. Si enim 15 posse de ea negaretur, utique non posset esse. Video ipsam in esse. Si enim esse de ea negaretur, quomodo esset? Et video ipsam in nexu utriusque. Negato enim utriusque nexu non esset actu, cum nihil sit actu nisi possit esse et sit; ab his enim procedit actualis exsistentia. 20

48 Sic video unitrinam rosam ab unitrino principio. Hoc autem

---

47 13) non *in marg. C*

---

48 1–3) Hoc — unitrinum: *cf.* AUGUSTINUS *De trin. VI 10 n. 12 (CCSL L 242,45–47):* Oportet igitur ut creatorem per ea quae facta sunt intellecta conspicientes trinitatem intelligamus cuius in creatura quomodo dignum est apparet uestigium. *IX 12 n. 18 (309,1sqq.); XIV 6–8; 12 n. 15sq. (CCSL LA 430sqq.; 442sqq.); XV 3 n. 5 (465,71sqq.);* HEIMERICUS DE CAMPO *Compendium div. (Cod. Mog. 614 fol. 22ra; Excerptum MFCG 4 (1964) 209):* Effectus suscipit influxum suae causae nedum ad esse, sed ad posse et operari. Ergo habet vestigium trinae influentiae suae causae.

4sq.) Nam — quicquam: *cf. De docta ign. II 7 n. 130 (I 83,20sq.):* Est igitur unitas universi trina, quoniam ex possibilitate, necessitate complexionis et nexu, quae potentia, actus et nexus dici possunt. *De coniect. II 17 n. 180,1–3 (III 180); De gen. 5 n. 178,16–18 (IV 125); De mente 11 n. 137 (V 98,19–25).* 9–12) Et — diversa: *cf. De docta ign. II 7 n. 131 (I 84,15–20); v. De mente 11 n. 133 (V 96,9sqq.).*

48 1–3) Hoc — video: *cf. Sermo IV n. 30,1 (XVI 1 p. 68); Sermo XVIII n. 19 (CT I 6 p. 46,19–48,12); De mente 11 n. 132 (V 95,24–96,2); De pace fidei 7 n. 21 (VII 21,10–14 et not.); Cribr. Alch II 5 n. 100 (I fol. 135r,34–36); De ven. sap. 24 n. 72,1–3; 31 n. 93,6sq. (XIII); De ap. theor. X n. 26 (XIII)*

principium in omnibus relucere video, cum nullum sit principiatum non unitrinum. Sed omnia principiata video nihil esse principii, licet omnia sint in ipso ut in causa et ratione. Deus
5 igitur non est ut rosa unitrina. Nihil enim habet aeternum principium a principiato, sed est unitrinitas absoluta, a qua omnia unitrina id sunt quod sunt.

IOHANNES: Mihi similiter ut tibi, Bernarde, videtur. Nec alius est deus a quo est rosa in potentia, alius a quo in esse et alius
10 a quo in nexu utriusque, cum non sit alia rosa quae est in posse et alia quae in esse et alia quae in nexu, sed unitrina. Sed cum Christiani dicant aliam esse personam ipsius absoluti posse, quam nominamus patrem omnipotentem, et aliam ipsius esse, quam quia est ipsius posse nominamus filium patris, et aliam
15 utriusque nexum, quam spiritum vocamus, cum naturalis amor sit nexus spiritalis patris et filii: has personales differentias quomodo in aenigmate videre debeam, non capio.

49 CARDINALIS: Bene dicis, abba, aliam esse personam patris, aliam filii, | aliam spiritus sancti in divinis propter infinitae per- *180v* fectionis trinitatem. Non tamen est alia persona patris per ali-

---

48 10) sit *in marg. C*

3sq.) Sed —ratione: *v.* MAGISTER ECHARDUS *In Gen. II n. 20 (LW I 489,8–490,4); In Eccli. n. 63 (LW II 292,3–6); In Ioh. n. 239 (LW III 200,6–8).*

49 1–4) aliam — alteritatem$_1$: *cf.* THEODERICUS CARNOTENSIS *Commentum I 10 (88).* 1sq.) aliam — sancti: *cf.* SYMBOLUM QUICUMQUE *(ES 75 p. 41).* 3sq.) Non tamen — alteritatem$_1$: *v.* THEODERICUS CARNOTENSIS *Glossa V 19 (320);* CLARENBALDUS ATTREBATENSIS *Tractatus III 33 (LaW 144).*

3sq.) Sed — ratione: *v. De beryllo 27 n. 46 (XI 1 p. 35,18sq.); De princ. n. 34,9–13 (p. 24).* 4) licet — ratione: *cf. De vis. dei 19 n. 83 (I fol. 109v,1); Sermo CLXV (Suscepimus, deus, misericordiam tuam, II 1 fol. 91v,37sq.); Dir. spec. 2 (XIII 5,25–27).* 5sq.) aeternum principium: *cf. De mente 2 n. 61 (V 50,28–51,2); De pace fidei 5 n. 14 (VII 14,8–10).* 12sq.) cum — omnipotentem: *cf. Compend. 10 n. 29,9sq.; Epil. n. 45,4sq. (XI 3 p. 23; 33); De ap. theor. n. 15,13–17; 28 XII (XIII).*

49 1–3) Bene — trinitatem: *cf. Sermo CCLXXIX (Pater vester caelestis, II 1 fol. 183r,19–21):* Unde in omni opere intellectualis naturae relucet similitudo creationis dei, et videtur quomodo perfectio requirit trinitatem, scilicet patrem et filium et spiritum sanctum. *Dir. spec. 5 (XIII 12,17–27).* 2sq.) infinitae perfectionis: *cf. n. 64,16.* 3–7) Non — naturae: *cf. Apol. doctae ign. n. 35 (II 24,1–6); De mente 11 n. 129 (V 94,2sq.); De vis. dei 17 n. 75 (I fol. 108r,44–108v,4); De pace fidei 8 n. 23 (VII 24,3–7); Sermo CXXXIII n. 2 (CT I 2/5 p. 72,16–24); v. De docta ign. I 9 n. 25 (I 18,14–18).*

quam alteritatem, cum omnem alteritatem supergrediatur benedicta trinitas, quae non est ab alio, sed per se est id quod 5 est. Ideo pater non est aliud a filio propter identitatem essentiae et naturae, sed non est filius. Non per non-esse pater non est filius, cum ante omne non-esse sit deus unitrinus, sed quia esse praesupponit posse, cum nihil sit nisi possit a quo est, posse vero nihil praesupponit, cum posse sit aeternitas. Ideo 10 cum videam deum qui non praesupponat sui principium et videam deum praesupponentem sui principium et videam deum procedentem ab utroque et non videam tres deos sed unitatem deitatis in trinitate, id quod sic video distincte in indistincta deitate verius et perfectius esse non dubito quam ego videam. 15

---

49 6) Ideo — est *in marg. m. al. C*

5sq.) trinitas — quod est: *cf.* THEODERICUS CARNOTENSIS *l. c. V 21; 27 (321; 322).* 6sq.) pater — filius: *cf.* THEODERICUS CARNOTENSIS *Commentum III 19 (115)*; CLARENBALDUS ATTREBATENSIS *Tractatus III 31 (LaW 143).* 6) pater — filio: *cf.* SYMBOLUM *conc. Tolet. XI (ES 525 p. 175)*; HUGO DE S. VICTORE *Erudit. didascal. VII 24 (PL 176, 834 A)*; RICHARDUS DE S. VICTORE *De trin. IV 9 (PL 196, 936 A)*; *Decretales* GREGORII IX *Lib. I tit. 1 c. 2* Damnamus *(ed. Friedberg II 7).* 6) propter identitatem: *cf.* THEODERICUS CARNOTENSIS *Lectiones II 8; 13; IV 52 (154; 156; 200)*; CLARENBALDUS ATTREBATENSIS *Tractatus II 38 (LaW 122).* 7) sed non est filius: *cf.* SYMBOLUM *conc. Tolet. I («Libellus in modum symboli», ES 188 p. 75)*: Patrem [autem] non esse ipsum Filium. 8–13) sed — ab utroque: *v.* RICHARDUS DE S. VICTORE *De trin. IV 15 (PL 196, 939 C)*: Sed quoniam identitas substantiae omnem qualitatis differentiam penitus excludit, differentes personarum proprietates circa solam originem quaerere oportebit. 10sq.) *et* 18sq.) posse vero — principium *et* credo — esse per se: *cf.* PSEUDO-BEDA *In Boethii De trin. (PL 95, 398 C).* 11–13) cum videam — ab utroque: *cf.* IDEM *l. c. (398 CD; 402 B)*; THEODERICUS CARNOTENSIS *Glossa V 13 (318)*; *Decretum pro Iacobitis (ES 1331 p. 338)*: Pater... est principium sine principio. Filius ... est principium de principio. Spiritus Sanctus quidquid est aut habet, habet a Patre simul et Filio. 11sq.) cum videam — principium: *cf.* AUGUSTINUS *De gen. ad litt. imp. lib. 3 (CSEL XXVIII 1 461,25–462,3).* 13) non videam tres deos: *cf.* BOETHIUS *De trin. 1; 3 (151,8sq.; 155,27–29)*; THEODERICUS CARNOTENSIS *Commentum I 9 (88).*

---

6) pater — filio: *cf. Sermo I n. 10,11–21 (XVI 1 p. 9)*; *Cribr. Alch. II 7 n. 105 (I fol. 135v, 39–42)*; *De ven. sap. 24 n. 71,15–17 (XIII).* 6sq.) propter — naturae: *cf. De princ. n. 9,10–12 (p. 10).*

Ideo sicut video ipsum absolutum posse in aeternitate esse aeternitatem et non video ipsum esse in aeternitate ipsius posse nisi ab ipso posse, sic credo ipsum posse aeternum habere hypostasim et esse per se et de ipso deo patre, qui est per se, ge-
20 nerari deum, qui sit omne id quod est ab ipsa omnipotentia patris, ut sit filius omnipotentiae, id scilicet sit quod pater possit: omnipotens sit de absoluto posse seu omnipotente. A quibus procedat omnipotentiae et omnipotentis nexus. Video deum aeternaliter et eundem deum de deo aeternaliter ac
25 eundem deum ab utroque aeternaliter procedentem. Sed quia subtilius sancti hoc viderunt quam nos, satis sit nos ad hoc devenisse quod sicut perfectio principii deposcit quod sit unum, ita deposcit veraciter quod sit trinum.

50 Non esset enim unitas naturalis et perfectissima, nisi in se haberet omnia quae ad perfectissimum principium sunt necessaria, quae per trinitatem exprimuntur. Neque trinitas esset perfecta, nisi esset una quae unitas. Non enim unitas quae de

---

16sq.) Ideo — aeternitatem: *cf.* Iohannes Scottus *De div. nat. II 21 (PL 122, 562 A).* 18–23) sic credo — nexus: *cf.* Thomas *In De div. nom. c. 2 lect. 1 (127).* 18sq.) sic credo — esse per se: *cf.* Iohannes Scottus *De div. nat. II 34 (PL 122, 613 C).* 24) aeternaliter: *cf.* Idem *l. c. VII 12 (224); v. etiam notam ad lin. 11–13.* 25) eundem — procedentem: *cf. Constitutio de summa Trinitate et fide catholica (Conc. Lugdun. II; ES 850 p. 275).*

50 1–4) Non esset — unitas: *v.* Theodericus Carnotensis *Lectiones I 21 (137)*:...cum ipse sit trinus et unus, est Trinitas et unitas; et Trinitas est unitas et unitas est Trinitas. 4–7) Non enim — correlativa: *v.* Boethius *De trin. 6 (162,1–8).*

16–23) Ideo — nexus: *cf. Sermo CCXXX (Trinitatem in unitate veneremur, II 1 fol. 135ʳ,8sqq.).* 18–25) credo — procedentem: *v. De docta ign. I 8sq. nn. 22sqq. (I 17sqq.)*: unitas, unitatis aequalitas, conexio. *De coniect. II 14 n. 145,1sqq.; 17 n. 173,11sq.; 174,10; 180,1–3 (III 145; 174; 175; 180); Sermo CCLXXIX (Pater vester caelestis, II 1 fol. 183ʳ,21–24); De princ. n. 10sq. (p. 10sq.).* 18) ipsum posse aeternum: *cf. De ap. theor. n. 15,10 (XIII).* 18sq.) ipsum — hypostasim: *cf. l. c. n. 8,1 (XIII).* 22sq.) A quibus — nexus: *cf. n. 6,16sq. et notam ad n. 44,7–10.* 24) deum de deo aeternaliter: *cf. De docta ign. III 5 n. 213 (I 135,14–16).*

50 1–3) Non — exprimuntur: *cf. Dir. spec. 5 (XIII 12,22–27).* 1) naturalis et perfectissima: *cf. De vis. dei 17 n. 72 (I fol. 108ʳ,12sq.).* 4–6) Non — complicans: *cf. De docta ign. II 3 n. 105 (I 69,9sq.); Sermo XVI n. 11 (CT I 1 p. 14,13sq.).*

deo dicitur est mathematica, sed est vera et viva omnia 5
complicans. Nec trinitas est mathematica, sed vivaciter correlativa. Unitrina enim vita est, sine qua non est laetitia sempiterna et perfectio suprema. Unde de essentia perfectissimae vitae est, quod sit perfectissime unitrina, ut posse vivere sit adeo omnipotens, quod de se sui ipsius generet vitam. A quibus 10
procedit spiritus amoris et laetitia sempiterna.

IOHANNES: Quaeso parum audiri, si forte aliquid de his altis **51**
percepi. Et ad possest me converto. Cum omne quod est non sit nisi id quod potest esse, possest video omnium formabilium formam verissimam et adaequatissimam. Sed in omni re video posse, esse et utriusque nexum, sine quibus impossibile est 5
ipsam esse, et illa video in qualibet re sic esse quod perfectius esse possunt. Ideo ubi haec sunt adeo perfecta quod perfectius esse nequeunt, ut in possest, ibi video omnium exsistentium unitrinum principium. In perfectione igitur primi principii

---

6sq.) correlativa: *cf.* SYMBOLUM *conc. Tolet. XI (ES 528 p. 176sq.)*; THEODERICUS CARNOTENSIS *Glossa VI 2 (324)*; THOMAS *In De div. nom. c. 13 lect. 3 (992)*; HEIMERICUS DE CAMPO *Quaestiones (Cod. Cus. 106 fol. 55r,1.2sq.)*: Licet in deo sit personarum trinitas et essentiae unitas ... Ergo haec personarum distinctio est tam opposita quam ydemptica relatio. IDEM *Ars demonstrativa (Cod. Cus. 106 fol. 72v,5–7)*: propter ordinem proprium unius personae, quae repugnat alteri in esse correlationis extrinsecae. Quod quidem esse correlativum est terminale seu finale, quomodo personae differunt adinvicem intrinsece. *v.* AUGUSTINUS *De trin. V 12 n. 13; IX 1 n. 1; 2 n. 2; 5 n. 8 (CCSL L 293,36–38; 295,29–32; 301,28–31); XV 3 n. 5 (L_A 463,25–34).* 10sq.) A quibus — amoris: *cf.* THEODERICUS CARNOTENSIS *Commentum II 37sq. (102)*; CLARENBALDUS ATTREBATENSIS *Tractatus II 40 (LaW 123)*: mutuo amore connectuntur essendi aequalitas et unitas. *V. etiam supra n. 48,14–16.* 11) laetitia sempiterna: *v.* AUGUSTINUS *De trin. VI 10 n. 11 (CCSL L 242,29–34).*

6sq.) correlativa: *cf. De docta ign. II 7 n. 127 (I 82,3–5)*: tres illae correlationes, quae in divinis personae vocantur, non habent esse actu nisi in unitate simul. *Sermo I n. 6,9–14 (XVI 1 p. 7); Sermo XXX (Sanctus, sanctus, sanctus, II 1 fol. 145r,3–6); De pace fidei 8 n. 23 (VII 23,21–24,7); Marg. 208; 213sq.* 8–11) Unde — sempiterna: *cf. Sermo XXX (Sanctus, sanctus, sanctus, II 1 fol. 144v,44sq.); Sermo CCXXX (Trinitatem in unitate veneremur, II 1 fol. 134v,25sqq.); De beryllo 24 n. 39 (XI 1 p. 30,18–31,2); Cribr. Alch. II 5 n. 100 (I fol. 135r,38–40).* 9sq.) ut — vitam: *cf. Compend. 10 n. 29,3sq. 30,2–4 (XI 3 p. 23; 24).*
51 9) unitrinum principium: *cf. n. 46,11; 48,1; 51,20sq.; 54,22sq.; De coniect. I 1 n. 6,2sq. et notam (III 9); De fil. dei 4 n. 76,1 (IV 56); De sap. I n. 22 (V 20,6sq.).*

10 necesse est omnium principiabilium esse perfectionem. Quae si maior concipi posset, utique non esset perfectio principii sed principiati.

CARDINALIS: Ita oportet quod humanus intellectus, qui primum principium sibi absconditum uti est capere nequit, ex principia-
15 tis intellectis — ut Paulus nos instruit — videat. Oportet ergo, si posse debet esse perfectissimum, quod in ipso sit esse et utriusque nexus. Sic si esse debet esse perfectissimum, oportet quod in ipso sit posse et utriusque nexus. Et si nexus debet esse perfectissimus, oportet in ipso esse posse et actum seu esse.
20 Haec ergo videmus necessario in perfectissimo unitrino principio, licet quomodo haec se habeant, omnem intellectum exsuperet.

52 BERNARDUS: Audi quaeso me, si huius tui dicti habeo intellectum. Et converto me ad motum. In essentia enim illius video primo posse et ab illo generari actum atque ab utroque procedere movere, qui est nexus ipsius posse et actus. Omnis autem
5 motus qui concipi potest non est sicut esse potest motus, quia potest esse tardior et velocior motus, et ideo in posse ipsius non est actus et nexus utriusque, quando non movetur actus sicut potest moveri. Sed si motus esset id quod esse potest, tunc in posse foret actus et nexus aequaliter. Quantum posset tantum in
10 posse esset actu. Et talis esset utriusque nexus. Ita de esse et | nexu. Sed hic motus non intelligeretur. Nam cum esset id quod *181r* esse potest motus, utique neque maior neque minor esse posset et ita foret maximus pariter et minimus, velocissimus pariter et tardissimus seu quietissimus. Et quia foret motus cui quies

---

52 3) primo *suprascrips. m. al. C*

13–15) Ita — videat: *cf. Sermo XVI n. 17 (CT I 1 p. 18,6–8); Sermo LXXI n. 9 (CT I 6 p. 102,24sq.); Sermo CXXXIII n. 1 (CT I 2/5 p. 72,4–12); Cribr. Alch. II 5 n. 100 (I fol. 135r,34–37).* 14) uti est: *cf. n. 43,16; De coniect. I 11 n. 54,1–55,10; II 2 n. 83,17–19; 6 n. 98,5–8 et 104,1sq.; 16 n. 167,9–19 (III 55; 81; 95; 100; 168sq.) et saepius; De gen. 1 n. 143,8 (IV 104).*

52 11–14) Nam — quietissimus: *cf. n. 10,17–20; 19,1–3.* 13–*16*) et ita — non-motus: *v. De docta ign. I 4 n. 12 (I 11,18–22).*

non opponitur, ideo sublata oppositione nomen motus sibi 15
non competeret, immo non plus foret motus quam non-motus,
licet foret exemplar, forma, mensura et veritas omnis motus.

Motus autem qui intelligitur, cui quies opponitur, ille intel- **53**
ligitur, quia terminatur quiete ei opposita, et concipitur per
finitum conceptum. Quando igitur intelligitur hunc conceptum
de motu non esse conceptum motus qui id est quod esse potest,
licet qualis ille sit intelligi nequeat, dimisso motu qui sciri 5
potest convertit se mens ad videndum motum qui sciri nequit
et non quaerit ipsum nec per nomen nec conceptum nec
scientiam, immo per omnium quae de motu sciuntur ignorantiam. Scit enim se nequaquam illum motum videre, quamdiu
aliquid horum manet. Tunc ad non-esse motus pertingens pro- 10
pius ad quaesitum ascendit, id enim quod se tunc supra esse et
non-esse ipsius motus offert taliter quod quid sit penitus
ignorat, quia est supra omne nomen. Ibi ignorantia est perfecta
scientia, ubi non-esse est essendi necessitas, ubi ineffabile est
nomen omnium nominabilium. Haec sic ex tuis dictis — nescio 15
si bene — collegi.

CARDINALIS: Abunde animum applicasti.

---

52 17) exemplar — veritas: *v.* THEODERICUS CARNOTENSIS *Tractatus 43; 45sq. (198; 199).*
53 8sq.) ignorantiam: *v.* DIONYSIUS AREOPAGITA *De div. nom. I 1 (PG 3, 588 A; Dionysiaca I 7⁴–8¹); VII 3 (PG 3, 872 AB; Dionysiaca I 406¹⁻²); De myst. theol. II (PG 3 1025 A; Dionysiaca I 579²–580³ versione* SARACENI*)*: In hac superlucenti caligine fieri nos precamur, et per non-videre et per ignorare videre et cognoscere eum qui est super omnem visionem et cognitionem, in ipso non videre et non cognoscere. ... et super-substantialem supersubstantialiter laudare per omnium exsistentium ablationem *(PG 3, 1025 B; Dionysiaca I 582²); Epist. I ad Gaium (PG 3, 1065 AB; Dionysiaca I 605sqq.);* ALBERTUS MAGNUS *In De myst. theol. c. 2 § 2 dub. 1 (XIV 840); Marg.* NICOLAI *(Baur 594).* 9–14) Scit — scientia: *v.* IOHANNES SCOTTUS *De div. nat. II 29 (PL 122, 597sq.); III 22 (686 D); v. infra n. 66,1–3; supra n. 41,7sq.14.*

---

17) exemplar ... et veritas: *cf. De vis. dei 7 n. 24; 9 n. 34; 15 n. 63 (I fol. 102ʳ,11; 103ʳ,28sq.; 107ʳ,13).*
53 8sq.) ignorantiam: *cf. n. 41,14 et notam; De deo absc. n. 6,2 (IV 5); De vis. dei 13 n. 52 (I fol. 105ᵛ,1–4).* 10–14) Tunc — necessitas: *v. De docta ign. I 14 n. 39 (I 29,1–3).* 14sq.) ubi — nominabilium: *cf. De deo absc. n. 10,5–7 (IV 7); De mente 2 n. 67sq. (V 54,20–55,2).*

54 IOHANNES: Quantum tradi potest doctrina ignorantiae illius quae ad ineffabile pergit, videtur dictum. Sed adiciam aliquod mei conceptus speculum. Nam licet aenigmata multa nos ducant, sine quibus ad incognitum deum non habemus accedendi
5 modum — oportet enim ad aliquod cognitum respicere incognitum quaerentem —, tamen in minimis principia maxime relucent. Capio igitur abbreviatum verbum concisum valde puta IN. Dico: Si volo intrare divinas contemplationes, per ipsum IN, cum nihil possit intrari nisi per ipsum IN, intrare
10 conabor. Primo ad figuram eius adverto quomodo est ex tribus aequalibus lineis quasi unitrinum et quomodo I et N per spiritum conexionis nectuntur. In ipso enim IN est primo I, deinde N et utriusque nexus, ut sit una simplex dictio IN I et N et utriusque nexu consistens. Nihil simplicius I. Nulla
15 littera figurari potest sine illa simplici linea, ut sit principium omnium. N primo omnium ex simplicissimo I in se ducto generatur. Nec N littera est bis I littera, sed ex I semel in se ducta, ut sit una littera. In N enim est I explicatum. Unde si I additur ad N, non plus vocis habetur. Iam enim erat in N eius virtus. N
20 enim non consonat ipsi E quasi N sit EN, sed ipsi I ut sit IN, ut sciunt illi, qui Graecarum litterarum peritiam habent. Nexus

---

54 14) Nulla *in textu abbreviat. explic. in marg. m. 3 C*

---

54 5sq.) oportet — quaerentem: *cf.* HUGO DE S. VICTORE *Erudit. didascal. I 4 (PL 176, 744 B).* 7sqq.) *cf. interpretationem litterarum vocabuli* ἓν *apud* PROCLUM *In Plat. Parm. VII (Plat. Lat. III 52,9–27); marg.* NICOLAI *(ibid. 104 (8)):* nomen est ymago racionalis rei. 8) intrare: *cf.* BONAVENTURA *Itin. I 2 (V 297 a).*

---

54 1) Quantum — doctrina: *cf. Compend. 2 n. 4,11 (XI 3 p. 5).* 3–5) Nam — modum: *cf. De docta ign. I 11 n. 32 (I 24,6sq.); De sap. II n. 47 (V 38,22sq.); De beryllo 1 n. 1 (XI 1 p. 3,14sq.); Epist. ad Nicolaum Albergati n. 48 (CT IV 3 p. 46,23–26).* 5sq.) oportet — quaerentem: *cf. De docta ign. I 11 n. 31 (I 22,19sq.):* cum via ad incerta non nisi per praesupposita et certa esse possit. 7sqq.) *V.* G. v. BREDOW *Der spielende Philosoph S. 112–114.* 8) intrare: *cf. n. 55,11; Apol. doctae ign. n. 47 (II 32,12); De vis. dei 11 n. 45 (I fol. 104ᵛ,19sq.):* Intro de creaturis ad te creatorem, de effectibus ad causam. *Epist. V ad abbatem et monachos Tegernseenses (p. 115sq.); De ven. sap. 12 n. 33,19 (XIII); Marg. 269.*

igitur utriusque naturalissimus est. Figura igitur unitrini principii conveniens ipsius IN videtur. Deinde adverto quomodo est primo I, scilicet principium. Ex quo N, ubi se I primo manifestat. N enim est notitia, nomen seu relatio potentiae ipsius I 25 principii.

Deinde considero quomodo per IN intratur in deum et omnia. 55 Nam omnia quae nominari possunt nihil nisi IN in se continent. Si enim IN non esset, nihil in se omnia continerent et vacua penitus forent. Dum enim intueor in substantiam, video ipsum IN substantiatum, si in caelum caelestiatum, si in locum loca- 5 tum, si in quantum quantificatum, si in quale qualificatum, et ita de omnibus quae dici possunt. Quare in termino est terminatum, in fine finitum, in altero alteratum. Si vero video ipsum IN ante omne nomen, utique nec terminatum nec finitum nec aliquod esse video omnium quae nominari possunt. Quaecum- 10 que vero video in IN, video ineffabilitatem intrasse. Nam si video finem aut terminum in IN, non possum amplius ipsum nominare aut finem aut terminum. Transivit enim in IN, quod nec est finis nec terminus. Unde secundum hoc videretur *181^{v}* mu|tasse nomen in oppositum, ut nominetur terminus in IN 15 interminus seu non-terminus. Et quia IN, quod omnia implet et sine quo omnia sunt vacua, inest et immanet, integrat et informat, ideo est perfectio omnis rei, omnis termini et omnis finis et omnium. Patet IN plus esse quam finis aut terminus, ut finis

---

55 18) omnis rei, omnis termini *in textu abbreviat. explic. in marg. m. 3 C*

---

55 13) transivit: *cf.* DIONYSIUS AREOPAGITA *De div. nom. I 2 (PG 3, 588 C; Dionysiaca I* 14^{4} *interprete* SARACENO*);* BONAVENTURA *l. c.* 17sq.) integrat — perfectio: *cf.* THEODERICUS CARNOTENSIS *Commentum II 20 (97):* Actus vero est possibilitatis perfectio et integritas. ...ut possibilitas esse dicatur materia, actus vero forma. IDEM *Glossa II 31 (288).*

---

55 2 *et* 9sq.) omnia — continent *et* nec — possunt: *cf. n. 25,4sq.; v. De docta ign. I 16 n. 43 (I 31,4–7); Apol. doctae ign. n. 46 (II 31,25–27); De vis. dei 12 n. 49sq. (I fol.* 105^{r}*,23sqq.); Sermo CXCIV n. 11,7 (CT I 6 p. 130,13sq.); De pace fidei 1 n. 5 (VII 6,17–7,1); De princ. n. 38,23–26 (p. 27); De ven. sap. 34 n. 103,3–10 (XIII).* 19–26) Patet — complicatio: *cf. Epist. V ad abbatem et monachos Tegernseenses (p. 116); Sermo CCXIII n. 17 (CT I 2/5 p. 102,13–15); Marg. 128.*

20 in IN non desinat esse finis, sed sit valde finis et finis in fine seu finis finium, ut non vocetur finis, quia non finitur omni fine, sed excedit. Sic enim omnia quando in absoluto videntur fiunt ineffabilia. IN igitur in suo simplicissimo significato complicat simul affirmationem et negationem, quasi I sit ita et N sit non,
25 quae in IN conectantur. IN enim dum adicitur aliis dictionibus, aut est affirmatio aut negatio, in se vero utriusque complicatio.

56 IN igitur videtur conveniens speculum relucentiae divinae theologiae, quoniam «in omnibus est omnia, in nihilo nihil» et omnia in ipso ipsum. De hoc IN in se ineffabili quis quae dici possent explicaret nisi ille cuius loqui est perfectum cum sit
5 possest? Solum enim verbum quod est elocutio omnium dicibilium hoc potest.

CARDINALIS: Subtiliter considerasti, pater abba, et satis est fecundum aenigma tuum, quoniam in spiritum ducit. Nam quae in deo sunt nemo scit nisi spiritus dei sicut quae in homine
10 spiritus hominis. Ipsum igitur IN est aenigma spiritus omnia scrutantis. Sed qui per ipsum IN maiestatem dei intrare nititur,

---

56 2) in omnibus — nihil: DIONYSIUS AREOPAGITA *De div. nom. VII 3 (PG 3, 872 A; Dionysiaca I 405$^{1-2}$ interprete* AMBROSIO TRAVERSARI*); cf. 1 Cor. 15,28; Ephes. 1,23; Col. 3,11;* PROCLUS *In Plat. Parm. VII (Plat. Lat. III 68,10sq.) et marg.* NICOLAI *(ibid. 105 (18)); v. etiam quae laudata sunt in apparatu fontium (ibid. 96 ad 68,10);* DIONYSIUS AREOPAGITA *De div. nom. I 5; 6 (PG 3, 593 C; 596 C; Dionysiaca I 39$^{2-4}$; 48^{3}) et saepius; Epist. IX 3 ad Titum (PG 3, 1109 C; Dionysiaca I 653$^{2-4}$ interprete* AMBROSIO TRAVERSARI*);* AVICENNA *Met. VIII 5 (99vb).* 3) omnia — ipsum: *cf.* IOHANNES SCOTTUS *De div. nat. III 28 (PL 122, 704 C):* omne, quod in ipso est, ipse est. ALANUS AB INSULIS *Reg. theol. 9 (PL 210, 628 A):* Quidquid est in deo, deus est. THEODERICUS CARNOTENSIS *Lectiones II 60 (173).* 8–10) Nam — hominis: *cf. 1 Cor. 2,11.* 10sq.) spiritus omnia scrutantis: *cf. 1 Cor. 2,10.*

23–26) IN — complicatio: *cf. annot. marginal.* NICOLAI *ad* PROCLI *In Platonis Parmenidem VI (Cod. Cus. 186 fol. 102^{v}; v.* J. KOCH, *Erläuterungen zu NvC: Über den Ursprung, Heidelberg 1949, S. 102).* 23sq.) IN — negationem: *cf. n. 13,13–16.*

56 2) in omnibus — nihil: *cf. n. 12,6; De docta ign. I 16 n. 43 (I 31,4–7); Sermo XVIII n. 10 (CT I 6 p. 34,6–8); De coniect. I 5 n. 17,13 et notam; 12 n. 62,5 (III 22; 62); De fil. dei 4 n. 72,8sq. (IV 53); Apol. doctae ign. n. 24 et 46 (II 17,16–18; 31,23–27); Sermo CCXIII n. 16; 19 (CT I 2/5 p. 100,22sq.; 104,5sq.); De ven. sap. 14 n. 41,21sq. (XIII) et saepius; v. De docta ign. I 2 n. 6 (I 7,20–24).* 3) omnia in ipso ipsum: *cf. n. 71,10–12; De quaer. deum 1 n. 31,6 et notam (IV 22); De fil. dei 3 n. 64,12 (IV 48); De ven. sap. 16 n. 47,18sq. (XIII); v. De docta ign. I 11 n. 30; II 4 n. 113 (I 22,9–11; 73,8–14).*

ut perscrutator opprimitur a gloria. Non enim IN ipsum quod notatur et intelligitur est lumen illuminans incomprehensibilitatis ipsius deitatis in se ipsa absolutae ostensionem, sed IN et omnia nomina, quae infinitatem deo attribuunt, eius incom- 15 prehensibilitatem nituntur ostendere per supereminentiam.

BERNARDUS: Quoniam abbas per verbum breve et concisum se 57 intrasse in profunda ostendit, ne ego nil dicendo videar in vacuum tot alta audisse, dicam quoddam aenigma non reiciendum in ipso possest: Video E simplicem vocalem unitrinam. Nam est vocalis ipsius possE, ipsius Esse et nExus utriusque. 5 Vocalitas eius utique simplicissima est trina. Et ut refertur ad possE non refertur ad esse et ut refertur ad Esse non refertur ad posse et ita ut refertur ad nExum utriusque non refertur nec ad posse nec ad esse sed nExum. Has igitur relationes in ipso E inconfusas et quamlibet per se veram et perfectam video non 10 esse tres vocales seu vocalitates sed unam simplicissimam et indivisibilem vocalitatem. Cum igitur haec sic mente contemplor, magnum mihi praebet haec aenigmatica visio fidei orthodoxae argumentum, ut deum unitrinum simplicissimum credam

---

57 7) refertur$_3$ *ex* referatur *corr. C* 12) vocalitatem *ex* vocabilitatem *corr. C* 12) hac *C*

---

12) ut — gloria: *cf. Prov. 25,27;* RICHARDUS DE S. VICTORE *De gradibus caritatis (PL 196 1203 D);* THOMAS *Expos. s. Boethii De trin. q. 2 a. 1 resp. 2 (82,18sq.);* IOHANNES GERSON *De myst. theol. tr. I Prol. 30–32.* 15sq.) incomprehensibilitatem: *cf.* DIONYSIUS AREOPAGITA *De div. nom. I 1; VII 1 (PG 3, 588 B; 865 A; C; Dionysiaca I 9⁴–11³; 383²⁻³);* HILARIUS *De trin. II n. 11 (PL 10,59 B);* ALBERTUS MAGNUS *In De cael. hier. c. 13 § 8 dub. sol. (XIV 364); marg.* NICOLAI *(Baur 90);* THOMAS *Expos. s. Boethii De trin. q. 2 a. 1 resp. 2 (83,1sq.); v. etiam infra n. 66,3 et notam.* 16) per supereminentiam: *cf.* PROCLUS *In Plat. Parm. VII (Plat. Lat. III 44,32);* DIONYSIUS AREOPAGITA *De cael. hier. XIII 4 (PG 3, 304 C; Dionysiaca II 962²–964¹);* LIBER DE CAUSIS *VIII (IX) (n. 86,81sq.);* THOMAS *In De div. nom. c. 1 lect. 3 (83).*

57 14sq.) deum — in mundo: *cf.* AUGUSTINUS *De trin. I 5 n. 8; VI 10 n. 12; IX 1 n. 1 (CCSL L 36,15–17; 242,47sq.; 293,34sq.); Decretum pro Iacobitis (ES 1331 p. 338).*

---

16) per supereminentiam: *cf. Dir. spec. 14 (XIII 30,24–31,3; 31,18–22; 34,12sq.).*

57 13) fidei: *cf. De vis. dei 19 n. 83 (I fol. 109ʳ,41sq.).* 14sq.) deum — mundo: *cf. De coniect. II 14 n. 145,1sq. (III 145).*

15 principium esse in mundo aliquali similitudine licet remotissima ut vocalitas ipsius E in possest, a quo mundus habet quod potest esse et quod est et conexionem utriusque. Sicut enim probatur vocalitatem E dare omnia ipsi possest, quoniam E sublato penitus desinit esse dictio significativa, sic deo sublato mundus peni-
20 tus desineret. Nec opus video ut de hac aenigmatis assimilativa proprietate plura dicam, cum vos ipsi melius me applicare possitis.

58 CARDINALIS: Laudo aenigma tuum, Bernarde, utique aptum proposito. Sed aenigmatum nullus est finis, cum nullum sit adeo propinquum quin semper possit esse propinquius. Solus dei filius est «figura substantiae» patris, quia est quicquid esse
5 potest. Forma dei patris non potest esse aut verior aut perfectior, cum sit possest.

BERNARDUS: Si adhuc de aenigmatibus dicenda tibi aliqua post multa et varia in opusculis et sermonibus tuis tacta occurrunt, adicias. Nam intellectum abunde ad theologiam manuducunt.

10 CARDINALIS: Placet. Quoniam plurimum difficile est videre quomodo unum omnia quod essentialiter in omnibus, ad hoc quaerantur clariora aenigmata. Cuius tamen in libello *Iconae* satis conveniens ponitur aenigma. Sicut enim deus omnia et

---

58 2) -matum nullus *in marg. m. al. C* 8) occurrunt *suprascrips. m. al. C*

---

58 3sq.) Solus — patris: *cf. Hebr. 1,3.* 11) essentialiter in omnibus: *cf.* THEODERICUS CARNOTENSIS *Commentum II 17 (96).*

---

15) similitudine ... remotissima: *cf. De docta ign. III 5 n. 211 (I 134,8sq.).* 19sq.) deo — desineret: *cf. De docta ign. II 3 n. 110 (I 71,21):* tolle deum a creatura, et remanet nihil. *De coniect. I 1 n. 6,10sq. (III 9sq.); De vis. dei 4 n. 10 (I fol. 100ʳ,31sq.); Dir. spec. 5 (XIII 11,19sq.); Compend. 7 n. 21,4–7 (XI 3 p. 16sq.).*

58 2–6) Sed — possest: *cf. De docta ign. I 11 n. 30 (I 22,11–15); v. De fil. dei 3 nn. 65–67 (IV 48sqq.); De vis. dei 25 nn. 116–118 (I fol. 113ᵛ,12sqq.).* 4) figura substantiae: *cf. Sermo CCXLVIII (Nos revelata facie, II 1 fol. 150ʳ,22–25); De aequalitate (II 1 fol. 19ʳ, 12–15).* 4sq.) est$_2$ — potest: *v. supra n. 49,19–22.* 10sq.) quomodo unum omnia: *cf. De fil. dei 3 n. 70 (IV 51sq.).* 13sq.) Sicut — videt: *cf. De vis. dei 10 n. 38 (I fol. 103ᵛ,28):* experior, quod tu simul omnia vides et singula.

singula simul videt, cuius videre est esse, ita ipse omnia et singula simul est. Homo enim simul et semel in aures omnium 15 et singulorum ipsum audientium verbum immittit. Sic deus, cuius loqui est creare, simul omnia et singula creat. Et cum verbum dei sit deus, ideo deus in omnibus et singulis est creaturis. De quo in dicto *Iconae* libello latius.

59 Sed quomodo deus in se absolute consideratus sit actus omnis posse seu forma sim|*182r*plicissima simul et infinitissima, non video aenigma intellectuale propinquius quam si pono lineam infinitam. Declaravi enim in libello *Doctae ignorantiae* illam si dabilis esset actum esse omnis posse lineae, scilicet terminum 5 omnium per lineam terminabilium et adaequatissimum omnium figurarum lineabilium exemplar. Sic necesse est se habere absolutam entitatem seu formam. Absoluta enim est interminata et infinita. Quare est cuiuslibet terminatae et finitae adaequatissimum exemplar, cum nulli sit aut maior aut minor. 10

---

14) cuius — esse: *cf.* Iohannes Scottus *Periphyseon I (60,19–22); De div. nat. IV 9 (778 D);* Hugo de S. Victore *In Hier. cael. III (PL 175, 976).* 14sq.) ipse — est: *cf.* Anselmus Cantuariensis *Monol. c. 23 (I 42,6sq.); cf. etiam n. 69,4.* 15–17) Homo — creat: *cf.* Dionysius Areopagita *De div. nom. V 9 (PG 3, 825 A; Dionysiaca I 363[2]–364[1]).* 15) simul et semel: *cf.* Iohannes Scottus *De div. nat. II 20 (PL 122, 559 B); 36 (615sq.).*

---

14) cuius — esse: *cf. l. c. 4 n. 10 (fol. 100r,30sq.):* cum videre tuum sit esse tuum. *9 n. 32; 12 n. 48 (fol. 103r,11sq.; 105r,5).* 14sq.) ipse — est: *cf. De coniect. II 1 n. 71,3–5 (III 72).* 15sq.) Homo — immittit: *cf. Sermo LXXI n. 4 (CT I 6 p. 98,20–22); De vis. dei 10 n. 38 (I fol. 103v,28sq.):* ego simul et semel dum praedico ecclesiae loquor congregatae et singulis in ecclesia exsistentibus. 16sq.) deus — creare: *cf. l. c. n. 40 (fol. 103v,42–44):* ibi es, ubi ... videre coincidit cum videri et audire cum audiri ... et loqui cum audire et creare cum loqui. 17) omnia — creat: *cf. l. c. n. 40 et 12 n. 47 (fol. 104r,2–4; fol. 104v,32sq.); Dir. spec. 23 (XIII 54,28).* 17–19) Et — creaturis: *cf. De vis. dei 10 n. 41 (I fol. 104r,16sq.); 19 n. 83 (fol. 109v,4–8).*

59 2 *et* 9sq.) forma — infinitissima *et* Quare — exemplar: *cf. De mente 2 n. 67 (V 54,16–18):* infinita forma est solum una et simplicissima, quae in omnibus rebus resplendet tamquam omnium et singulorum formabilium adaequatissimum exemplar. 4–7) Declaravi — exemplar: *v. De docta ign. I 13sqq. nn. 35sqq. (I 25sqq.); De sap. I n. 23 (V 20,12–16).* 9sq.) Quare — exemplar: *cf. n. 24,15–21.*

Deum autem esse absolutum necesse est, cum praecedat omne non-esse et per consequens omnem alteritatem et contractionem. Ideo nulli alter vel diversus, licet nihil ad eius aequalitatem accedere possit, cum omnia alia sint altera et finita. Unde cum 15 deo nihil sit impossibile, oportet per ea quae in hoc mundo sunt impossibilia nos ad ipsum respicere, apud quem impossibilitas est necessitas. Sicut infinitas in hoc mundo actu est impossibilis, sic magnitudo cuius non est finis est necessitas illa, quae non-ens seu nihil ut sit necessitat.

60 Adhuc mathematice aenigmatizando considera, quomodo summa aequalitas quantitatum ipsas ab omni pluralitate absolvit. Puta si concipis circuli a centro ad circumferentiam lineas ut describitur in pavimento, videntur esse aequales, sed

---

59 11) est *in marg. supplev. C* 13) -ter *in marg. m. al. C*
60 3) si concipis *in marg. m. al. C*

---

59 14sq.) cum$_2$ — impossibile: *cf. Matth. 19,26; Luc. 1,37.* 18sq.) quae — necessitat: *cf. Rom. 4,17.*

60 3–9) Puta — materia: *cf.* PLATO *Epist. VII 342 b sqq.;* PROCLUS *In Plat. Parm. VII (Plat. Lat. III 60,24–62,8) et marg.* NICOLAI *(ibid. 105 (15));* THEODERICUS CARNOTENSIS *Lectiones II 20 (158);* IDEM *Glossa II 7 (280):* verbi gratia, cum attendo humanitatem vel circulum in vero sui esse, sic scilicet ut fluxu materiae non variantur, earum naturam invenio quam in subiecta materia habere non possunt: ut in circulo quod lineae omnes a centro ductae ad circumferentiam sunt aequales. 4) videntur esse aequales: *cf.* BOETHIUS *Ars geometr. (ed. Friedlein 375,3–7).*

---

11) Deum — necesse est: *cf. n. 13,13sq.* 11sq.) cum praecedat — alteritatem: *cf. n. 20,9–11; De docta ign. I 7 n. 18 (I 15,4–6); Apol. doctae ign. n. 12 (II 9,19sq.); De coniect. I 5 n. 17,4–8 (III 21sq.); De vis. dei 14 n. 58 (I fol. 106ʳ,37–41); v. De mente 6 n. 96 (V 72,14sq.); De ludo globi II n. 81 (I fol.163ʳ,29sqq.).* 12) alteritatem et contractionem: *cf. De coniect. II 1 n. 71,8 (III 72).* 13) nulli alter vel diversus: *cf. De docta ign. I 4 n. 11 (I 10,10–12).* 13sq.) licet — finita: *cf. Apol. doctae ign. n. 24 (II 17,18sq.); v. De coniect. I 9 n. 37,10sq. et notam (III 42sq.).* 16sq.) apud — necessitas: *cf. De vis. dei 9 n. 37 (I fol. 103ᵛ,16); Epist. V ad abbatem et monachos Tegernseenses (p. 115):* sed impossibilitas est ipsa vera necessitas. *Marg. 269.* 19) necessitat: *cf. De docta ign. II 7 n. 129 (I 83,4–6).*

60 3–9) Puta — materia: *cf. n. 63,8–11; De coniect. I 11 n. 54,12–18; 55,9–12; II 16 n. 168,7–10 (III 55sq.; 170); De mente 7 n. 103 (V 77,4–14); De beryllo 32 n. 57 (XI 1 p. 42,25–27); De ven. sap. 5 n. 11,3sqq. (XIII).*

non sunt propter pavimenti fluxibilitatem et materiam, ita quod 5
nulla est alteri praecise similis, ut in *Docta ignorantia* ostenditur.
Sed dum intellectualiter circulus in se consideratur, lineae
multae in pavimento non possunt ibi esse aliae et aliae, quia
causa alteritatis cessat scilicet materia. Sic nec sunt plures. Sicut
igitur de lineis dictum est, ita de omni quanto scilicet super- 10
ficie et corpore. Quando igitur video in pavimento unam
superficiem terminari figura circulari, et aequalem superficiem
figura triangulari terminari et aequalem figura hexagonali et ita
de omnibus signabilibus figuris et post haec considero plures
videri superficies illas aequales ob subiectum aliud et aliud, in 15
quo aliter et aliter describuntur, abstraho igitur mentaliter a
subiecto et video quomodo prius una et eadem superficies fuit
mihi alia et alia visa, quia vidi in alio et alio loco et subiecto.
Et deinde adverto quod una et eadem superficies est circulus,
est trigonus, est hexagonus et omnis figura, qua superficies figurari 20
et terminari potest.

Per hoc aenigma entitatem ab hoc et illo absolutam video **61**
actu esse omnium et singulorum entium essendi formam quomodocumque formabilem, non quidem similitudinarie et mathematice, sed verissime et forma[bi]liter, quod et vitaliter dici
potest. Et hoc aenigma mihi placet. Nam eandem superficiem 5
posse esse circularem et rectilinealem et polygoniam et eius

---

6) alteri *in marg. m. al. C* 8) et aliae *in marg. m. al. C*

---

9) causa — materia: *cf.* DIONYSIUS AREOPAGITA *De div. nom. IV 1 (PG 3, 693 C; Dionysiaca I 148^{1-3}); THEODERICUS CARNOTENSIS *Commentum II 6 (92)*; IDEM *Tractatus 30 (194sq.)*; CLARENBALDUS ATTREBATENSIS *Tractatus II 10 (LaW 110)*; IDEM *Tractatulus 25 (LaW 237)*.

---

6) nulla — similis: *cf. De docta ign. II 1 n. 92; 11 n. 157 (I 61,22–62,3; 101,7sq.)*: Aequedistantia praecisa ad diversa extra deum reperibilis non est, quia ipse solus est infinita aequalitas. 7sq.) Sed — aliae$_2$: *cf. De mente 15 n. 156 (V 112,7–12)*. 9) causa — materia: *cf. l. c. 7 n. 102 (76,23sq.)*; *De aequalitate (II 1 fol. 15^v,23–25)*.

61 1–5) Per hoc — potest: *cf. n. 13,1–8.* 1) entitatem...absolutam: *cf. De coniect. II 14 n. 145,2sq.; 17 n. 172,1sq. (III 145; 173)*.

praxim nuper ostendi. Esto igitur quod possibile esse ponatur actu esse, uti in theologicis fatendum est, utique tunc aenigma clarius dirigit. Quare secundum mathematicae perfectam com-
10 prehensionem ad theologiam aenigma propinquius fieri posse arbitror. Et haec de hoc nunc sic dicta sint.

62 IOHANNES: Timeo ne importunus videar et taediosus, alioquin adhuc informari peterem.

CARDINALIS: Petite ambo. Nam hae collocutiones nequaquam me fatigant, sed apprime delectant. Ideo si quid restat, cum alio
5 forte tempore minus otii detur mihi, nequaquam nunc indulgete.

IOHANNES: Inter innumera quae audire vellem est unum praecipue quomodo hanc omnipotentem formam negative melius attingimus, quae dicitur super omne esse et non-esse videri.

10 CARDINALIS: Oportet, abba, praesupponere quae alias a me audisti: tres esse speculativas inquisitiones. Infima est physica, quae circa naturam versatur et considerat formas inabstractas, quae subsunt motui. Nam forma in materia est natura et ideo inabstracta est atque in alio, ideo aliter. Secundum igitur

---

62 12) versatur *in marg. m. al. C*

---

62 11) — **63** 14) tres — imaginatione: *v.* ARISTOTELES *Phys. II (B 2 193 b 22sqq.; 194 b 14sq.; 7 198 a 29–31); Met. VI (E 1 1026 a 18sq.); XI (K 7 1064 b 1–3);* BOETHIUS *De trin. 2 (152,5–20);* IDEM *In Isagogen Porphyrii I 3 (CSEL XLVIII 8,11–9,12);* AVICENNA *Met. I 1 (70ra AB);* ALBERTUS MAGNUS *In De cael. hier. c. 12 § un. dub. 2 6 (XIV 320).* 11) speculativas inquisitiones: *v.* ARISTOTELES *De an. III 10 (433 a 14sq.); Met. II (α 1 993 b 20sq.);* BOETHIUS *In Isagogen Porphyrii I 3 (8,1–9);* ROGERUS BACO *Compend. studii philosophiae I (ed. I. S. Brewer 396).* 11–13) Infima — motui: *cf.* THEODERICUS CARNOTENSIS *Commentum II 8 (93); Lectiones II 21 (159); Glossa II 25 (286).* 13–16) Nam — ratione: *cf.* THEODERICUS CARNOTENSIS *Commentum II 8sq.; 11 (93sq.).* 14sq.) Secundum — alteratur: *cf.* ARISTOTELES *De gen. et corr. I 3; 4 (318 a 9; 320 a 2).*

---

7) nuper ostendi: *De math. perf. (II 2 fol. 101r sqq.).*

62 8sq.) hanc — attingimus: *cf. n. 66,2sq.; De fil. dei 3 n. 64,3sq. (IV 48):* deus cum non possit nisi negative extra intellectualem regionem attingi. 11) — **63** 14) tres — imaginatione: *v. De mente 14 n. 152sq. (V 109,11–110,3); De ludo globi II n. 101 (I fol. 165v–166r).* 11) inquisitiones: *cf. De mente 2 n. 66 (V 54,8sq.).* 11–16) Infima — ratione: *v. l. c. 7 n. 102 (76,14–25).* 14sq.) Secundum — alteratur: *cf. De docta ign. I 11 n. 31 (I 22,20sq.).*

instabilitatem materiae continue movetur seu alteratur. Et 15
hanc inquirit anima sensibus et ratione.

63 Alia est speculatio circa formam penitus absolutam et stabilem, quae est divina et est ab omni alteritate abstracta, ideo aeterna sine omni motu et variatione. Et hanc formam quaerit anima per se sine phantasmate supra omnem intelligentiam et *182v* disci|plinam per supremam sui ipsius acutiem et simplicitatem, 5 quae intellectualitas a quibusdam dicitur. Estque media speculatio circa inabstractas formas tamen stabiles, quae mathematica dicitur. Considerat enim circulum, qui non est a subiecto seu omni materia intelligibili abstractus sed bene a materia corporali

16) sensibus *in textu abbrev. explic. in marg. m. 3 C*

63 1–6) Alia — dicitur: *cf.* THEODERICUS CARNOTENSIS *Glossa II 27 (286sq.).* 2sq.) est_2 — variatione: *cf.* IDEM *Lectiones I 32 (140):* Qui autem ponit in deo pluralitatem, ponit mutabilitatem quia ubi pluralitas ibi est alteritas, ibidem mutabilitas. IDEM *Tractatus 30sq. (194sq.);* CLARENBALDUS ATTREBATENSIS *Tractatulus 25 (LaW 237):* Immutabilitas vero est aeternitas quae Deus est. 3sq.) Et hanc — per se: *cf.* CLARENBALDUS ATTREBATENSIS *Tractatus Prol. n. 19 (LaW 82); II 8 (109).* 6) intellectualitas: *cf.* ARISTOTELES *De an. III (Γ 4; 12 429 a 18; b 23);* BOETHIUS *De trin. 2 (152,15–18):* In naturalibus igitur rationabiliter in mathematicis disciplinaliter in diuinis intellectualiter uersari oportebit neque diduci ad imaginationes. THOMAS *Expos. s. Boethii De trin. q. 6 a. 1 resp. ad 3. quaest. 1 (210,31–211,6);* MAGISTER ECHARDUS *In Sap. n. 5 (LW II 326,7–327,2): In simplicitate cordis quaerite illum.* Ubi notandum quod sicut unum et ens convertibiliter se habent, sic simplicitas et intellectualitas... *Sermo XXIX n. 300 (LW IV 266,14); v.* BOETHIUS *Cons. phil. V pr. 4,27–30 (CCSL XCIV 97,73–80);* ANONYMUS *Liber de spiritu et anima 11 (PL 40,787);* THEODERICUS CARNOTENSIS *Glossa II 3–9 (279sq.):* sensus, imaginatio, ratio, disciplina, intelligentia, intelligibilitas. CLARENBALDUS ATTREBATENSIS *Tractatus Prol. nn. 20–23 (LaW 82):* sensus, imaginatio, ratio, intellectibilitas. 6–8) Estque — dicitur: *cf.* THEODERICUS CARNOTENSIS *Glossa II 26 (286);* CLARENBALDUS ATTREBATENSIS *Tractatus II 15 (LaW 112).* 8–11) Considerat — diffinitione: *v.* THEODERICUS CARNOTENSIS *Lectiones II 47 (168).* 9) materia intelligibili: *cf.* ARISTOTELES *Met. VII (Z 10 1036 a 9–12);* THOMAS *Expos. s. Boethii De trin. q. 5 a. 3 ad 4 (187,26–188,2).*

63 1–6) Alia — dicitur: *v. De mente 7 n. 105sq. (V 78,3–79,8).* 2sq.) ab omni — aeterna: *cf. De docta ign. I 7 n. 18 (I 15,4–10).* 4sq.) intelligentiam et disciplinam: *cf. De ludo globi II n. 101 (I fol. 165v,46–166r,1).* 5) acutiem et simplicitatem: *cf. De mente 5 n. 85 (V 65,23–66,2).* 5sq.) simplicitatem — dicitur: *cf. De docta ign. I 2 n. 8; III 11 n. 245 (I 8,13; 152,29–153,1); De coniect. II 14 n. 142,9 (III 143); v. De mente 8 n. 111 (V 82,5–11);* E. HOFFMANN *Platonismus und Mystik im Altertum, S. 97f.* 6–14) Estque — imaginatione: *v. De mente 7 n. 103sq. (V 77,4–20).* 8–10) Considerat — instabili: *v. De beryllo 28 n. 49; 32 n. 56; 35 n. 63 (XI 1 p. 37,17sq.; 41,28–42,1; 47,2sq.).*

10 et instabili. Non enim considerat circulum ut in pavimento corruptibili sed ut in sua ratione seu diffinitione. Et vocatur speculatio illa mathesis seu disciplina. Traditur enim via disciplinae. Et utitur anima in huius inquisitione intellectu cum imaginatione. De his alias.

64 Nunc autem de absoluta forma theologizantes dicimus, quoniam ipsa primarie dat esse. Omnis enim forma adveniens materiae dat ei esse et nomen. Ut cum figura Platonis advenit aeri, dat aeri esse et nomen statuae. Sed quia omnes formae 5 inabstractae, quae sine materia non subsistunt nisi notionaliter,

---

64 5) subsistant *C*

10sq.) Non enim — diffinitione: *cf.* AUGUSTINUS *De civ. dei XI 29 (CCSL XLVIII 349,15–17)*; IOHANNES SCOTTUS *De div. nat. IV 8 (PL 122,774 CD)*; THEODERICUS CARNOTENSIS *Glossa II 7 (279sq.)*; CLARENBALDUS ATTREBATENSIS *Tractatus II 18; 58 (LaW 114; 129)*. 11–13) Et — disciplinae: *cf.* ARISTOTELES *Top. VII 3 (153 a 9–11)*; *De caelo et mundo III 1 (229 a 4)*; CLARENBALDUS ATTREBATENSIS *Tractatus n. 11 (LaW 69)* = GILLEBERTUS PICTAVIENSIS *Comment. in l. Boethii De trin. (PL 64, 1267 C)*; THOMAS *Expos. s. Boethii De trin. q. 6 a. 1 ad 2. quaest. 1sq. (208,1–7; 209,18–26)*. 13sq.) Et — imaginatione: *cf.* THOMAS *l. c. q. 6 a. 1 resp. ad 2. quaest. 2 (210,26–28); a. 2 resp. 3 (216,20–22)*.

64 1sq.) Nunc — esse: *cf.* ALANUS AB INSULIS *Theol. reg. 14 (PL 210, 629 C)*; THEODERICUS CARNOTENSIS *Commentum II 16 (95)*; CLARENBALDUS ATTREBATENSIS *Tractatus II 20sq. (LaW 114sq.)*. 2) primarie: *v.* MAGISTER ECHARDUS *Prol. in op. prop. n. 11 (LW I 171,4sq.)*: Nec tamen per hoc excluduntur causae secundariae a suis influentiis. Forma enim ignis non dat igni esse, sed hoc esse. 2–4) Omnis — statuae: *cf.* THEODERICUS CARNOTENSIS *Commentum II 25sq. (98)*; *Lectiones II 51 (169sq.)*; *Glossa II 39 (291)*; CLARENBALDUS ATTREBATENSIS *Tractatulus 20 (LaW 234)*. 3) nomen: *cf.* PSEUDO-BEDA *Comment. in l. Boethii De trin. (PL 95, 397 D)*; ALANUS AB INSULIS *Theol. reg. 17 (PL 210, 629 D)*; THEODERICUS CARNOTENSIS *Lectiones II 52 (170)*: Forma enim et vocabulum comitantur sese. Forma enim non potest esse sine nomine. Sed ex quo res formam habet, et nomen habet. MAGISTER ECHARDUS *In Exod. n. 123 (LW II 115,14)*. 5) quae — notionaliter: *cf.* THEODERICUS CARNOTENSIS *Commentum II 8 (93)*: Et hoc quidem loco natura dicitur forma in materia, quae, si extra materiam consideretur, non natura, sed notio nuncupatur.

---

11) ut in sua — diffinitione: *cf. Dir. spec. 3 (XIII 7,33–8,1)*; *De ven. sap. 28 n. 83,13sq. (XIII)*. 12) disciplina: *cf. De mente 8 n. 111 (V 82,1–5)*.

64 1sq.) Nunc — esse: *cf. n. 13,4; 43,21*; *De dato patr. 2 n. 98,2–18 (IV 72sq.)*; *Apol. doctae ign. n. 11 et 37 (II 8,16–19; 26,4–7)*; *De vis. dei 9 n. 33; 14 n. 60 (I fol. 103r,25sq.; 106v,12)*; *Sermo CCXIII n. 17 (CT I 2/5 p. 100,24–102,1.4sq.)*.

proprie non dant esse, sed ex ipsarum cum materia conexione surgit esse, ideo necesse est quod sit forma penitus abstracta per se subsistens sine cuiuscumque indigentia, quae det materiae possibilitatem essendi et formae ei advenienti actualitatem et utriusque conexioni rei exsistentiam. Formae igitur quanto magis indigent subiecto seu materia ut subsistant actu, utique debiliores et materialiores sunt et magis naturam subiecti imitantur et ideo minus perfectae. Quanto vero minus indigent subiecto, formaliores, stabiliores et perfectiores exsistunt. Oportet igitur quod forma quae penitus nullo alio indiget quoniam infinitae perfectionis in se omnium formarum formabilium complicet perfectiones, quoniam est actu ipse essendi thesaurus a quo emanant omnia quae sunt, quemadmodum ipsa ab aeterno in thesauro sapientiae concepta vel reposita sunt.

6sq.) ex — surgit esse: *cf.* IOHANNES SARESBERIENSIS *Metalogicus II 20 (PL 199,883 B)*; DOMINICUS GUNDISSALINUS *De unitate (ed. Correns 3)*. 7sq.) necesse — indigentia: *cf.* PROCLUS *In Plat. theol. II 1 (83)*: est illud, quod nullius est indigens. IDEM *Elem. theol. prop. CXXVII (501)*: Omne divinum simplex prime est et maxime, et propter hoc maxime per se sufficiens. ... compositum quidem indigens est, et si non aliorum, quorum est, tamen illorum ex quibus compositum est. THEODERICUS CARNOTENSIS *Commentum II 54 (107)*; IDEM *Tractatus 32 (195)*; CLARENBALDUS ATTREBATENSIS *Tractatus II 30 (LaW 118)*; ALANUS AB INSULIS *Theol. reg. 13 (PL 210, 629 C)*. 8) per se — indigentia: *cf.* HUGO DE S. VICTORE *In Hier. cael. IX (PL 175, 1132 A)*; *v. etiam lin. 15sq.* 8–10) quae det — exsistentiam: *v.* THEODERICUS CARNOTENSIS *Commentum II 19–26 (97sq.)*; CLARENBALDUS ATTREBATENSIS *Tractatus II 26–28 (LaW 117sq.)*; IOHANNES SARESBERIENSIS *De sept. sept. 7 (PL 199, 961 C)*. 12) debiliores: *cf.* PROCLUS *In Plat. Parm. VII (Plat. Lat. III 70,1sq.)*: propter debilitatem materialis et corporalis hypostaseos. 15–18) Oportet — quae sunt: *cf.* AVICENNA *Met. VIII 6 (99vb,57–65)*. 15sq.) nullo — perfectionis: *cf.* DIONYSIUS AREOPAGITA *De cael. hier. III 2; X 3 (PG 3, 165 C; 273 C; Dionysiaca II 793^{2}; 924^{3}–925^{1})*. 15sq.) nullo alio indiget: *cf. Act. 17,25.* 16sq.) in se — perfectiones: *cf.* THOMAS *S. c. gent. II 15; S. th. I q. 13 a. 4; a. 5.* 18) thesaurus: *cf. Deut. 32,34.* 18) emanant: *cf.* THEODERICUS CARNOTENSIS *Commentum II 41 (103)*. 18–20) quemadmodum — reposita sunt: *cf.* IOHANNES SCOTTUS *De div. nat. V 24 (PL 122, 908 B)*; *v. etiam notas ad n. 30,1sq. et 73,7–9.* 19) in thesauro sapientiae: *cf. Col. 2,3; De doct. ign. III 11 n. 245 (I 152,21sq.)*.

8–10) quae—exsistentiam: *v. supra n. 6,16sq.; 47,4sq.; cf. De mente 11 n. 137 (V 98,19–99,2).* 14) formaliores, stabiliores: *cf. De coniect. II 14 n. 140,8 (III 139).* 15–17) Oportet — perfectiones: *cf. Apol. doctae ign. n. 40 (II 27,10–14).* 15sq.) forma — perfectionis: *cf. l. c. n. 11 (8,20sq.).*

65 Refert Moyses deum dixisse: Ego sum entitas, quod reperitur in libris nostris translatum — ut praedictum est —: «Ego sum qui sum.» Esse igitur quod entitas nominat nobis formarum formam. Nulli dabili formae convenit esse quod entitas nisi
5 illi penitus abstractae et adeo perfectae quod ab omni indigentia sit libera. Potest igitur omnis forma esse perfectior quae non est absoluta entitas. Esse autem quod entitas est perfectio omnis esse et ideo omnium formarum complicatio. Unde nisi ipsa entitas daret omnibus formis esse formativum, nequaquam
10 haberent. In omnibus igitur est divina essentia quae entitas absoluta dans omnibus esse tale quale habent. Cum autem omnia bonum appetant et nihil appetibilius ipso esse, quod de

---

65 8) omnium *in marg. m. al.* C

---

65 2sq.) *Exod. 3,14.* 3–6) Esse — libera: *cf.* THEODERICUS CARNOTENSIS *Lectiones IV 34 (196)*: Ens enim est quod suscepta forma essendi subsistit, scilicet quod forma participat. Sed Deus nullo participat quoniam ex se est quicquid est. Unde non est ens sed entitas a quo fluunt omnia entia. *36 (196).* 7–16) Esse — recipimus: *v.* THEODERICUS CARNOTENSIS *Lectiones II 35; 37 (164; 165).* 8) omnium — complicatio: *cf.* IDEM *Glossa II 12; 15; 17 (281; 282; 283).* 10) In omnibus — essentia: *cf.* IOHANNES SCOTTUS *Periphyseon I (38,25sq.; 208,18–21)*; THEODERICUS CARNOTENSIS *Tractatus 31 (195)*; MAGISTER ECHARDUS *Predigt 6 (DW I 106, 19–21).* 11–13) Cum — absoluta: *cf.* PROCLUS *In Plat. Parm. VII (Plat. Lat. III 54,5–10; 42,26sq.)*; *v. etiam in apparatu fontium p. 87sq. ad 42,26; marg.* NICOLAI *ad p. 56,15–20 (ibid. 104 (11))*; PROCLUS *l. c. (56,31–58,7)*; *marg.* NICOLAI *(ibid. 105 (12))*; AVICENNA *Met. VIII 6 (99vb,65–100ra,8)*; MAGISTER ECHARDUS *In Gen. I n. 144 (LW I 298,1–4)*: Adhuc autem ipsum esse, utpote bonum aut potius rationem boni, omnia appetunt. IDEM *In Eccli. n. 44 (LW II 273,5–7).* 11sq.) Cum — appetant: *cf.* ARISTOTELES *Ethic. Nic. I 1 (1094 a 2sq.)*; BOETHIUS *Cons. phil. III pr. 2,11 (CCSL XCIV 39,36sq.)*; *20 (39,66–40,1)*; *pr. 11,38 (59,97sq.)*; LIBER DE CAUSIS *XXII (XXIII) (n. 175,16–18).* 12sq.) de — optimo: *Matth. 12,35.*

---

65 2) ut praedictum est: *supra n. 14,15.* 3sq.) Esse — formam: *cf. De docta ign. I 23 n. 70 (I 46,20sq.)*; *de* forma formarum *v. supra n. 13,5.* 8–10) Unde — haberent: *cf. Apol. doctae ign. n. 37 (II 25,13–26,11).* 10sq.) In — habent: *cf. Sermo XVI n. 11 (CT I 1 p.14,11–13)*; *De coniect. I 1 n. 5,8sq. (III 7sq.)*; *De dato patr. 2 n. 102,2–5 (IV 76)*; *De vis. dei 9 n. 34 (I fol. 103^{r},34sq.)*; *Cribr. Alch. II 9 n. 110 (I fol. 136^{r},41sq.).* 10sq.) entitas absoluta: *cf. Apol. doctae ign. n. 50 (II 33,22)*; *De mente 7 n. 106 (V 78,21)*; *De vis. dei 7 n. 24 (I fol. 102^{r},17).* 11sq.) Cum — appetant: *cf. De pace fidei 1 n. 5 (VII 6,11sq.)*; *Sermo CCXL (Tota pulchra es, II 1 fol. 140^{r},1).* 12–16) nihil — recipimus: *cf. De dato patr. 1 n. 93,4–17 (IV 68sq.)*; *De vis. dei 4 nn. 9–11 (I fol. 100^{r},10sqq.)*; *De ven. sap. 12 n. 32,18–23 (XIII).*

suo thesauro utique optimo emanare facit entitas absoluta, ideo deum quem entitatem nominamus solum bonum dicimus, quia ab ipso optimum donum nobis gratissimum, nostrum scilicet 15 proprium esse, recipimus.

66 Quaerimus autem fontem nostri esse videre per omnes nobis possibiles modos et reperimus per negativam nos verius iter carpere, cum sit incomprehensibilis quem quaerimus et infinitus. Ut igitur tibi nunc dicam quae a me exigis, de negativa recipiamus negativam scilicet non-esse, quae omnium negatio- 5 num prima videtur. Nonne negativa illa praesupponit et negat?
IOHANNES: Utique praesupponit esse et negat esse.
CARDINALIS: Id igitur esse quod praesupponit ante negationem est.

14–16) deum — recipimus: *v.* EUSEBIUS CAESARIENSIS *Praeparatio evangelica VII 4 (PG 21, 513 C); XIII 3 (1073 D–1076 A)*; THOMAS *In De causis prop. IX (p. 58,4–18)*. 14) deum — dicimus: *cf. Luc. 18,19.* 15sq.) optimum — recipimus: *Gen. 1,12.21.25.*

66 1) fontem: *cf.* IOHANNES SCOTTUS *De div. nat. II 19 (PL 122, 553 C)*; THEODERICUS CARNOTENSIS *Tractatus 35 (196).* 2–4) reperimus — infinitus: *cf.* PLATO *Parm. 142 a 3–6*; DIONYSIUS AREOPAGITA *De div. nom. I 5; VII 1; 3; XIII 3 (PG 3, 593 CD; 865D–868A; 869–872; 981 B; Dionysiaca I 39[4]sqq.; 382[4]sqq.; 402[1]sqq.; 554[1]–555[1])*; IDEM *De cael. hier. II 3 (PG 3, 140C–141A; Dionysiaca II 1045,757sq. paraphr.* VERCELLENSIS*)*; IDEM *De myst. theol. I 3; II; V (PG 3, 1000 C; 1025; 1045sq.; Dionysiaca I 577sq.; 579sqq.; 597sqq.)*; IDEM *Epist. I et V (PG 3, 1065; 1073–1076; Dionysiaca I 605sqq.; 620sqq.)*; IOHANNES SCOTTUS *Periphyseon I (190,29–33; 216,32–34); De div. nat. II 1 (PL 122, 525 A)*: verius per negationem de deo aliquid praedicare possumus, quam per affirmationem. LIBER XXIV PHILOSOPHORUM *prop. XXIII (39,7–40,2)*; PSEUDO-BEDA *Comment. in l. Boethii De trin. (PL 95, 398 B)*; THEODERICUS CARNOTENSIS *Lectiones IV 27 (193)*; IDEM *Glossa IV 9sq. (304)*; HUGO DE S. VICTORE *In Hier. cael. III (PL 175, 972D–973B)*; MAGISTER ECHARDUS *Sermo XXXVII n. 375 (LW IV 320,5sq.); Predigt 20a (DW I 330,5–9).*

---

66 2–4) reperimus — infinitus: *cf. De docta ign. I 16 n. 43; 24 n. 78; 26 nn. 86sqq. (I 30,19sqq.; 49,27sqq.; 54sqq.); Sermo XVI n. 10 (CT I 1 p. 12,21–14,6); De pace fidei 7 n. 21 (VII 20,9sq.); Epist. V ad abbatem et monachos Tegernseenses (p. 114sq.); De ven. sap. 22 n. 64,13–15 (XIII).* 3) incomprehensibilis: *cf. De fil. dei 3 n. 62,2 (IV 46); De vis. dei 16 n. 69 (I fol. 107v,27); Dir. spec. 14 (XIII 30,14–16)* = DIONYSIUS AREOPAGITA *De cael. hier. II 3; (32,9sq.)* = DIONYSIUS AREOPAGITA *De div. nom I 4 (PG 3, 593 A; Dionysiaca I 35); (35,5sq.)* = DIONYSIUS AREOPAGITA *l. c. VII 1 (PG 3, 865 C; Dion. I 383).*

10 IOHANNES: Utique sic est necesse secundum nostrum intelligendi modum.
CARDINALIS: Esse igitur quod negatio praesupponit utique aeternum est. Est enim ante non-esse, et esse id quod negat post non-esse est initiatum.
15 IOHANNES: Necesse videtur.

67 CARDINALIS: Negatio igitur quae cadit super esse negat esse illud sic nominatum esse praesuppositum, quod non est aliud dicere nisi quod esse post non-esse nequaquam est esse aeternum et ineffabile.
5 IOHANNES: Negare ista nequeo.
CARDINALIS: Sic verius video deum quam mundum. Nam non video mundum nisi cum non-esse et negative, ac si dicerem: Mundum video non esse deum. Deum autem video ante non-esse; ideo nullum esse de ipso negatur. Esse igitur ipsius est
10 omne esse omnium quae sunt aut esse quoquomodo possunt. Hoc nulla alia via absque phantasmate simplicius et verius videri potest. Per negativam enim praesuppositum ipsum, quod non-esse antecedit, entitatem omnis esse in aeternitate simplici intuitu vides, a quo omne quod non-esse sequitur
15 negas.
IOHANNES: Intelligo ipsum praesuppositum esse in negatione

---

67 9) nullum *in textu abbreviat. explic. in marg. m. 3 C* 16) IOHANNES *supplev. in marg. C*

---

67 9sq.) Esse — possunt: *cf.* DIONYSIUS AREOPAGITA *De cael. hier. IV 1 (PG 3, 177 D; Dionysiaca II 802$^{3-4}$)*; ALBERTUS MAGNUS *In h. l. c. 4 § 2 dubii solutio (XIV 104); marg.* NICOLAI *(Baur 50):* Quomodo Deus est esse omnium. ALBERTUS MAGNUS *l. c. Expos. textus (ibid. 105)*; MAGISTER ECHARDUS *Sermo VI 1 n. 53 (LW IV 51,7sq.).*

12sq.) Esse — non-esse: *cf. De coniect. I 5 n. 19,8–12 et notam (III 25); De deo absc. n. 11,10–13 (IV 8); De sap. II n. 30 (V 26,24–27,1).*
67 9sq.) Esse — possunt: *cf. De docta ign. I 16 n. 45 (I 32,4–6); v. Apol. doctae ign. n. 24sq. (II 17,13–18,3).* 16sq.) Intelligo — esset: *cf. De sap. II n. 30 (V 26,24–27,2).*

necessario antecedere non-esse, alias utique nihil esset. Quis enim non-esse in esse produxisset? Non ipsum non-esse, quando *183r* non praesupponeret esse a quo produceretur. Si | igitur aliquid esse affirmamus, necesse est id quod dicis esse verissimum. 20

CARDINALIS: Bene infers, abba. Tu autem vides aliqua esse, **68** caelum scilicet et terram et mare et cetera. Vides autem unum non esse aliud, et ita illa vides post non-esse. Vides igitur illa de aeterno esse post non-esse hoc esse quod sunt. Cum enim praecedat ipsa aeternitas non-esse, quod se in esse produ- 5 cere nequit, necesse est omnia per aeternum esse de non-esse seu non exstantibus produci. Aeternum igitur esse est necessitas essendi omnibus.

IOHANNES: Pater, dicito clarius si potes quomodo omnia in aeterno esse videre queam. 10

CARDINALIS: Si sol in eo quod est foret etiam eo ipso omnia quae non est, tunc utique foret ante non-esse et ita sol et omnia, quia nihil de ipso negari posset.

IOHANNES: Admitto. Sed me conturbat conceptus solis, qui est terminatus. 15

CARDINALIS: Iuves te igitur et respice in ipsum esse solis et

---

20) quod id *pos. C*

68 1) esse *in marg. C* 2) et_2 *suprascript. C*

---

68 7sq.) Aeternum — omnibus: *cf.* THEODERICUS CARNOTENSIS *Commentum II 22sq. (97sq.)*; CLARENBALDUS ATTREBATENSIS *Tractatus II 30 (LaW 118)*; IOHANNES SARESBERIENSIS *De sept. sept. 7 (PL 199, 961 C)*. 16sq.) Iuves — 'solis': *cf.* AUGUSTINUS *De trin. VIII 2 n. 3; 3 n. 4 (CCSL L 271,19–22; 272,15–17)*: Bonum hoc et bonum illud. Tolle hoc et illud, et uide ipsum bonum si potes; ita deum uidebis, non alio bono bonum, sed bonum omnis boni. *n. 5 (273,46–52)*.

---

68 4sq.) Cum — non-esse: *cf. De docta ign. I 21 n. 64 (I 43,21–24); Compend. 10 n. 29,9sq. (XI 3 p. 23)*. 5sq.) quod — nequit: *cf. De docta ign. II 9 n. 141 (I 89,29–90,1)*. 7sq.) Aeternum — omnibus: *v. supra n. 27,24sq.; 53,14*. 16–23) Iuves — non-esse: *v. De coniect. I 8 n. 35,12–23 (III 41)*. 16–18) Iuves — negari: *cf. De docta ign. I 17 n. 51 (I 35,1–9)*.

deinde tolle li 'solis' et omnem inabstractionem, removendo sic negativam: tunc de eo vides nihil negari. Quando enim vides quod esse solis non est esse lunae, hoc evenit quia vides
20 esse inabstractum et sic contractum et limitatum quod ideo solare dicitur. Si igitur aufers terminum et videas esse interminum seu eterminum sive aeternum, utique tunc vides ipsum ante non-esse.

69 IOHANNES: Quodlibet igitur esse sic video in deo aeterno deum et omnia esse.

CARDINALIS: Ita est. Nam cum deus aeternus omnia de non-esse producat, nisi ipse actu esset omnium et singulorum esse,
5 quomodo de non-esse produceret?

IOHANNES: Haec igitur vera sunt quae sancti asserunt. Aiunt enim deum esse quantum sine quantitate, qualem sine qualitate et ita de omnibus.

CARDINALIS: Sic dicunt. Sed dicito tu quomodo illud intelligas.

10 IOHANNES: Intelligo ipsum omnium quae videmus veritatem

---

69 4) perducat *C*

21sq.) Si — aeternum: *cf.* BOETHIUS *Cons. phil. V pr. 6,4 (CCSL XCIV 101,8sq.)*: Aeternitas est interminabilis uitae tota simul et perfecta possessio. THEODERICUS CARNOTENSIS *Lectiones I 48 (146)*; THOMAS *In De causis prop. II (p. 11,25–12,1)*; MAGISTER ECHARDUS *In Exod. n. 80 (LW II 83,4sq.)*: cum aeternum sit iuxta nomen ipsum «extra terminos» quoslibet et sine fine. *Sermo LIV 1 n. 525 (LW IV 444,2)*.

69 6–8) Aiunt — omnibus: *cf.* AUGUSTINUS *De trin. V 1 n. 2 (CCSL L 207,39–41)*; *De diversis quaest. LXXXIII q. 23 (PL 40,16)*; *Contra epist. quam vocant fundamenti 15 (CSEL XXV 212,26)*; DIONYSIUS AREOPAGITA *De div. nom. IX 2; 3 (PG 3, 909 C; 912 A; Dionysiaca I 454*[1–2]*; 456*[3]*)*; THEODERICUS CARNOTENSIS *Commentum IV 29 (123)*; *Lectiones IV 13 (188)*; THOMAS *S. th. I q. 28 a. 4*; MAGISTER ECHARDUS *Sermo XI 2 n. 118 (LW IV 112,5sq.)*.

---

18) — 69 2) Quando — esse: *v. l. c. II 4 n. 115 (74,9–24)*. 21–23) Si — aeternum: *cf. De gen. 1 n. 144,15 (IV 105)*: Interminum est igitur, quia aeternum. *Marg. 564*: Aeternitas quasi extra terminos.

69 1sq.) Quodlibet — esse: *cf. De docta ign. I 24 n. 77 (I 49,14–19)*; *De ven. sap. 16 n. 47,18–20 (XIII)*. 7) deum — qualitate: *v. n. 9,9–13; 46,15sq.*; *Sermo IV n. 32,15sq. (XVI 1 p. 70)*. 10sq.) veritatem absolutam: *cf. De docta ign. I 19 n. 58 (I 39,21)*; *De sap. I n. 26 (V 23,2sq.)*; *Epist. ad Nicolaum Albergati n. 21 (CT IV 3 p. 34,16–18)*.

absolutam. Ideo oportet de contracto contractionem negare, ut absolutum pertingamus. In visibili namque quantitate attendo quomodo est vera quantitas. Veritatem igitur eius, per quam vera est, in absoluto inspicere attempto et video ipsam esse quantitatem sine tali quantitate quam vidi post non-esse sic et 15 sic terminatam et limitatam, quae per hoc nomen 'quantitas' designatur.

Oportet igitur me citra non-esse relinquere omnia ea, per **70** quae quantitas est potius quantitas quam omnia. Et ita nomen, diffinitionem, figuram et omnia, quae omni sensu, imaginatione et intellectu de quantitate apprehenduntur, abicio, ut sic perveniam ad non-esse huius quantitatis. Deinde respicio in 5 aeternam eius quod prius videram causam et rationem. Quae etsi sit ineffabilis ante omne nomen, tamen ipsam aeternitatem quantitatem sine quantitate nomino, quia ratio et veritas nominabilis quantitatis. Ratio autem quanti non est quanta, sic nec veritas seu aeternitas, sicut nec ratio temporis est temporalis 10 sed aeterna.

CARDINALIS: Gaudeo haec a te audisse. Nec haec quae dixisti **71** cuiquam mira videbuntur, qui experitur in se quomodo calor in regione sensibilium est sine calore in regione virtutum

---

70 1) citra *ex* cita *corr. C*
71 3) virtutum *et* 5) imaginatione *in textu abbreviat. explic. in marg. m. al. C*

---

70 6sq.) Quae — ineffabilis: *cf.* MAGISTER ECHARDUS *Sermo IV 1 n. 28 (LW IV 28,9sq.):* sicut deus ineffabilis, incomprehensibilis est, sic in ipso sunt omnia ineffabiliter.

11sq.) absolutum — contractum: *de his notionibus v. De docta ign. III 1sq. nn. 182sqq. (I 119–125).* 12) pertingamus: *cf. De fil. dei 2 n. 56,15 (IV 43); De beryllo 1 n. 1 (XI 1 p. 3,14sq.).*

70 1) relinquere omnia: *cf. supra n. 15,16sq.; 39,8.* 5sq.) respicio — rationem: *cf. De ludo globi II n. 101 (I fol. 166r,1sq.).*

71 2–12) quomodo — deus: *cf. De quaer. deum 1 n. 30,4–31,6 (IV 21sq.); Dir. spec. 13 (XIII 28,7sqq.).* 3sq.) in regione sensibilium — in regione cognoscitivarum magis abstractarum: *v. De coniect. I 8 n. 33,1sq. (III 38) et annot. 18, p. 200sq.; l. c. II 2 n. 86,4.9sq.; 13 n. 134,3–5 (83; 130).*

cognoscitivarum magis abstractarum. Calor cum calore est in
5 sensu ubi calor sentitur, sed in imaginatione sive intellectu sine
calore attingitur. Ita de omnibus quae sensu attinguntur pariformiter dicendum. Odor enim sine odore et dulce sine dulce-
dine et sonus sine sono et ita de singulis. Sicut igitur quae
sensibiliter sunt in sensu insensibiliter sunt in intellectu, quia
10 in eo non sunt sensibiliter sed intellectualiter et intellectus, sic
omnia quae sunt mundialiter in mundo sunt immundialiter in
deo, quia ibi sunt divine et deus. Ita temporalia intemporaliter
quia aeterne et corruptibilia incorruptibiliter, materialia immaterialiter et plura impluraliter et numerata innumerabiliter,
15 composita incomposite, et ita de omnibus. Quod totum non
est aliud nisi quod omnia sunt in suo proprio et adaequatissimo
aeterno esse sine omni substantiali aut accidentali differentia
discretissime ipsa simplicissima aeternitas.

72 BERNARDUS: Audivi utique alta lucide resolvi. Ex quibus elicio

---

9) $sunt_2$ *suprascrips. Nicolaus m. prop. C*

---

71 8–12) Sicut — deus: *cf.* LIBER DE CAUSIS *XI (XII) (n. 106,76–107,87)*; THOMAS *In De causis prop. VIII; XII (p. 56,1–4.25–27; 81,1–6).* 12) temporalia intemporaliter: *cf.* HEIMERICUS DE CAMPO *Tractatus de sigillo aeternitatis (Cod. Cus. 106 fol. 83v,44sq.)*: Idcirco uno simplici intuitu cognoscit temporalia intemporaliter, contingentia immobiliter, futura praesentialiter. 13sq.) materialia immaterialiter: *cf.* DIONYSIUS AREOPAGITA *De div. nom. VII 2 (PG 3, 869 B; Dionysiaca II 398[4]–399[2]).* 15–18) Quod totum — aeternitas: *cf.* THEODERICUS CARNOTENSIS *Lectiones II 60 (173)*: omnia in Deo Deus. ... Probatio est quod in ipso non est numerus, non est aliquid aliud ab ipso. Numerus enim provenit ex variatione subiectorum per accidentia. CLARENBALDUS ATTREBATENSIS *Tractatus V 19 (LaW 182)*: Deus a Deo ... nec substantialiter differt nec accidentaliter.

8–12) Sicut — deus: *cf. l. c. I 4 n. 15,1–4 et notam (20).* 11sq.) omnia — deus: *cf. n. 56,3; Apol. doctae ign. n. 42 (II 28,21sq.).* 11) immundialiter: *cf. De docta ign. III 11 n. 245 (I 153,2).* 15–18) Quod totum — aeternitas: *cf. De mente 11 n. 129 (V 93,14–18).*

mundum post non-esse initiatum ideo Graece dici pulchrum cosmon, quia est ab ineffabili aeterna pulchritudine, quae est ante non-esse. Et nomen id negat ipsum esse ipsam pulchritudinem ineffabilem. Affirmat tamen esse illius imaginem, cuius 5 ineffabilis est veritas. Quid igitur est mundus nisi invisibilis dei apparitio? Quid deus nisi visibilium invisibilitas, uti aposto- *183v* lus in|verbo in principio nostrae collocutionis praemisso innuit? Mundus igitur revelat suum creatorem, ut cognoscatur,

---

72 2–5) mundum — imaginem: *v.* BOETHIUS *Cons. phil. III m. IX (CCSL XCIV 52,6–9).* 2sq.) mundum — pulchritudine: *cf.* DIONYSIUS AREOPAGITA *De div. nom. IV 7 (PG 3, 701 C; Dionysiaca I 179³–180¹)*; AVICENNA *Met. VIII 7 (101rb).* 4–6) Et nomen — veritas: *cf.* DIONYSIUS AREOPAGITA *De cael. hier. I 3 (PG 3, 121 C; Dionysiaca II 1044,735 paraphr.* VERCELLENSIS*)*: ... sensibiles pulchritudines esse imagines invisibilis pulchritudinis. HUGO DE S. VICTORE *In Hier. cael. III (PL 175, 961 D)*: Aliud enim est veritas, atque aliud signum veritatis; ... per similitudinem, qua appropinquant veritati, ipsam veritatem manifestant; et per dissimilitudinem, qua elongent a veritate, se non esse veritatem, sed signa tamen, et imaginem veritatis demonstrant. 6sq.) Quid — apparitio: *cf.* DIONYSIUS AREOPAGITA *De cael. hier. IV 3 (PG 3, 180 C; Dionysiaca II 1050, 809–811 paraphr.* VERCELLENSIS*)*: Dei autem apparitiones Sanctis manifestatae sunt per quasdam formas visibiles vel intelligibiles, Deo quidem utcumque congruentes et videntibus cognoscibiles. Theologia autem, tamquam ex plenitudine sapientiae emanans, talem apparitionem vocat divinam visionem, tamquam similitudinem invisibilium visibiliter ostensam; quae vocatur convenienter Dei apparitio. *Epist. IX 2 ad Titum (PG 3, 1108 B; Dionysiaca I 642²⁻⁴ et 715,642 paraphr.* VERCELLENSIS*)*; IOHANNES SCOTTUS *Periphyseon I (46,24–30)*; *De div. nat. III 4 (PL 122, 633 AB)*: ... Omne namque, quod intelligitur et sentitur, nihil aliud est, nisi non apparentis apparitio, occulti manifestatio, ... immensurabilis mensuratio, ... invisibilis visibilitas. *III 17 (678 C)*: Proinde non duo a seipsis distantia debemus intelligere deum et creaturam, sed unum et id ipsum. Nam et creatura in deo est subsistens, et deus in creatura mirabili et ineffabili modo creatur, seipsum manifestans, invisibilis visibilem se faciens. *III 19 (681 A)*: Omnis visibilis et invisibilis creatura theophania, id est, divina apparitio potest appellari.

---

72 2–6) mundum — veritas: *cf. n. 10,11–17; De gen. 1 n. 151,1sq. (IV 109)*: Sic igitur est cosmos seu pulchritudo, quae et mundus dicitur, exortus in clariori repraesentatione inattingibilis idem. *De ludo globi I n. 45 (I fol. 157v,25–30).* 5sq.) Affirmat — veritas: *cf. Apol. doctae ign. n. 15 (II 11,23sq.).* 6sq.) Quid — apparitio: *Mundum apparitionem dei esse* NICOLAUS *saepe, etiam aliis verbis, affirmat, v. gr. De dato patr. 4 n. 108,8–11; 109,15–18; 111,29–33 (IV 79sq.; 82); De pace fidei 4 n. 12 (VII 12,12–13,8); De beryllo 3 n. 4 (XI 1 p. 5,6sq.); Cribr. Alch. II 4 n. 98 (I fol. 135r,6sq.); Dir. spec. prop. 12 (XIII 63,4–6); De ven. sap. 38 n. 110,13 (XIII); Compend. Epil. n. 47,4–7 (XI 3 p. 36); De ap. theor. n. 9,7sq. et 14,5–11 (XIII).*

10 immo incognoscibilis deus se mundo in speculo et aenigmate cognoscibiliter ostendit, ut bene dicebat apostolus apud deum non esse est et non sed est tantum. Vivorum regio, quae est in aeternitate ante non-esse, aliquantulum mihi incipit ex dictis quia est apparere atque quale sit istud magnum chaos, de quo
15 Christus loquitur quod est inter incolas immortalitatis aeternae et eos qui inhabitant infernum, ac quod Christus magister noster ignorantiam tollens et viam ad immortalitatis aeternitatem nos docens omnia supplebit, quae nos aeternae illius immortalitatis incapaces reddunt.

73 Nunc satis erit tanta dixisse, quae si placet epilogando concludas.

CARDINALIS: Forte sic tempus fieri postulat. Movistis ex Pauli summi theologi sententia quomodo ex creatura mundi intel-
5 lecta conspiciuntur invisibilia dei. Diximus mente illa creatoris sempiternam virtutem et invisibilem divinitatem conspici, quae mundum creaturam intelligit. Non est enim possibile creaturam intelligi emanasse a creatore, nisi videatur in invisibili virtute seu potestate eius ipsam aeternaliter fuisse. Oportet

---

72 15) im- *suprascrips. m. al. C*

---

10) in speculo et aenigmate: *cf. 1 Cor. 13,12.* 11sq.) apud — tantum: *cf. 2 Cor. 1,19.* 14–16) magnum — infernum: *cf. Luc. 16,26.*

73 7–9) Non — fuisse: *cf.* IOHANNES SCOTTUS *De div. nat. II 19 (PL 122, 553 AB):* simul enim et semel omnia aeternaliter in ipsa *(sc. omnium causa)* sunt, et ab ipsa facta sunt ...

10sq.) immo — ostendit: *cf. De quaer. deum 3 n. 39,4sq. (IV 28); De beryllo 3 n. 4 (XI 1 p. 5,9–12); Sermo CCLXXXVII (Dum sanctificatus fuero, II 1 fol. 188ʳ, 41–43); Cribr. Alch. II 16 n. 133 (I fol. 139ʳ,21sq.); Epist. ad Nicolaum Albergati n. 3 (CT IV 3 p. 26,18–21).* 10) in speculo et aenigmate: *cf. n. 43,20; Apol. doctae ign. n. 11 (II 11,26–28).* 11) cognoscibiliter: *cf. De docta ign. I 11 n. 30 (I 22,5sq.).* 12) Vivorum regio: *cf. De ludo globi II n. 68; 74 (I fol. 161ᵛ,9; fol. 162ʳ,26).* 16sq.) Christus magister noster: *cf. n. 31,11sq.*

omnia creabilia actu in eius potestate esse, ut ipse sit formarum 10
omnium perfectissima forma. Oportet ipsum omnia esse quae
esse possunt, ut sit verissima formalis seu exemplaris causa.
Oportet ipsum in se habere omnium formabilium conceptum et
rationem. Oportet ipsum esse supra omnem oppositionem.
Nam in ipso non potest esse alteritas, cum sit ante non-esse. 15
Si enim post non-esse esset, non esset creator sed creatura de
non-esse producta. In ipso igitur non-esse est omne quod esse
potest. Ideo de nullo alio creat, sed ex se, cum sit omne quod
esse potest.

Et quando ipsum conati sumus super esse et non-esse videre, **74**
non potuimus intelligere quomodo foret visibilis qui est super
omne simplex et compositum, super omne singulare et plurale,
super omnem terminum et infinitatem, totaliter undique et
nullibi, omniformis pariter et nulliformis et penitus ineffabilis, 5
in omnibus omnia, in nullo nihil et omnia et nihil in ipso ipse,
integre, indivise in quolibet quantumcumque parvo et simul in
nullo omnium. Qui se in omni creatura ostendit unitrinum
exemplar verissimum et adaequatissimum, omnem sensibilem,
imaginabilem et intellectualem phantasmatibus inhaerentem in 10

---

74 1) conati *in marg. scrips. Nicolaus m. prop. supra* nixi *quod scripser. m. al. C* 3) compositum *et* 8) nullo *in textu abbreviat. explic. in marg. m. 3 C*

---

74 4sq.) totaliter — nullibi: *cf.* BOETHIUS *De trin. 4 (158,50–55)*; DIONYSIUS AREOPAGITA *De div. nom. III 1 (PG 3, 680 D; Dionysiaca I 127²⁻³)*; ANSELMUS CANTUARIENSIS *Monol. c. 22 (I 41,16sq.)*; THEODERICUS CARNOTENSIS *Lectiones VII 19 (226)*; CLARENBALDUS ATTREBATENSIS *Tractatus IV 72 (LaW 168)*. 7sq.) indivise — omnium: *cf.* MAGISTER ECHARDUS *In Gen. I n. 166 (LW I 312,10sq.)*. 7sq.) in nullo omnium: *cf.* DIONYSIUS AREOPAGITA *De div. nom. V 10 (PG 3, 825 B; Dionysiaca I 366¹ interprete* AMBROSIO TRAVERSARI*)*: neque in aliquo subsistentium est.

---

74 4sq.) totaliter undique et nullibi: *cf. De docta ign. II 12 n. 163 (I 104,2sq.)*; *De coniect. II 13 n. 134,24 et notam (III 131)*.

infinitum excedentem cognitionem, cum his cognitionibus nihil incorporeum et spirituale attingatur, sed altissimo et ab omnibus phantasmatibus absoluto intellectu omnibus transcensis ut nihil omnium quae sunt reperitur inintelligibilis ignoran-
15 ter seu inintelligibiliter in umbra seu tenebra sive incognite. Ubi videtur in caligine et nescitur, quae substantia aut quae res aut quid entium sit, uti res, in quo coincidunt opposita, scilicet motus et quies simul, non ut duo, sed supra dualitatem et alteritatem. Haec visio in tenebra est, ubi occultatur ipse deus
20 absconditus ab oculis omnium sapientum.

75 Et nisi sua luce pellat tenebram et se manifestet, manet omnibus ipsum via rationis et intelligentiae quaerentibus penitus incognitus. Sed non deserit quaerentes ipsum summa fide et spe certissima atque fervidissimo quantum fieri potest desiderio,
5 scilicet via illa quam nos docuit magister unicus Christus dei filius, viva via, solus ostensor patris sui, creatoris nostri omnipotentis. Quaecumque igitur per nos dicta sunt non ad aliud tendunt quam ut intelligamus ipsum omnem intellectum excedere. Cuius facialis visio quae sola felicitat nobis fidelibus
10 per veritatem ipsam dei filium promittitur, si viam nobis verbo et facto patefactam ipsum sequendo tenuerimus. Quod nobis ipse dominus noster Iesus Christus concedat semper benedictus. Amen.

Laus deo. Finis trialogi aut verius stellae habiti a sapientis-
15 simo et reverendissimo patre domino Nicolao de Cusa, sanctae Romanae ecclesiae presbytero, cardinale tituli sancti Petri ad vincula cum duobus familiaribus suis, domino Bernardo cancellario archiepiscopi Salsburgensis et Iohanne Andrea Vigevio, abbate monasterii sanctae Iustinae de Sezadio.

---

15) intelligibiliter *C* 15) tenebra *et* 17) opposita *in textu abbreviat. explic. in marg. m. 3 C*
75 11) nobis *suprascript. C* 19) Sezadio: Correctum per Episcopum Acciensem maximo labore diebus duobus, quia librarius qui descripsit omnium est eiusmodi hominum mendosissimus et abiectissimus. *m. al. C*

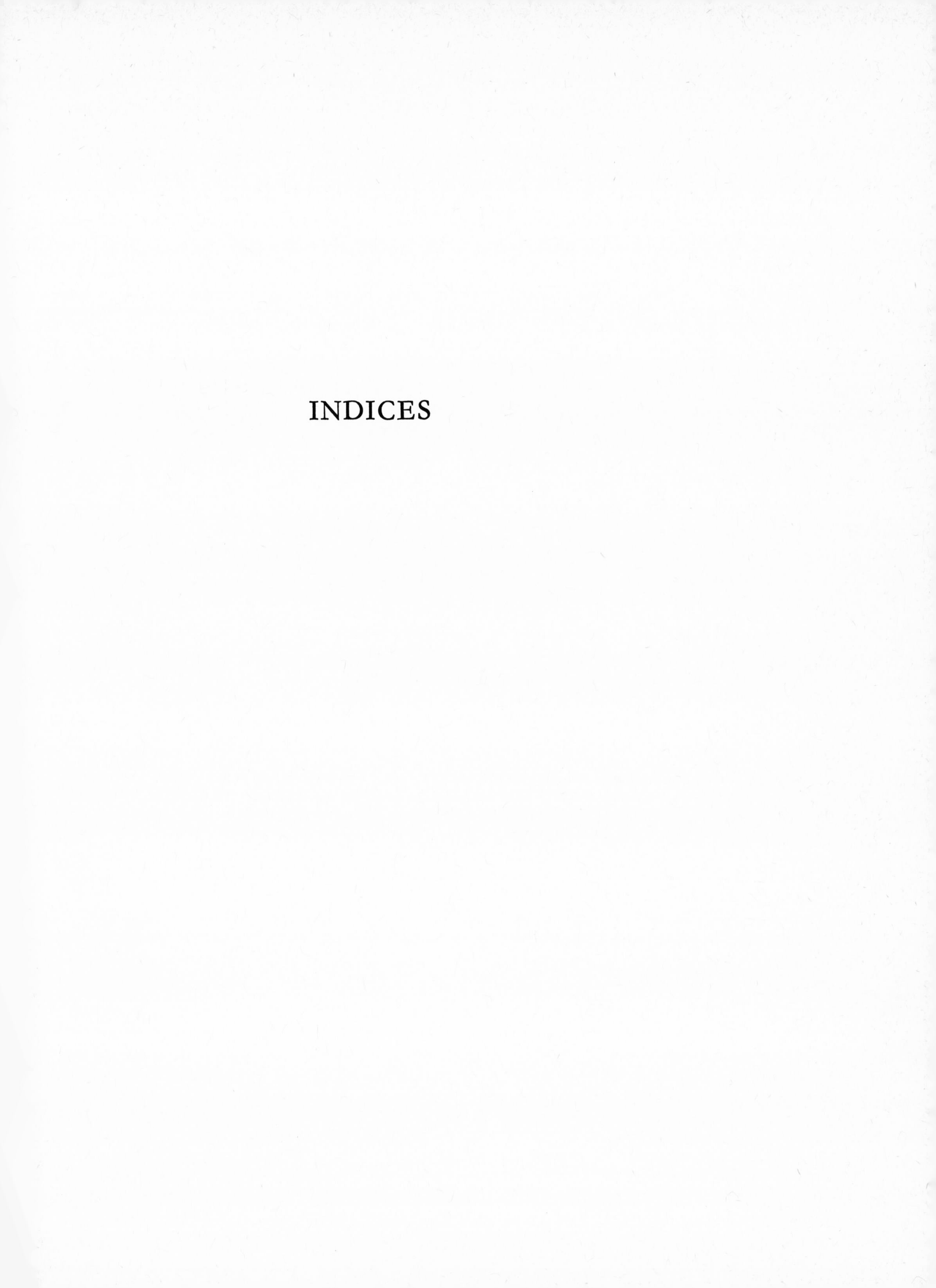

INDICES

I.

INDEX NOMINUM

Numeri indicant paragraphos et paragraphorum lineas

II.

INDEX AUCTORUM

AEGIDIUS DE ROMA

Errores philosophorum *(ed. J. Koch, Milwaukee 1944)* I 3sq. : 28,1–4

ALANUS AB INSULIS

Regulae de sacra theologia *(PL 210, col. 621–684)* 8 : 9,3–5 || 9 : 56,3 || 13 : 64,7sq. || 14 : 64,1sq. || 17 : 64,3

Summa de arte praedicatoria *(ibid. col. 109–198)* 29 : 32,19–21

ALBERTUS MAGNUS

Commentarii in Dionysii De caelesti hierarchia *(Opera omnia, ed. A. Borgnet, vol. XIV, Parisiis 1892, p. 5–451)* c. 2 § 2 : 43,29 || § 7 : 41,3sq.; 43,30 || c. 4 § 2 : 67,9sq. || § 5 : 34,8 || c. 7 § 1 : 35,3sq. || c. 12 § un. : 62,11–63,14 || c. 13 § 8 : 56,15sq.

Commentarii in Dionysii De divinis nominibus *(cod. Cus. 96)* fol. 79rb : 43,30 || 81vb : 40,12sq. || 87rb : 43,30

Commentarii in Dionysii De mystica theologia *(Opera omnia ibid. p. 816–862)* c. 1 § 3 : 13,13–16; 41,7sq. || c. 2 § 2 : 36,4; 53,8sq. || c. 3 § 3 : 41,7sq. || c. 5 : 13,7sq.

Commentarii in Epistolas Dionysii *(ibid. p. 867–1027)* V : 15,1–10; 15,9sq.

Metaphysica *(Opera omnia, ed. B. Geyer, vol. XVI 2, Monasterii 1964)* X tr. 1 c. 5 : 13,11sq.

ANONYMUS

De spiritu et anima *(PL 40, col. 779–832)* 11 : 63,6 || 14 : 15,4sq. || 16 : 32,3–5

ANSELMUS CANTUARIENSIS

Monologion *(Opera omnia, ed. F. S. Schmitt, vol. I, Secoviae 1938, p. 1–87)* c. 21sq. : 21,9 || c. 22 : 74,4sq. || c. 23 : 58,14sq. || c. 35sq. : 42,20sq. || c. 35 : 13,3sq. || c. 36 : 13,4–6

ARISTOTELES *(Opera Graece, ed. I. Bekker, Berolini 1831; ²1960sqq.)*

Analytica posteriora *(vol. I p. 71–100)* I A 1 : 43,2sq. || 22 : 9,3sq. || II B 1 : 43,30

De anima *(vol. I p. 402–435)* I A 2 : 17,10sq. || 5 : 17,10sq. || II B 3 : 44,5sq. || 4 : 12,17 || III Γ 3 : 17,10sq. || 4 : 63,6 || 7 : 43,29 || 10 : 62,11 || 12 : 63,6

De caelo et mundo *(vol. I p. 268–313)* I A 3; 12 : 28,1–4 || III 1 : 63,11–13

De generatione et corruptione *(vol. I p. 314–338)* I 3; 4 : 62,14sq.

De memoria et reminiscentia *(vol. I p. 449–452)* c. 1 : 43,29
Ethica Nicomachea *(vol. II p. 1094–1181)* I 1 : 65,11sq. || X 7 : 38,5sq.
Metaphysica *(vol. II p. 980–1093)* I A 1 : 38,7sq. || 5 : 42,9sq. || II α 1 : 62,11 || VI E 1 : 62,11–63,14 || VII Z 10 : 43,12sq.; 63,9 || VIII H 3 : 44,5 || IX Θ 8 : 6,10sq. || XI K 7 : 62,11–63,14 || XII Λ 6 : 21,5sq.
Physica *(vol. I p. 184–267)* I A 1 : 38,8sq. || II B 2 : 62,11–63,14 || 7 : 12,17; 62,11–63,14 || III Γ 1 : 7,9; 21,5sq. || VIII Θ 1 : 28,1–4
Praedicamenta *(vol. I p. 1–15)* 4 : 9,3sq.
Topica *(vol. I p. 100–164)* I A 9 : 9,3sq. || VII 3 : 63,11–13

AUGUSTINUS
Confessiones *(CSEL XXXIII, rec. P. Knöll, 1896)* I 1 n. 1 : 38,9
Contra epistulam quam vocant fundamenti *(CSEL XXV, rec. J. Zycha, 1891, p. 193–248)* 15 : 69,6–8
De civitate dei XI–XXII *(CCSL XLVIII, rec. B. Dombart et A. Kalb, Turnholti 1955)* XI 29 : 63,10sq.
De diversis quaestionibus LXXXIII *(PL 40, col. 11–100)* q. 20 : 21,9 || q. 23 : 69,6–8
De doctrina christiana *(CCSL XXXII, rec. J. Martin, Turnholti 1962, p. 1–167)* I 5 n. 5 : 44,7–10 || 6 n. 6 : 41,1–3
De genesi ad litteram *(CSEL XXVIII 1, rec. J. Zycha, 1894, p. 3–435)* V 15 : 13,3sq.
De genesi ad litteram imperfectus liber *(ibid. p. 457–503)* 3 : 49,11sq.
De trinitate *(CCSL L et L_A, rec. W. J. Mountain, Turnholti 1968)* I 5 n. 8 : 57,14sq. || V 1 n. 2 : 69,6–8 || 12 n. 13 : 50,6sq. || VI 10 n. 11 : 34,4–6; 50,11 || n. 12 : 48,1–3; 57,14sq. || VIII 2 n. 3 : 68,16sq. || 3 n. 4 : 68,16sq. || n. 5 : 68,16sq. || 4 n. 6 : 34,8sq. || IX 1 n. 1 : 50,6sq.; 57,14sq. || 2 n. 2 : 50,6sq. || 5 n. 8 : 50,6sq. || 12 n. 18 : 48,1–3 || XIII 20 n. 25 : 34,8sq. || XIV 6–8 : 48,1–3 || 12 n. 15sq. : 48,1–3 || XV 3 n. 5 : 48,1–3; 50,6sq. || 18 n. 32 : 32,3–5
Enarrationes in Psalmos LI–C *(CCSL XXXIX, rec. E. Dekkers, J. Fraipont, Turnholti 1956)* 84,8 n. 9 : 34,8sq.
Epistulae *(PL 33)* CLX : 22,1
In Iohannis euangelium *(CCSL XXXVI, rec. R. Willems, Turnholti 1954)* tract. XIII n. 3 : 2,16–18 || n. 5 : 26,3–11
Sermones *(PL 38)* CXVII c. 3 : 38,10; 41,11–14

AVENCEBROL
Fons vitae *(BGPhMA I 2–4 [1895], ed. Cl. Baeumker)* I 13 : 43,21

AVICENNA
De anima *(Opera philosophica, Venetiis 1508; Louvain ^{2}1961)* I 5 : 39,13 || IV 5 : 38,16 || V 5 : 39,13
Metaphysica *(Opera ibid.)* I 1 : 62,11–63,14 || III 2 : 46,3–5 || 3 : 46,3–5 || IV 2 : 6,6; 27,15–21; 28,2sq.; 34,1sq. || V 5 : 41,3sq. || VIII 5 : 41,3sq.; 56,2 || 6 : 64,15–18; 65,11–13 || 7 : 72,2sq.

L. Baur

Nicolaus Cusanus und Ps. Dionysius im Lichte der Zitate und Randbemerkungen des Cusanus *(CT III1)* p. 29 : 32,21 || p. 38 : 41,7sq.

Bernardus Claravallensis

Sermones de diversis *(PL 183)* XLV n. 6 : 34,9

Biblia Sacra

Actus Apostolorum 2,1–13 : 37,1–3 || 17,23 : 15,3 || 17,25 : 64,15sq. || 17,28 : 16,14sq.

Apocalypsis 22,13 : 19,29

ad Colossenses epistula 2,3 : 64,19 || 3,4 : 32,23 || 3,11 : 56,2

I ad Corinthios epistula 1,20 : 32,7sq. || 2,10 : 56,10sq. || 2,11 : 56,8–10 || 2,14 : 32,6 || 2,16 : 35,11sq. || 12,10 : 37,1–3 || 13,12: 39,8; 43,20; 72,10 || 15,28 : 56,2

II ad Corinthios epistula 1,19 : 72,11sq. || 4,6 : 39,8 || 4,18 : 2,8; 3,14sq.; 39,3 || 12,2–4 : 39,10

Daniel 3,45.52.56 : 7,3

Deuteronomium 6,5 : 35,7sq. || 7,21 : 9,8 || 10,17 : 9,8 || 31,6 : 32,16sq. || 32,34 : 64,18

Ecclesiastes 1,8 : 14,2

ad Ephesios epistula 1,23 : 33,11; 56,2 || 3,17 : 32,1sq. || 4,7 : 38,1

Exodus 3,14 : 14,12; 65,2sq.

ad Galatas epistula 2,16 : 36,2 || 3,22 : 36,2 || 4,6 : 32,4sq. ; 35,11sq. ||

Genesis 1,12.21.25 : 65,15sq. || 6,17 : 23,13 || 7,15 : 23,13 || 7,22 : 23,13 || 17,1 : 14,11

ad Hebraeos epistula 1,2 : 33,10sq. || 1,3 : 58,3sq. || 4,12 : 21,3sq. || 11,1–3 : 39,3

Ieremias 23,24 : 21,8

evangelium secundum Iohannem 1,3sq. : 13,1sq. || 1,3 : 33,10sq.; 38,4sq. || 8,23 : 39,9sq. || 9 : 32,9–17 || 10,29 : 9,8 || 14,8sq. : 31,11–13 || 14,13sq. : 33,3sq. || 14,17 : 32,3sq.6 || 14,21 : 32,24 || 14,23 : 32,24sq. || 14,26 : 32,4 || 15,16 : 33,3sq. || 16,13 : 32,4 || 16,23sq. : 33,3sq. || 16,26sq. : 33,3sq. || 16,33 : 32,7 || 17,14 : 32,6; 39,9sq. || 18,36 : 32,6

I Iohannis epistula 2,28 : 32,23 || 3,2 : 32,23; 39,10

Isaias 9,2 : 38,15 || 41,17 : 32,16sq. || 45,15 : 31,9 || 66,1 : 21,8sq.

evangelium secundum Lucam 1,37 : 59,14sq. || 1,79 : 38,15 || 3,8 : 8,13sq. || 10,19 : 37,6–9 || 10,21sq. : 31,9–13 || 10,27 : 35,7sq. || 11,1–13 : 32,20–23 || 12,25 : 8,14sq. || 16,26 : 72,14–16 || 18,19 : 65,14

evangelium secundum Marcum 9,23 : 33,13 || 10,46–52 : 32,9–17 || 16,17sq. : 37,6–9

evangelium secundum Matthaeum 4,16 : 38,15 || 5,8 : 34,9 || 9,27–31 : 32,9–17 || 11,25–27 : 31,9–13 || 12,35 : 65,12sq. || 18,4 : 31,10 || 19,26 : 59,14sq.

II Petri epistula 1,4 : 36,4sq.

ad Philippenses epistula 2,9 : 25,9sq.

Proverbia 25,27 : 56,12

Psalmorum liber 9,11 : 32,16sq. || 18,5 : 21,3sq. || 32,6 : 33,10sq. || 32,9 : 36,5–7 || 36,28 : 32,16sq. || 47,2 : 9,8 || 67,36 : 27,24 || 76,14 : 9,8 || 83,8 : 32,8sq. || 87,7 : 38,15 || 88,8 : 9,8 || 106,14 : 38,15 || 113,16 : 21,8sq. || 138,8 : 21,8 || 147,15: 21,3sq. || 148,5 : 36,5–7

ad Romanos epistula 1,20 : 2,3–5; 4,3sq. || 3,26 : 36,2 || 4,17 : 59,14sq. || 5,5 : 324sq. || 8,2 : 23,13 || 8,9sq. : 35,11sq. || 8,9 : 38,2 || 12,3 : 33,6
Sapientia 7,24 : 21,2sq. || 8,1 : 21,4

BOETHIUS
Ars geometriae *(ed. G. Friedlein, Lipsiae 1867; Frankfurt ²1966, p. 372–428)*: 60,4
De institutione arithmetica *(ibid. p. 1–173)* I 1 : 43,26sq. || II 6 : 44,17–19 || 19 : 44,17–19 || 40sqq. : 42,14sq.
De trinitate *(ed. R. Peiper, Lipsiae 1871)* I : 49,13 || II : 10,11–17; 11,11; 12,5; 43,21; 62,11–63,14; 63,6 || III : 46,11sq.; 49,13 || IV : 9,9sq.; 74,4sq. || VI : 50,4–7
In Categorias Aristotelis *(PL 64, col. 159–294)* II : 43,25sq.
In Isagogen Porphyrii commenta *(CSEL XLVIII, rec. S. Brandt, Lipsiae 1906)* I 3 : 62,11–63,14; 62,11
Philosophiae consolatio *(CCSL XCIV, ed. L. Bieler, 1957)* II prosa 7,17 : 10,7–9 || III prosa 2 : 65,11sq. || III metr. IX : 10,11–17; 21,5sq.; 72,2–5 || III prosa 11 : 25,3sq.; 65,11sq. || V prosa 4 : 15,1sq.; 63,6 || V prosa 6 : 19,28sq.; 32,21; 68,21sq.

BONAVENTURA
Breviloquium *(Opera omnia, edita studio et cura PP. Collegii S. Bonaventurae, Ad Claras Aquas [Quaracchi], vol. V, 1891, p. 199–291)* II 1 : 5,7; 12,19
Collationes in Hexaëmeron *(ibid. p. 329–449)* II 6 : 34,8sq. || 29sq. : 15,1–14 || XX : 34,8sq.
Commentum in I Sententiarum *(Opera vol. I, 1882)* d. 3 : 12,19
Itinerarium mentis in deum *(Opera vol. V, p. 293–316)* I 1 : 32,21; 36,4 || 2 : 15,12; 54,8; 55,13 || 7 : 32,9sq. || 8 : 32,8sq.; 32,21 || III 1 : 18,4

G. v. BREDOW
Der spielende Philosoph, Betrachtungen zu Nikolaus von Kues' «De Possest» *(Vierteljahresschrift für Wissenschaftliche Pädagogik 32 [1956] 1, S. 108–115)*: 18,8–12; 54,5sq.

CLARENBALDUS ATTREBATENSIS
Tractatulus super librum Genesis *(LaW p. 226–249)* n. 19 : 28,2sq.; 43,21 || n. 20 : 23,19sq.; 64,2–4 || n. 21 : 28,2sq. || n. 22 : 13,1sq.; 27,20 || n. 24 : 28,1–4 || n. 25 : 60,9; 63,2sq. || n. 46 : 14,16 || n. 47 : 22,1–3
Tractatus super librum Boethii De trinitate *(LaW p. 65–186)* n. 11 : 63,11–13 || || Prol. n. 19 : 63,3sq. || Prol. nn. 20–23 : 63,6 || I 34 : 45,3 || II 8 : 63,3sq. || 10 : 22,1–3; 60,9 || 15 : 63,6–8 || 18 : 63,10sq. || 20sq. : 64,1sq. || 23 : 14,16 || nn. 26–28 : 64,8–10 || 26 : 28,2sq. || 30 : 64,7sq.; 68,7sq. || 36 : 9,24 || 38 : 49,6 || 40 : 50,10sq. || 43 : 27,20 || 46 : 28,2sq. || 58 : 63,10sq. || 59sq. : 22,1–3 || III 31 : 49,6sq. || 33 : 49,3sq. || IV 17 : 43,25sq. || 52 : 9,9sq. || 65 : 9,9sq. || 72 : 74,4sq. || 77 : 20,5–7 || V 19 : 71,15–18 || VI 13 : 17,4–7

E. Colomer

Nikolaus von Kues und Raimund Llull. Aus Handschriften der Kueser Bibliothek *(Quellen und Studien zur Geschichte der Philosophie II, Berlin 1961)*: 9,21; 11,6sq.

Constitutio de summa trinitate et fide catholica *(Conc. Lugdun. II)*: 49,25

Decretales Gregorii IX I tit. 1 c. 2: 49,6

Decretum pro Iacobitis: 49,11–13; 57,14sq.

Dionysius Areopagita *(PG 3; cf. etiam Dionysiaca, vol. I–II, ed. Ph. Chevallier, Bruges 1937 et 1950)*

De caelesti hierarchia I 1: 35,4sq. || 3: 18,4; 72,4–6 || II 3: 41,7sq.; 66,2–4 || III 2: 64,15sq. || 3: 35,3sq. || IV 1: 67,9sq. || 3: 72,6sq. || X 3: 64,15sq. || XIII 4: 56,16

De divinis nominibus I 1: 15,1sq.; 53,8sq.; 56,15sq. || 2: 15,9sq.; 31,11; 38,1; 55,13 || 3: 5,7; 18,4 || 4: 9,20; 66,3 || 5: 56,2; 66,2–4 || 6: 56,2 || 7: 26,3–11 || II 3: 41,7sq. || 10: 33,11 || 11: 9,20 || III 1: 74,4sq. || 3: 31,12 || IV 1: 38,1sq.; 60,9 || 4: 43,25sq. || 5: 35,3sq. || 7: 10,12.18; 16,4; 72,2sq. || 11: 11,1 || 13: 35,5sq. || 21: 46,8sq. || 26: 32,18 || V 5: 56,15sq. || 6: 46,3–5 || 7: 2,16–18 || 8: 11,7–9 || 9: 58,15–17 || 10: 21,4–7; 74,7sq. || VII 1: 15,4sq.; 41,1–3; 56,15sq.; 66,2–4; 66,3 || 2: 43,11sq. 18sq.; 71,13sq. || 3: 15,1–10; 53,8sq.; 56,2; 66,2–4 || VIII 5: 16,13 || 6: 16,9–13; 27,20sq. || 9: 33,11 || IX 1: 21,2sq. || 2: 9,9; 69,6–8 || 3: 41,3sq.; 69,6–8 || XIII 3: 16,4; 41,4–7; 66,2–4

De ecclesiastica hierarchia II: 31,11

De mystica theologia I 1: 15,1–10; 15,9 || 2: 13,13–16; 25,11; 41,11sq. || 3: 23,1sq.; 32,7; 66,2–4 || II: 15,1–10; 53,8sq.; 66,2–4 || III: 41,1–3 || V: 21,7; 41,4–7; 66,2–4

Epistula I ad Gaium: 41,11–13; 53,8sq.; 66,2–4

Epistula V ad Dorotheum: 15,9; 31,12; 66,2–4

Epistula IX 2 ad Titum: 72,6sq.

Epistula IX 3 ad Titum: 21,4–7; 56,2

Dominicus Gundissalvi

De unitate *(ed. P. Correns, BGPhMA I 1, 1891, p. 3–11)*: 64,6sq.

Echardus, Magister *(Die deutschen und lateinischen Werke. Hrsg. im Auftrage der Deutschen Forschungsgemeinschaft, Berlin, Stuttgart 1936sqq.)*

Expositio sancti evangelii secundum Iohannem *(vol. III, edd. K. Christ, J. Koch, 1936, p. 3–304)* n. 9: 34,2–4 || n. 26: 17,10sq. || n. 123: 17,10sq. || n. 135: 46,9sq. || n. 155: 32,5 || n. 239: 48,3sq. || n. 290: 32,3–5 || n. 292: 32,7 || n. 318: 31,10

Expositio libri Exodi *(vol. II, edd. K. Weiss, J. Koch, H. Fischer, 1954sq., p. 9–227)* n. 74: 14,12–14 || n. 80: 68,21sq. || n. 107: 41,3sq. || n. 123: 64,3 || n. 183: 41,3sq. || n. 276: 34,8sq.

Tractatus de sigillo aeternitatis *(cod. Cus. 106, fol. 77^{r}–85^{r})* fol. 77^{v},2 : 12,19 || fol. 82^{r},11–13.14 : 32,9sq. || fol. 83^{r},36sq. : 12,11sq. || 83^{v},44sq. : 71,12 || fol. 84^{r},5sqq. : 9,21

HILARIUS
De trinitate *(PL 10, col. 9–472)* II 11 : 56,15sq.

E. HOFFMANN
Erläuterungen zu «Dies sanctificatus» *(CT I 1)* p. 46 : 44,1sq.
Platonismus und Mystik im Altertum *(HSB 1934/35 2. Abh.)* : 44,7–10 63,5sq:

J. E. HOFMANN
Die mathematischen Schriften *(Nikolaus von Cues, Schriften, Heft 11, Hamburg 1952)* : 42,8–11

HONORIUS AUGUSTODUNENSIS
De imagine mundi *(PL 172, col. 121–188)* I 68 : 23,15–17 || 91 : 23,17

HUGO DE S. VICTORE
Commentaria in Hierarchiam caelestem S. Dionysii Areopagitae *(PL 175, col. 923–1154)* II : 18,4; 31,11 || III : 32,7–9; 58,14; 66,2–4; 72,4–6 || IV : 32,5; 34,8sq. || V : 38,14–16 || VI : 43,11sq.18sq. || VII : 32,5 || IX : 64,3
De modo orandi *(PL 176, col. 977–988)* 2 : 32,19–21 || 7 : 32,18
De sacramentis *(ibid. col. 173–618)* II p. 18 c. 16 : 31,5–8
Eruditio didascalica *(ibid. col. 739–838)* I 4 : 54,5sq. || III 14 : 31,12 || VII 24 : 49,6

IOHANNES DAMASCENUS
De fide orthodoxa *(PG 94; versio Burgundii Pisani ed. E. M. Buytaert, Franciscan Institute Publications, Text series no. 8, 1955)* III 24 : 32,21

IOHANNES GERSON
De mystica theologia *(ed. A. Combes, Lucani 1958)* I prol. : 56,12 || cons. 24 : 18,4; 31,12 || cons. 26 : 18,6 || cons. 27 : 32,21; 35,3sq. || cons. 30 : 34,8sq. || cons. 43 : 15,1–14; 32,21 || II cons. 8 : 38,16 || cons. 12 : 15,1–10

IOHANNES SARESBERIENSIS
De septem septenis *(PL 199, col. 945–964)* 7 : 14,2; 23,9–11; 28,2sq.; 32,7–9; 44,7–10; 64,8–10; 68,7sq.
Metalogicus *(ibid. col. 823–946)* I 11 : 42,9sq. || II 2 : 28,1–4 || 20 : 64,6sq.

IOHANNES SCOTTUS ERIUGENA
De divisione naturae *(PL 122, col. 439–1022; Iohannis Scotti Eriugenae Periphyseon (De divisione naturae) liber primus, edd. I. P. Sheldon-Williams, L. Bieler, Scriptores Latini Hiberniae vol. VII, Dublin 1968)* I : 5,7; 11,10sq.; 21,3–6; 31,11; 34,8sq.; 35,3sq.; 43,15–19; 43,30; 58,14; 65,10; 66,2–4; 72,6sq. || II 1 : 66,2–4 || 19 : 66,1; 73,7–9 || 20 : 58,15 || 21 : 49,16sq. || 24 : 34,4–6 || 27 : 43,15–19 || 28 : 16,13; 38,8 || 29 : 41,7sq.; 53,9–14 || 34 : 49,18sq. || 36 : 22,1–3;

58,15 || III 4 : 16,13; 72,6sq. || 5 : 28,1–4 || 9 : 12,5sq.; 21,3–5; 21,9; 22,1–3; 30,1sq. || 11 sq. : 43,12sq. || 14 : 28,1–4 || 17 : 12,5sq.; 72,6sq. || 19 : 72,6sq. || 22 : 41,4–7; 53,9–14 || 28 : 56,3 || IV 5 : 15,1sq. || 8 : 43,7–11; 63,10sq. || 9 : 58,14 || V 4 : 38,8sq. || 24 : 64,18–20 || 30 : 32,21 || 31 : 21,9; 32,8sq. || 32 : 31,11 || 38 : 38,14–16 || VII 12 : 49,24

De praedestinatione *(PL 122, col. 347–440)* IX 4 : 14,12–14

Expositiones super Hierarchiam caelestem S. Dionysii *(ibid. col. 125–266)* c. 1 § 2 : 31,5–8

R. KLIBANSKY

Ein Proklos-Fund und seine Bedeutung *(HSB 1928/29 5. Abh.)* : 13,13–16

J. KOCH

Erläuterungen zu Nikolaus von Cues, *Über den Ursprung (Schriften, Heidelberg 1949)* : 55,23–27

Vier Predigten im Geiste Eckharts *(CT I 2/5, Heidelberg 1937)* p. 161 annot. 2 : 13,4–6

LIBER DE CAUSIS

(ed. A. Pattin, Tijdschrift voor Filosofie 28 [Louvain 1966] p. 90–203) prop. III n. 35 : 12,15 || prop. V (VI) n. 57 : 41,4–7 || n. 60 : 38,13sq. || prop. VIII (IX) n. 81 : 36,5–7 || n. 82 : 36,5–7 || n. 84 : 36,5–7 || n. 86 : 56,16 || prop. XI (XII) n. 106 : 71,8–12 || prop. XV (XVI) n. 129 : 17,19 || n. 130 : 23,9–11 || n. 131 : 17,19; 23,9–11 || n. 135 : 13,11sq. || prop. XVII (XVIII) n. 143 : 23, 9–11 || n. 145 : 23,9–11 || prop. XXII (XXIII) n. 175 : 65,11sq. || prop. XXVII (XXVIII) n. 198 : 25,3sq.

LIBER XXIV PHILOSOPHORUM

(ed. Cl. Baeumker, BGPhMA XXV 1–2 [1927]) prop. XVI : 17,9–13; 41,7sq. || prop. XXI : 156sq. || prop. XXIII : 66,2–4

MACROBIUS

Commentarii in Somnium Scipionis *(ed. J. Willis, Lipsiae 1963)* I 6 n. 7 : 42,8sq.; 46,3–5 || 17 n. 8sq. : 23,14 || 18 n. 2 : 23,15–17 || 19 n. 23 : 23,17sq. || 21 n. 16 : 23,17 || II 2 n. 8 : 46,3–5 || 4 n. 8 : 23,15–17 || 12 n. 13 : 23,19sq. || 13 n. 1 : 23,4 || n. 5 : 23,12sq.

MOSES MAIMONIDES

Dux perplexorum *(ed. A. Iustinianus, Parisiis 1520, Frankfurt ²1964)* I 51 : 27,15–21 || 54 : 6,10sq. || 68 : 13,4–6 || 71 : 23,12–20 || II 2 : 23,12–20 || III 22 : 43,15–19

NICOLAUS DE CUSA

Annotationes marginales ad

Alberti Magni Comment. in Dionysii De caelest. hier. *(ed. L. Baur, CT III 1, Heidelberg 1941, p. 93–96)* 7 : 22,1–3 || 17 : 43,29 || 49 : 12,19 || 50 : 67,9sq. || 55 : 34,8 || 71 : 35,3sq. || 90 : 56,15sq.

Alberti Magni Comment. in Dionysii De div. nom. *(ibid. p. 97–112)* 110: 43,30 || 125: 40,12sq. || 128: 55,19–27 || 167: 43,30 || 208: 50,6sq. || 213sq.: 50,6sq. || 255: 6,3–5 || 262: 13,11sq. || 269: 54,8 || 269: 59,16sq. || 423–425: 10,12 || 446: 12,19 || 488: 13,7sq. || 489: 13,7sq. || 564: 68,21–23

Alberti Magni Comment. in Dionysii De mystica theologia *(ibid. p. 112)* 587: 22,1–3 || 594: 53,8sq.

Alberti Magni Metaphysicam *(ed. B. Geyer, Op. omn. vol. XVI 2, 1964)*: 13,11sq.

Iohannis Scotti Eriugenae De div. nat. *(cod. Londin. Brit. Mus. Addit. 11035)*: 35,3sq.

Procli Comment. in Platonis Parmenidem *(cod. Cus. 186)* fol. 102v: 55,23–27 || fol. 114r: 9,21 || *(edd. R. Klibansky, C. Labowsky, Plat. Lat. III, Londini 1953)*: 13,13–16; 54,7sqq.; 56,2; 60,3–9; 65,11–13

Apologia doctae ignorantiae *(Opera omnia iussu et auctoritate Academiae Litterarum Heidelbergensis [= h] vol. II, ed. R. Klibansky, Lipsiae 1932)* n. 3: 2,16–18 || n. 5: 31,9sq. || n. 11: 12,3sq.; 14,16; 64,1sq.15sq.; 72,10 || n. 12: 17,7–9; 59,11sq. || n. 13: 15,4sq. || n. 14: 15,12; 25,2 || n. 15: 17,17sq.; 24,18; 32,19; 40,10–12; 72,5sq. || n. 16: 2,17; 39,10 || n. 20: 2,16–18 || n. 21: 2,16–18; 17,7–9 || n. 24: 56,2; 59,13sq. || n. 24sq.: 67,9sq. || n. 27: 10,7–9; 38,8sq. || n. 30: 17,17sq.; 26,1; 31,11 || n. 32: 26,1 || n. 34: 45,9sq. || n. 35: 49,3–7 || n. 37: 24,18; 64,1sq.; 65,8–10 || n. 40: 64,15–17 || n. 41: 43,5sq. || n. 42: 8,20–22; 71,11sq. || n. 43: 8,19 || n. 46: 8,19; 55,2.9sq.; 56,2 || n. 47: 9,19–21; 10,7–9; 13,11sq.; 27,24sq.; 54,8 || n. 50: 65,10sq. || n. 55: 30,6

Compendium *(h XI 3, edd. B. Decker † et C. Bormann, Hamburgi 1964)* 1 n. 2: 2,16–18 || 2 n. 4: 38,7sq.; 54,1 || 3 n. 6: 37,1–3 || 7 n. 19: 38,11 || n. 21: 57, 19sq. || 10 n. 29: 48,12sq.; 50,8–11; 68,4sq. || n. 30: 50,8–11 || nn. 30–33: 9,24 || n. 32: 17,10sq. || 13 n. 43: 23,14sq. || Epil. n. 45: 7,7sq.; 16,4–10; 48,12sq. || n. 47: 17,20sq.; 32,25; 72,6sq.

Complementum theologicum *(Opera vol. II 2, ed. Faber Stapulensis, Parisiis 1514 [= p]; Frankfurt ²1962)* 1: 11,1 || 2: 18,1sq.; 43,30 || 3: 15,9sq. || 11: 40,10–16

Cribratio Alchoran *(p I)* I n. 5sq.: 38,8sq. || 13 n. 61: 34,4–6 || II 1 n. 88: 31,9; 41,1–8 || 3 n. 94: 17,10sq. || 4 n. 98: 72,6sq. || 5 n. 100: 47,1sq.; 48,1–3; 50,8–11; 51,13–15 || 6 n. 102: 38,11 || 7 n. 104sq.: 6,16–18 || n. 105: 49,6 || 9 n. 110: 65, 10sq. || 16 n. 133: 72,10sq. || n. 137: 33,12 || 18 n. 149: 38,5sq.

De aequalitate *(p II 1)* fol. 15v,23–25: 60,9 || fol. 15v–16r: 15,1sq. || 19r,12–15: 58,4 || fol. 20r,13: 11,1

De apice theoriae *(h XIII, edd. R. Klibansky, J. G. Senger, Hamburgi 1974)* n. 2: 40,10–12 || n. 4: 5,4–6 || n. 4sq.: 14,5 || n. 6: 29,2–4 || n. 8: 49,18sq. || n. 9: 11,10sq.; 72,6sq. || n. 10sq.: 15,1–4 || n. 14: 42,20sq.; 72,6sq. || n. 15: 29,14–17; 48,12sq.; 49,18 || n. 16: 2,16–18 || n. 18: 5,4–6 || n. 21sq.: 29,14–17 || n. 24: 8,11sq. || n. 26: 48,1–3 || n. 28: 48,12sq.

15,12; 63,5sq. || 3 n. 9 : 10,7–9; 11,6sq.; 42,3–8 || 3sq. nn. 9sqq. : 43,5sq. || n. 10 : 27,20; 43,15–19 || 4 n. 11 : 7,7sq.; 9,18sq.23–25; 24,12sq.; 38,10; 40,10–12; 59,13 || n. 12 : 9,19sq.; 13,13–16; 15,12; 17,7–9; 52,13–16 || 5 n. 14 : 7,7sq.; 46,3sq.5 || 6 n. 15 : 3,8–10 || n. 15sq. : 27,20 || n. 17 : 25,9sq. || 7–10 nn. 18sqq. : 44,7–10 || 7 n. 18 : 59,11sq.; 63,2sq. || n. 21 : 6,17 || 8sq. nn. 22sqq. : 49,18–25 || 8 n. 22sq. : 9,24 || n. 22 : 14,14–16 || 9 n. 25 : 49,3–7 || 10 n. 27 : 17,3–9; 38,8sq. || n. 29 : 11,10sq.; 18,3; 32,7 || 11 n. 30 : 2,3–11; 56,3; 58,2–6; 72,11 || n. 31 : 11,10sq.; 43,26–28; 44,3–5; 54,5sq.; 62,14sq. || n. 31sq. : 44,1sq. || n. 32 : 44,5sq.; 54,3–5 || 12 n. 33 : 11,10sq.; 25,2; 32,7 || 13–15 nn. 35sqq. : 24,13–21; 59,4–7 || 14 n. 37 : 15,12 || n. 38 : 43,2sq. || n. 39 : 53,10–14 || 16 n. 42 : 7,3–7 || n. 43 : 8,19; 12,7; 55,2.9sq.; 56,2; 66,2–4 || n. 45 : 9,19–21; 13,11sq.; 67,9sq. || n. 46 : 42,11 || 17 n. 48 : 22,1–3; 25,3sq. || n. 49 : 24,19 || n. 50 : 16,10; 25,3sq. || n. 51 : 18,3; 68,16–18 || 18 n. 54 : 13,11sq. || 19sq. nn. 55sqq. : 44,7–10 || 19 n. 57 : 38,10; 45,9sq. || n. 58 : 69,10sq. || 20 n. 60 : 44,17–20 || 21 n. 64 : 12,19; 16,13; 68,4sq. || n. 65 : 13,11sq.; 16,13 || 23 n. 70 : 6,2sq.; 14,16; 65,3sq. || n. 71 : 8,19 || n. 72 : 20,5–7; 22,1–3; 28,9 || n. 73 : 14,16 || 24–26 nn. 74sqq. : 14,5–8 || 24 n. 75 : 26,9–11 || n. 77 : 10,9; 32,7; 69,1sq. || n. 78 : 66,2–4 || n. 79 : 11,10sq.; 29,4–6 || n. 80 : 9,24; 34,4–6 || 26 nn. 86sqq. : 66,2–4 || n. 87 : 20,5–7; 41,7sq. || n. 89 : 15,5sq. || II Prol. n. 90 : 30,7; 38,13sq.; 43,5sq. || 1 n. 92 : 60,6 || n. 93 : 39,10 || n. 95sq. : 9,10–12 || n. 97 : 6,8sq.; 7,7sq.; 28,2sq. || 2 n. 101 : 8,19; 28,6sq. || n. 102 : 10,7–9; 30,1sq. || 3 nn. 105sqq. : 8,20–22 || 3–5 nn. 105sqq. : 12,5sq. || n. 105 : 19,22–24; 22,5; 50,4–6 || n. 106 : 20,5–7 || n. 107 : 27,10–12 || n. 110 : 57,19sq. || 4 n. 113 : 20,3; 56,3 || n. 114 : 6,3–5; 10,7–9; 27,20 || n. 115 : 68,18–69,2 || n. 116 : 6,10 || 5 n. 117 : 16,10 || 7 n. 127 : 50,6sq. || n. 129 : 9,24; 22,4; 27,20; 59,19 || n. 130 : 6,7; 47,4sq. || n. 131 : 47,9–12 || 8 nn. 132sqq. : 28,1–4 || n. 132 : 28,2sq. || n. 136 : 28,6 || n. 138 : 6,10 || n. 140 : 10,9 || 9 nn. 141sqq. : 12,14–16 || n. 141 : 6,10–12; 68,5sq. || n. 145 : 12,14–16 || n. 147 : 6,3–5 || n. 148 : 22,1–3; 24,13–21; 38,8sq. || n. 149 : 13,4–6; 22,1–3 || n. 150 : 12,19 || 10 n. 153 : 23,9 || 11 n. 157 : 60,6 || 12 n. 163 : 74,4sq. || 13 n. 179 : 8,19; 32,20 || n. 179sq. : 32,16–24 || n. 180 : 15,5sq.; 30,1sq.; 38,4sq. || III 1sq. nn. 182sqq. : 69,11sq. || 1 n. 185 : 8,12sq. || 2 n. 190 : 8,5sq.; 16,13 || 3 n. 200 : 9,23–25 || 5 n. 209 : 6,10 || n. 211 : 57,15 || n. 213 : 49,24 || 6 n. 215 : 3,4sq. || 219 : 33,1–3 || 7 n. 226 : 43,29 || 9 n. 236sq. : 32,19 || n. 236 : 15,7–9; 35,4–6 || n. 238 : 32,5; 38,14–16 || 10 n. 241 : 38,7sq. || 11 n. 244 : 32,9sq. || n. 245 : 31,9sq.; 33,10sq.; 36,2; 39,10; 63,5sq.; 64,19; 71,11 || n. 246 : 15,5sq. || 247 : 39,10 || n. 248 : 32,20; 33,1–3; 36,2.3–7 || n. 249 : 36,3–7 || n. 250 : 32,19sq.; 33,1sq. || n. 252 : 32,3–7; 32,7 || n. 254 : 16,13 || n. 255 : 39,6sq. || n. 256 : 32,5 || n. 257 : 33,2sq. || Epist. auct. n. 264 : 32,5

De filiatione dei *(h IV, ed. P. Wilpert, Hamburgi 1959)* 1 n. 52 : 38,1–8 || n. 54 : 25,2; 40,16 || 2 n. 55 : 25,2 || n. 56 : 31,11sq.; 69,12 || n. 57 : 11,10sq. || n. 61 : 25,2 || 3 n. 62 : 38,5sq.; 39,8; 40,16; 66,3 || n. 64 : 56,3; 62,3sq. || n.

XCIV *(p II 1)* fol. 75r,18–20 : 38,5sq.
CXXXIII *(CT I 2/5, ed. J. Koch)* n. 1 : 51,13–15 || n. 2 : 49,3–7
CXXXIV *(CT I 2/5, ed. J. Koch)* n. 6 : 6,17; 28,6sq.
CLXI *(p II 1)* fol. 88r,42 : 12,19
CLXII *(p II 1)* fol. 90r,32–35.42–44 : 33,1–5
CLXV *(p II 1)* fol. 91v,1 : 48,4 || fol. 91v,32–34 : 32,24sq. || fol. 91v–92r : 35,3sq. || fol. 92r,6sq. : 32,24sq. || fol. 92r,14–16 : 33,1–3
CLXVI *(p II 1)* fol. 93r,27–32 : 33,1–3 || fol. 93v,9sq. : 31,10
CLXXII *(p II 1)* fol. 103r,6sq. : 33,2sq.
CLXXIX *(p II 1)* fol. 103r,28–43 : 36,3–7
CXCIV *(CT I 6, edd. J. Koch, H. Teske)* n. 10 : 32,21 || n. 11 : 55,2.9sq.
CCVIII *(p II 1)* fol. 123r,7–9 : 33,3 || fol. 123r,33–37 : 38,14–16
CCXIII *(CT I 2/5, ed. J. Koch)* n. 4 : 6,3–5 || n. 14 : 33,1sq. || n. 15 : 6,17sq. || n. 16: 56,2 || n. 17: 13,4–6; 55,19–27; 64,1sq. || n. 19: 16,10; 56,2 || n. 27: 39,8
CCXXIV *(p II 1)* fol. 132v,34 : 43,21
CCXXX *(p II 1)* fol. 134r,44sq. : 12,19 || fol. 134v,25sqq. : 50,8–11 || fol. 135r,8sqq. : 49,16–23
CCXXXIV *(p II 1)* fol. 135v–136r : 35,3sq.
CCXXXVII *(p II 1)* fol. 137v,23sq. : 33,3–5
CCXL *(p II 1)* fol. 139v,41 : 6,3–5 || fol. 140r,1 : 65,11sq.
CCXLIII *(p II 1)* fol. 146r,16sqq. : 23,13–20 || fol. 147r,5–8 : 34,8sq. || fol. 147r,11–18 : 38,5–11
CCXLVIII *(p. II 1)* fol. 150r,22–25 : 58,4
CCLIII *(p II 1)* fol. 184r,4sqq. : 35,3sq.
CCLIV *(p II 1)* fol. 154r,41.44–46 : 38,14–16 || fol. 155r,32sqq. : 34,8sq.
CCLXV 1 *(p II 1)* fol. 167r,20–26 : 32,1–7 || fol. 167v,7sq.24sq. : 46,15
CCLXVIII *(p II 1)* fol. 171v,14–16 : 33,3sq.
CCLXXI *(CT I 2/5, ed. J. Koch)* n. 33 : 33,1–3; 39,8
CCLXXIX *(p II 1)* fol. 183r,8sq. : 40,14 || fol. 183r,19–21 : 49,1–3 || fol. 183r,21–24: 49,18–25 || fol. 183r,39–46 : 32,3–7
CCLXXXII *(p II 1)* fol. 185r,16–18 : 12,14–16 || fol. 185v,20–22 : 18,8–12
CCLXXXVI *(p II 1)* fol. 188v–189r : 3,4sq. || fol. 189r,23–25 : 38,5–9
CCLXXXVII *(p II 1)* fol. 188r,41–43 : 72,10sq. || fol. 188rv : 32,1–7
CCLXXXIX *(p II 1)* fol. 190r,21sq. : 9,9–17

PETRUS LOMBARDUS
Libri IV Sententiarum *(edd. PP. Collegii S. Bonaventurae, Ad Claras Aquas ²1916)* II d. 1 c. 1 : 28,1–4

PLATO *(Opera, rec. I. Burnet, Oxonii 1900–1907, ²1950–1952)*
Epistula VII : 60,3–9
Leges X 8 : 11,1sq.
Parmenides 142 : 66,2–4

Phaedrus 246 d : 10,12.18
Philebus 30 ab : 12,17
Res publica IV 436 c–e : 18,7sq. || VI : 11,1sq. || VII 2sq. : 11,1sq.
Timaeus 28 b : 28,1–4 || 34 csq. : 12,17 || 53 c 4sqq. : 44,17–19

PROCLUS
Commentarius in Platonis Parmenidem *(Opera, ed. V. Cousin, Parisiis 1864; cf. etiam cod. Argent. 84)* VI : 9,21 || VIsq. : 20,9–11 || VI : 21,7; 46,3–5
Commentarii in Parmenidem pars ultima adhuc inedita [VII] *(edd. R. Klibansky, C. Labowsky, Corpus Platonicum Medii Aevi, Plato Latinus vol. III, Londini 1953, p. 26–76)* : 10,1–5; 11,10sq.; 13,13–16; 54,7sqq.; 56,2.16; 60,3–9; 64,12; 65,11–13 || apparat. font. p. 97 : 13,13–16
Elementatio theologica *(ed. C. Vansteenkiste, Tijdschrift voor Philosophie 13 [1951]; cf. etiam E. R. Dodds, Oxonii 1963)* prop. 20 : 3,4sq. || prop. 92 : 9,21 || prop. 117 : 9,21 || prop. 127 : 64,7sq.
In Platonis theologiam *(ed. Ae. Portus, Hamburgi 1618)* I 24 : 21,3sq. || II 1 : 46,8sq.; 64,7sq. || 4 : 21,3sq.

PSEUDO-BEDA
Commentarius in librum Boethii De trinitate *(PL 95, col. 391–411)* : 11,10sq.; 41,2.7; 44,7–10; 49,10sq.18sq.; 49,11–13; 64,3; 66,2–4

RAYMUNDUS LULLUS
Arbor philosophiae amoris *(Excerptum Nicolai cod. Cus. 83)* fol. 157^{r},29–31 : 17,17sq.
Ars mixtiva theologiae et philosophiae *(Excerptum Nicolai cod. Cus. 83)* 94^{v},2sq.7sq. : 11,6sq.
Declaratio Raymundi *(ed. O. Keicher, BGPhMA VII 4/5, 1909, p. 95–221)* : 17,17sq.
Liber de inquisitione veri et boni in omni materia *(Excerptum Nicolai cod. Cus. 83)* fol. 100^{r},53 : 20,5–7 || fol. 100^{r},72sq. : 9,21

RICHARDUS DE S. VICTORE
Benjamin Minor *(PL 196, col. 1–64)* 79sq. : 31,12
De gradibus caritatis *(ibid. col. 1195–1208)* : 56,12
De trinitate *(ibid. col. 887–992)* IV 9 : 49,6 || 15 : 49,8–13

ROGERUS BACO
Compendium studii philosophiae *(ed. J. S. Brewer, Fr. Rogeri Bacon opera quaedam hactenus inedita, vol. I, Londini 1859, ^{2}1965, p. 391–519)* I : 62,11

SYMBOLUM conc. Toletani I : 49,7

SYMBOLUM conc. Toletani XI : 49,6; 50,6sq.

SYMBOLUM CONSTANTINOPOLITANUM : 38,4sq.

In librum beati Dionysii De divinis nominibus expositio *(ed. C. Pera, Taurini 1950)* c. 1 lect. 1 : 41,4–7 || lect. 3 : 56,16 || c. 2 lect. 1 : 49,18–23 || lect. 6 : 8,12sq. || c. 3 lect. un. : 32,21; 40,17sq.; 43,11sq.;18sq. || c. 4 lect. 4 : 38,1 || lect. 9 : 38,16 || lect. 10 : 8,12sq. || c. 5 lect. 2 : 41,7sq. || c. 7 lect. 4 : 41,7sq. || c. 13 lect. 3 : 50,6sq.

Summa contra gentiles *(ed. Leonina tom. XIII–XV, Romae 1918–1930)* II 15 : 64,16sq.

Summa theologiae *(ed. Leonina tom. IV–XII, Romae 1888–1906)* I q. 2 a. 3 : 21,5sq. || q. 13 a. 4 : 64,16sq. || a. 5 : 64,16sq. || q. 28 a. 4 : 69,6–8 || q. 115 a. 4 : 23,5 || II/II q. 180 a. 5 : 43,29

NICOLAI DE CUSA OPERA OMNIA

NICOLAI DE CUSA
OPERA OMNIA

IUSSU ET AUCTORITATE
ACADEMIAE LITTERARUM
HEIDELBERGENSIS

AD CODICUM FIDEM EDITA

VOLUMEN XI 3

HAMBURGI
IN AEDIBUS FELICIS MEINER

MCMLXIV

NICOLAI DE CUSA
COMPENDIUM

EDIDIT

BRUNO DECKER †

cuius post mortem
curavit

CAROLUS BORMANN

HAMBURGI

IN AEDIBUS FELICIS MEINER

MCMLXIV

IMPRESSA SUNT GLÜCKSTADT: J.J. AUGUSTIN
IMPRESSUM ADJUVANTE
SOCIETATE STUDIORUM PROVEHENDORUM GERMANICA
Printed in Germany

TABULA

PRAEFATIO EDITORIS

Praefatio editoris

I. Quo tempore scriptum et cui missum sit compendium

Quo tempore Nicolaus de Cusa Compendium, quod hoc volumine in lucem proferimus, scripserit, haud certo scimus, id autem a Nicolao aetate extrema exaratum esse manifestum est propterea, quod dialogus De ludo globi, qui anno 1463 vel 1464 compositus est, hic (n. 37,11) laudatur. Accedit, quod deus in opusculo nobis recensendo praecipue 'posse' vel 'ipsum posse' nominatur (cf. n. 29,5 sqq.; n. 45,5 sqq.), quo nomine divino Nicolaus in dialogo De apice theoriae, quem ineunte anni 1464 aestate elaboravit, tamquam omnium verborum, quibus dei notionem exprimebat, ultimo usus est. Compendium igitur ultimo aetatis biennio, ne dicam postremo aetatis anno a Nicolao confectum esse veri simillimum est. Huic congruit, quod I. Uebinger[1]) Compendium post Kalendas Apriles (1.4.) anni 1464 exaratum esse arbitratus est et E. Vansteenberghe[2]) Compendium mense Novembri vel Decembri anni 1463 scriptum esse autumat.

Petro Wymari de Ercklentz, qui ex anno 1449 Nicolai famulus videtur fuisse atque anno 1464 ad ordinem sacerdotalem promotus est, Compendium missum esse Fr. A. Scharpff[3]) putavit, quia verba: "cum sis simplex" (n. 25,2) Petro cardinalis secretario valde accommodata sunt. I. A. Fabricius[4]) autem censet Compendium missum esse ei, quem Nicolaus in secundo libro dialogi De ludo globi disputantem inducit, Alberto scilicet, "quondam Alberti comitis

---

[1]) I. Uebinger, Die Gotteslehre des Nikolaus Cusanus, München-Paderborn 1888 p. 136 n. 6.

[2]) E. Vansteenberghe, Le cardinal Nicolas de Cues, Paris 1920 p. 276.

[3]) Fr. A. Scharpff, Der Cardinal und Bischof Nikolaus v. Cues als Reformator in Kirche, Reich und Philosophie, Tübingen 1871, p. 217.

[4]) I. A. Fabricius, Bibliotheca latina mediae et infimae aetatis, Florentiae 1858 vol. I p. 405.

Palatini Rheni ac superioris et inferioris Bavariae ducis filio" (cf. quae Albertus iunior in libro peregrinorum hospitii Sanctae Mariae de Anima in Urbe [n. 47] scripsit), quod etiam Ioanni Uebinger[5]) magis placet quam opinio Francisci A. Scharpff.

II. Descriptio codicum

Compendium Nicolai de Cusa duobus tantum codicibus integrum continetur. Tertio codice caput octavum memoriae proditum est. De codicibus haec praemittenda esse videbantur.

Cu = codex Cusanus 219, de quo vide praef. vol. VII p. XIV–XVI, ubi sigillo C signatus est; vol. XI I p. X, exhibet foliis 163^r–169^v Compendium. Codicem una cum codice Cus. 218 Nicolaus ipse domi suae conscribendum ultimis aetatis annis curavit.

Ma = codex bibliothecae gymnasii cathedralis Magdeburgensis 166 (Domgymnasium Magdeburg), nunc in bibliotheca civitatis Germaniae (Deutsche Staatsbibliothek, Berlin) asservatus, de quo vide praef. vol. IV p. XXI–XXII; vol. XI I p. XI–XIII, continet Compendium foliis 510^r–515^v, 517^r–521^v. Folium 516^r continet haec: 1) lin. 1–6: Magistri Echardi Expositionis s. evangelii sec. Ioannem n. 13[6]), 2) in reliqua paginae parte: "Nota quod quando...." Hic incipiunt pauca quae eo loco exstant e capite 4 et 5 libelli De complementis theologicis Nicolai de Cusa (ed. Parisina fol. 94^v lin. 30–95^r lin. 12). Nonnullae vero sententiae in angustum coactae vel inverso verborum ordine positae sunt. Folium 516^v litteris caret. Folio 515^v extremo verba, quibus Compendium f. 517^r continuatur: "ne perdat eam, in mappam redigit" post ultimum versum custodis qui vocatur causa scripta sunt, et adiuncta est nota librarii: "hic non est defectus sed obmissum fuit hoc folium." Quo casu evenerit, ut pauca e capite 4 et 5 libelli De theologicis complementis, cuius verba integra in hoc codice desiderantur, Compendio insererentur, nescimus. Compendium in codice Ma eadem manu scriptum est atque liber De beryllo, qui exstat foliis 435^r–450^v (cf. vol. IV p.

5) I. Uebinger, Die philosophischen Schriften des Nikolaus Cusanus, Zeitschrift für Philosophie und philosophische Kritik 107 (1896) p. 98.

6) LW III, 12, 13–17.

XXI), de quo Ludovicus Baur[7]) dicit: "Ma permultis ab his (scilicet Cu et Mn codicibus) differt variis lectionibus, verborum commutationibus, verborum defectu, mendis, pluries etiam additione verborum."

I = codex Islebiensis 960 (Turmbibliothek St. Andreas, Eisleben), de quo vide praef. vol. I p. VI; vol. IV p. XVI–XVIII, exhibet inter excerpta mystica folio 189ᵛ Compendii caput octavum.

III. De libelli memoria

Codices Cu et Ma alterum ex altero non esse derivatos facile demonstrari potest.

1. Codex Ma e codice Cu non exscriptus est, quia in Ma inveniuntur verba, quae in Cu desiderantur. Ad id probandum hos locos afferimus:

n. *13*,12 et: per speciem seu signum *add.*
17,7 notarum: melodiarum metrorum *add.*
21,10 ad: illum *add.*
23,3 proportionabiliter: proportionatam *add.*
26,4 addit: artes atque *add.*
32,10 Aequalitas: igitur *add.*
32,11 videtur: Et in auditu in specie soni auditur et *add.*
34,16 sublata: foret *add.*
34,17 rei: ad intellectum aut aequatio rei *add.*
35,4 similitudo: intelligentiae *add.*
41,3 similitudine: obiecti *add.*
45,2 quam: beatus *add.*

Praeterea, si finxeris codicem Ma e codice Cu exscriptum esse, non poteris intellegere, cur illius codicis librarius verba perpulchre scripta et clara commutaverit. Has vero verborum commutationes hic notare placet:

n. *8*,7 mittit: intelligit
17,8 novem: nomen
22,19 relationes: revelationes

---

7) L. Baur, vol. XI, I p. XIV.

23,10 signatum: figuratum
25,2 facilia: felicia
25,7 sunt: fiunt
34,19 nihil: non
45,15 quoniam (qm̄): quando
46,14 posse: esse

2. Inde apparet ne codicem Cu quidem e codice Ma esse exscriptum. Quod confirmatur eo, quod in Cu legimus verba, quae in Ma desiderantur. Exempli causa liceat hos locos afferre:

n. *3*,8 Requirit autem perfectum esse alicuius rei ut cognoscere possit *om.*
10,5 sine *om.*
14,15 et dissimiles speciebus dissimilitudinis et coloris *om.* (*hom.*)
16,3 signorum: *om.*
17,3 ut coloratorum *om.* (*hom.*)
19,20 et generaliter facientis factio et factum verbum est *om.* (*hom.*)
30,5 unum *om.*
47,4 quemadmodum se sensibili *om.* (*hom.*)

Si dicas codicem Cu e codice Ma pendere, intellegi non potest, qua de causa illius codicis librarius verba, quibus Ma abundat, non exscripserit, quod ex locis supra p. XI allatis apparet.

Ex his omnibus concludendum est codices Cu et Ma alterum ex altero non pendere. Sed non est praetermittendum in eis menda quaedam, etsi perpauca, inesse. His enim locis desunt verba, quae in editione Parisina (p) suppleta sunt:

n. *8*,15 *ante* quod *desideratur aliquod verbum; unde* consentaneum fuit ut *pro* quod *in p habetur.*
25,12 in *p om.*

Cum codices alter ex altero non pendeant, menda eis communia non neglegentia scribarum orta esse, sed iam in ipso Nicolai autographo, ex quo verba Compendii in Cu et alios huius codicis libellos constat esse transcriptos (cf. vol. VII p. XV), fuisse licet suspicari. Nicolaus ipse alia quidem opera, quae codice Cu continentur, correxit (cf. vol. VII p. XV–XVI; vol. XI I apparatus lectionum variantium p. 3,6.10; 10,20; 25,13; 29,14; 30,11.12; 32,27; 33,22; 36,15.16; 40,23; 43,28; 44,1.1/2.14.17; 45,17; 48,7; 49,20), in Compendio fortasse unum verbum (n. 8,7 lineam) eius manu suprascriptum est.

Si codices Cu et Ma cum capite octavo, quod in codice I restat, comparamus, videmus Ma artius quam I cum Cu cohaerere; quod manifesto apparet, si verborum copiam respicias, cum Ma et I his verbis abundent:

n. *22*,8 calore: et *add. I*
23,3 proportionaliter: proportionatam *add. Ma*
24,15 dulcissime: speculator seu *add. I*

Haec autem verba in codice I omissa sunt:

n. *22*,19 semper *om.*
23,2 eam *om.*
23,5 eorum *om.*
23,10 mente *om.*

Sed etiam quod ad ordinem verborum mutatum attinet, codex I magis quam Ma distat a Cu, nam verborum ordo hoc modo mutatus est:

n. *22*,12 remansit clausa *transp. Ma*

n. *22*,20 facere veriorem *transp. I*
23,1 civitate sua *transp. I*
24,10 ipsa facie et speculo: ipso speculo et facie *transp. I*
24,15 pergit dulcissime *transp. I*

Commutata sunt verba in codice Ma totiens quotiens in I, ut hac ratione diiudicari non possit uter magis a Cu distet. Notamus haec:

n. *22*,4 quas: quam *Ma*
22,17 contineret: continet *Ma*
22,19 relationes: revelationes *Ma*
23,4 clauditque: claudit quoque *Ma*

n. *23*,9 se: semet *I*
23,9 cosmographo: -graphus *I*
23,10 contemplando *in* contemplans *mut. I*
23,11 speculatione: contemplatione *I*

23,5 internum: intrim *Ma*
23,10 signatum: figuratum *Ma*
23,12 portas: portam *Ma*
24,9 incorporatur: incorporabitur *Ma*
23,16 igitur: ergo *I*
23,17 simpliciaque: simplicia *I*
24,1 quomodo: quoniam *I*
24,13 productis: productus *I*

Commutationibus verborum exceptis patet ex his omnibus codicem Ma cognatione artiore quam I cum codice Cu coniunctum esse. Codicem Cu fundamentum recensionis nostrae elegimus, cum non habeat menda propria nisi haec:

1) Verba falso scripta: n. 2,9; 39,9; 40,15; 41,1.2.3.5 diaphan.: diaphon.; n. 10, 1.2 coloris: caloris.

2) Verba socordia librarii repetita: n. 14,15 *post* dissimiles *repet.* speciebus similitudinis et coloris et dissimiles.

3) Verba omissa, partim manifeste praetermissa: n. 15,6 et aliud etiam sex litterarum *om.* (*hom.*); 30,9 quibus *om.*; partim vero fortasse omissa, quae in Ma scripta legimus: n. 5,8 cum fletu *om.*; 32,11 et in auditu in specie soni auditur et *om.*; 34,17 ad intellectum aut aequatio rei *om.* (*hom.*).

4) Verba commutata: n. 19,20 factio *p*: et facti (desideratur in Ma homoioteleuti causa).

Codex vero Ma plurima manifesta vitia propria habet, quae praeter illa, quae iam supra p. XI–XIV notavimus, haec sunt:

n. *1*,7 seu: sed
6,9 synonymis: serimonijs
19,5 varietatem: veritatem
19,6 quando: quoniam
19,26 citius: sciens
21,5 nolens: volens
25,4 partes$_1$: portas
38,4 nonne: nomine
44,2 nos: non
45,9 sive: sine

In verbis igitur constituendis codicem Cu secuti sumus exceptis iis locis, quibus verba a Cu manifesto vel fortasse praetermissa in Ma memoriae traduntur.

IV. De libris, qui typis vulgati sunt

Compendium in libris, qui anno 1488 Argentorati (a), 1502 Mediolani (m), 1514 Parisiis (p), 1565 Basileae (b) typis mandati sunt, hoc modo inest:

a	m	p	b
p. 442–453	f. 321^r–329^v	I f. 169^r–174^r	p. 239–249

Non est cur repetamus, quae de nexu harum veterum editionum inter se et cum fonte communi, qui sunt codices C et Cu, iam vol. I p. X–XI; vol. II p. VII; vol. IV p. XLVII–XLVIII; vol. V p. XVII–XIX; vol. VII p. XXIX–XXXI – stemmatibus illustrata – dicta sunt. Cum certum sit Compendii verba in illis libris typis vulgatis tradita e codice Cu dependere, lectiones variae illic occurrentes non notabuntur exceptis iis verbis quae in Cu praetermissa in p suppleta sunt (cf. supra p. XII).

V. De ratione edendi

Cum libellus qui inscribitur Compendium in duobus tantum codicibus manu scriptis integer memoriae proditus sit, in apparatu insunt omnes lectiones variantes praeter verba a librario manifesto depravata et bis scripta et inverso ordine posita, etiamsi in praefatione notata sunt. Quae emendata sunt non insunt in apparatu nisi quid momenti habere videbantur. Quae ad solam formulam rationemque scribendi pertinent, non notabuntur. De ceteris, quae ad rationem edendi pertinent, videas, quae a Paulo Wilpert in praef. vol. IV p. L–LI dicta sunt.

Cum post immaturam editoris mortem Compendium, cuius tres partes iam typis erant impressae, suscepi curandum, praefationem fontiumque apparatum, ne auctoris proposita perturbarem, non putavi mutanda, codices iterum contuli, indices addidi. Gratias ago omnibus, qui me adiuverunt, imprimis Iosepho Koch, Paulo Wilpert, Gerardo Senger.

C. Bormann

INDEX SIGLORUM

AHDLM = Archives d'histoire doctrinale et littéraire du moyen âge, Paris 1926 sqq.

BB = Beiträge zur Geschichte der Philosophie und Theologie des Mittelalters (Begründet von Cl. Baeumker), Münster 1891 sqq.

CSEL = Corpus scriptorum ecclesiasticorum Latinorum, ed. Academia litterarum caesarea Vindobonensis, Vindobonae 1866 sqq.

CT = Cusanus-Texte (Sitzungsberichte der Heidelberger Akademie der Wissenschaften, Philosophisch-historische Klasse), Heidelberg 1929 sqq.

DW = Meister Eckhart, Die deutschen Werke, Stuttgart – Berlin 1936 sqq.

LW = Meister Eckhart, Die lateinischen Werke, Stuttgart–Berlin 1936 sqq.

PG = Patrologiae cursus completus, series Graeca, accurante I. P. Migne, Paris 1857 sqq.

PL = Patrologiae cursus completus, series Latina, accurante I. P. Migne, Paris 1844 sqq.

CONSPECTUS CODICUM

Cu = cod. Cusanus 219
I = cod. Islebiensis 960
Ma = cod. Magdeburgensis 166

CONSPECTUS EDITIONUM

a	= editio Argentoratensis	Argentorati, ap. Martinum Flach 1488
b	= editio Basiliensis	Basileae, ap. Henricum Petri 1565
m	= editio Mediolanensis (quae vocatur)	in marchionis Pallavicini castello, quod Castrum Laurum (Cortemaggiore) vocatur, per Benedictum Dolcibellum 1502
p	= editio Parisina	Parisiis, ap. Iod. Badium Ascensium 1514

COMPENDIUM

1

Compendium

Ed. Paris. I fol. 169r

Capitulum I

Accipe breve Compendium continens circa quae consideratio tua versari debeat. Si proficere cupis, primo firma id verum, quod sana
5 mens omnium hominum attestatur, puta singulare non est plurale nec unum multa; ideo unum in multis non potest esse singulariter seu uti in se est, sed modo multis communicabili. Deinde negari nequit, quin prius natura res sit quam sit cognoscibilis. Igitur essendi modum neque sensus neque imaginatio neque intellectus attingit,
10 cum haec omnia praecedat. Sed omnia, quae attinguntur quocumque cognoscendi modo, illum priorem essendi modum tantum significant. Et hinc non sunt ipsa res, sed similitudines, species aut signa eius. Igitur de essendi modo non est scientia, licet modum talem esse certissime videatur.

2 Habemus igitur visum mentalem intuentem in id, quod est prius omni cognitione. Quare qui id, quod sic videt, in cognitione reperire satagit, se frustra fatigat, sicut qui colorem solum visibilem etiam manu tangere niteretur. Habet se igitur visus mentis ad illum essendi
5 modum quasi ut visus sensibilis ad lucem, quam certissime esse

---

1 1) Compendium *om. Ma* 4) debet *Ma* 4) primum *Ma* 5) est: esse *Ma* 7) seu: sed *Ma* 7) communicabile *Ma*
2 1) in *suprascr. Cu*[2]

---

1 4) *cf. De docta ign. I 1 (I 5,13); De mente 15 (V 114,19–22); De ven. sap. 15 (I f. 206v).* 5–7) *cf. De ven. sap. 22–23 (I f. 210rv).* 7) *cf. 8,13.* 8) *cf.* THOMAS *De ver. q. 1 a. 1:* entitas rei praecedit rationem veritatis. 8) *De 'essendi modo' cf. De docta ign. II 7. 9. 12 (I 84,1–20; 91,18–23; 94,6; 109,2.4); De coni. II 9 (III n. 118–119); De beryllo 23 (XI 1 28,8); De princ. n. 39 (II 1 f. 11r); Dir. spec. 21 (XIII 51,12); De ven. sap. 26 (I f. 212r); De ap. theor. (I f. 220v).* 13) *cf. De docta ign. I 3; II prol. (I 9,24; 59,10–12); De coni. I 11; II 5 (III n. 55.97); De deo absc. (IV n. 5,11–14); De quaer. deum 5 (IV n. 49,20–22); Apol. (II 28,6–23); De ven. sap. 12. 29 (I f. 205rv. 213v).*
2 4) *cf. n. 34,5.*

videt et non cognoscit. Praecedit enim omnia, quae visu tali cognosci possunt. Illa etiam, quae per ipsum cognoscuntur, signa sunt ipsius lucis. Colores enim, qui visu cognoscuntur, signa sunt et termini lucis in diaphano. Ponas igitur solem patrem esse sensibilis lucis, et in eius similitudine concipe deum patrem rerum lucem omni cogni- 10
tione inaccessibilem, res autem omnes illius lucis splendores, ad quos se habet visus mentis sicut visus sensus ad lucem solis. Et ibi sistas considerationem circa essendi modum omni cognitioni suprapositum.

Capitulum II

3

Res igitur, ut cadit in notitia, in signis deprehenditur. Oportet igitur, ut varios cognoscendi modos in variis signis quaeras. Nam cum nullum signum adeo sufficienter modum essendi designet, sicut designari potest, si meliori modo, quo fieri potest, ad cognitionem 5
perveniri debet, per varia signa hoc fieri necesse est, ut ex illis melius notitia haberi queat, sicut melius ex quinque sensibilibus signis sensibilis res cognoscitur quam ex uno aut duobus. Requirit autem perfectum esse alicuius rei, ut cognoscere possit, puta cum perfectum animal sine nutrimento vivere nequeat, necesse est, quod 10
cibum suum cognoscat. Qui cum non reperiatur in omni loco, habebit animal necessario modum se movendi de loco ad locum et quaerendi. Ad quae sequitur, quod habeat sensus omnes, ut convenientem cibum visu, auditu, odoratu, gustu tactuque attingat.

Et quoniam animalia eiusdem speciei se mutuo fovent et iuvant, 4
ut melius vivant, oportet, ut speciem suam cognoscant et se mutuo,

---

7) Illam *Ma*

3 6) hoc *om. Ma* 8) Requirit–9) possit *om. Ma* 12–13) et quaerendi: ad quaerendi *Ma* acquirendi *in marg. Ma* 13) omnes *om. Ma*

4 2) ut_2: quod *Ma*

---

7) *cf. De quaer. deum 2 (IV n. 34,5–9); De ven. sap. 6 (I f. 202^v); De ap. theor. (I f. 219^v. 221^r).* 8) *cf. De quaer. deum 2 (IV n. 34,10–13).* ARISTOTELES *De sensu et sensato (3 439 b 11).* 9–12) *cf. De quaer. deum 2 (IV n. 35–37); De ven. sap. 39 (I f. 218^v), ubi allegantur* DIONYSIUS AREOPAGITA *et* GREGORIUS NAZIANZENUS; *De ap. theor. (I f. 219^v).* 10) lucem omni cognitione inaccessibilem: *cf. 1 Tim. 6,16.*

3 9–14) *cf.* THOMAS *S. theol. I q. 78 a. 1; q. 18 a. 3; Comm. in De an. II l. 3 (XXIV 65 a. 66 a).*

4 1–5) *cf. De docta ign. II 12 (I 108,6–12); De ludo globi II (I f. 168^r).*

quantum perfectio speciei deposcit, audiant et intelligant. Gallus enim alia voce convocat gallinas, dum invenit pastum, et alia de 5 milvo, quem ex umbra praesentem percipit, eas avisat, ut fugiant. Et quia nobiliori animali est maior cognitio necessaria, ut bene sit, hinc hominem inter cuncta maximam notitiam habere oportet. Nam sine artibus mechanicis et liberalibus atque moralibus scientiis virtutibusque theologicis bene et feliciter non subsistit. Cum igitur homini 10 cognitio plus ceteris sit necessaria, hinc «omnes homines natura scire desiderant». Quibus traditio doctrinae convenit, ut indoctus a doctiori informetur. Quae cum non nisi per signa fieri possit, ad cognitionem signorum descendamus.

5 Signa omnia sensibilia sunt et aut naturaliter res designant aut ex instituto. Naturaliter, uti signa, | per quae in sensu designatur obiectum. Ex instituto vero, uti vocabula et scripturae et omnia, quae aut auditu aut visu capiuntur et res, prout institutum est, designant. 5 Naturalia signa naturaliter nota sunt sine omni alio doctore, sicut signum designans colorem omnibus videntibus notum est et designans vocem omnibus audientibus – ita de aliis sensibus – et vox laetitiae, ut risus, et tristitiae, uti gemitus cum fletu, et talia. Alia vero *169v*

---

5 2) ut *Ma* 5) omni *om. Ma* 8) cum fletu *om. Cu*

---

3) *cf.* AUGUSTINUS *De doctr. Christ. II 2 n. 3 (PL 34,37).* 8) *De artibus mechanicis cf.* HUGO DE S. VICTORE *Didascalicon II 20 (38,27):* Mechanica septem scientias continet: lanificium, armaturam, navigationem, agriculturam, venationem, medicinam, theatricam; *cf. etiam* ALPHARABIUS *De ortu scientiarum (BB XIX 3 20,23–28);* DOMINICUS GUNDISALVI *De divisione philosophiae (BB IV 2–3 20,11–19);* BONAVENTURA *De reductione artium ad theologiam 2 (V 319a). De septem artibus liberalibus cf.* CASSIODORUS *De artibus ac disciplinis liberalium litterarum (PL 70,1149–1220);* ISIDORUS HISPALENSIS *Etymologiarum sive originum libri I–III;* ADELARDUS BATHENSIS *De eodem et diverso (BB IV 1 89–104);* HUGO DE S. VICTORE *Didascalicon III 3 (52,28–53,8).* 8–9) *Virtutes theologicae sunt fides, spes, caritas; cf. 1 Cor. 13,13.* 10) ARISTOTELES *Met. I (A 1 980 a 21); cf. De sap. I (V 9,19); De ludo globi II (I f. 166r).*

5 1) *Postea n. 10, 10–14; 18, 15; 23,15 loquitur etiam de signo intellectuali.* 1) *cf.* ARISTOTELES *Peri herm. (2. 4 16 a 19. 27; b 26–28);* THOMAS *i.h.l. XX l. 4 n. 6. 11 et l. 6 n. 8 (I 20b. 21b. 32);* AUGUSTINUS *De doctr. Christ. II 1 n. 2 (PL 34,36sq.).* 1–8) *Signa ergo naturalia secundum* NICOLAUM *in primis sunt ea quae hodie nuncupantur 'suppositiva' et 'signa quo', sc. species quibus res cognoscitur (cf. n. 8,17:* speciem seu signum sui), *tum ea quae hodie dicuntur 'manifestativa seu signa quod', quibus homo naturaliter affectiones solet exprimere.* AUGUSTINUS *vero et* THOMAS *signa naturalia non nisi haec intellegunt; cf.* AUGUSTINUS *De doctr. Christ. II 1 n. 1 (PL 34,35) et* THOMAS *Comm. in Peri herm. I l. 2 n. 8 (I 13b).*

signa, quae ad designandum ad placitum sunt instituta, quibus institutio non est nota, non innotescunt nisi arte aut doctrina. Et quoniam necesse est signa omnia, per quae tradi debet notitia, nota esse magistro et discipulo, erit prima doctrina circa talium signorum notitiam. Quae ideo prima, quia sine ipsa nihil tradi potest et in eius perfectione omne, quod tradi potest, includitur.

Capitulum III **6**

Oportet autem ut primos nostros parentes, qui perfecte creati fuerunt, non solum a deo perfectionem naturae, sed et scientiae signorum talium habuisse, per quae sibi mutuo conceptus suos panderent et quam scientiam filiis et posteris tradere possent. Unde pueros, quam cito fari possunt, artis dicendi capaces videmus, quia prima et magis necessaria ad bene essendum scientia. Nec absurdum videtur, si creditur primam humanam dicendi artem adeo fuisse copiosam ex multis synonymis, quod linguae omnes postea divisae in ipsa continebantur. Omnes enim linguae humanae sunt ex prima illa parentis nostri Adae, scilicet hominis, lingua. Et sicut non est lingua, quam homo non intelligat, ita et Adam, qui idem quod homo, nullam, si audiret, ignoraret. Ipse enim vocabula legitur imposuisse. Ideo nullum cuiusque linguae vocabulum ab alio fuit originaliter institutum. Nec de Adam mirandum, cum certum sit dono dei multos linguarum omnium peritiam subito habuisse. Nulla etiam naturalior ars faciliorque est homini quam dicendi, cum illa nullus perfectus homo careat.

7 Neque haesitandum primos parentes etiam artem scribendi vocabula seu designandi habuisse, cum illa humano generi multa conferat adiumenta. Per eam enim praeterita et absentia praesentia fiunt. Unde sicut prima scientia est designandi res in vocabulis, quae aure

---

10) aut: et *Ma*
6 2) perfecti *Ma* 3) adeo *Ma* 6) arte *Ma*

---

6 *et* 7 *cf. De fil. dei 4 (IV n. 74,1–12); De ven. sap. 33 (I f. 215r).*
6 7–13) *cf.* Augustinus *Sermo 266 n. 2 (PL 38,1225):* Unus homo signum erat unitatis; omnes linguae in uno homine; omnes gentes in unitate. 13) *cf. Gen. 2,19.20.* 15) *cf. Act. 2,4–11; De poss. n. 45 (I f. 178v).*

5 percipiuntur, ita est secunda scientia in vocabulorum visibilibus signis, quae oculis obiciuntur. Et haec remotior est a natura, quam tardius pueri assequuntur et non nisi intellectus in ipsis vigere incipiat. Plus igitur habet de intellectu quam prima. Inter naturam igitur et intellectum, qui est creator artium, hae artes cadunt, quarum 10 prima propinquior naturae, secunda propinquior intellectui. Facit autem intellectus in homine in signo sensibili auditus, scilicet sono, artem primam, quia animal suas affectiones in illo signo naturaliter pandere nititur. Unde confusum signum ars dearticulat et variat, ut melius varia desideria communicet. Ita adiuvat naturam. Et quoniam 15 signum illud, in quo haec ars ponitur, prolatione cessat a memoriaque labitur et ad remotos non attingit, remedia intellectus alia arte, scilicet scribendi, addidit et illam in signo sensibili ipsius visus collocavit.

8

Capitulum IV

Considerans autem signa sensibilia quomodo ab obiecto ad sensum perveniunt, reperiet res corporales splendescere actu aut habitu, actu ut lucida, potentia ut colorata. Neque aliqua res corporalis 5 penitus est expers lucis aut coloris, qui ex luce est. Non tamen color, nisi luce iuvetur, splendorem per visum nostrum perceptibilem de se mittit. Splendor autem subito et a remotis valde per rectam lineam proicitur, ad cuius perceptionem sensus visus naturaliter est adaptatus. Sonus vero a remotis orbiculariter se diffundit, ad cuius sensa- 10 tionem sensus auditus creatus est. Vapor vero se minus remote diffundit et odoratu percipitur, tactu vero tangibilia propinquiora et gustu interior sapor. Haec mirabili providentia naturae ad bene esse animalium sic ordinata sunt. Nam cum nulla res, uti in se est, sit multiplicabilis et ad bonum ipsius | esse expediat rerum notitiam *170r*

---

7 15) illud *om. Ma*
8 7) mittit: intelligit *Ma* 7) lineam *suprascr. Cu*[2]

---

7 4–13) *cf.* AUGUSTINUS *De doctr. Christ. II 3 n. 4 (PL 34,37).* 13) *cf.* ARISTOTELES *Pol. I (A 2 1253 a 9–15);* THOMAS *De regno I 1.* 14–18) *cf.* AUGUSTINUS *De doctr. Christ. II 4 n. 5 (PL 34,38);* THOMAS *Comm. in Peri herm. I l. 2 n. 2 (I 11b).*
8 3) *cf.* ARISTOTELES *De an. II (B 7 418 a 31).* 4) *cf.* ARISTOTELES *l. c. (418 b 2).* 5) *cf.* ARISTOTELES *De an. II (B 8 420 a 27).* 13) *cf. n. 1,6; n. 11,9; n. 13,3; n. 31,7.*

haberi, ⟨oportet⟩ quod res, quae per se in notitiam alterius intrare 15
nequeunt, per suas designationes intrent. Quare oportet inter sensibile obiectum et sensum esse medium, per quod obiectum speciem seu signum sui multiplicare possit. Et quoniam haec non nisi praesente obiecto fiunt, nisi haec signa sic possent annotari, quod etiam recedente obiecto remaneant signata, non maneret rerum notitia. 20

In istis igitur signorum designationibus in interiori phantastica **9** virtute manent res designatae, uti vocabula manent in charta scripta prolatione cessante; quae remanentia memoria potest appellari. Sunt igitur signa rerum in phantastica signa signorum in sensibus. Nihil enim est in phantastica, quod prius non fuit in sensu. Ideo 5 caecus a nativitate non habet phantasma coloris et imaginari nequit colorem. Signa igitur sensibilia licet abstractiora sint quam materialia sensibilia, non tamen penitus separata. Ideo et visus aliquantulum coloratus est, sed imaginatio coloris penitus colore caret. Quare signa rerum in imaginatione seu phantastica remotiora sunt a materia 10 et magis formalia, hinc quoad sensibilia minus perfecta et quoad intelligibilia perfectiora.

Non tamen sunt penitus abstracta; nam imaginatio coloris licet **10** nihil habeat qualitatis coloris, tamen non caret omni connotatione, quae sentitur. Nihil enim potest imaginari, quod neque moveatur neque quiescat et quod non sit quantum, scilicet aut magnum aut parvum, licet sit sine terminatione tali, quae in sensibilibus reperitur. 5 Nihil enim adeo parvum esse potest, cuius medietatem imaginatio non attingat, aut adeo magnum, cuius duplum non imaginetur. In omnibus autem perfectis animalibus ad signa illa phantastica, quae

---

15) oportet *(coni. Koch)* quod: consentaneum fuit ut *p*
9 3) remanentia: remansio *Ma*
10 5) sine *om. Ma*

16–18) *cf.* Aristoteles *De an. II (B 7 419 a 17–20).*
9 3) *cf.* Aristoteles *De an. III (Γ 2 425 b 24); De mem. et reminisc. (1 450 a 25–32).* 5) *cf.* Thomas *S. theol. I q. 78 a. 4.* 5) *cf.* Thomas *Comm. in Anal. post. I l. 30 n. 2 (I 258); S. theol. I q. 84 a. 3; q. 111 a. 3 ad 1 et 2.* 8) visus aliquantulum coloratus: *aliter docet* Aristoteles *De an. II (B 7 418 b 26). Cf. etiam* Echardus *Sermo VIII n. 93 (LW IV 88,6); Q. Paris. I n. 12 (LW V 47,15); et ipse* Nicolaus *De deo absc. (IV n. 14,3–5); De quaer. deum 1 (IV n. 20,6–11).*
10 3–5) Nicolaus *his verbis alludit ad tria sensibilium communium quae dicuntur, sc. motum, quietem, magnitudinem; cf. n. 17,4.*

sunt signa signorum sensuum, pervenitur, ut notitia non careat sibi
10 opportuna. Solus vero homo signum quaerit ab omni materiali
connotatione absolutum penitusque formale, simplicem formam rei,
quae dat esse, repraesentans. Quod quidem signum, sicut est remotissimum quoad res sensibiles, est tamen propinquissimum quoad
intellectuales.

11 Capitulum V

Oportet autem, ut advertas quomodo signum sensibile est prius
confusum et genericum quam proprium et specificum. Sicut signum
verbi est prius signum soni, dum vox a remotis auditur; deinde dum
5 propinquius auditur, fit signum soni articulati, quod vox dicitur; post
adhuc propinquius fit signum vocis alicuius linguae; ultimo fit signum
specialis verbi; sic de omnibus. Et licet intervalla temporis saepe non
sentiantur propter miram celeritatem, non tamen potest signum perfectum esse, nisi de confuso ad speciale perveniat. Unius igitur et eiusdem
10 immultiplicabilis rei notae et signa sunt varia, per quae innotescit,
scilicet generica atque specifica, inter quae media alia magis generica
et alia magis specifica cadunt. Cum autem perfectio signorum recipiat magis aut minus, nullum signum umquam erit ita perfectum et
speciale, quin possit esse perfectius. Singularitatis igitur, quae non
15 recipit magis et minus, nullum est dabile signum. Et ideo tale non
est per se cognoscibile, sed per accidens, puta Plato, qui non recipit
magis et minus, non videtur nisi per accidens in signis visibilibus,
quae ei accidunt.

---

9) sibi *om. Ma*
11 5) quod: qui tunc *Ma* 7) et sic *Ma* 11) atque *s. lin.* et *in textu del. Cu*[2]
13) aut: et *Ma*

---

11) formam rei, quae dat esse, repraesentans: *cf. De dato patr. 2 (IV n. 98, 2–12 et nota; 98, 5 et nota).*
11 2–7) *cf.* THOMAS *S. theol. I q. 85 a. 3.* 2) *cf.* ARISTOTELES *Phys. I (A 1 184 a 21).* 9) *cf. n. 8,13; n. 13,3.* 14) *cf. De ven. sap. 22 (I f. 210ʳ).* 15–18) *Individua esse sensibilia per accidens docet iam* ARISTOTELES *De an. II (B 6 418 a 20). Cf.* THOMAS *i.h.l. l. 13 (XXIV 95 b); In Matth. 5 (XIX 307b):* oculus corporalis non videt nisi colores, essentiam autem per accidens, secundum Augustinum lib. ult. De civ. dei c. 19 *(cf. XXII 19, CSEL XL 11 630,16–22.25–27).*

Omne igitur, quod sensu aut imaginatione attingitur, cum non **12** nisi in signis, quae magis et minus recipiunt, cognoscatur, sine signis quantitatis non attingitur. Signa igitur qualitatis, quae ad sensum perveniunt, sine signis quantitatis esse nequeunt. Sed signa quantitatis non sunt per se in sensibilibus, sed per accidens, cum qualitas 5 sine quantitate non possit esse. Signa vero quantitatis non requirunt signa qualitatis; ideo sine ipsis esse possunt. Quare res quanta signo quantitatis in notitiam devenit, et sic per se incognoscibile per accidens innotescit. Magnitudine igitur et multitudine sublata nulla res cognoscitur. 10

Hoc etiam repetere utile videtur, scilicet quod nec huius singularis **13** quantitatis signum seu species naturalis potest esse singularis, cum *170ᵛ* nul|lum singulare sit plurificabile aut multiplicabile, sive sit substantia aut quantitas aut qualitas. Licet igitur quantitatis sit species et signum, non tamen ut huius quantitatis. Singulariter igitur quanta 5 signo generalis quantitatis notantur et cognoscuntur. Ita singulariter rubea signo universalis rubedinis. Unde cum nulla res sit eiusdem quantitatis aut qualitatis cum alia et cuiuslibet rei singularis sit quantitas singularis, non est quantitas aliquid generale in re, sed in cognitione seu specie et signo. Parvum igitur et magnum species 10 habent, licet non hoc parvum et hoc magnum, quae sunt singulares quantitates; sed per speciem seu signum magni hoc magnum et parvi hoc parvum cognoscitur.

Signa igitur naturalia species sunt singularium signatorum. Nam **14** species istae non sunt formae formantes, sed formae informantes. Informati vero uti tales recipiunt magis et minus. Unus enim plus est informatus quam alius, et idem nunc minus, postea plus. Tales igitur formae possunt esse in pluribus, cum non requiratur quod 5 eodem essendi modo ipsis insint, qui modus non est multiplicabilis,

---

12 1) pertingitur *Ma* 4) quantitatis$_2$: qualitatis *in marg. Ma*
13 3) plurificabile: plurale sive plurificabile *Ma* 12) et: per speciem seu signum *add. Ma*
14 2) formantes: formate *ex* formante *corr. Ma* 6) insunt *Ma*

---

12 5–7) *cf.* THOMAS *Expos. s. l. Boethii De trin. q. 5 a. 3 (184,14).*
13 2–4) *cf. n. 1,5; n. 8,13; n. 11,9; De docta ign. III 1 (I 122,4. 8); De gen. 1 (IV n. 149,7).*
14 2) *De differentia formarum formantium et informantium cf. n. 35,3–5.*

sed variis varie, uti una ars scribendi varie variis inest scriptoribus.
Patet etiam ex his quod numerus determinatus, puta ternarius,
denarius et tales, cum non recipiant magis et minus ob suam singu-
10 larem determinationem, non habent nisi indeterminatas species, sicut
specie multitudinis indeterminatae, quae numeratio dici potest,
determinata multitudo cognoscitur; et speciebus magnitudinis et
multitudinis cognoscitur magnus determinatus numerus; et sic
parvus numerus speciebus multitudinis et parvitatis; et similes colores
15 speciebus similitudinis et coloris, et dissimiles speciebus dissimilitudinis et coloris, et concordantes voces speciebus concordantiae et
vocis, et discordantes speciebus discordantiae et vocis; et taliter de
omnibus.

15 Cum autem sic ex signis et speciebus notionalibus formetur in
nobis notitia rei, non potest res, quae sic innotescit, distincte cognosci ab alia, nisi distinctis notis et speciebus formetur notitia. Unde
ut quaelibet res est singularis, ita et eius notitia aliquid habet, quod
5 in alterius notitia non reperitur. Quemadmodum si unum vocabulum
est sex litterarum et aliud etiam sex litterarum, oportet quod, licet
in numero concordent, non tamen in figura et situ, ut sint diversa,
sicut res sunt diversae, quarum sunt vocabula. Ac diversitas specierum
notionalium nos ducit in notitiam diversitatis rerum. Et licet duo
10 individua videantur in pluribus speciebus convenire, non tamen est
possibile, quin in aliquibus etiam discrepent.

16 Capitulum VI

Consequenter attendas oportet quomodo non est opus talpam
habere visum, quia cognitione signorum visibilium non indiget, cum
in umbra terrae reperiat quod quaerit. Ita de omnibus similiter
5 dicendum, scilicet quod omnia viventia tot species ex sensibilibus

---

15) et_2–16) coloris *om. Ma* 16) concordantes: concordantie Ma
15 6) et — $litterarum_2$ *om. Cu*
16 3) signorum *om. Ma*

---

15 1) *cf. n. 3,2.* 9–11) *cf. De docta ign. I 3 (I 9,6–8); De ven. sap. 23 (I f. 210v); Serm. XVI (CT I 1 26,4); XVIII n. 11 (CT I 6 36,17–20).*

hauriunt, quot sunt eis ad bene esse necessariae. Quare non omnia perfecta animalia, licet in numero sensuum conveniant, etiam in numero specierum et signorum conveniunt. Alias haurit formica species, alias leo, alias aranea, alias vacca, sicut diversae arbores ex eadem terra diversa hauriunt alimenta, quaelibet suae naturae con- 10 veniens. Et vis phantastica unius animalis ex speciebus per sensus receptis aliam facit imaginationem quam aliud et aliam aestimationem amicitiae aut inimicitiae, convenientis aut disconvenientis quam aliud. Hinc homo haurit ex sensibilibus signis species suae naturae convenientes, qui cum sit rationalis naturae, species illi suae naturae 15 convenientes haurit, ut per illas bene possit ratiocinari et reperire conveniens alimentum tam corporale corpori quam spirituale spiritui seu intellectui, sicut sunt differentes species decem praedicamentorum, quinque universalium, quattuor virtutum cardinalium et talium multorum, quae homini ratione vigenti conveniunt. 20

171r Plures etiam | species per visum homo haurit quam brutum animal, **17** puta principaliter, quia sensus visus colorum species, per quas coloratorum ut coloratorum differentias attingit; et consequenter, quia sensus magnitudinis, longitudinis et latitudinis, figurationis, motus, quietis, numeri, temporis et loci species, tot species solus homo 5 ratione utens per visum haurit. Ita per auditum species differentium

13) aut_1: vel *Ma* 13) aut_2: et *Ma* 17) tam: quam *Ma*
17 3) ut coloratorum *om. Ma*

16 12–14) *De vi quae dicitur aestimativa cf.* Avicenna *De an. IV 1 (f. 17va–vb), quo loco enumeratur potentia quarta sensuum interiorum;* Thomas *S. theol. I q. 78 a. 4; Comm. in De an. II l. 13 (XXIV 97).* 18) *Decem praedicamenta: cf.* Aristoteles *Praed. (4 1 b 25–27); Top. I (A 9 103 b 20–23); Anal. post. I (A 22 83 a 21–23; b 13–17); Phys. V (E 1 225 b 5–9); Met. V (Δ 7 1017 a 24–27). Cf. De docta ign. II 6 (I 79,9. 80,1); De dato patr. 2 (IV n. 101,10); De mente 11 (V 97,21); De ludo globi II (I f. 165r).* 19) *sc. quinque praedicabilium, cf. De ludo globi II (I f. 165r).* Porphyrius *Isagoge (1–22; Latine 26–51). De virtutibus cardinalibus cf.* Plato *Respubl. IV (Δ 441 CD. 442 B–D).* Thomas *S. theol. I II q. 61 a. 1 et 3, Sed contra, allegat* Tullium *et* Ambrosium. *Cf. etiam Sap. 8,7.*

17 4) *cf. n. 10,3–5.* Nicolaus *enumerat 'sensibilia communia' quae dicuntur; quorum quinque, sc. motum, quietem, numerum, figuram et magnitudinem, iam nominat* Aristoteles *De an. II (B 6 418 a 17–20); cf. III (Γ 1 425 a 14–21; 3 428 b 22–24); De sensu et sensato (1 437 a 5–10). Cf.* Thomas *Comm. in De an. II l. 13; III l. 1 (XXIV 95a–96a; 136a–137a); S. theol. I q. 78 a. 3 ad 2;* Bonaventura *Itin. 2 n. 3 (V 300 b);* Echardus *Sermo X n. 107 (LW IV 101,9).*

sonorum, gravium, acutorum, mediorum, cantuum, notarum et talium sonorum, atque novem alias species communis sensus praemissas; ita de aliis sensibus. Trahitque ultra ex omnibus istis sensibilibus 10 speciebus vis ratiocinativa species variarum artium, per quas supplet defectus sensuum, membrorum, infirmitatum atque se iuvat ad resistendum corporalibus nocumentis et ad expellendum ignorantiam et hebetudinem mentis et confortandum ipsam, ut proficiat et fiat homo speculator divinorum. Habetque cognatas species insensibilis 15 virtutis, iusti et aequi, ut noscat, quid iustum, quid rectum, quid laudabile, quid pulchrum, quid delectabile et bonum et illorum contraria, et eligat bona et fiat bonus, virtuosus, prudens, castus, fortis et iustus.

18 Quae omnia consideranti ea, quae in mechanicis et liberalibus artibus atque moralibus scientiis per hominem reperta sunt, patescunt. Nam solus homo repperit, qualiter defectum lucis ardenti candela suppleat, ut videat, et deficientem visum beryllis iuvet et 5 arte perspectiva errorem circa visum corrigat, cruditatem cibi decoctione gustui aptet, foetores fumis odoriferis pellat, frigori vestibus et igne atque domo, tarditati vecturis et navibus, defensioni armis, memoriae scriptura arteque memorandi succurrat. Quae omnia et

---

7) notarum: melodiarum metrorum *add. Ma* 8) novem: nomen *Ma* 15) aequitatis *Ma* 15) noscat: cognoscat *Ma*
18 3) reppererit *Cu* reperit *Ma*

---

8) communis sensus: *cf. De quaer. deum 1 (IV n. 24,3 et nota).* ARISTOTELES *De an. III (1 425 a 27);* AVICENNA *De an. IV 1 (f. 17*[rb–va]*);* THOMAS *Comm. in De an. II l. 13 (XXIV 95b); S. theol. I q. 78 a. 4 ad 2. Manifestum est secundum* NICOLAUM *'sensibilia communia' obiecta 'sensus communis' esse; quam sententiam* THOMAS *primo loco laudato impugnat. Secundum* THOMAM *altero loco laudato* oportet ad sensum communem pertinere discretionis iudicium, ad quem referantur sicut ad communem terminum omnes apprehensiones sensuum. 9–14) *cf. n. 26,3–9; De ludo globi I (I f. 155*[v]*):* anima est vis inventiva artium et scientiarum novarum. *cf. De docta ign. II 6 (I 80,8–81,13); 9 (96,8):* intellectus cuius operatio est intelligere per similitudinem abstractivam, ut ait Aristoteles. *Aliis locis sensibilia mentem excitant; cf. De mente 4 (V 61,1):* mens excitatur a sensibilibus mediantibus phantasmatibus sensibilibus; *5 (65,20). Cf. etiam n. 36,4.* 10–12) *cf. Sermo CCXIII n. 12 (CT I 2–5 94,23–27);* THOMAS *De ver. q. 14 a. 10 ad 5; S. c. gent. III 22; De regno I 1; S. theol. I q. 91 a. 3 ad 2; I II q. 5 a. 5 ad 1.* 14–17) *cf. n. 34,1; De ludo globi I (I f. 159*[r]*); Epistula ad Nicolaum Albergati n. 18 (CT IV 3 32,26).* 17) prudens, castus, fortis et iustus: *cf. n. 16,19:* quattuor virtutum cardinalium.
18 1–3) *cf. n. 4,7–9.* 3) *cf. De ludo globi II (I f. 165*[r]*).* 5–8) *cf. notam ad n. 17,10–12.*

plura talia animal brutum ignorat. Habet se enim homo ut homo ad brutum ut doctus homo ad indoctum. Doctus enim litteras alphabeti 10 videt et similiter indoctus; sed doctus ex varia illarum combinatione syllabas atque ex syllabis dictiones et de illis orationes componit, quod indoctus facere nequit ob defectum artis, quae ab exercitato intellectu acquisita docto inest. Componere igitur et dividere species naturales et ex illis facere intellectuales et artificiales species et signa 15 notionalia homo ex vi intellectuali habet, qua bruta excellit et doctus homo indoctum, quia habet exercitatum et reformatum intellectum.

Capitulum VII **19**

Non mirum hominem aliquem adeo profecisse aut proficere posse longo tali exercitio, quod speciem aliquam eliciat ex varia combinatione, quae sit multarum artium complexiva, per quam multa simul comprehendat et intelligat, puta varietatem naturalium per speciem, 5 quam motum appellet, quando sine motu nihil fieri atque naturalem motum a violento distingui videret, ideo motum naturae non esse a principio extrinseco, sicut in violento, sed intrinseco rei; ita de aliis. Alius vero adhuc praecisiorem speciem magisque fecundam reperire posset, uti ille, qui ex novem speciebus principiorum speciem unam 10 artis generalis omnium scibilium nisus est extrahere. Sed super omnes qui unica specie, quam verbum appellavit, omne intelligibile complexus est, praecisissime punctum tetigit; est enim species artis omnia

19 5) varietatem: veritatem *Ma* 6) quando: quoniam *Ma* 7) viderer *Ma* 7) Ideoque *Ma* 9) reperiri *Ma*

11) *cf. n. 25,5–8.* 14) *cf.* AVICENNA *De an. IV 1 (f. 17*[va]); THOMAS *De an. a. 13; S. theol. I q. 78 a. 4; II II q. 173 a. 2.* 15) *cf. De ludo globi II (I f. 165*[r]*).* 17) exercitatum ... intellectum: *cf. De princ. n. 1 (II 1 f. 7*[r]*); De aequal. n. 3. 43 (II 1 f. 15*[v]*. 20*[r]); *De ludo globi I (I f. 155*[v]*).*

19 5) *cf. De docta ign. II 10 (I 97,28):* natura est quasi complicatio omnium, quae per motum fiunt. 6–8) *De notione naturae cf.* ARISTOTELES *Phys. II (B 1 192 b 21–23);* THOMAS *S. theol. I q. 29 a. 1 arg. 4; III q. 2 a. 1. De notione violenti cf.* ARISTOTELES *Ethica Nicomachea III (Γ 1 1110 b 1–3).* 10) ille: *i.e.* RAYMUNDUS LULLUS. 11–15) *cf. De vis. dei 10 (I f. 104*[r]*):* Unicus enim conceptus tuus, qui est et verbum tuum, omnia et singula complicat; *De poss. n. 46 (I f. 179*[r]*):* verbum dei est conceptus sui et universi. 12) qui: *sc.* IOHANNES EVANGELISTA; *cf. Ioh. 1,1–3.* 13) *De verbo increato ut arte cf. De fil. dei 2 (IV n. 58,3.10 et nota 3).*

formantis. Quid enim extra hanc speciem concipi, eloqui aut scribi
15 potest? Est enim verbum, «sine» quo «nihil factum est» aut fieri potest;
quoniam est expressio exprimentis et expressi. Sicut loquentis
locutio et quod loquitur verbum est, et concipientis conceptio et quod
concipit verbum est, et scribentis scriptio et quod scribit verbum
est, et creantis creatio et quod creat verbum est, et formantis for-
20 matio et quod format verbum est, et generaliter facientis factio et
factum verbum est. Verbum enim sensibile se et omnia sensibilia
facit. Ideo et lux dicitur, quae se et omnia visibilia facit. Dicitur et
aequalitas; aeque enim se ad omnia habet, cum non sit unum plus
quam aliud, dans omnibus aequaliter, ut id sint, quod sunt, nec plus
25 nec minus. Cum igitur scientis scientia et scitum verbum sit, qui ad
verbum se convertit, quae scire cupit, citius invenit. Si igitur vis
speciem haurire modi quomodo omnia | fiunt, respice, quomodo fit *171v*
vocale verbum. Primo quomodo sine aere nequaquam fieri potest
audibile. Aer autem ut aer nullo sensu attingitur. Visus enim non
30 videt aerem, sed aerem coloratum, uti experimur radio solis coloratum vitrum penetrante aerem coloratum videri. Nec auditus aerem
attingit nisi sonantem. Nec odoratus nisi olentem. Nec gustus nisi
sapidum, ut dum est ex contritione absinthii fortiter amaricatus, in
gustu sentitur. Nec tactus nisi calidum aut frigidum aut alias sensum
35 immutantem. Aer igitur ut aer nullo sensu attingitur, sed per accidens
venit in notitiam sensitivam. Adeo tamen est necessarius auditui,
quod sine ipso nihil audibile fieri potest. Oportet igitur, ut similiter
consideres omne, quod actu esse debet, sive sensibile sive intelligibile, praesupponere aliquid, sine quo non est; quod per se nec est
40 sensibile nec intelligibile. Et quia illud forma sensibili aut intelligibili

---

14) aut *om. Ma* 16) loquentis *om. Ma* 20) et_2–21) est *om. Ma* 20) factio *p:* et facti *Cu* 26) citius: sciens *Ma* 32) Nec_1: Neque *Ma* 39) quod *om. Ma*

---

15) *Ioh. 1,3.* 22–25) *De aequalitate cf. n. 30,1–6; De docta ign. I 7. 8. 24 (I 15,11–16,2; 17,8–12; 51,1–6); De aequal. n. 34 (II 1 f. 19rv):* Quiditas igitur omnium quae sunt est aequalitas, per quam omne, quod est, nec est plus nec minus, sed id, quod subsistit, quae est omnibus aequalis essendi ratio. Hinc quiditas non potest recipere magis nec minus, quia aequalitas; *De ven. sap. 23 (I f. 210v); Sermo XVI (CT I 1 26,1); XVII n. 27. XVIII n. 11 (CT I 6 14,17; 36,20).* 29–36) *Aer igitur sensibilis per accidens est; cf. n. 11,15–18 et nota.*

caret, nosci nequit, nisi formetur, et non habet nomen. Dicitur tamen hyle, materia, chaos, possibilitas sive posse fieri seu subiectum et aliis nominibus.

20 Deinde attendendum quod, licet sine aere non fiat sensibilis sonus, non tamen est aer de natura soni, sic nec hyle de natura est cuiuscumque formae, nec est principium eius, sed principium eius formator exsistit. Quamvis igitur sonus sine aere fieri nequeat, non est propterea de natura aeris. Pisces enim et homines extra aerem in aqua 5 sonum percipiunt; quod non esset, si de natura aeris foret. Post advertendum hominem vocalis verbi formatorem, quomodo non format verbum ut animal brutum, sed ut habens mentem, qua bruta carent. Mens igitur formator verbi cum non formet verbum, nisi ut se manifestet, tunc verbum non est nisi mentis ostensio. Nec 10 varietas verborum aliud est quam unius mentis varia ostensio. Conceptio autem, qua mens se ipsam concipit, est verbum a mente genitum, scilicet sui ipsius cognitio. Verbum autem vocale est illius verbi ostensio. Omne autem, quod dici potest, non est nisi verbum.

21 Ita de formatore omnium conceptum facito ut de mente. Quodque ipse in verbo de se genito se cognoscit atque in creatura, quae est increati verbi signum, se ostendit in variis signis varie, et nihil esse potest, quod non sit signum ostensionis geniti verbi. Et sicut mens

---

20 9) formator: formatrix *Ma* 12) a: in *Ma*
21 2) in_1: de *Cu* 2) atque *add. in marg. Ma om. Cu*

---

42) hyle ... chaos: *cf. De docta ign. II 8 (I 86,18 et nota).* THEODERICUS CARNOTENSIS *Tractatus n. 24 (192).* 42) possibilitas sive posse fieri: *cf. De ven. sap. 6 (I 202ᵛ–203ʳ):* Dilucidatio ipsius posse fieri; *13 (205ᵛ–206ʳ); 39 (217ᵛ):* Quia nihil factum est quod non potuit fieri et nihil se ipsum facere potest, sequitur quod triplex est posse, scilicet posse facere, posse fieri et posse factum: ante posse factum posse fieri, ante posse fieri posse facere.

20 5) *cf.* ARISTOTELES *De an. II (8 419 b 18; 420 a 11).* 6–14) *cf. De docta ign. III 5.11 (I 133,27–134,7; 154 sq.); De fil. dei 4 (IV n. 73–75); De mente 8 (V 81,17); De aequal. n. 33.34 (II 1 f. 19ʳ); De ludo globi I (I f. 157ᵛ); De ap. theoriae (I f. 221ʳ). De verbo exteriore manifestante verbum interius cf.* AUGUSTINUS *e.gr. De trin. XV 10sq. n. 17–20 (PL 42, 1069–1071);* THOMAS *S. theol. I q. 27 a. 1; q. 34 a. 1; q. 107 a. 1; In Ioh. 1 (XIX 676);* ECHARDUS *In Ioh. n. 132 (LW III 114,2 et nota 3); Sermo XII 1 n. 123 (LW IV 118,1 et not. 1). De aeterna verbi generatione in divinis cf.* NICOLAUS *Sermo XVI (CT I 1 22,6–30,4).*

21 1–11) *cf. n. 24,12–15; De fil. dei 4 (IV n. 76,1–10); De dato patr. 4 (IV n. 111,29–33); De beryllo 36 (XI 1 49,8–10); Dir. spec. prop. 12 (XIII 1 63,4–12).*

5 nolens se amplius ostendere a verbi vocalis prolatione cessat et, nisi indesinenter proferat, exsistere nequit, sic se habet creatura ad creatorem. Cuncta autem alia, sine quibus vocale verbum bene fieri nequit, quae Musae dicuntur, ad finem vocalis verbi ordinata mentis manifestationi serviunt. Pariformiter sunt creaturae, quae sunt 10 notae et ostensiones interni verbi, et sunt creaturae illis ad finem servientes.

22

Capitulum VIII

Est igitur animal perfectum, in quo sensus et intellectus, considerandum ut homo cosmographus habens civitatem quinque portarum quinque sensuum, per quas intrant nuntii ex toto mundo 5 denuntiantes omnem mundi dispositionem hoc ordine, quod qui de luce et colore eius nova portant, per portam visus intrent; qui de sono et voce, per portam auditus; qui de odoribus, per portam

---

5) volens *Ma* 10) ad: illum *add. Ma*

22 1) Capitulum octavum: Sequitur hic unum capitulum et est octavum in quodam libello Reverendissimi patris Cardinalis Nicolai de Cusa quem nominat Compendium ubi docet similitudinarie a creaturis ascendere in creatorem per abstractionem *I* 2) igitur *om. I* 2) animal: inquit *add. I* 4) quas: quam *Ma*

---

8) *Musae videntur esse humanitas et doctrina, verborum decor, cf.* Cicero *Tusc. V 66:* Quis est omnium, qui modo cum Musis, id est cum humanitate et cum doctrina, habeat aliquod commercium, qui se non hunc mathematicum malit quam illum tyrannum? *Or. 12:* Forenses causas . . . agrestioribus Musis reliquerunt. *Apud poetas Musa metonymice pro cantu et carmine ponitur, cf.* Horatius *Carm. II 1,37:* Musa procax; Vergilius *Bucol. 8,5:* Damonis Musam dicemus. *Sed cf. De gen. 4 (IV n. 167,4).* 9–11) *cf.* Echardus *Pr. XXII (92,39):* Alle crêatûren sint ein sprechen gotes.

22 2–5) *cf.* Augustinus *Conf. X 6 n. 9 (CSEL XXXIII 233,4–6):* . . . sed melius quod interius. Ei quippe renuntiabant omnes nuntii corporales praesidenti et iudicanti de responsionibus caeli et terrae et omnium quae in eis sunt; *De Gen. ad litt. VII 8 (CSEL XXVIII 1 207,11);* Iohannes Scottus *De div. nat. II 23 (PL 122, 569 D–570 A):* sed quod per quinquepertitum corporis instrumentum, veluti per quasdam cuiusdam civitatis quinque portas, sensibilium rerum similitudines ex qualitatibus et quantitatibus exterioris mundi venientes, ceterisque, quibus sensus exterior formatur, interius recipiat, et veluti ostiarius quidam internuntiusque ea, quae extrinsecus introducit, praesidenti interiori sensui annuntiet; Bonaventura *Itin. 2 n. 2 (V 300 a):* iste mundus, qui dicitur macrocosmus, intrat ad animam nostram, quae dicitur minor mundus, per portas quinque sensuum secundum ipsorum sensibilium apprehensionem, oblectationem et diiudicationem; *n. 3 (l. c.):* Homo igitur, qui dicitur minor mundus, habet quinque sensus quasi quinque portas, per quas intrat cognitio omnium, quae sunt in mundo sensibili, in animam ipsius; *n. 4.6 (300 b. 301 a).*

odoratus; et qui de saporibus, per portam gustus; et qui de calore, frigore et aliis tangibilibus, per portam tactus. Sedeatque cosmographus et cuncta relata notet, ut totius sensibilis mundi descriptio- 10 nem in sua civitate habeat designatam. Verum si porta aliqua civitatis suae semper clausa remansit, puta visus, tunc quia nuntii visibilium non habuerunt introitum, defectus erit in descriptione mundi. Non enim faciet descriptio mentionem de sole, stellis, luce, coloribus, figuris hominum, bestiarum, arborum, civitatum et maiori 15 parte pulchritudinis mundi. Sic si porta auditus clausa mansit, de loquelis, cantibus, melodiis et talibus nihil descriptio contineret. Ita de reliquis. Studet igitur omni conatu omnes portas habere apertas et continue audire novorum semper nuntiorum relationes et descriptionem suam semper veriorem facere. 20

172ʳ Demum quando | in sua civitate omnem sensibilis mundi fecit **23** designationem, ne perdat eam, in mappam redigit bene ordinatam et proportionabiliter mensuratam convertitque se ad ipsam nuntiosque amplius licentiat clauditque portas et ad conditorem mundi internum transfert intuitum, qui nihil eorum est omnium, quae a 5 nuntiis intellexit et notavit, sed omnium est artifex et causa. Quem cogitat sic se habere ad universum mundum anterioriter, sicut ipse

---

8) calore: et *add. I* 17) continet *Ma* 19) semper *om. I* 19) revelationes *Ma*
23 2) eam *om. I* 3) proportionabiliter: proportionatam *add. Ma* 4) – que₂: quoque *Ma* 5) internum: intrim *Ma* 5) eorum *om. I*

---

10) totius sensibilis mundi descriptionem: *cf.* Avicenna *Met. IX 7 (f. 107ʳᵃ):* sua perfectio animae rationalis est ut fiat saeculum intelligibile et describatur in ea forma totius ... quousque perficiatur in ea dispositio esse universitatis et sic transeat in saeculum intellectum, instar esse totius mundi. *Cf.* Thomas *De ver. q. 2 a. 2:* Unde haec est ultima perfectio, ad quam anima potest pervenire secundum philosophos, ut in ea describatur totus ordo universi et causarum eius. Avicennae *locum laudat* Echardus *In Gen. I n. 115 (LW I 270,13–271,1); Serm. XI 1 n. 112; LV 4 n. 550 (LW IV 106,1; 460,9–461,10). Aliis exemplis utitur* Nicolaus *De mente 8 (V 83,26–28):* oculi, nares et cetera quasi fenestrae sunt et viae, per quas spiritus ille ad sentiendum exitum habet.

23 2) mappam: *De tabula centralis Europae geographica, quae* Nicolao *ascribitur, cf. D. B. Durand, The Vienna – Klosterneuburg Map. Corpus of the Fifteenth Century, Leiden 1952, 252–266.* 7) anterioriter: *cf. Dir. spec. 15 (XIII 39,28); vocabula synonyma* prioriter *De docta ign. II 4.5 (I 75,9; 78,24); De sap. II (V 30,16.18) et* antecedenter *De docta ign. I 19 (I 38,23; 39,2.19).*

ut cosmographus ad mappam, atque ex habitudine mappae ad verum mundum speculatur in se ipso ut cosmographo mundi creatorem,
10 in imagine veritatem, in signo signatum mente contemplando. In qua speculatione advertit nullum brutum animal, licet similem videatur habere civitatem, portas et nuntios, mappam talem facere potuisse. Et hinc in se reperit primum et propinquius signum conditoris, in quo vis creativa plus quam in aliquo alio noto animali relucet.
15 Intellectuale enim signum primum et perfectissimum est omnium conditoris, sensibile vero ultimum. Retrahit igitur se quantum potest ab omnibus sensibilibus signis ad intelligibilia simpliciaque atque formalia signa.

24 Et quomodo in illis splendet lux aeterna et inaccessibilis omni acumine mentalis visus, attentissime advertit, ut videat incomprehensibilem aliter quam incomprehensibili essendi modo videri non posse atque ipsum, qui est omni modo comprehensibili incomprehensibilis,
5 omnium, quae sunt, ⟨esse⟩ essendi formam, quae in omnibus, quae

---

9) se: semet *I* 9) cosmographus *I* 10) signatum: figuratum *Ma* 10) mente *om. I* 10) contemplando *in* contemplans *mut. I* 11) speculatione: contemplatione *I* 12) portam *Ma* 13) repperit *Cu (cf. n. 8,3:* repperiet *Cu)* 16) igitur: ergo *I* 17) simplicia *I*
24 1) quomodo: quoniam *I*

---

10) in imagine veritatem: *cf. De docta ign. II 3 (I 72,16); Apol. (II 11,23); De sap. I (V 22,3); De mente 5 (V 65,15 et nota; 22); De ludo globi II (I f. 164^r); De ap. theor. (I f. 221^r).* 10) in signo signatum: *cf. De ludo globi II (I f. 168^r).* 15) *cf. n. 33,8–12; De fil. dei 6 (IV n. 86,5); De sap. I (V 17,2):* quasi viva imago eius; *(22,17); De mente 3. 5. 7.13 (V 57,16sqq.; 65,17; 74,24; 106,12; 107,6.15); De pace fidei 4 n. 12 (VII 12,16–13,2); De ap. theor. (I f. 221^rv); Epistula ad Nicolaum Albergati n. 5–7. 18 (CT IV 3 28,3–18; 32,27–33).*

24 1) *cf. 1 Tim. 6,16.* 2–5) *Deum incomprehensibilem esse* Nicolaus *saepe affirmat, e.gr. De docta ign. I 4 (I 10,4–6); De deo absc. per totum (IV n. 1–15); De dato patr. 4 (IV n. 109,4–11); Apol. (II 11,12–12,13); De sap. I (V 13,12; 25,7; 28,8); De mente 2 (V 54,19sqq.); De vis. dei 13 (I f. 105^r); De princ. n. 26–29 (II 1 f. 9^v); De poss. n. 49.50 (I f. 179^rv); Dir. spec. 8 (XIII 1 18,1–3):* incomprehensibiliter comprehenditur incognoscibiliterque cognoscitur, sicut invisibiliter videtur; *De ven. sap. 12. 26. 38 (I f. 205^rv. 211^r. 212^r. 217^r); De ludo globi I (I f. 158^r); De ap. theor. (I f. 219^r); Sermo XVI (CT I 1 10,24–12,1).* Thomas *S. c. gent. I 5; Expositio s. l. Boethii De trin. q. 1 a. 2 ad 1 (67,2–6).* 5) omnium, quae sunt, essendi formam: *cf. De docta ign. I 8 (I 17,7):* Deus namque ipsa est rerum entitas; forma enim essendi est, quare et entitas; *23 (46,20; 47,23); II 2 (67,7):* essendi forma; *(68,10):* forma omnium formarum; *4(74,13); (75,11):* entitas et quiditas absoluta omnium; *5 (76,20):* actus omnium; *7 (84,2):* forma formarum, ens entium, rerum ratio sive quiditas; *9 (94,14):* absoluta forma sive actus; *(94,15):* una forma formarum; *(95,18):* una infinita forma formarum;

sunt, manens incomprehensibilis in intellectualibus signis ut «lux in
tenebris lucet», a quibus nequaquam comprehenditur, quasi una
facies in diversis politis speculis varie apparens nullo speculo quantumcumque polito inspeculatur, incorporatur seu immateriatur, ut
ex ipsa facie et speculo aliquod unum compositum ex utroque fiat, 10
cuius forma sit facies et speculum materia, sed in se manens una
varie se ostendit, ut hominis intellectus in suis variis artibus et ex
variis artium productis in se unus et invisibilis manens varie se
visibiliter manifestat, licet in omnibus illis maneat omni sensui penitus incognitus. Hac speculatione dulcissime pergit contemplator ad 15
sui et omnium causam, principium et finem, ut feliciter concludat.

Capitulum IX **25**

Sunt igitur haec pauca facilia et sufficientia speculationi tuae, cum
sis simplex. Quod si subtiliora indagare proponis, de elementis ad

---

9) incorporabitur *Ma* 10) ipsa facie et speculo: ipso speculo et facie *I* 13) productus *I* 15) contemplator: speculator seu contemplator *I* 16) concludat *hoc verbo desinit fragmentum I*

25 2) facilia: felicia *Ma*

De dato patr. 2 (IV n. 98,7. 9; 102,2 et nota). Hanc doctrinam contra Iohannem Wenck *defendit* Nicolaus *Apol. (II 8,14–9,10; 26,4–14). Cf. De pace fidei 11 n. 29 (VII 31,3–5; 79 adnotatio 22); De poss. n. 94 (I f. 183ᵛ):* Oportet omnia creabilia actu in eius potestate esse, ut ipse sit formarum omnium perfectissima forma. Oportet ipsum omnia esse quae esse possunt, ut sit verissima formalis seu exemplaris causa; *Sermo XVI (CT I 1 14,12; 16,6); CCXIII n. 17 (CT I 2–5 100,24–102,1). Cf.* Iohannes Scottus *De div. nat. I 3 (PL 122, 443B):* ipse namque omnium essentia est; *IV 5 (759A):* ipse siquidem essentia omnium est, qui vere solus est. Theodericus Carnotensis *Tractatus n. 31 (195):* divinitas singulis rebus forma essendi est; *n. 32 (ib.); Glossa s. l. Boethii De trin. II n. 15. 28. 29. 33 (282. 287sq.); Librum hunc II n. 17 sq.;* Clarenbaldus *Expositio s. l. Boethii De trin. (58*,39–59*,2.5) deum formam essendi dicit.* Echardus *Sermo IV 2 n. 29 (LW IV 29,5):* Deus ergo est .... per quem ⟨omnia⟩, id est forma omnium sive formans omnia. 6) *Ioh. 1,5.* 7–12) *cf. De docta ign. II 2. 3 (I 67,17; 72,16–22); De fil. dei 3 (IV n. 65–67); De vis. dei 6 (I f. 100ʳᵛ).* Augustinus *En. in Ps. 11 n. 2 (PL 36, 138):* Veritas una est, qua illustrantur animae sanctae, sed quoniam multae sunt animae, in ipsis multae veritates dici possunt, sicut ab una facie multae in speculis imagines apparent; *En. in Ps. 10 n. 11 (137):* tamquam si una facies intueatur plura specula, quod in illa singulare est, de illis pluribus pluraliter redditur; Theodericus Carnotensis *Librum hunc II n. 44;* Clarenbaldus *Expositio s. l. Boethii De trin. (64*,2);* Thomas *Sent. IV d. 49 q. 2 a. 7 ad 9; De ver. q. 1 a. 4; q. 10 a. 11 ad 12; Quodl. X q. 4 a. 7;* Echardus *Sermo V 1 n. 32 (LW IV 35,5–15 et notae).*

25 3) *Litteras esse elementa dicit* Nicolaus *iam De coni. II (cf. notam ad lin. 5–7); simi-*

partes soni respice et litteras illas partes designantes, quarum aliae
5 sunt vocales, aliae mutae, aliae semivocales, aliae liquidae, et quomodo ex illis fit syllabarum et dictionum combinatio, ex quibus oratio, ac quod oratio est intentum. Ita quae a natura sunt, procedunt ab elementis ad intentum naturae. Oratio enim est rei designatio seu definitio. Hoc quaternario ab imperfecto ad perfectum pervenitur. Et
10 quae de hoc philosophice tractari possunt, sufficienter in progressu artis huius venari poterunt. Nam in natura reperiuntur combinationes pulchrae et ornatae et hominibus gratae. Sic et ⟨in⟩ dicendi arte et vocum concordantia quaedam contrario se habent modo in utraque.

26 Facit igitur homo suas considerationes circa talia et scientiam rerum facit ex signis et vocabulis, sicut deus mundum ex rebus, et ultra de ornatu et concordantia et pulchritudine atque vigorositate et virtute orationis artes addit vocabulis naturam imitando. Ita
5 grammaticae addit rhetoricam, poesim, musicam, logicam et alias artes, quae omnes artes signa sunt naturae. Sicut enim mens sonum in natura repperit et artem addidit, ut omnia signa rerum in sono poneret, ita concordantiae, quam in natura repperit, in sonis artem addidit musicae omnes concordantias designandi. Et ita de reliquis.

---

4) partes$_1$: portas *Ma* 7) sunt: fiunt *Ma* 10) quae: qui *Ma* 12) in *p om. Cu Ma*
26 4) artis *Ma* 4) addit: artes atque *add. Ma* 7 *et* 8) reperit *Ma*

---

liter ARISTOTELES *Met. V. (Δ 2 1013 b 17 [= Phys. II, B 3 195 a 16]; 3 1014 a 26–30;) VII (Z 17 1041 b 12–15); VIII (H 3 1043 b 4–6); Poët. (20 1456 b 22–25);* THOMAS *Comm. in Peri herm. I l. 2 n. 7 (I 13a): . . .* quamvis magis proprie, secundum quod sunt in scriptura, dicantur litterae, secundum autem quod sunt in prolatione, dicantur elementa vocis. *Cf. etiam Comm. in Phys. II l. 5 n. 8 (II 70b):* Nam elementa, id est litterae, sunt causae syllabarum. 4) *cf.* PLATO *Philebus 18 BC; Cratylus 424 C;* ARISTOTELES *Poët. (20 1456 b 25);* DONATUS *Ars gram. I 2 (367sq.);* PRISCIANUS *Inst. gram. I 2 n. 8–11 (II 9,5–10,8);* MARTIANUS CAPELLA *De nuptiis Philologiae et Mercurii 258 (cf. 264);* ISIDORUS HISPALENSIS *Etym. I 4 n. 4.9;* ECHARDUS *In Exod. n. 152 (LW II 136,14 et nota).* 5–7) *cf. n. 18,10–12; De docta ign. II 10 (I 98,2–5); De coni. II 4 (III n. 91, 10–12):* Ita quidem alia videmus ut simplices litteras elementa, alia ut syllabas, alia ut dictiones: elementatum autem oratio est; *II 5 (III n. 95.96); De gen. 4 (IV n. 165, 17–19). Cf.* PLATO *Tim. 48 B interprete Chalcidio (276,8–10);* MARTIANUS CAPELLA *De nupt. Phil. et Merc. 231:* Oratio vero ipsa tribus partibus eruditur, id est ex litteris, syllabis et ex verbis.
26 4) naturam imitando: *cf. De docta ign. II 1 (I 63,4); De coni. II 12 (III n. 131, 10):* Ars enim imitatio quaedam naturae exsistit; *De ludo globi I (I f. 152^v);* ARISTOTELES *Phys. II (B 2 194 a 21); Meteor. IV (Δ 3 381 b 6). Sermo CCXIII n. 27 (CT I 2–5 112,24 et nota).*

27 Considerationes enim, quas otiosi sapientes in natura esse reppererunt, conati sunt per aequalitatem rationis in communem artem perducere; ut quando experti sunt certarum notarum concordantias *172v* ex habitudine illarum ad pondera malleo|rum concordantes notas in incude facientium pervenerunt, et demum in organis et chordis 5 proportionabiliter magnis et parvis idem invenerunt et concordantias atque discordantias in natura in artem deduxerunt. Et hinc haec ars, cum apertius naturam imitetur, gratior est et conatum naturae concitat et adiuvat in motu vitali, qui est concordantiae seu complacentiae motus, qui laetitia dicitur. Fundatur igitur omnis ars in consideratione 10 per sapientem in natura reperta, quam praesupponit, quia causam eius propter quid ignorat; sed invento addit artem per speciem similitudinis dilatando, quae est ratio artis naturam imitantis.

Capitulum X

28 Nunc elicias. Si quam artem invenisti et illam in scriptis tradere conaris, opus habes, ut verba proposito apta praemittas et significata eorum iuxta tuam mentem declares. Hoc quidem est principale. Et quoniam verbum in illis vocabulis signatum ars est, quam enodare 5 proponis, totum studium versabitur, ut per ipsa vocabula, quanto praecisius potes, doceas, quae mente concepisti. Definitio enim, quae scire facit, est explicatio eius, quod in vocabulo complicatur. Et ad

---

27 5) faciendum *Ma* 9) seu: sive *Ma* 10) laetitia: laetitiae *Ma*
28 7) Diffinitio *Ma*

---

27 1–3) *cf.* ARISTOTELES *Met. I (A 1 981 a 5–7).* 3–7) *cf. De staticis experimentis (V 137, 11–17). Concentum elementorum musicorum in recta numerorum proportione situm esse docet* NICOLAUS *De mente 6 (V 60,20–70,3); De ludo globi II (I f. 164v). Cf.* BOETHIUS *De institutione musica I 10 (196,18. 197,3–198,28);* MACROBIUS *Comm. in Somn. Scip. II 1 8–13 (96,16–97,23);* ADELARDUS BATHENSIS *De eodem et diverso (BB IV 1 27,17. 20–25; 100).* 10–13) *cf. De fil. dei 2 (IV n. 57,1–11).* ARISTOTELES *Anal. post. II (B 1 89 b 24); Met. I (A 1 981 a 25. 28–981 b 2);* THOMAS *S. theol. I q. 2 a. 2.* 12–13) *cf. notas ad 26,4 et 27,1–3.* ARISTOTELES *l.c. (981 a 10–12.16).*

28 7–10) *cf. De ven. sap. 33 (I f. 215r):* (Aristoteles) in diffinitione, quae est vocabuli explicatio, scientiae lucem affirmavit. *Ad notiones* complicationis — explicationis *cf. e.gr. De docta ign. II 9 (I 92,16–19 et notae).* 8–14) *cf. De docta ign. I 2 (I 8,9–11):* Oportet autem attingere sensum volentem potius supra verborum vim intellectum efferre quam proprietatibus vocabulorum insistere, quae tantis intellectualibus mysteriis proprie

hoc in omni studio librorum principalem operam adhibeas, ut inter-
10 pretationem vocabulorum iuxta mentem scribentis attingas, et
cuncta facile apprehendes scripturasque concordabis, quas sibi con-
tradicere putabas. Hinc distinctiones terminorum multum confe-
runt ad variarum scripturarum concordiam, si distinguens non errat.
Et tunc minus deviat, quando ad aequalitatem reducere satagit.

29 Adiciam tibi unam quam habui considerationem circa speciem
notitiae principii. Hoc enim oportet esse principium, quo nihil prius
nec potentius. Sola potentia, quae praecisam sui aequalitatem generat,
maior esse nequit. Haec enim omnia in se unit. Capio igitur terminos
5 quattuor, puta posse, aequale, unum et simile. Posse dico, quo
nihil potentius; aequale, quod eiusdem naturae; unum ab ipsis
procedens; et simile, quod est principii sui repraesentativum. Ipso
posse nihil prius esse potest. Quid enim posse anteiret, si anteire non
posset? Posse igitur, quo nihil potentius aut prius esse potest, utique
10 est principium omnipotens. Est enim ante esse et non esse. Nihil

---

11) apprehendas *Ma*
29 7) principium *Ma* 8) Quid: quod *Ma*

---

adaptari non possunt; *Apol. (II 17,4–8). His verbis* NICOLAUS *statuit legem — ut ita dicam — interpretandi qua ea, quae in diversis unius auctoris scriptis contradictoria videntur esse, in concordiam redigantur. Sed hac lege etiam illa, quae a diversis auctoribus diversa et contradictoria prolata sunt, ad quandam convenientiam conatus est reducere; cf. De fil. dei 5 (IV n. 83,1–11); De ven. sap. 33 (I f. 215r):* Ecce vides doctissimum virum hac distinctione vocabuli multa dilucidasse, quae alibi obscura reperiuntur. Quantum etiam Aristoteles laboraverit ut distingueret vocabula, metaphysica eius declarat. Unde per vocabulorum distinctiones multae varietates scribentium concordantur, in quibus multi doctissimi se occupaverunt. 12) *De distinctionibus, quod est genus scribendi, cf. M. Grabmann, Die Geschichte der scholastischen Methode II p. 483 sq.*

29 1) circa speciem notitiae principii: *Tractatus De principio (II 1 f. 7r–11v), quem* NICOLAUS *anno 1459 scripsit, Compendii capiti 10 dissimillimus est. Sed notio* ipsius posse, *qua* NICOLAUS *hic principium primum, sc. deum, considerat, in Dialogo De apice theoriae (I f. 219r–221v) explicata est. De principio, licet modo valde diverso, diffuse loquitur* NICOLAUS *De poss. n. 56 sqq. (I f. 180rv).* 2) principium, quo nihil prius nec potentius: *cf. De ap. theor. (I f. 219rv).* 3) *cf. n. 30,2–4.* 7–8) *cf. De docta ign. II 7 (I 82,21):* Nihil enim praecedere videtur posse. Quomodo enim quid esset, si non potuisset esse; *De ap. theor. (I f. 219r):* quia potest esse, utique sine posse ipso non potest esse. Quomodo enim sine posse posset? *(f. 219v):* nihil esse quin possit esse et quod sine posse nihil quidquam potest sive esse sive habere, facere aut pati. . . . praesupponit enim omnis potens posse ipsum adeo necessarium, quod penitus nihil esse possit eo non praesupposito. . . . Carens autem ipso posse nec potest esse nec bonum nec aliud quodcumque esse potest; *(220v. 221r):* Quomodo enim sine posse posset? 10) *cf. De ap. theor. (I f. 221r):* Non est nisi quod esse potest.

enim est, nisi esse possit, nec non est, si non esse non potest. Atque praecedit facere et fieri. Nihil enim facit, quod facere non potest, aut fit, quod fieri non potest. Sic vides posse ante esse et non esse, ante facere et fieri; et ita de omnibus. Nullum autem omnium, quae hoc ipsum posse non sunt, sine ipso nec esse potest nec cognosci. Quae- 15 cumque igitur aut esse aut cognosci possunt, in ipso posse complicantur et eius sunt.

Aequale autem, cum non possit esse, nisi sit ipsius posse, erit prius 30 omnibus, sicut posse, cuius est aequale. In aequalitate sua ostendit se posse potentissimum. Nam de se sui ipsius posse aequalitatem generare supremum potentiae est. Posse igitur, quod se aequaliter ad contradictoria habet, ut non possit plus unum quam aliud, per 5 aequalitatem suam se aequaliter habet. Procedit autem ex posse et aequalitate eius unio potentissima. Potentia enim seu virtus unita fortior est. Unio igitur ipsius, quo nihil potentius, et eius aequalitatis non est minor ipsis, a quibus procedit. Et ita videt mens posse, eius aequalitatem et utriusque unionem esse unicum principium potentis- 10 simum, aequalissimum et unissimum. Patet satis quod posse aequaliter unit omnia, complicat et explicat.

---

30 3) se_2 *om. Ma* 5) unum *om. Ma* 9) quibus *om. Cu*

---

12) *cf. De ludo globi I (I f. 157ᵛ):* Nihil enim fit actu quod fieri non potuit. Impossibile enim fieri quomodo fieret? *De ap. theor. (I f. 219ᵛ).* 13) *cf. De docta ign. II 4 (I 73,8–10):* Deus est ... absolute differentia atque distantia praeveniens atque uniens, uti sunt contradictoria; *De ven. sap. 13 (I f. 205ᵛ):* (Deus) est enim ante differentiam omnem, ante differentiam actus et potentiae, ante differentiam posse fieri et posse facere, ante differentiam lucis et tenebrarum, immo ante differentiam esse et non esse, aliquid et nihil, ante differentiam indifferentiae et differentiae, aequalitatis et inaequalitatis et ita de cunctis.... Nam cum posse fieri et esse actu differant et aeternitas, quae deus est, illam differentiam praecedat, respicis in aeternitate, in qua posse fieri et actu esse non differunt, omnia, quae facta sunt et fieri possunt, actu, et ibi ipsam aeternitatem esse vides. 14–15) *cf. De docta ign. I 6 (I 13,22):* nihil esse posset, si maximum simpliciter non esset; *(14,5):* Nihil igitur potest intelligi esse sine maximo; *II 3 (71,21):* tolle deum a creatura, et remanet nihil; *De princ. n. 28 (II 1 f. 9ᵛ); Dir. spec. 3.5.6.7.17.prop. 8 (XIII 1 7,16–21. 32; 11,14–16; 14,22–25; 15,9–11. 26–28; 42,22; 62,3–5); De ap. theor. (I f. 219ʳᵛ).*

30 4–6) *cf. De aequal. n. 38 (II 1 f. 19ᵛ):* id enim quod est aequale uno modo se habet. 7) *cf. De docta ign. I 21 (I 42,18); De princ. n. 8 (II 1 f. 7ᵛ):* quanto unio est strictior, tanto virtus fortior. Unde quando essentia est magis unita, tanto maioris virtutis; *De ludo globi II (I f. 164ʳ).* LIBER DE CAUSIS *16 (179,2):* omnis virtus unita plus est infinita quam virtus multiplicata; ECHARDUS *In Ioh. n. 718:* Virtus enim unita fortior est. 11) *cf. De docta ign. II 3 (I 70,14–16):* Deus ergo est omnia complicans in hoc quod omnia in eo; est omnia explicans in hoc quod ipse in omnibus; *(72,13–16).*

31 Quidquid igitur facit, per aequalitatem facit, et si creat, per ipsam creat, et si ostendit, per ipsam se ostendit. Non facit autem posse ipsum per aequalitatem se ipsum, cum non sit prius se ipso, nec facit per aequalitatem dissimile. Non enim aequalitas forma est dissimili-
5 tudinis et inaequalis. Id igitur, quod facit, simile est. Quidquid igitur est et non est ipsum principium, necesse est quod sit ipsius similitudo, cum aequalitas, quae non recipit magis et minus, non sit multiplicabilis seu variabilis sive alterabilis, sicut nec singulare; non enim est singularitas aliud quam aequalitas.

32 Obiectum igitur omnis potentiae cogniti|vae non potest esse nisi *173ʳ* ipsa aequalitas, quae se in sua similitudine ostendere potest. Unde obiectum sensitivae cognitionis non est nisi aequalitas, sic et imaginativae atque etiam intellectivae. Naturaliter potentia suum cognoscit
5 obiectum. Cognitio vero fit per similitudinem. Hinc omnium potentiarum cognitivarum aequalitas obiectum est, cuius similitudo ponit omnes potentias cognitivas in actu. Naturaliter enim intellectu

---

31 2) si: vult *add. in marg. Ma* 2) ostendit$_1$: ostendi *Ma* 7) et: nec *Ma*

---

31 2–3) *cf. De docta ign. II 9 (I 89,29–90,2):* nihil se ipsum ad actu esse producere potest, ne sit sui ipsius causa; esset enim, antequam esset. Thomas *S. theol. I q. 2 a. 3:* nec tamen invenitur nec est possibile quod aliquid sit causa efficiens sui ipsius; quia sic esset prius se ipso, quod est impossibile. 5–7) *cf. De docta ign. II 4 (I 72,24):* Quomodo universum, maximum contractum tantum, est similitudo absoluti; *De dato patr. 2 (IV n. 99,6–8); De gen. 1 (IV n. 149,7–19); De beryllo 13 (XI 1 13,9):* quomodo omnia creabilia non sunt nisi similitudo; *18 (21,15).* 7–9) *cf. De docta ign. I 3 (I 9,6); II 11 (99,20):* nulla duo in universo per omnia aequalia esse possunt simpliciter; *De aequal. n. 35 (II 1 f. 19ʳ):* Quod autem nulla duo reperiantur omnino aequalia, est, quia duo aequalitatem aequaliter participare nequeunt; *(19ᵛ):* Nihil igitur omnium quae sunt est multiplicabile, quia omnia in tantum sunt, in quantum aequalitatis rationem participant, quam plura aequaliter participare nequeunt. Entitas igitur immultiplicabilis aequalitas est, ita substantia et animalitas et humanitas et omne genus et omnis species et omne individuum. Individualitas enim est immultiplicabilis aequalitas.

32 5) cognitio fit per similitudinem: *cf. De fil. dei 6 (IV n. 86,4); De mente 3.7 (V 57,20 et nota; 75,7 sqq.); De princ. n. 21 (II 1 f. 8ᵛ. 9ʳ); De poss. n. 21 (I f. 176ᵛ); Cribr. II 3 (I f. 134ᵛ); De ven. sap. 17.29 (I f. 207ᵛ. 213ʳᵛ).* Thomas *S. theol. I q. 75 a. 1 arg. 2; Comm. in De an. I l. 4 (XXIV 14b):* cognitio fit per similitudinem rei cognitae in cognoscente. (Antiqui philosophi) dicebant enim quod oportebat simile simili cognosci. *De hoc axiomate cf.* Aristoteles *De an. I (A 2. 5 404 b 17; 409 b 26–28; 410 a 23–25); III (Γ 3 427 a 27–29; b 4);* Thomas *Sent. I d. 34 q. 3 a. 1 arg. 4; Comm. in De an. II l. 10.12 (XXIV 87 a. 93a); S. theol. I q. 84 a. 1;* Echardus *In Ioh. n. 26. 123 (LW III 21,4; 107,8 et notae).*

vigentes aequalitatem esse vident, cuius similitudo est in intellectu, sicut visus coloratum, cuius similitudo seu species est in visu. Similitudo autem omnis est aequalitatis species seu signum. Aequalitas 10 visui obicitur, quae in specie coloris videtur et in auditu in specie soni auditur; et ita de reliquis.

Propinquius tamen in imaginatione, quia non in specie qualitatis, **33** sed quantitatis aequalitas imaginabilis est. Et haec species propinquiorem habet aequalitatis similitudinem. In intellectu vero non per similitudinem speciebus qualitatis aut quantitatis involutam, sed simplicem et puram intelligibilem speciem seu nudam similitudinem 5 aequalitas attingitur. Et videtur aequalitas ipsa una, quae est omnium rerum essendi et cognoscendi forma in varia similitudine varie apparens. Et eius singularem apparitionem, quam rem singularem appellamus, in eius splendore humana mens naturaliter in se ipsa intuetur tamquam viva et intelligens eius apparitio. Non est enim humana 10 mens nisi signum coaequalitatis illius quasi prima apparitio cognitionis, quam propheta «lumen vultus» dei «super nos signatum» appellat.

Hinc homo naturaliter bonum, aequum, iustum et rectum, quia **34** splendores aequalitatis, cognoscit; legem illam 'quod tibi vis fieri, alteri fac', laudat, quia est splendor aequalitatis. Cibus enim vitae

---

10) Aequalitas: igitur *add. Ma* 11 et–12) et *om. Cu*
33 11) aequalitatis *Ma* 11) cognitione *Ma*

---

33 3–6) *cf. n. 10,10–12.* 6–7) omnium rerum essendi ... forma: *cf. n. 24,5 et nota; De aequal. n. 34 (II 1 f. 19r):* Nihil igitur est expers aequalitatis, cum ratio aequalitatis sit forma essendi, sine qua non potest quicquam subsistere. 7–8) in varia similitudine varie apparens: *cf. n. 24,7–15.* 8–10) *cf. De ap. theor. (I f. 221rv):* Quae mens videt, intelligibilia sunt et sensibilibus priora. Videt igitur mens se et quoniam videt posse suum non esse posse omnis posse, cum sint multa ei impossibilia, hinc se non esse posse ipsum, sed ipsius posse imaginem videt. In suo itaque posse cum videat posse ipsum et non sit nisi suum posse esse, tunc videt se esse modum apparitionis ipsius posse; et hoc ipsum in omnibus quae sunt similiter videt. Sunt igitur omnia, quae mens videt, modi apparitionis ipsius incorruptibilis posse. 10–12) *cf. n. 23, 13–16.* 12) *cf. Ps. 4,7:* Signatum est super nos lumen vultus tui, domine.

34 1–3) *cf. n. 17,14–17; De aequal. n. 35 (II 1 f. 19v):* Neque est quicquam verum, nisi in quantum participat aequalitatis unitatem seu rationem. Sic nec iustum nec virtuosum nec bonum nec perfectum. 2) *cf. Matth. 7,12; Luc. 6,31; Sermo XVIII n. 39 (CT I 6 79,17 et nota); De aequal. n. 36 (II 1 f. 19v), cf. not. 38,5–8. Formulam negativam invenies De docta ign. III 6 (I 136,20); cf. Tob. 4,16.* 3–5) *cf. De ven. sap. 1 (I f. 201rv); De ludo globi I (I f. 159r):* Nam si vult, reperit et eligit libere virtutes immortales immortalis

intellectualis ex talibus est virtutibus; quare non ignorat ipsam
5 pastus sui refectionem. Sicut visus sensibilis ad sensibilem lucem se habet, ita visus mentis ad hanc intelligibilem lucem. Nam lux sensibilis, illius intelligibilis imago, similitudinem aequalitatis habet, cum nihil inaequale in ipsa luce videatur. Hoc certum quod sicut visus sensibilis nihil sentit nisi lucem et lucis apparentiam in signis suis
10 neque quidquam aliud esse iudicat, quin immo constanter affirmat sublata luce nil penitus manere – pascitur enim videre ex illis –, ita et mentis visus nihil sentit quam intelligibilem lucem sive aequalitatem et eius apparitionem in signis suis atque verissime profitetur quod hac luce sublata nihil nec esse nec intelligi potest. Quomodo
15 enim sublata aequalitate staret intellectus, cuius intelligere in adaequatione consistit, quae utique desineret aequalitate sublata? Nonne veritas sublata foret, quae est adaequatio rei ad intellectum aut aequatio rei et intellectus? Nihil igitur in veritate maneret aequalitate sublata, cum in veritate ipsa nihil reperiatur quam aequalitas.

35

Capitulum XI

Et ut videas animam sensitivam non esse intellectum, sed eius similitudinem seu imaginem, attende quomodo in vidente duplex

---

34 16) quae: quem *Ma* 16) sublata: foret *add. Ma* 17) ad–18) rei *om. Cu* 19) nihil: non *Ma*

---

anima proprium vitae suae cibum spiritualem, sicut vegetativa corporis pastum sibi aptum corporalem. 5) *cf. n. 2,4–6. 9–13.* 6) *cf. n. 35,2.* 8–11) *cf. De ap. theor. (I f. 219ʳ).* 11–14) *cf. n. 2,4–13; De aequal. n. 36–37 (II 1 f. 19ᵛ):* Et ita vides penitus nihil posse subsistere nisi in aequalitate. In omnibus enim quae sunt, in quantum sunt, relucet aequalitatis ratio. 14–19) *cf. De aequal. n. 36 (II 1 f. 19ᵛ):* Neque est quicquam verum, nisi in quantum participat aequalitatis unitatem seu rationem; *n. 37:* Sine aequalitate non intelligitur veritas, quae est adaequatio rei et intellectus; *n. 40 (f. 20ʳ):* Nonne sublata aequalitate nihil intelligitur, nihil videtur, nihil subsistit, nihil durat? 17) *cf. De aequal. n. 37 (II 1 f. 19ᵛ), in nota praecedenti; De ven. sap. 36 (I f. 216ʳ):* (intellectus) est etiam intelligendo verus, quando est rei intellectae adaequatus. *Hanc veritatis definitionem philosopho Iudaeo* ISAAK ISRAELI *ascribit* THOMAS *De ver. q. 1 a. 1; S. theol. I q. 16 a. 2 arg. 2; sed in illius operibus non est inventa; cf. I. T. Muckle, Isaac Israeli's Definition of Truth, AHDLM 8 (1933) 5–8. Cf.* AVICENNA *Met. I 9 (f. 74ʳᵛ). De definitione illa apud* AVERROEM *cf. editores Summae theol.* ALEXANDRI HALENSIS *I 142 n. 2.*

35 2) *cf. De beryllo 18 (XI 1 20,12):* Cognitio enim sensitiva animae ostendit se similitudinem intellectus esse; *(20,15):* Anima in eo quod similitudo intellectus, sentit libere;

est forma, una informans, quae est similitudo obiecti, alia est formans, quae est similitudo intelligentiae. Formare et informare 5
agere quoddam est. Cum autem nihil fiat sine ratione, intellectus est principium actionum, quae sunt ad finem. Facit autem omnia aut per se aut per naturam; ideo opus naturae est opus intelligentiae. Hinc quando obiectum per suam similitudinem informat, hoc naturaliter fit, scilicet per intelligentiam medio naturae. Quando vero intelli- 10
gentia format, hoc facit per propriam suam similitudinem. In vidente igitur duae sunt similitudines, alia obiecti, alia intelligentiae, sine quibus non fit visio. Similitudo obiecti est superficialis et extrinseca, similitudo intelligentiae centralis et intrinseca. Similitudo obiecti est instrumentum similitudinis intelligentiae. Similitudo igitur intelli- 15
gentiae mediante similitudine obiecti sentit seu cognoscit.

36 Sentire igitur animam sensitivam, quae similitudo est intelligentiae, et speciem obiecti, quae est similitudo obiecti, requirit. Quare anima sensitiva non est intellectus, cum non sentiat sine similitudine obiecti. Intellectus enim non dependet ab aliquo, ut intelligibilia intelligat, et nullo alio a se ipso indiget instrumento, cum sit suarum actionum 5
principium. Intelligit enim hoc complexum: 'quodlibet est vel non est,' sine aliquo instrumento seu medio; sic et cuncta intelligibilia.

---

35 4) similitudo: intelligentiae *add. Ma* 12) $alia_1$: una *Ma*

De ven. sap. 36 (I f. 216r): Sic sensibile est veri similitudo, quia intelligibilis imago, ut recte dicebat Dionysius; quod et Plato prius viderat; *37 (f. 216v):* Individua vero sensibilis naturae imitantur intelligibilia exemplaria et, ut dicit Dionysius, sunt ipsorum imagines. 3–5) *cf. n. 14,2–4.* 6–8) *cf. De ven. sap. 29 (I f. 213r); De ludo globi I (I f. 156r):* Ideo (bestiae) impelluntur ad ea, quae agunt, per naturam, et eiusdem speciei similes faciunt venationes et nidos. Ioh.: Non sine ratione haec fiunt. Card.: Natura movetur intelligentia. LIBER DE CAUSIS *8 (172,13–16):* intelligentia est princeps omnium rerum quae sunt sub ea et retinens eas et regens eas, sicut natura regit res quae sunt sub ea per virtutem intelligentiae. Et similiter intelligentia regit naturam per virtutem divinam. 8) opus naturae est opus intelligentiae: *cf. De docta ign. II 9 (I 93,19), ubi hoc Peripateticis ascribitur.* ARISTOTELES *Phys. II (B 6 198 a 9–13); VIII (Θ 5 256 b 24–26); Met. I (A 3 984 b 15–20);* THOMAS *Sent. I d. 35 q. 1 a. 1; II d. 25 q. 1 a. 1; De pot. q. 1 a. 5;* ECHARDUS *Q. Paris. I n. 5 (LW V 42,3):* Dicimus enim omnes quod opus naturae est opus intelligentiae; *In Gen. I n. 6 (LW I 189,9–13):* Intellectus enim principium est totius naturae *(allegatur* LIBER DE CAUSIS *8 [172,15. 20. 23]).* 8) intelligentiae: *cf. De docta ign. II 4. 9; III 3 (I 75,2–4; 90,5; 93,8.20; 126,3); De coni. I 6; II 16 (III n. 23–26. 160); De beryllo 20 (XI 1 23,15–27).*

Sensibilia non|intelligit, quia sensibilia et non intelligibilia. Quare *173v*
oportet, ut intelligibilia prius fiant, antequam intelligantur, sicut
10 nihil sentitur, nisi sensibile fiat.

37

Capitulum XII

Adhuc, ut in sensibilibus consideres aequalitatem, nonne alia superficies plana, alia rotunda, alia media? Et si aut planam aut rotundam mente conspicis, utique nihil non aequale habent. Plani-
5 ties quid aliud quam aequalitas? Sic et rotunditas aequalitas est. Aequaliter enim a centro se habet rotundi superficies et necessario undique aequalis, nullibi se aliter habens. Planities eodem se habet modo undique. Quod si ad illam respicis planitiem, qua nulla dari potest aequalior, utique, cum omnis plana superficies splendeat, maxi-
10 me illa splendebit. Sic et rotunda splendebit et movebitur, ut in libello De globo patet. Mediae vero superficies non possunt penitus ab omni aequalitate esse alienae, cum cadant inter planam et rotundam. Sic nec inter rectam lineam et circularem, quarum quaelibet aequalis est, nulla cadere potest linea aequalitatis expers.

38 Ita et de numero, quorum nullus est aequalitatis expers, quando in ipsis non nisi unitatis progressio reperitur, et nullus est, qui sit variabilis aut minus plusque capiat. Hoc certe non aliunde quam ab aequalitate sic esse oportet. Deinde, nonne nihil in sanitate aut vita

---

37 4) conspicis: concipis *Ma* 9) aequalior: aequaliter *Ma*
38 4) nonne: nomine *Ma*

---

37 6) *cf. n. 19,22–25; n. 30,4–6, De aequal. n. 38 (II 1 f. 19v):* id enim quod est aequale uno modo se habet; *De ludo globi II (I f. 163v):* Est (centrum simplicissimum) initium aequalitatis. Nisi enim omnes lineae a centro ad circumferentiam sint aequales, utique non est centrum circuli. . . . centrum circuli, de cuius essentia est aequidistantia a circumferentia. 10) *cf. De ludo globi I (I f. 154v):* Perfecte igitur rotundus (globus), cum eius summum sit etiam imum et sit atomus, postquam incepit moveri — quantum in se est — numquam cessabit, cum varie se habere nequeat. Non enim id quod movetur aliquando cessaret, nisi varie se haberet uno tempore et alio. Ideo sphaera in plana et aequali superficie se semper aequaliter habens semel mota semper moveretur. Forma igitur rotunditatis ad perpetuitatem motus est aptissima. Cui si motus advenit naturaliter numquam cessabit. Ideo si super se movetur, ut sit centrum sui motus, perpetue movetur.

aut talibus quibuscumque veraciter quam aequalitas reperitur? Qua 5
sublata nec sensus nec imaginatio nec comparatio nec proportio nec
intellectus remanebit; sic nec amor nec concordia nec iustitia nec
pax erunt, nec durare quidquam poterit.

Capitulum XIII

39

Post primi principii considerationem adhuc ex dictis aliquid de anima inferam. Elicias ex praemissis quomodo aer nullo sensu nostro attingitur nisi qualificatus. Ex quo constat quod, si aer viveret vita sensitiva, in se sentiret species qualitatum. Aer autem aut subtilis est 5 aut grossus aut medio modo se habet. Subtilis aether est. Oportet igitur animam sensitivam aerem vivificare sibi coniunctum, ut in vivificato aere sentire possit species obiectorum, puta in aere vivo diaphano et subtili speciem visibilis, in communi speciem soni, in ingrossato et immutato species aliorum sensuum. Non est igitur 10 anima sensitiva nec terra nec aqua nec aer nec aether sive ignis, sed est spiritus vivificans aerem modo praemisso, et coniunctum ex spiritu et aere per sensibilem speciem in actu positum sentit. Aer igitur corpus vitae spiritus nostri sensitivi exsistit, quo mediante vivificat totum corpus et sentit obiecta, et non est naturae alicuius obiecti 15

---

39 9) in$_2$ *om. Ma* 11) anima: omnia *Ma* 15) sensit *Cu*

---

38 5–8) *cf. n. 34,14–19; De coni. II 17 (III n. 173 sqq.); De aequal. n. 35.36 (II 1 f. 19ᵛ):* Omnis scientia et ars in aequalitate funda[n]tur. Regulae iuris aut grammaticales aut aliae quaecumque non sunt nisi participationes rationis aequalitatis ... Sic medicina ad aequalitatem complexionis respicit: iustitia in regula aequalitatis 'quod tibi vis fieri, alteri fac' fundatur. Sublata aequalitate cessat prudentia, cessat temperantia et omnis virtus, quoniam in medio quod est aequalitas consistit. Sine aequalitate non intelligitur veritas, quae est adaeqatio rei et intellectus; non est nec vita nec esse ...; *n. 38:* Concordia et pax et ordo aequalitas sunt, per quae omnia et sunt et conservantur; sic pulchritudo, harmonia, delectatio et amor et quaeque talia aequalitas sunt. ... Sic et dilectio et amicitia et simile simili applaudit ob aequalitatem; *n. 40 (f. 20ʳ):* Quanto enim complexio aequalior, tanto sanior, perfectior et durabilior. Aequalitas ipsa est aeterna duratio. Aequalitas quae vita est aeterna vita. Intelligere intellectus est vivere. Vita in aequalitate consistit. Si igitur anima omnia lustrans videt sublata aequalitate nihil remanere, concludit omnia ex ipsa, per ipsam et in ipsa esse.

39 2) Post primi principii considerationem: *cf. n. 29,1.* 3) *cf. n. 19,29 sqq.* 4) *cf. De mente 5 (V 65,23–66,2).* 13–16) *cf.* ARISTOTELES *De an. II (B 8 420 a 3–11).*

sensibilis, sed simplicioris et altioris virtutis. Sentire quoddam pati est. Agit igitur species in corpus organicum iam dictum.

40 Hinc species non est corporalis, cum agat in corpus, sed est in respectu ad corpus illud organicum spiritus formans. Et quia sentitur, erit corpus illud vivum et purum omni specie carens. Anima autem, quae est vivificans ipsum et cuius est sentire, penitus omni corpore 5 et specie simplicior et abstractior non cognoscit, nisi attendat. Est igitur virtutis semper vivificativae et cognitivae, qua utitur, quando movetur, ut attendat. Est igitur in ipsa anima sensitiva ultra virtutem vivificativam quaedam potentia cognitiva, quasi imago sit intelligentiae, quae in nobis ipsi intelligentiae iungitur. Vides radium solis 10 penetrare vitrum coloratum et in aere speciem coloris apparere. Splendore enim illo, qui est splendor coloris vitri, vides aerem coloratum in similitudine vitri; habet se tamen color vitri ut corpus et color aeris ut intentio et spiritus ad illum. Huius autem intentionis species adhuc subtilior et spiritualior, quia est splendor eius, sentitur 15 in visu, scilicet in diaphano aerio vivo oculi.

41 Anima igitur sensitiva, quae vivificat diaphanum, est adeo spiritualis, quod splendorem splendoris sentit in suo diaphano purissimo. Sentit enim diaphani eius superficiem penitus incoloratam in simi-

---

41 3) similitudine: obiecti *add. Ma*

---

16) *cf.* Aristoteles *De an. I (A 5 410 a 25); II (B 5 416 b 33–35; 11 423 b 31–424 a 1);* Thomas *Comm. in De an. II l. 13 (XXIV 96 a):* sentire consistit in quodam pati et alterari.

40 1) *Quae conclusio fundatur in principio quo asseritur agens esse honorabilius patiente; cf.* Aristoteles *De an. III (Γ 5 430 a 18);* Augustinus *De Gen. ad litt. XII 16 (CSEL XXVIII 1 402,5–9):* Nec sane putandum est facere aliquid corpus in spiritu, tamquam spiritus corpori facienti materiae vice subdatur. Omni enim modo praestantior est qui facit ea re, de qua aliquid facit; neque ullo modo spiritu praestantius est corpus; immo perspicuo modo spiritus corpore; *De mus. VI 5 n. 8 (PL 32, 1167):* ... et omnis materia fabricatore deterior; Thomas *Sent. IV d. 1 q. 1 a. 4 arg. 3; De ver. q. 27 a. 4 arg. 11; S. theol. III q. 62 a. 1 arg. 2;* Echardus *Collatio in Libros Sent. n. 3 (LW V 20,4).* 5) nisi attendat: *cf. n. 41, 6–9.* 7–9) *cf. n. 35,2–5.*

41 1) *De modo immaterialitatis, quem res in cognitione sensitiva accipiunt, cf.* Aristoteles *De an. II (B 12 424 a 17–19); III (Γ 2. 8 425 b 23; 431 b 28; 432 a 9);* Thomas *Comm. in De an. II l. 5; III l. 13.17; (XXIV 71b; 178b; 191 a); S. theol. I q. 14 a. 1. Omnium sensuum visum maxime spiritualem esse dicit* Thomas *Comm. in De an. II l. 14; III l. 6 (100. 154 b); S. theol. I q. 78 a. 3.* 3) penitus incoloratam: *cf. De quaer. deum 1*

litudine tingi, et se convertens ad obiectum, unde splendor venit, medio illius splendoris, quem in superficie corporis sui diaphani 5 sentit, obiectum cognoscit. Unde, cum non fiat visio, nisi videns attendat ad splendorem seu intentionem – praetereuntes enim, si non sumus attenti, non videmus –, patet quod visio ex intentione coloris et attentione videntis oritur.

42 Et si bene consideras, in aere illo colorato similitudinem hominis reperies. Nam est corpus, anima et spiritus. Corpus, ut aer est; *174ʳ* anima, ut species coloris per|omnia aerem penetrantis, formantis et colorantis; spiritus vero, ut radius lucis colorem illuminantis. Nam rationalis nostra anima nisi in se haberet spiritum discretionis, qui in 5 ea lucet, homines non essemus nec clare prae ceteris animalibus sentiremus. Lux autem illa, quae in nobis lucet, desuper datur et non commiscetur corpori; lucem autem esse discretivam experimur.

43 Ideo omnem discretionem et illuminationem atque perfectionem animalitatis nostrae ab illa insensibili luce nos habere certissime scimus, quae si non luceret in nobis, penitus deficeremus; quemadmodum cessante radio solis penetrare vitrum coloratum nihil de

---

(IV n. 20, 6–11). Aristoteles *De an. II (B 7 418 b 26).* Echardus *Sermo VIII n. 93 (LW IV 88,6 et nota):* oculum oportet esse immixtum (colori). 6–9) *cf. De coni. II 16 (III n. 157,14–19):* Visibile enim non attingitur per sensum visus absente intentione intellectualis vigoris. Hoc quidem experimur, dum circa alia intenti praetereuntem non discernimus. Sensus enim confuse capit sensibile in ipsum ascendens, sed non est sensatio formata atque discreta absque intellectu in nobis per medium rationis descendente; *De quaer. deum 2 (IV n. 33,8–11); De vis. dei 22 (I f. 111ᵛ); De ludo globi II (I f. 165ᵛ. 166ʳ). Cf.* Augustinus *De trin. XI 8 n. 15 (PL 42, 996):* Ita et ambulantes intenta in aliud voluntate nesciunt qua transierint; quod si non vidissent, non ambulassent aut maiore intentione palpando ambulassent, praesertim si per incognita pergerent; sed quia facile ambulaverunt, utique viderunt; quia vero non sicut sensus oculorum locis quacumque pergebant, ita ipsi sensui memoria iungebatur, nullo modo id quod viderunt etiam recentissimum meminisse potuerunt. Iam porro ab eo quod in memoria est, animi aciem velle avertere nihil est aliud quam non inde cogitare; *cf. etiam 2 n. 2. 5 (985–987).*

42 2) *cf. Conc. cath. I 4 (XIV 46, 19sqq.), ubi laudatur* Augustinus *De fide et symbolo 10 n. 23 (CSEL XLI 28,9 sqq.); 6 (XIV 55,23).* 5–7) *De quaer. deum 2 (IV n. 33,5–7); De mente 5 (V 64,6–14); De ludo globi II (I f. 164ᵛ).*

43 1–3) *cf. De docta ign. II 13 (I 112, 8–14); De quaer. deum 2.3 (IV n. 35–38); De ven. sap. 6 (I f. 202ᵛ. 203ʳ):* ... disponat autem lux velle mundum visibilem facere; et quia posse fieri visibilem mundum est color, ipsius lucis similitudo (nam coloris hypostasis lux est). Creat igitur lux colorem, in quo omne quod videri potest complicatur. Sicut enim sublato colore nihil videtur, ita a luce per colorem omne visibile ut tale de potentia ad actum perducitur .... et quia sensus visus, qui spiritus lucidus est, lucem discretivam et cognoscitivam participat ... Sic et intellectus lucidior est visu. Discernit

5 colorato aere visibile manet. Caelum autem ut vitrum est in se zodiacum seu circulum vitae continens; virtus vero omnia creantis est ut radius. Ex his paucis materiam speculandi sumito, quam, ut volueris, poteris ampliare. Superest de fide nostra dulcissima consideratio, quae omnia sua certitudine superat et sola est felicitans;
10 circa quam solide et crebriter verseris.

44 Conclusio

Habes, quae nos in his alias latius sensimus, in multis et variis opusculis, quae post istud Compendium legere poteris, et reperies primum principium undique idem varie nobis apparuisse et nos
5 ostensionem eius variam varie depinxisse.

45 Epilogus

Tendit tota directio ad unitatem obiecti, ad quam Philippus apostolus per Christum, qui verbum dei, ductus dicebat: «Domine, ostende nobis patrem, et sufficit nobis». Patrem verbi ac aequalitatis,
5 quia omnipotens, posse supra nominamus; unum est obiectum visus

44 2) nos: non *Ma* 2) alius *Ma*
45 2) quam: beatus *add. Ma*

enim subtilissime quae invisibilia sunt: puta intelligibilia a visibilibus abstracta ...; 22 *(I f. 210r)*: ... nec aliud est singularitas quam aeternae lucis similitudo. Singularitas enim discretio est; lucis autem est discernere et singularisare. 5) Caelum ut vitrum: *de* NICOLAI *astronomia cf. De docta ign. II 11.12 (I 100,15sqq.; 101 not. 14 et 107 not. 1).* 6) zodiacum seu circulum vitae: *cf. De staticis experimentis (V 133,19).*

44 2) *cf. De coni., De quaer. deum, De mente, De beryllo, De aequal., De poss., De ven. sap., De ludo globi, De ap. theor.* 3–5) *cf. De ven. sap. 12–19 (I f. 205r–208v); De ap. theor. (I f. 219r).*

45 2) directio: *cf. Dir. spec. praef. VIII sq.* 3–4) *Ioh. 14,8; quem versum* ECHARDUS *saepe allegat et exponit; cf. In Ioh. n. 546–576; Pr. 13 (DW I 217,5 et 218 nota 1).* 4) Patrem verbi: *cf. n. 19,11–26; n. 20,6–14; n. 21,1–11.* 4) aequalitatis: *cf. n. 29,3; n. 30–34.* 5) posse: *cf. n. 29,9; De poss. n. 60 (I f. 180r)*: ... personam ipsius absoluti posse, quam nominamus patrem omnipotentem ...; *De ap. theor. (I f. 220v)*: Qui dicunt deum patrem omnipotentem creatorem caeli et terrae, id, quod nos dicimus, dicunt, scilicet posse ipsum quo nihil est potentius creare caelum et terram et omnia per suam apparitionem. Nam in omnibus, quae sunt aut esse possunt, non potest quicquam aliud videri quam posse ipsum; *(f. 221v)*: Per posse ipsum deus trinus et unus, cuius nomen omnipotens seu posse omnis potentiae ..., significatur. 5–7) *cf. n. 32,1–7; De ap. theor. (I f. 220v).*

mentis et visus sensus, visus mentis, uti est in se, visus sensus, uti est in signis, et est ipsum posse, quo nihil potentius. Hoc cum sit omne, quod esse potest, tunc et omnia, quae esse possunt, ipsum est sine sui variatione, augmento sive diminutione. Res igitur omnes cum non sint nisi quod esse possunt et posse, quo nihil potentius, 10 sit omne posse esse, nec est alia omnium, quae sunt, causa nisi ipsum posse esse. Est enim res, quia ipsum posse esse est; et est hoc et non aliud, quia summa aequalitas est; et est una, quia summa unio est. Hinc nihil se offert visui mentis in omnibus et per omnia nisi quo nihil potentius. Non enim ille visus res appetit multas et varias, quoniam 15

---

9) sui *om. Ma* 9) sive: sine *Ma* 15) quoniam: quando *Ma*

---

7) *cf. n. 29,2. 9.* 7) *cf. De docta ign. I 2 (I 7,11):* (maximum absolutum) est actu omne possibile esse; *4 (10,12):* quare maximum absolute cum sit omne id, quod esse potest, est penitus in actu; *(10,27):* Quia igitur maximum absolute est omnia absolute actu, quae esse possunt, ...; *5 (12,27; 12,31); II 1 (64,14); III 2 (123,18); Apol. (II 31,19–21):* Nam cum deus sit purissimus infinitus actus, tunc est absolute omne absolute possibile; et in coincidentia illa latet omnis theologia apprehensibilis; *De poss. n. 9 (I f. 175^r):* ... ita ut solus deus id sit quod esse potest, nequaquam autem quaecumque creatura, cum potentia et actus non sint idem nisi in principio; *n. 10:* Cum potentia et actus sint idem in deo, tunc deus omne id est actu, de quo posse esse potest verificari. Nihil enim esse potest, quod deus actu non sit; *De ven. sap. 13 (I f. 205^v):* Solus deus est possest, quia est actu quod esse potest; *39 (217^v); De ludo globi I (I f. 157^v):* aeternitas deus est, qui est omne id quod esse potest; *Sermo XVIII n. 14 (CT I 6 40,11):* Aber gott allein is alles das da syn mach. *Cf. dictum brevissimum* 'deus est omnia' *De docta ign. I 2.16; II 2.13 (I 7,8; 31,6; 66,26; 113,11); De mente 7 (V 79,1); Apol. (II 31,27):* (deus) est complicative omnia et nihil omnium explicative; *(28,21); De poss. n. 11 (I f. 175^r):* patet ipsum *(sc. deum)* complicite esse omnia; *n. 87 (182^v):* Esse igitur ipsius *(sc. dei)* est omne esse omnium quae sunt aut esse quoquomodo possunt. DIONYSIUS AREOPAGITA *De cael. hier. IV 1 (PG 3, 177 D; Dion. 802^3); De div. nom. V 4 (817 D; 334^4–335^1);* IOHANNES SARESBERIENSIS *De septem septenis 7 (PL 199, 961 B):* Parmenides quoque dicit: deus est cui esse quidlibet quod est, est esse omne id quod est; PSEUDO-BEDA *Comm. in Boethii De trinitate (PL 95,397 C) et* ALANUS *Theol. reg. 7 (PL 210,627 C) eandem* PROCLI *sententiam (cf. Elem. theol. c. 102–103) laudant. Cf. De docta Ign. I 23 (I 46,22). Cf.* THOMAS *Sent. I d. 8 q. 1 a. 2; S. c. gent. II 15:* (deus) sua actualitate et perfectione omnes rerum perfectiones comprehendit ..., et sic est virtualiter omnia; ECHARDUS *Sermo VI 1 n. 53 (LW IV 51,7):* deus communis est; omne ens et omne omnium esse ipse est; *In Sap. n. 282 allegatur* AVICENNA *Met. VIII 5 (f. 99vb), ubi legitur:* Ipse *(sc. deus)* vero est omne quod est, et tamen non est aliquod (aliquid ECHARDUS) ex his. 9) *cf. n. 46,11; De docta ign. III 3 (I 128,12):* absque sui variatione, diminutione aut minoratione. 11) omne posse esse: *cf.* THOMAS *S.c.gent. II 28:* .... Deus igitur qui est totum suum esse ... habet esse secundum totam virtutem ipsius esse. 11) *cf. n. 29,14–17; De docta ign. I 6 (I 13,22; 14,5); De poss. n. 20 (I f. 176^r):* Nam si non est posse esse, nihil est; *De ludo globi II (I f. 164^r).* 14) *cf. De ap. theor. (I f. 220^r).*

ad multa et varia non inclinatur, sed naturaliter ad id fertur, quo nihil potentius, in cuius visione vivit et quiescit.

46 Et quoniam potentia, qua nihil potentius, est virtus maxime unita, hinc unitatem ipsam nominat, qua nihil potentius. Res vero, quae esse possunt, numeros appellat. Obiectum vero visus mentis est unitas omnipotens invariabilis et immultiplicabilis, non numerus, 5 cum in numero nihil sit, quod videre cupiat, nisi ipsa unitas, quae est omne id, quod omnis numerus est et esse aut explicare potest. Respicit enim, quid in omni numero numeratur, et non ad numerum. Nihil autem in quocumque et qualitercumque magno aut parvo, pari aut impari numero esse potest quam virtus illa, qua nihil poten- 10 tius, quae unitas dicitur. Non est igitur obiectum visus mentis aliud quam posse, quo nihil potentius, cum illud sine sui mutatione solum possit esse omnia et sit etiam, sine quo nihil esse potest. Quomodo enim quidquam esset sine ipso posse, quando esse non posset? Et si sine ipso aliquid esse posset, utique sine ipso posse posset.

---

46 8) et qualitercumque: aequaliter quocumque *Ma* 8) aut: vel *Ma* 13) quidquam: quidquid *Ma* 13) esset: esse *Ma* 14) posse: esse *Ma*

---

46 1) *cf. n. 30,7–9.* 2) Res... numeros: *cf. quae de sententia* Pythagoreorum *dicit* Aristoteles *Met. I (A 5 985 b 23; 986 a 6). Cf.* Theodericus Carnotensis *Tractatus n. 36 (196):* creatio numerorum rerum est creatio. 4) unitas ..., non numerus: *cf. De docta ign. I 5 (I 12,22–28):* Non potest autem unitas numerus esse, ..., sed est principium omnis numeri ...; *De poss. n. 57 (I f. 180ʳ). Cf.* Boethius *De trin. 2 (153,39):* Quocirca hoc vere unum, in quo nullus numerus; *3 (154,1.3):* Deus vero a deo nullo differt... Ubi vero nulla est differentia, nulla est omnino pluralitas, quare nec numerus, igitur unitas tantum; Echardus *Sermo X n. 104 (LW IV 99,9 et nota):* Sic deus unus sine numero omni et super numerum; *n. 105 (100,1 et nota):* In deo enim non est numerus. 5) *cf. n. 38,1; De docta ign. II 3 (I 69,9):* Unitas igitur infinita est omnium complicatio; *(69,11–13):* ... ut unitas numeri complicatio est. ... sicut in numero explicante unitatem non reperitur nisi unitas; *(70,17):* Numerus est explicatio unitatis; *Apol. (II 17,26–18,3 et nota):* quasi monas est omnia in omnibus numeris, quia ea sublata nequit numerus esse, qui solum per ipsam esse potest; et quia monas est omnis numerus, non tamen numeraliter, sed complicite, ideo non est aliquis numerus ...; *(27,6–8):* Nam sicut simplicitati unitatis non repugnat omnem numerum in ea complicari, sic simplicitati causae omnia causata; *Sermo XVIII n. 7 (CT I 6 30, 10–15).* 8–10) *cf. Apol. (II 16,24–17,2):* Nam cum numerus non est unitas, quamvis omnis numerus in unitate sit complicitus sicut causatum in causa; sed id, quod intelligimus numerum, est explicatio virtutis unitatis. Sic numerus in unitate non est nisi unitas. 12–14) *cf. n. 29,10.14.*

Obiectum autem sensus visus res aliqua est sensibilis, quae, cum **47**
non sit nisi ipsum, quod esse potest, non est nisi idem obiectum
visus mentis, non ut in se, quemadmodum se menti, sed ut in signo
sensibili, quemadmodum se sensibili visui obicit. Quia igitur ipsum
posse, quo nihil potentius, vult posse videri, hinc ob hoc omnia. Et 5
haec est causa causarum et finalis, cur omnia, ad quam omnes rerum
causae in esse et nosci ordinantur.

Et sic claudo brevissimam compendiosissimamque directionem,
quam mundiores acutiorisque visus subtilius contemplantes clarius
dilatabunt ad laudem cunctipotentis semper benedicti. 10

---

47 4) quemadmodum se sensibili *om. Ma* 10) benedicti: Amen *add. Ma*

---

47 1–4) *cf. n. 45,5–7.* 4–7) *cf. De beryllo 3. 36 (XI 1 5,7; 49,1–5); Cribr. II 16 (I f. 139*[r]*):* deum omnia in ostensione gloriae suae creasse; *De ap. theor. (I f. 220*[r]*. 221*[r]*); Sermo XVI (CT I 1 30,18):* Deus creavit omnia propter se ipsum; *Epistula ad Nicolaum Albergati n. 3 (CT IV 3 26,16–21).* 6) *De causa finali cf. De beryllo 15 (XI 1 14,17 et nota); Dir. spec. 21 (XIII 1 51 nota).* ARISTOTELES *Phys. II (B 3 194 b 32; 195 a 23–25); Met. II (α 2 994 b 9); V (Δ 2 1013 a 32; b 25–27);* THOMAS *Sent. I d. 8 q. 1 a. 3:* finis ... est prima causa in ratione causalitatis; *d. 45 q. 1 a. 3; De ver. q. 21 a. 3 arg. 3 et ad 3; q. 28 a. 7; S.c.gent. III 17; S. theol. I q. 5 a. 2:* unde dicitur quod finis est causa causarum; *I II q. 1 a. 2; Comm. in Phys. II l. 5 n. 11 (II 71 b); Comm. in Met. V l. 2 (XXIV 518b);* ECHARDUS *In Ioh. n. 42 (LW III 35,10); Q. Par. III n. 19 (LW V 63,14). Deum esse omnium rerum causam efficientem, formalem, finalem dicit* NICOLAUS *De docta ign. I 21 (I 43,14); II 9 (95,24); De beryllo 16 (XI 1 16,1–3); De aequal. n. 24 (II 1 f. 18*[r]*):* (spiritus) praecedit ... creaturam, sicut voluntas extrinsecam elocutionem, ut causa ipsius elocutionis, quae est tricausalis: efficiens, formalis et finalis. *De poss. n. 16 (I f. 176*[r]*):* (deus est) causa efficiens, formalis seu exemplaris et finalis; *De ven. sap. 7. 8. 34. 39 (I f. 203*[v]*. 204*[r]*. 215*[v]*. 217*[v]*); De ludo globi I (I f. 158*[r]*):* Ita deus est tricausalis: efficiens, formalis et finalis omnis creaturae et ipsius materiae. THEODERICUS CARNOTENSIS *Tractatus n. 3 (185);* GUILELMUS DE CONCHIS *In Platonis Timaeum (142,2–6); In Boethii Consolationem (124,14–16);* IOHANNES SARESBERIENSIS *Policraticus VII 5 (108);* THOMAS *De ver. q. 21 a. 6 Sed contra arg. 3:* Deus habet ad creaturam habitudinem triplicis causae, scilicet efficientis, finalis et formalis exemplaris; *S. theol. I q. 44 a. 1. 3. 4.*

INDICES

I.

INDEX NOMINUM

II.

INDEX AUCTORUM

De Genesi ad litteram *(CSEL XXVIII 1, rec. I. Zycha)* VII 8 : 22,2-5 || XII 16 : 40,1
De musica *(PL 32)* VI 5 n. 8 : 40,1
De trinitate *(PL 42)* XI 2 n. 2 : 41,6-9 || n. 5 : 41,6-9 || 8 n. 15 : 41,6-9 || XV 10 sq. n. 17–20 : 20,6-14
Enarrationes in Psalmos *(PL 36–37)* 10 n. 11 : 24,7-12 || 11 n. 2 : 24,7-12
Sermones *(PL 38)* CCLXVI n. 2 : 6,7-13

AVICENNA
De anima *(Opera Latine, Venetiis 1508)* IV 1 : 16,12-14; 17,8; 18,14
Metaphysica *(Opera Latine, Venetiis 1508)* I 9 : 34,17 || VIII 5 : 45,7 || IX 7 : 22,10

[BEDA]
Comm. in Boethii De trinitate *(PL 95)* : 45,7

BIBLIA SACRA
Actus apostolorum 2,4-11 : 6,15
I ad Corinthios epistula 13,13 : 4,8-9
Genesis 2,19 : 6,13 || 2,20 : 6,13
evangelium secundum Iohannem 1,1-3 : 19,12 || 1,3 : 19,15 || 1,5 : 24,6 || 14,8 : 45,3-4
evangelium secundum Lucam 6,31 : 34,2
evangelium secundum Matthaeum 7,12 : 34,2
Psalmorum liber 4,7 : 33,12
Sapientiae liber 8,7 : 16,19
I ad Timotheum epistula 6,16 : 2,10; 24,1
Tobias 4,16 : 34,2

BOETHIUS
De institutione musica *(ed. G. Friedlein, Lipsiae 1867)* I 10 : 27,3-7
De trinitate *(ed. R. Peiper, Lipsiae 1871)* 2 : 46,4 || 3 : 46,4

BONAVENTURA
De reductione artium ad theologiam *(Opera omnia V, Ad Claras Aquas 1891)* 2 : 4,8
Itinerarium mentis in deum *(V)* 2 n. 2 : 22,2-5 || n. 3 : 17,4; 22,2-5 || n. 4 : 22,2-5 || n. 6 : 22,2-5

CASSIODORUS SENATOR
De artibus ac disciplinis liberalium artium *(PL 69–70)* : 4,8

CICERO
Orator *(rec. A. S. Wilkins in M. Tulli Ciceronis Rhetorica II, Oxonii 1903)* 12 : 21,8
Tusculanae disputationes *(rec. C. F. W. Müller, Lipsiae 1898)* V 66 : 21,8

CLARENBALDUS ATTREBATENSIS
Expositio super librum Boethii De trinitate *(ed. W. Jansen, Breslau 1926)* : 24,5; 24,7-12

IOHANNES SCOTTUS

De divisione naturae *(PL 122)* I 3 : 24,5 || II 23 : 22,2-5 || IV 5 : 24,5

ISIDORUS HISPALENSIS

Etymologiarum sive originum libri *(ed. W. M. Lindsay, Oxonii 1911)* I—III : 4,8 || I 4 n. 4 : 25,4 || n. 9 : 25,4

LIBER DE CAUSIS

(ed. O. Bardenhewer, Freiburg 1882) 8 : 35,6-8; 35,8 || 16 : 30,7

MACROBIUS

Comm. in Somnium Scipionis *(ed. J. Willis, Lipsiae 1963)* II 1, 8–13 : 27,3-7

MARTIANUS CAPELLA

De nuptiis Philologiae et Mercurii *(ed. A. Dick, Lipsiae 1925)* 231 : 25,5-7 || 258 : 25,4 || 264 : 25,4

NICOLAUS DE CUSA

Apologia doctae ignorantiae *(Opera omnia iussu et auctoritate Academiae Litterarum Heidelbergensis vol. II, ed. R. Klibansky, Lipsiae 1932)* : 1,13; 23,10; 24,2-5; 24,5; 28,8-14; 45,7; 46,5; 46,8-10

Cribratio Alchorani *(Opera vol. I, ed. Faber Stapulensis, Parisiis 1514)* II 3 : 32,5 || 16 : 47,4-7

De aequalitate *(p II 1)* : 44,2 ; || n. 3 : 18,17 || n. 24 : 47,6 || n. 33 : 20,6-14 || n.34 : 19, 22-25; 20,6-14; 33,6-7 || n. 35 : 31,7-9; 34,1-3; 38,5-8 || n. 36 : 34,2; 34,14-19; 38,5-8 || n. 36–37 : 34,11-14 || n. 37 : 34,14-19;34,17 || n. 38 : 30,4-6; 37,6; 38,5-8 || n. 40 : 34,14-19; 38,5-8 || n. 43 : 18,17

De apice theoriae *(p I)* : 1,8; 2,7; 2,9-12; 20,6-14; 23,10; 23,15; 24,2-5; 29,1; 29,2; 29,7-8; 29,10; 29,12; 29,14-15; 33,8-10; 34,8-11; 44,2; 44,3-5; 45,5; 45,5-7; 45,14; 47,4-7

De beryllo *(h XI 1, ed. L. Baur, Lipsiae 1940)* : 44,2 || 3 : 47,4-7 || 13 : 31,5-7 || 15 : 47,6 || 16 : 47,6 || 18 : 31,5-7; 35,2 || 20 : 35,8 || 23 : 1,8 || 36 : 21,1-11; 47,4-7

De concordantia catholica *(h XIV, ed. G. Kallen, Lipsiae 1939 sqq.)* I 4 : 42,2 || 6 : 42,2

De coniecturis *(p I, capitula numerantur secundum textum adhuc ineditum I. Koch = h III)* : 44,2 || I 6 n. 23–26 : 35,8 || 11 n. 55 : 1,13 || II 4 n. 91 : 25,3.5-7 || 5 n. 95 : 25,5-7 || n. 96 : 25,5-7 || n. 97 : 1,13 || 9 n. 118–119 : 1,8 || 12 n. 131 : 26,4 || 16 n. 157 : 41,6-9 || 16 n. 160 : 35,8 || 17 n. 173 sqq. : 38,5-8

De dato patris luminum *(h IV 1, ed. P. Wilpert, Hamburgi 1959)* 2 n. 98 : 10,11; 24,5 || n. 99 : 31,5-7 || n. 101 : 16,18 || n. 102 : 24,5 || 4 n. 109 : 24,2-5 || n. 111 : 21,1-11

De deo abscondito *(h IV 1, ed. P. Wilpert, Hamburgi 1959)* : 24,2-5 || n. 5 : 1,13 || n. 14 : 9,8

Idiota de mente *(h V, ed. L. Baur, Lipsiae 1937)* : 44,2 || 2 : 24,2–5 || 3 : 23,15; 32,5 || 4 : 17,9–14 || 5 : 17,9–14; 23,10; 23,15; 39,4; 42,5–7 || 6 : 27,3–7 || 7 : 23,15; 32,5; 45,7 || 8 : 20,6–14; 22,10 || 11 : 16,18 || 13 : 23,15 || 15 : 1,4

Idiota de sapientia *(h V, ed. L. Baur, Lipsiae 1937)* I : 4,10; 23,10; 23,15; 24,2–5 || II : 23,7

Idiota de staticis experimentis *(h V, ed. L. Baur, Lipsiae 1937)* : 27,3–7; 43,6

Sermones *(numeri sumuntur ex I. Koch, Untersuchungen über Datierung, Form, Sprache und Quellen. Kritisches Verzeichnis sämtlicher Predigten. CT I 7, Heidelberg 1942)*: XVI *(CT I 1, edd. E. Hoffmann, R. Klibansky)* : 15,9–11; 19,22–25; 20,6–14; 24,2–5; 24,5; 47,4–7

XVII *(CT I 6, edd. I. Koch, H. Teske)* n. 27 : 19,22–25

XVIII *(CT I 6, edd. I. Koch, H. Teske)* n. 7 : 46,5 || n. 11 : 15,9–11; 19,22–25 || n. 14 : 45,7 || n. 39 : 34,2

CCXIII *(CT I 2–5, ed. I. Koch)* n. 12 : 17,10–12 || n. 17 : 24,5 || n. 27 : 26,4

PLATO *(Opera ed. I. Burnet, Oxonii 1900 sqq.)*

Cratylus 424 C : 25,4

Philebus 18 BC : 25,4

Res publica IV 441 CD : 16,19 || 442 B-D : 16,19

Timaeus interprete Chalcidio *(ed. I. H. Waszink, Londinii et Leidae 1962)* 48 B : 25,5–7

PORPHYRIUS

Isagoge *(Commentaria in Aristotelem Graeca IV 1, ed. A. Busse, Berolini 1887 — Translatio Boethii, ed. sec. CSEL XXXXVIII)* : 16,19

PRISCIANUS

Institutiones grammaticae *(ed. M. Hertz in Grammatici Latini II—III)* I 2 n. 8–11 : 25,4

PROCLUS

Elementatio theologica *(ed. C. Vansteenkiste, Tijdschrift voor Philosophie 13 [1951])* 102–103 : 45,7

THEODERICUS CARNOTENSIS

Glossa super librum Boethii De trinitate (Anonymus Berolinensis, *ed. N. M. Haring, AHDLM 31 [1956] 266–325)* II n. 15 : 24,5 || n. 28 : 24,5 || n. 29 : 24,5 || n. 33 : 24,5

Librum hunc *(ed. N. M. Haring, AHDLM 35 [1960] 80–134)* II n. 17 sq. : 24,5 || n. 44 : 24,7–12

Tractatus (De sex dierum operibus, *ed. N. M. Haring, AHDLM 30 [1955] 184–200*) n. 3 : 47,6 || n. 24 : 19,42 || n. 31 : 24,5 || n.32 : 24,5 || n. 36 : 46,2

THOMAS DE AQUINO

Comm. in evangelium Iohannis *(Opera omnia vol. 19, ed. S. E. Fretté, Parisiis 1876)* 1 : 20,6–14

Comm. in evangelium Matthaei *(19, ed. S. E. Fretté, Parisiis 1876)* 5 : 11,15–18